Littérature : textes théoriques et critiques

Nadine TOURSEL
Jacques VASSEVIÈRE

4e édition, revue et augmentée

*150 textes d'écrivains et de critiques
classés et commentés*

© Armand Colin, 2015

Armand Colin est une marque de
Dunod Éditeur, 11 rue Paul Bert, 92240 Malakoff
www.dunod.com

ISBN : 978-2-20060133-1

Sommaire

PARTIE 7

Fonctions de la littérature

Avertissement
de la quatrième édition

Ce recueil de textes n'entend pas présenter un panorama complet des diverses approches et méthodes de la critique contemporaine : des ouvrages de ce genre existent déjà, quelques-uns sont signalés dans le complément bibliographique concernant la troisième partie. De façon plus modeste et sans doute plus originale, nous voudrions fournir aux étudiants des éléments d'analyse, des pistes de réflexion pour aborder la lecture des textes et l'argumentation sur des problèmes littéraires. Ce livre se veut une propédeutique, une incitation à lire les ouvrages savants dont il présente des extraits.

« La lecture présuppose la poétique : elle y trouve ses concepts, ses instruments » (Todorov, *Poétique de la prose*, p. 244). Il importe donc de maîtriser l'armature conceptuelle moyenne qui structure aujourd'hui les études littéraires et permet d'analyser les différents genres et types d'énoncés. Un tel savoir est par ailleurs indispensable à l'élaboration d'une problématique littéraire, même lorsqu'elle porte sur des questions d'esthétique générale ou de réception. C'est pourquoi, dans les œuvres d'écrivains et de critiques contemporains mais aussi dans les écrits théoriques d'auteurs français du XVIᵉ siècle à nos jours, nous avons sélectionné, classé, présenté et confronté des textes permettant un examen aussi complet que possible de ces notions : une fois caractérisée l'œuvre littéraire, nous abordons les problèmes de sa création, de sa réception et de ses structures, nous envisageons ensuite les questions spécifiques du roman, de la poésie et du théâtre, et nous concluons par l'étude des fonctions de la littérature. Ces **sept parties** sont divisées en **vingt-huit chapitres**, les uns et les autres étant pourvus d'une introduction qui présente les problèmes abordés.

Au cours de sa déjà longue carrière, cet ouvrage a été constamment enrichi. Cette quatrième édition présente deux nouveaux chapitres concernant « L'œuvre et les genres » (chapitre 4 : textes de Jean-Marie Schaeffer, Victor Hugo, Dominique Combe, Antoine Compagnon, Marielle Macé, Pierre Glaudes et Jean-François Louette) et « La lecture critique » (chapitre 10 : des textes de Baudelaire, Flaubert, Jean Starobinski, Jean Rousset et Gérard Genette viennent s'ajouter à ceux de Roland Barthes et d'Antoine Compagnon recueillis auparavant dans le chapitre « Qu'est-ce que lire ? », qui a été recomposé). Ce sont donc désormais **150 textes** qui sont ainsi proposés à la réflexion du lecteur.

Ce livre a été conçu pour permettre différents modes d'utilisation.

Tout d'abord, la lecture des introductions aux parties et aux chapitres fournit un panorama des grandes questions littéraires. Les citations qu'elles comportent donnent un premier aperçu des notions et des problèmes mis en jeu.

La lecture des textes dans l'ordre où ils sont donnés, de leurs introductions spécifiques (qui définissent les problèmes, présentent, confrontent et commentent les analyses, résolvent les difficultés de compréhension), des explications données en notes ou dans le **lexique** (où figurent les mots suivis d'un astérisque) livre le détail des réflexions des auteurs et des critiques. Chaque texte est ainsi mis à la portée du lecteur, suivi d'un **résumé** de deux ou trois lignes, de la liste des **notions clés** qu'il met en œuvre et éventuellement d'une citation prolongeant la réflexion et pouvant servir de piste de lecture.

Le lecteur simplement à la recherche d'idées sur un sujet donné peut consulter l'**index des notions clés** qui le renvoie à des textes figurant dans les différentes parties du livre. La lecture des résumés et des introductions lui permet d'affiner son choix avant de lire le(s) texte(s) correspondant le mieux à sa recherche. L'**index des auteurs** cités facilite les confrontations.

NOTA BENE

▶ Sauf indication particulière, les citations données dans les introductions sont extraites de l'œuvre présentée.

▶ Les notes des auteurs sont données entre guillemets et suivies de l'abréviation [*N.d.A*]. Les notes purement scientifiques n'ont généralement pas été conservées.

Nous exprimons notre gratitude à Henri Mitterand, sans qui ce livre, à l'origine, n'aurait pas existé, ainsi qu'à Violaine Houdart-Merot, Romain Lancrey-Javal et Maryse Vassevière pour l'aide précieuse qu'ils nous ont apportée lors de ces rééditions.

PARTIE 1 _____

Qu'est-ce qu'une œuvre littéraire ?

Toute réflexion sur la littérature doit d'abord s'interroger sur son objet, ce qui conduit immédiatement à poser deux questions: qu'est-ce qu'un texte littéraire? et, plus particulièrement, qu'est-ce qu'un chef-d'œuvre? Pour y répondre, le sens commun mais aussi nombre d'écrivains invoquent deux types de déterminations et font référence d'une part à la personne de l'auteur, d'autre part au monde qui l'entoure. Nous n'aborderons ici que la deuxième relation, la première étant examinée dans la deuxième partie.

La spécificité du texte littéraire (chapitre 1) peut être cherchée du côté de sa valeur artistique. On ne doit pas l'apprécier en termes de vérité ou de morale, comme un énoncé ordinaire, mais au nom de critères esthétiques puisque «la condition génératrice des œuvres d'art», selon Baudelaire, c'est «l'amour exclusif du Beau[1]». Une réponse aussi générale a le mérite d'affirmer l'autonomie du champ littéraire, elle ne prend pas en compte la *littérarité* * de l'œuvre. Aussi les linguistes et les critiques du XXᵉ siècle ont-ils défini l'œuvre littéraire par ce qui lui est réellement spécifique, le travail sur le langage d'abord, la relation avec le lecteur ensuite.

C'est aussi du côté de la réception que l'on a cherché **les critères de qualité** (chapitre 2). La grande œuvre se distingue par ses innovations formelles qui contraignent le lecteur

➡

---

1. BAUDELAIRE, *Théophile Gautier*, Pléiade II, p. 111.

contemporain à remettre en cause les conventions esthétiques auxquelles son époque l'avait habitué; c'est parce que l'œuvre de qualité n'est pas étroitement adressée à un public prédéfini qu'elle supporte une multiplicité de lectures de la part des générations suivantes.

Dans cette perspective, la question des **rapports entre l'œuvre et le réel (chapitre 3)** pourrait paraître secondaire: l'œuvre littéraire n'est-elle pas d'abord construction verbale, l'art n'est-il pas toujours technique et expression de la personnalité de l'artiste? À la conception naïve de l'œuvre comme reproduction du réel[1], les analyses modernes opposent celle d'une saisie indirecte du réel à travers la médiation du langage. En outre, elles considèrent que le texte littéraire renvoie aussi et surtout aux autres textes.

Ces rapports peuvent être examinés en référence à une typologie générique à la fois complexe et incertaine, plus empirique que rigoureuse: définis selon des critères divers et hétérogènes qu'analyse la critique, **les genres littéraires** et leurs conventions sont récusés ou modifiés par les grandes œuvres (**chapitre 4**).

L'œuvre, enfin, n'est plus conçue comme un texte clos: elle est l'aboutissement d'un processus de création complexe que permettent d'éclairer des témoignages d'écrivains et la connaissance des divers documents préparatoires et des œuvres qui lui sont liées. Les **approches génétique et intertextuelle** rendent compte de sa genèse et contribuent à son interprétation (**chapitre 5**).

---

1. Le *réalisme* lui-même ne s'est jamais défini ainsi (voir le chapitre 11).

CHAPITRE 1

Spécificité du texte littéraire

1 ROMAN JAKOBSON	**4** WOLFGANG ISER
2 ROLAND BARTHES	**5** MICHAEL RIFFATERRE
3 YVES CITTON	

Comment définir le texte littéraire ? Cette question, redoutable dans sa banalité, appelle des réponses différentes selon que le texte est considéré comme une œuvre d'art, une communication linguistique ou une structure qui ne prend sens que dans la réception.

Dans la lignée des grands écrivains du XIXᵉ siècle, romanciers et poètes, également voués au culte de l'*idéal* et du *beau*, on a longtemps invoqué les qualités formelles, condition de la survie de l'œuvre littéraire : appartenant au domaine esthétique, produit d'un « travail artistique », celle-ci est définie par Lanson comme une « forme parfaite[1] ».

Le développement des sciences du langage a permis de dépasser cette définition quelque peu générale en prenant en compte la nature particulière de la communication littéraire : « l'accent mis sur le message pour son propre compte est ce qui caractérise la fonction poétique du langage » (**1. Jakobson**). Dans cette perspective, la spécificité linguistique de la littérature par rapport aux autres arts est de constituer un système signifiant second, « elle est faite avec du langage, c'est-à-dire avec une matière qui est *déjà* signifiante au moment où la littérature s'en empare » (**2. Barthes**). Le texte littéraire autorise ainsi une approche particulière, *connotative*, qui prend en compte la polysémie des signes linguistiques et ouvre à des interprétations *actualisantes* (**3. Citton**).

Mettant l'accent sur « l'interaction fondamentale pour toute œuvre littéraire entre sa structure et son destinataire », la théorie de la réception* présente une nouvelle conception de l'œuvre, qui ne se réduit pas à un texte : le rôle du lecteur est déterminant, « l'œuvre est ainsi la constitution du

---

1. Gustave LANSON, *Hommes et livres* (1895), Slatkine Reprints, 1979, p. 346.

texte dans la conscience du lecteur » (**4. Iser**). Celui-ci, confronté à l'*unicité* caractéristique de toute œuvre, est contraint de « faire l'expérience d'un dépaysement » : le texte est conçu comme « un code limitatif et prescriptif » du fait de la spécificité de la communication littéraire qui, contrairement à la communication ordinaire, ne comporte que deux éléments concrets, « le message et le lecteur » (**5. Riffaterre**).

1. ROMAN JAKOBSON
« Linguistique et poétique » (1963)

Traduits en français en 1963, les *Essais de linguistique générale* de Roman Jakobson ont fait connaître les recherches des « formalistes russes » qui ont appliqué à la littérature les méthodes d'analyse structurale empruntées à la linguistique*.

Reprenant les travaux du linguiste genevois Saussure qui analyse la langue comme un système de signes dont chacun se définit négativement par opposition aux autres, Jakobson distingue « deux modes fondamentaux d'arrangement dans le comportement verbal : la *sélection* et la *combinaison* ». Ils constituent respectivement l'axe *paradigmatique** et l'axe *syntagmatique**, que présente le dernier paragraphe de notre extrait. La **linguistique structurale***, sur ce modèle et en réaction contre les approches historiques, esthétiques ou impressionnistes de la littérature, étudie l'œuvre comme une structure verbale relativement autonome dans laquelle les différents éléments prennent sens.

Cette analyse formelle du texte prend pour objet la **littérarité**, « c'est-à-dire ce qui fait d'une œuvre donnée une œuvre littéraire ». L'article cité entend « esquisser une vue d'ensemble des relations entre la poétique et la linguistique ». Jakobson y rappelle d'abord les six « facteurs constitutifs de tout procès linguistique », auxquels correspondent six fonctions du langage : le DESTINATEUR (fonction expressive) envoie au DESTINATAIRE (fonction conative) un MESSAGE (fonction poétique) qui fait référence à un CONTEXTE (fonction référentielle) commun aux deux interlocuteurs ; un CODE (fonction métalinguistique) et un CONTACT (fonction phatique) sont aussi indispensables à la communication[1]. La fonction poétique du langage peut alors être définie d'une façon purement linguistique, indépendamment de tout jugement de valeur subjectif.

---

1. Le schéma de Jakobson a été critiqué par Catherine Kerbrat-Orecchioni qui propose une autre analyse de la communication linguistique (voir *L'Énonciation. De la subjectivité dans le langage*, Paris, Armand Colin, 1980, p. 11-28).

La fonction poétique du langage

« L'accent mis sur le message pour son propre compte, est ce qui caractérise la fonction poétique du langage[1]. » Celle-ci déborde donc du strict domaine de la poésie, comme le montre l'analyse des trois énoncés choisis par Jakobson. Quand la fonction poétique domine, le principe de la sélection intervient non seulement dans le choix de chaque mot mais dans leur succession dans la séquence verbale, qui se trouve donc soumise à un réglage plus contraignant. Ainsi, dans l'énoncé l'affreux Alfred, la place du mot affreux avant le nom propre Alfred est justifiée à la fois au plan syntagmatique (affreux est bien en position d'adjectif épithète, il est compatible sémantiquement avec un nom de personne) et au plan paradigmatique (affreux et Alfred commencent par deux séries de phonèmes voisins : [afr] et [alfr], ce qui établit entre eux une relation d'équivalence : Alfred = affreux).

La visée *(Einstellung)* du message en tant que tel, l'accent mis sur le message pour son propre compte, est ce qui caractérise la fonction poétique du langage. Cette fonction ne peut être étudiée avec profit si on perd de vue les problèmes généraux du langage, et, d'un autre côté, une analyse minutieuse du langage exige que l'on prenne sérieusement en considération la fonction poétique. Toute tentative de réduire la sphère de la fonction poétique à la poésie, ou de confiner la poésie à la fonction poétique, n'aboutirait qu'à une simplification excessive et trompeuse. La fonction poétique n'est pas la seule fonction de l'art du langage, elle en est seulement la fonction dominante, déterminante, cependant que dans les autres activités verbales elle ne joue qu'un rôle subsidiaire, accessoire. Cette fonction, qui met en évidence le côté palpable des signes, approfondit par là même la dichotomie fondamentale des signes et des objets. Aussi, traitant de la fonction poétique, la linguistique ne peut se limiter au domaine de la poésie.

«Pourquoi dites-vous toujours *Jeanne et Marguerite*, et jamais *Marguerite et Jeanne!* Préférez-vous Jeanne à sa sœur jumelle?»

1. Cette théorie est considérée comme « réductrice » par Michel Collot (voir le texte 94). Le poète Yves Bonnefoy la récuse aussi et associe «poésie et vérité» (voir le texte 90).

«Pas du tout, mais ça sonne mieux ainsi.» Dans une suite de deux mots coordonnés, et dans la mesure où aucun problème de hiérarchie n'interfère, le locuteur voit, dans la préséance donnée au nom le plus court, et sans qu'il se l'explique, la meilleure configuration possible du message.

Une jeune fille parlait toujours de «l'affreux Alfred». «Pourquoi affreux?» «Parce que je le déteste.» «Mais pourquoi pas *terrible, horrible, insupportable, dégoûtant?*» «Je ne sais pas pourquoi, mais *affreux* lui va mieux.» Sans s'en douter, elle appliquait le procédé poétique de la paronomase*.

Analysons brièvement le slogan politique *I like Ike*: il consiste en trois monosyllabes et compte trois diphtongues /ay/, dont chacune est suivie symétriquement par un phonème consonantique, /..l..k..k/. L'arrangement des trois mots présente une variation: aucun phonème consonantique dans le premier mot, deux autour de la diphtongue dans le second, et une consonne finale dans le troisième. […]

Les deux colons[1] de la formule *I like / Ike* riment entre eux, et le second des deux mots à la rime est complètement inclus dans le premier (rime en écho), /layk/ – /ayk/, image paronomastique d'un sentiment qui enveloppe totalement son objet. Les deux colons forment une allitération vocalique, et le premier des deux mots en allitération est inclus dans le second: /ay/ – /ayk/, image paronomastique du sujet aimant enveloppé par l'objet aimé. Le rôle secondaire de la fonction poétique renforce le poids et l'efficacité de cette formule électorale.

Selon quel critère linguistique reconnaît-on empiriquement la fonction poétique? En particulier, quel est l'élément dont la présence est indispensable dans toute œuvre poétique? Pour répondre à cette question, il nous faut rappeler les deux modes fondamentaux d'arrangement utilisés dans le comportement verbal: la *sélection* et la *combinaison*[2]. Soit «enfant» le

---

1. *côlon* ou *kôlon*: membre de phrase.

2. Jakobson renvoie ici à un autre chapitre des *Essais de linguistique générale*. On peut y lire notamment: «Le destinataire perçoit que l'énoncé donné (message) est une combinaison de parties constituantes (phrases, mots, phonèmes, etc.) sélectionnées dans le répertoire de toutes les parties constituantes possibles (code). Les constituants d'un contexte ont un statut de contiguïté, tandis que dans un groupe de substitution les signes sont liés entre eux par différents degrés de similarité, qui oscillent de l'équivalence des synonymes au noyau commun des antonymes» (p. 48).

thème d'un message : le locuteur* fait un choix parmi une série de noms existants plus ou moins semblables, tels que enfant, gosse, mioche, gamin, tous plus ou moins équivalents d'un certain point de vue ; ensuite, pour commenter ce thème, il fait choix d'un des verbes sémantiquement apparentés – dort, sommeille, repose, somnole. Les deux mots choisis se combinent dans la chaîne parlée. La sélection est produite sur la base de l'équivalence, de la similarité et de la dissimilarité, de la synonymie et de l'antonymie, tandis que la combinaison, la construction de la séquence, repose sur la contiguïté. *La fonction poétique projette le principe d'équivalence de l'axe de la sélection sur l'axe de la combinaison.* L'équivalence est promue au rang de procédé constitutif de la séquence.

Roman JAKOBSON, « Linguistique et poétique », 1960,
dans *Essais de linguistique générale*, © Éd. de Minuit, 1963 ;
coll. « Points », p. 218-219 et 220.

NOTIONS CLÉS

Communication linguistique – Fonction poétique – Forme – Littérarité.

▶ L'art du langage a recours à la fonction poétique qui prend en compte les caractéristiques formelles des signes linguistiques : la syntaxe, la sémantique mais aussi la forme des mots président à leur arrangement.

▶ Paul VALÉRY, *Variété* : « LITTÉRATURE. Ce qui est la "forme" pour quiconque est le "fond" pour moi. »

2. ROLAND BARTHES
Essais critiques (1964)

Roland Barthes a été, dans les années 1960-1970, le champion de la *nouvelle critique*, du *structuralisme*, contre la critique universitaire de l'époque (*Sur Racine*, 1963 ; *Critique et vérité*, 1966). Son œuvre, inspirée par le marxisme, la linguistique, l'anthropologie, la psychanalyse, est celle d'un sémioticien (la sémiotique – ou sémiologie – se définissant comme la science des signes) qui analyse la langue (*Le Degré zéro de l'écriture*, 1953), les usages sociaux (*Mythologies*, 1957 ; *Le Système de la mode*, 1967 ; *L'Empire des signes*, 1970), le récit (« Introduction à l'analyse structurale des récits », 1966 ; *S/Z*, 1970, consacré à une nouvelle de Balzac), la photographie (*La Chambre claire*,

1980). Pour Barthes, **tout est langage, le texte et le lecteur**; aussi plus qu'une critique définit-il une science du discours qui tente d'analyser dans l'œuvre littéraire, foncièrement polysémique, des structures, des figures, le lecteur devenant « un producteur du texte » : dans « l'activité structuraliste […] on recompose l'objet *pour* faire apparaître des fonctions, et c'est, si l'on peut dire, le chemin qui fait l'œuvre ».

Réflexion sur le théâtre et la littérature, analyses d'auteurs aussi différents que Voltaire ou Robbe-Grillet, les *Essais critiques* reflètent le cheminement de la pensée barthésienne pendant une dizaine d'années, de 1954 à 1964, tout au long d'une série d'articles et d'entretiens que Barthes dans sa préface de 1971 définit comme les « éclats d'un travail progressif ». Il situe ses analyses dans la période de « montée de la sémiologie* » en précisant néanmoins que ces textes sont « polysémiques » et ne doivent donc pas être réduits à l'illustration d'une méthode critique historiquement datée.

La littérature, « objet parasite du langage »

La nature langagière de la littérature apparaît pleinement dans cet extrait : elle communique en utilisant un matériau, le langage, qui a déjà pour fonction de communiquer. Définie comme un système second et parasite du langage, elle ne peut renvoyer qu'au langage et non au réel.

Barthes montre ainsi la spécificité de la littérature par rapport aux autres arts : le signe linguistique étant « digital » et non « analogique » (l'association du signifiant* et du signifié* y est arbitraire, conventionnelle), **la littérature n'imite pas le réel**, contrairement à la peinture figurative. Mais, inversement, alors qu'un tableau apparaît au premier abord comme art et artifice (c'est de la peinture sur une toile) la littérature ne se distingue pas toujours de l'usage courant du langage : « si vous isolez une phrase d'un dialogue romanesque, rien ne peut a priori la distinguer d'une portion du langage ordinaire ». C'est bien pourquoi certains écrivains ont dénié au roman toute valeur artistique (voir à ce sujet les réflexions de Valéry, Breton et Gracq, texte 71).*

Il y a un statut particulier de la littérature qui tient à ceci, qu'elle est faite avec du langage, c'est-à-dire avec une matière qui est *déjà* signifiante au moment où la littérature s'en empare : il faut que la littérature *se glisse* dans un système qui ne lui appartient pas mais qui fonctionne malgré tout aux mêmes fins qu'elle, à savoir : communiquer. Il s'ensuit que les démêlés du langage et de la littérature forment en quelque sorte l'être même de la littérature : structuralement, la littérature n'est qu'un objet parasite du langage ; lorsque vous lisez un roman, vous ne consommez pas *d'abord* le signifié* «roman» ; l'idée de litté-rature (ou d'autres thèmes qui en dépendent) n'est pas le mes-sage que vous recevez ; c'est un signifié que vous accueillez *en plus*, marginalement ; vous le sentez vaguement flotter dans une zone paroptique[1] ; ce que vous consommez, ce sont les unités, les rapports, bref les mots et la syntaxe du premier système (qui est la langue française) ; et cependant l'être de ce discours que vous lisez (son «réel»), c'est bien la littérature, et ce n'est pas l'anecdote qu'il vous transmet ; en somme, ici, c'est le système parasite qui est principal, car il détient la dernière intelligibilité de l'ensemble : autrement dit, c'est lui qui est le «réel». Cette sorte d'inversion retorse des fonctions explique les ambiguïtés bien connues du discours littéraire : c'est un discours auquel on croit sans y croire, car l'acte de lecture est fondé sur un tourni-quet incessant entre les deux systèmes : voyez mes mots, je suis langage, voyez mon sens, je suis littérature.

Les autres «arts» ne connaissent pas cette ambiguïté consti-tutive. Certes, un tableau figuratif transmet (par son «style», ses références culturelles) bien d'autres messages que la «scène» elle-même qu'il représente, à commencer par l'idée même de tableau ; mais sa «substance» (pour parler comme les linguistes) est constituée par des lignes, des couleurs, des rapports qui ne sont pas signifiants en soi (à l'inverse de la substance linguistique qui ne sert jamais qu'à signifier) ; si vous isolez une phrase d'un dialogue romanesque, *rien* ne peut *a priori* la distinguer d'une portion du langage ordinaire, c'est-à-dire du réel qui lui sert en principe de modèle ; mais vous aurez beau choisir dans le plus réaliste des tableaux, le plus vériste des détails, vous n'obtien-drez jamais qu'une surface plane et enduite, et non la matière

---

1. En dehors de la vue ou, ici, de la conscience claire.

de l'objet représenté : une distance *substantielle* demeure entre le modèle et sa copie. Il s'ensuit un curieux chassé-croisé ; dans la peinture (figurative), il y a analogie entre les éléments du signe* (signifiant et signifié) et disparité entre la substance de l'objet et celle de sa copie ; dans la littérature, au contraire, il y a coïncidence des deux substances (c'est toujours du langage), mais dissemblance entre le réel et sa version littéraire, puisque la liaison se fait ici, non à travers des formes analogiques, mais à travers un code digital (binaire au niveau des phonèmes), celui du langage. On est ainsi ramené au statut fatalement irréaliste de la littérature, qui ne peut «évoquer» le réel qu'à travers un relais, le langage, ce relais étant lui-même avec le réel dans un rapport institutionnel, et non pas naturel. L'art (pictural), quels que soient les détours et les droits de la culture, peut toujours rêver à la nature (et il le fait, même dans ses formes dites abstraites) ; la littérature, elle, n'a pour rêve et pour nature immédiate que le langage.

Roland BARTHES, *Essais critiques*, © Éd. du Seuil, 1964, p. 262-264.

NOTIONS CLÉS

Langage – Réalité et littérature – Roman – Signe linguistique.

▶ La littérature fait entièrement corps avec son matériau, le langage.

▶ De ce fait, elle ne renvoie pas directement au réel.

3. YVES CITTON
Lire, interpréter, actualiser (2007)

Yves Citton cherche dans ce livre à « convaincre les non-littéraires de l'intérêt social dont sont porteuses les études de Lettres ». Il est ainsi amené à « théoriser les méthodes et les enjeux propres au travail interprétatif de type actualisant » (p. 25), c'est-à-dire qui conduisent à réfléchir sur les problèmes d'aujourd'hui. L'analyse de l'interprétation exige de définir d'abord **« en quoi consiste la *littérarité**** au sein de nos expériences textuelles ».

Les «virtualités connotatives» d'un texte

*Yves Citton s'appuie ici sur la notion de «connotation» définie par le sémiologue Luis J. Prieto comme le «fait qu'un même signe peut être utilisé pour se référer à des réalités très différentes entre elles» et susciter, dans la lecture littéraire, «des rapprochements et des contaminations entre ces réalités elles-mêmes[1]». Ainsi «l'approche connotative [du texte littéraire] consiste à aborder la communication non pas en fonction de l'information que veut transmettre l'émetteur dans telle situation de parole singulière (le sens), mais en fonction de **tout ce qui peut être dit d'autre** («con-noté») en utilisant ce signe (ce qui constitue son signifié)» (p. 123); elle s'intéresse au signe employé, à l'ensemble de ses signifiés possibles et à ses diverses propriétés.*

Cette conception de la «littérarité» est illustrée par l'analyse et l'interprétation d'une nouvelle de Maupassant, «La Chevelure», qui raconte comment un homme se prend d'une passion fétichiste pour une chevelure féminine trouvée dans un meuble du XVIIe siècle, au point de devenir fou. Yves Citton observe dans ce texte deux phénomènes importants de «connotation»: d'une part, le mot «possession» peut y signifier à la fois une «propriété légale» (le personnage a acquis la chevelure avec le meuble), une «aliénation mentale» et une «conjonction sexuelle»; d'autre part, un phénomène d'homophonie rapproche le «ver» qui semble ronger la pensée de ce personnage obsédé par «la belle Morte» et les «vers» de la «Ballade des dames du temps jadis» qui s'imposent à lui.

*Yves Citton donne une **interprétation «actualisante»** de cette nouvelle dans laquelle il voit «une représentation suggestive à la fois des aliénations multiples dont participent certaines compulsions consuméristes et d'une réappropriation de soi par l'entremise d'histoires». Il se demande ensuite si cette «sensibilisation à la connotation», support de cette interprétation, doit être attribuée à Maupassant (qui, dès les années 1880, aurait perçu, comme Zola, «les enjeux d'un ethos consumériste») ou au lecteur capable d'«accommoder l'attention sur les virtualités connotatives présentées par un texte».*

---

1. La notion de «connotation» n'est donc pas prise ici dans son acception linguistique habituelle (signification fluctuante, subjective et seconde – par opposition à la dénotation – qu'un mot peut prendre dans une situation de communication donnée).

Que dit donc la nouvelle de Maupassant? D'abord, ce fait trop massif pour être évoqué, mais qui mérite cependant d'être explicité ici, dans la droite ligne de la citation de Diderot sur la «disette de signes[1]»: Maupassant écrivait en français et je comprends une variété du français très proche de la sienne. Malgré tout ce qui a pu se passer en plus d'un siècle d'histoire, un certain partage du sensible structuré en un ensemble de normes linguistiques et de conventions lexicales s'est perpétué depuis lui jusqu'à moi. Au sein de ces conventions, la disette des signes fait que le mot *possession* a (conservé) une variété d'acceptions distinctes mais superposées, avec lesquelles je peux jouer comme l'auteur de la nouvelle. Que dit donc ce récit, au-delà de cette persistance de la langue (et de la grande masse des connaissances dont elle est le reflet et le médium)? Rien de fixe (au sens d'historiquement invariant), puisqu'elle ne fait que proposer une histoire sans référent «réel», qui ne vaut que par les liens que les mots employés permettent de tisser entre différents domaines d'expérience (habituellement séparés dans nos pratiques fonctionnalisées). Que *me* dit-elle, à moi aujourd'hui? Rien d'informatif, d'injonctif, non plus, même si elle me propose un moyen de concevoir les liens qui unissent, dans *mon* expérience de mon monde actuel, l'acquisition d'objets de consommation avec un sentiment de dépossession de soi: les trois couches de (dé)possession superposées par le récit m'aident à percevoir et peut-être à comprendre la passion à la fois érotique et morbide qui hante nombre des comportements consuméristes que j'observe en moi et en mes contemporains. Je vois dans l'image conclusive du propriétaire de la chevelure aliéné dans son étreinte finale avec un objet de désir insaisissable (mais qu'il a pourtant cru pouvoir s'approprier par l'achat[2]), une représentation suggestive à la fois des aliénations

---

1. Denis DIDEROT, *Réfutation d'Helvétius* (1775), dans *Œuvres I. Philosophie*, Éd. Versini, Paris, Robert Laffont, 1994, p. 816): «À proprement parler, les sensations d'un homme sont incommunicables à un autre, parce qu'elles sont diverses. Si les signes sont communs, c'est par disette. Je suppose que Dieu donnât à chaque individu une langue en tout point analogue à ses sensations; on ne s'entendrait plus. De l'idiome de Pierre à l'idiome de Jean, il n'y aurait pas un seul synonyme.» (Cette citation et sa référence sont données par Y. Citton p. 114.)

2. On pourrait objecter ici à Yves Citton que le héros de la nouvelle n'a pas à proprement parler *acheté* la chevelure puisqu'il l'a découverte dans la cachette d'un meuble italien du XVIIᵉ siècle acquis chez un antiquaire. Il est vrai qu'en général ce personnage a pour les bibelots anciens une passion fétichiste.

multiples dont participent certaines compulsions consuméristes et d'une réappropriation de soi par l'entremise d'histoires qu'on apprendrait à se raconter (sur des Mortes ou des neiges d'antan) pour redonner sens (et plaisir) aux objets inanimés que nous croyons voir briller tout autour de nous.

Une telle réflexion constitue-t-elle une propriété inhérente au texte, inscrite en son cœur par la sensibilité propre à son auteur? Après tout, Maupassant écrit au moment où la société française commence à prendre la mesure des enjeux d'un *ethos* consumériste appelé à se répandre vers des couches de plus en plus larges de la population, comme en témoignent *Au bonheur des dames* de Zola ou les analyses sociologiques que Gabriel Tarde regroupera sous le titre de *Psychologie économique*[1]. Il ne serait nullement absurde d'imaginer que Guy de Maupassant ait pu partager cette sensibilité avec ses contemporains, et qu'il l'ait traduite à sa façon, plus ou moins consciemment, dans «La Chevelure». La sollicitation des propriétés connotatives des mots employés pour raconter une histoire ferait alors partie d'un projet artistique. [...]

On peut toutefois préférer situer la sensibilisation à la connotation au cœur d'une pratique de *lecture* et d'*interprétation,* plutôt que de *production,* des objets textuels. Conformément à ce qui a été mis en place dans les chapitres I à III, je préférerai donc situer la «littérarité» dans *une certaine façon d'accommoder l'attention sur les virtualités connotatives* présentées par un texte, que celui-ci ait été intentionnellement ou non produit comme un texte «littéraire». En effet, comme la figuralité discursive, dont ils ne sont qu'une sous-partie, a) les phénomènes de connotation peuvent aussi bien être sollicités dans la lecture d'un texte philosophique ou d'un discours politique que dans celle d'un poème ou d'un roman; par ailleurs, b) les phénomènes de connotation relèvent souvent d'effets incontrôlés, ou dont il est sans pertinence réelle de se demander s'ils sont «voulus» ou non par l'auteur (Maupassant a-t-il joué volontairement de l'écho entre le ver dans la tête du fou et les vers de Villon? Je ne le sais pas et peu m'importe); enfin, c) l'entre-deux (chronologique, idiolectal, ou sociolectal) qui sépare les consciences linguistiques de l'auteur et du lecteur peut amener une recomposition des liens tissés par les phénomènes connotatifs: il est

1. Gabriel TARDE, *Psychologie économique,* Paris, Éd. F. Alcan, 1902 *[N.d.A.]*.

évident que les signifiés de mots comme «possession», «possédé» ou «jouissance» ne se recoupent *pas exactement* dans la conscience linguistique de Maupassant et dans la mienne, qui est imprégnée des traitements que des auteurs comme Bataille, Baudrillard ou Lacan ont imposés à ces vocables.

> Yves CITTON, *Lire, interpréter, actualiser. Pourquoi les études littéraires ?*, © Éd. Amsterdam, 2007, p. 127-129.

NOTIONS CLÉS

Connotation – Interprétation – Lecture – Littérarité – Polysémie.

▶ La lecture littéraire s'intéresse au sens «connotatif» des mots du texte : elle fait jouer leurs effets polysémiques et opère ainsi des rapprochements inattendus.

▶ Cette sensibilité à la «connotation» permet au lecteur d'aujourd'hui d'interpréter «La Chevelure» de Maupassant comme une évocation (une dénonciation ?) de l'attitude consumériste que développe notre société marchande.

▶ Une telle «lecture actualisante» contribue à légitimer les études littéraires.

▶ Yves CITTON : «La littérarité émane d'une certaine façon d'accommoder l'attention sur les virtualités connotatives présentées par un texte, et d'exploiter les diffractions polysémiques que nous suggère soit a) l'état de langue dont disposait l'auteur au moment de rédiger son texte, soit b) l'état de langue dont dispose le lecteur au moment de l'interpréter.»

4. WOLFGANG ISER
L'Acte de lecture (1976)

Pour Wolfgang Iser et les critiques de **l'école de Constance**, à laquelle appartient également Hans Robert Jauss (voir le texte 7), l'analyse littéraire a restreint, jusqu'alors, son champ d'application à l'œuvre et à l'auteur, négligeant ainsi la part fondamentale du lecteur, destinataire du message littéraire et sans la participation duquel l'œuvre n'aurait pas de sens. Le lecteur, actualisateur de l'œuvre, voit donc son rôle pris en compte au travers d'une description analytique et précise de «l'acte de lecture» et de «la réception*».

L'ouvrage de Wolfgang Iser se veut une «phénoménologie* de la lecture». Il montre que le rôle du lecteur est essentiel dans la production de «l'effet esthétique» : l'œuvre n'est pas le texte seul, elle se constitue par un processus dynamique, un rapport d'**interaction entre lecteur et texte**. Cette interaction est rendue nécessaire par la nature même du texte littéraire : d'une part, il se caractérise par ses manques, son incomplétude qui appellent les représentations différentes des lecteurs ; d'autre part, il comporte des « ensembles complexes de directives » qui s'imposent aux lecteurs et contrôlent leur action. Par ses structures, chaque œuvre définit ainsi son « lecteur implicite[1] » et « offre un certain rôle à ses lecteurs possibles », que ceux-ci interprètent à leur manière. Cela explique à la fois la survie de l'œuvre et la pluralité de ses réceptions.

L'interaction entre lecteur et texte

*Ainsi, l'œuvre littéraire peut-elle être définie par sa bipolarité, qui met en relation le texte (« le pôle artistique ») et le lecteur (« le pôle esthétique ») selon une dynamique qui n'est pas entièrement régie par le texte : « cet hiatus fonde **la créativité de la réception** ». La citation de Sterne (romancier anglais dont Diderot s'est inspiré dans* Jacques le Fataliste) *montre que certains écrivains avaient bien conscience que cette collaboration du lecteur à l'élaboration de l'œuvre fonde **le plaisir de la lecture**.*

C'est au cours de la lecture que se produit l'interaction, fondamentale pour toute œuvre littéraire, entre sa structure et son destinataire. C'est pourquoi la phénoménologie de l'art a attiré l'attention sur le fait que l'étude de l'œuvre littéraire doit viser la compréhension du texte au-delà de sa forme. [...] On peut dire que l'œuvre littéraire a deux pôles : le pôle artistique et le pôle esthétique. Le pôle artistique se réfère au texte produit par l'auteur tandis que le pôle esthétique se rapporte à la concrétisation réalisée par le lecteur. Cette polarité explique que l'œuvre littéraire ne se réduise ni au texte ni à sa concrétisation qui, à son tour, dépend des conditions dans lesquelles le lecteur l'actualise, quand bien même elles seraient partie intégrante du texte. Le lieu de l'œuvre littéraire est donc celui où se rencontrent le texte et le lecteur. Il a nécessairement un caractère virtuel, étant donné qu'il ne peut être réduit ni à la réalité du texte ni aux dispositions subjectives du lecteur.

De cette virtualité de l'œuvre jaillit sa dynamique qui constitue la condition de l'effet produit par elle. De ce fait, le texte n'existe que par l'acte de constitution d'une conscience

---

1. Umberto Eco parle de « Lecteur Modèle » (voir le texte 44).

qui la reçoit, et ce n'est qu'au cours de la lecture que l'œuvre acquiert son caractère particulier de processus. Désormais on ne devrait plus parler d'œuvre que lorsqu'il y a, de manière interne au texte, processus de constitution de la part du lecteur. L'œuvre est ainsi la constitution du texte dans la conscience du lecteur. […]

Mais la lecture est interaction dynamique entre le texte et le lecteur. Car les signes linguistiques du texte et ses combinaisons ne peuvent assumer leur fonction que s'ils déclenchent des actes qui mènent à la transposition du texte dans la conscience de son lecteur. Ceci veut dire que des actes provoqués par le texte échappent à un contrôle interne du texte. Cet hiatus fonde la créativité de la réception.

Cette conception est attestée par des productions littéraires relativement anciennes. Laurence Sterne déclarait déjà dans *Tristram Shandy* (II, 11) : « […] aucun auteur, averti des limites que la décadence et le bon goût lui imposent, ne s'avisera de tout penser. La plus sincère et la plus respectueuse reconnaissance de l'intelligence d'autrui commande ici de couper la poire en deux et de laisser le lecteur imaginer quelque chose après vous ». L'auteur et le lecteur prennent donc une part égale au jeu de l'imagination, lequel de toute façon n'aurait pas lieu si le texte prétendait être plus qu'une règle de jeu. La lecture ne devient un plaisir que si la créativité entre en jeu, que si le texte nous offre une chance de mettre nos aptitudes à l'épreuve. Il est certain qu'il y a des limites à cette productivité, et celles-ci sont transgressées si tout nous est dit trop clairement ou pas assez précisément. L'ennui et la fatigue désignent les points limites psychologiques qui nous mettent hors-jeu.

Wolfgang Iser, *L'Acte de lecture* (1976),
trad. fr. © Éd. Mardaga, 1985, p. 48-49 et 198-199.

NOTIONS CLÉS

Lecteur – Plaisir – Réception.

▶ L'œuvre ne se réduit pas au texte littéraire, elle comprend aussi l'effet qu'il produit sur le lecteur.

▶ Cet effet est provoqué mais non entièrement contrôlé par le texte.

▶ Le plaisir de la lecture réside ainsi dans la part de créativité que le texte laisse au lecteur.

5. MICHAEL RIFFATERRE
La Production du texte (1979)

Michael Riffaterre postule **l'*unicité* du texte littéraire** : « *le style, c'est le texte même* », écrit-il en corrigeant Buffon (« Le style est l'homme même »). Cette définition de la littérarité* est vérifiée selon lui par le fait que pour le lecteur **l'expérience littéraire est « un dépaysement »**.

Il analyse d'autre part le « phénomène littéraire », défini comme « le texte, mais aussi son lecteur et l'ensemble des réactions possibles du lecteur au texte » et signale les lacunes de la narratologie*, qui ne rend pas compte de **« la production du texte »** dans l'esprit du lecteur. Étudiant une nouvelle de Balzac, *La Paix du ménage*, il montre qu'elle tire son unité des variations métonymiques et métaphoriques qui associent les personnages féminins, un diamant et un candélabre, représentant dans le texte l'amour et sa duperie, en référence à une phrase matricielle qui s'impose à la pensée du lecteur : *Tout ce qui brille n'est pas or*. Le récit est donc « expansion textuelle d'un sens, variation mélodique, ou exercice musical sur une donnée sémantique ».

« Un code limitatif et prescriptif »

*Désireux d'expliquer **l'engendrement du sens chez le lecteur**, Riffaterre définit ici « l'acte de communication littéraire ». Des six facteurs de la communication linguistique analysés par Jakobson (voir le texte 1), il montre que deux seulement, le message et le lecteur, sont réellement présents.*

*Comme Barthes, Riffaterre affirme **la condition verbale du texte littéraire** : « la réalité et l'auteur sont des succédanés du texte ». Celui-ci constitue un « sous-code » linguistique caractérisé par « des unités lexicales et sémantiques différentes » qui lui confèrent une cohérence et une nécessité dont est dépourvu le discours ordinaire et qui assure sa survie. Il est ainsi comparé à une partition.*

La réception du texte s'apparente donc à un jeu (« joué selon les règles du langage » qui peuvent être respectées ou transgressées). Elle suppose l'activité du lecteur, dont la liberté est toutefois limitée : il effectue en effet une expérience unique dans la mesure où l'unicité du style permet au texte littéraire de « contrôler son propre décodage ». Riffaterre note cependant la tendance du lecteur à ramener le texte littéraire au discours ordinaire en lui attribuant une fonction référentielle, mimétique* : l'auteur et la réalité sont alors reconstruits comme des entités naturelles extérieures au texte.

Considérons les caractéristiques de l'acte de communication littéraire : alors que l'acte de communication normal met en présence cinq éléments (pour simplifier, je ne compte pas l'élément *contact*, que je considère présupposé par la simultanéité des cinq autres), la communication littéraire n'en a que deux qui soient physiquement présents comme choses, le message et le lecteur. Les trois autres n'existent que comme représentations. Le code linguistique est, en effet, représenté sous la forme et dans les limites de sa réalisation dans le texte (laquelle peut être conforme ou transgressive). Quant à la réalité et à l'auteur, ils sont soit verbalement présents (il y a alors *mimèsis*, c'est-à-dire décodage simple), soit déduits de l'énoncé, reconstitués par le lecteur (il y a alors rationalisation, c'est-à-dire décodage, plus extrapolation à partir du décodage en fonction de modèles – d'idéologies, par exemple – que le lecteur a en lui). Le contact est assuré, non par une réception passive comme dans la communication normale, mais par l'exécution (dans le sens musical du mot), l'exécution active de la partition que représente le texte.

Ces particularités de la communication littéraire ont trois conséquences :

– premièrement, la communication est un jeu, ou plutôt une gymnastique puisque c'est un jeu guidé, programmé par le texte. L'explication devra montrer comment ce contrôle est assuré par les mots ;

– deuxièmement, le jeu étant joué selon les règles du langage (conformément ou transgressivement), le lecteur perçoit le texte en fonction de son comportement habituel dans la communication ordinaire : un texte non figuratif sera reconstitué,

rationalisé comme figuratif. Parler de la vérité ou de la non-vé-
rité d'un tel texte n'a donc aucune pertinence : nous ne pouvons l'expliquer qu'en évaluant son degré de conformité au
système verbal, en nous demandant s'il obéit aux conventions
du code ou s'il les transgresse ;

– troisièmement, la réalité et l'auteur sont des succédanés du
texte. […] *Le texte est un code limitatif et prescriptif.* L'énonciation
du texte, étant l'exécution d'une partition, n'est pas libre, ou
plutôt liberté et non-liberté d'interprétation sont également
encodées l'une et l'autre dans l'énoncé. Dans la communication
non littéraire, le décodage laisse une latitude considérable au
récepteur du message, en raison même des probabilités grammaticales que chaque segment de l'énoncé permet d'évaluer
(puisque la séquence verbale est une série stochastique[1]). Si la
situation était la même en communication littéraire, le texte ne
serait pas un monument, car il ne serait plus capable de permanence. Il ne pourrait pas non plus jouer son rôle de programme
ou de partition. Il ne pourrait pas forcer le lecteur à faire l'expérience d'un dépaysement, d'une étrangeté.

Nous devons donc supposer que le texte littéraire est construit
de manière à contrôler son propre décodage, c'est-à-dire que
ses composantes n'ont pas le même système de probabilité
d'occurrence que dans la communication ordinaire. Pour les
décrire, il faut avoir recours à une segmentation de la séquence
verbale autre que celle qu'utilise la linguistique. Aussi est-on
justifié à considérer le style d'un texte comme un dialecte ou
sous-code. Comme tout dialecte, le style du texte emprunte à
la langue, au code, sa syntaxe et même sa phonologie. Mais
il emploie d'autres «mots», c'est-à-dire des unités lexicales et
sémantiques différentes : elles ne correspondent pas aux mots
du dictionnaire.

Michael RIFFATERRE, *La Production du texte*,
© Éd. du Seuil, 1979, p. 9 à 11.

---

1. Liée au hasard.

NOTIONS CLÉS

Interprétation – Lecteur – *Mimèsis* – Réception – Style – Survie de l'œuvre.

▶ La communication littéraire est réglée, programmée par le texte, que caractérise un style («un dialecte») particulier.

▶ Du fait de cette cohérence du texte (qui assure sa survie), l'expérience littéraire est pour le lecteur un dépaysement.

▶ Umberto ECO, *Interprétation et surinterprétation*, 1996: «Il [est] possible d'établir certaines limites au-delà desquelles il est possible de dire qu'une interprétation donnée est une mauvaise interprétation tirée par les cheveux. [...] *il n'est pas vrai que tout se vaut.* [...] Le *Titanic* a heurté un iceberg et Freud vivait dans la Bergstrasse, mais une telle analogie pseudo-étymologique ne peut justifier une explication psychanalytique de l'affaire du *Titanic.*»

CHAPITRE 2

Les critères de qualité

6 MARCEL PROUST	**8** MICHEL BUTOR
7 HANS ROBERT JAUSS	**9** VINCENT JOUVE

« On sait à peu près pourquoi une œuvre est mauvaise. Mais bien moins pourquoi elle est bonne. » Cette observation du poète Pierre Reverdy (*Self defence*, 1919) pourrait conduire à écarter la question traditionnelle : qu'est-ce qu'un chef-d'œuvre ? Le jugement esthétique n'est-il pas en effet affaire de goût, d'impression, d'intuition ? Pourtant, dans la mesure où écrivains et critiques ont voulu dépasser cette simple référence à la subjectivité, il paraît légitime de chercher à définir des critères de qualité en littérature.

Le problème peut d'abord être posé du point de vue du public pour lequel un grand écrivain crée une forme nouvelle de beauté que le lecteur contemporain perçoit comme unique et énigmatique (**6. Proust**). Elle lui demande un effort d'adaptation puisqu'elle se caractérise par « l'écart esthétique » qui la sépare des habitudes de lecture de son époque (**7. Jauss**).

Du point de vue de l'auteur, la relation avec le public est à la fois déterminante et indéterminée : contrairement aux « faiseurs de livres », l'écrivain authentique ne vise pas un public particulier, l'œuvre de qualité est pour le lecteur – mais aussi pour l'auteur – l'occasion de se connaître (**8. Butor**).

« Cette enivrante indétermination » est bien un critère de qualité dans la mesure où la capacité d'une grande œuvre à supporter de multiples lectures peut être considérée comme la garantie de sa survie et de sa richesse : « On n'en finirait plus avec Stendhal. Je ne vois pas de plus grande louange », disait Valéry[1]. Toutefois, la forme seule ne fait pas la valeur de l'œuvre, elle est d'ailleurs inséparable du « contenu » qui assure sa pérennité et justifie l'étude de la littérature (**9. Jouve**).

---

1. *Variété*, dans *Œuvres* I, Paris, Gallimard, coll. « Bibliothèque de la Pléiade », p. 582.

6. MARCEL PROUST
La Prisonnière (posthume, 1923)

À la recherche du temps perdu (1913-1927) constitue **l'autobiographie fictive d'un écrivain** (qui n'est jamais identifié à Proust). Les sept romans qui composent ce cycle intéressent d'abord par le récit des aventures du narrateur (histoire de son admission dans la société du Faubourg Saint-Germain, histoire de ses relations amoureuses avec Albertine et Gilberte) et d'autres personnages (histoires d'amour de Swann et d'une demi-mondaine, de Charlus et des « hommes-femmes »). Ces récits font aussi une large place aux analyses psychologiques (sur l'amour et la jalousie, notamment) et sociologiques (peinture des mœurs de la grande bourgeoisie et de l'aristocratie).

Mais l'originalité de la *Recherche* est surtout de présenter **une réflexion sur la littérature,** en rapport avec « la vocation invisible dont cet ouvrage est l'histoire ». Le narrateur expose dans le dernier volume, *Le Temps retrouvé,* comment sa vocation d'écrivain lui a été tardivement révélée par trois expériences de mémoire involontaire (annoncées, dès le premier volume, par le célèbre épisode de la madeleine). Elle le conduit à entreprendre le « déchiffrage » du « livre intérieur de signes inconnus » composé d'« impressions obscures » et de « réminiscences » que la vie passée a déposées en lui et qui constituent les « matériaux de l'œuvre littéraire ». Le but de l'art, inaccessible à l'intelligence, et qui fait de l'écrivain « un traducteur », est en effet d'interpréter tous ces souvenirs, de nous révéler « notre vraie vie, la réalité telle que nous l'avons sentie » : « L'œuvre d'art [est] le seul moyen de retrouver le Temps perdu. » Construite à partir de matériaux personnels, elle se distingue donc par sa singularité.

Une vision du monde

« Le Beau est toujours étonnant », disait Baudelaire (Salon de 1859). Pour Proust aussi l'originalité constitue la marque du génie : celui-ci offre à ses contemporains une « nouvelle et unique beauté, énigme à son époque où rien ne lui ressemble ni ne l'explique » ; cette nouveauté concerne la forme et non le contenu de l'œuvre, ce qui explique d'ailleurs la difficulté du public à recevoir et à assimiler une œuvre nouvelle (voir 45. Jauss et 46. Proust). Mais, une fois cette accoutumance réalisée, le lecteur averti est sensible à l'unicité de l'œuvre, au retour des mêmes motifs* qui s'ordonnent dans « un même monde », dans **une vision du monde nouvelle** *accordée à un style nouveau. L'œuvre d'un grand écrivain se caractérise ainsi par sa « monotonie ».*

Pour montrer à son amie Albertine – et à ses lecteurs – la valeur générale de cette loi, le narrateur proustien choisit ses exemples dans différents arts : littérature (Barbey d'Aurevilly et Stendhal), peinture (Ver Meer) et musique (Vinteuil). Contrairement aux trois autres artistes, le musicien n'est qu'un personnage imaginaire de la Recherche *(une des ses « phrases types » joue le rôle d'emblème de l'amour que Swann porte à Odette de Crécy dans* Un amour de Swann*).*

Cette qualité inconnue d'un monde unique et qu'aucun autre musicien ne nous avait jamais fait voir, peut-être était-ce en cela, disais-je à Albertine, qu'est la preuve la plus authentique du génie, bien plus que le contenu de l'œuvre elle-même. «Même en littérature? me demandait Albertine. – Même en littérature.» Et repensant à la monotonie des œuvres de Vinteuil, j'expliquais à Albertine que les grands littérateurs n'ont jamais fait qu'une seule œuvre, ou plutôt réfracté à travers des milieux divers une même beauté qu'ils apportent au monde. «S'il n'était pas si tard, ma petite, lui disais-je, je vous montrerais cela chez tous les écrivains que vous lisez pendant que je dors, je vous montrerais la même identité que chez Vinteuil. Ces phrases types, que vous commencez à reconnaître comme moi, ma petite Albertine, les mêmes dans la sonate, dans le septuor, dans les autres œuvres, ce serait, par exemple, si vous voulez, chez Barbey d'Aurevilly, une réalité cachée, révélée par une trace matérielle, la rougeur physiologique de l'Ensorcelée, d'Aimée de Spens, de la Clotte, la main du *Rideau cramoisi,* les vieux usages, les vieilles coutumes, les vieux mots, les métiers anciens et singuliers derrière lesquels il y a le Passé, l'histoire orale faite par les pâtres du terroir, les nobles cités normandes parfumées d'Angleterre et jolies comme un village d'Écosse, la cause de malédictions contre lesquelles on ne peut rien, la Vellini, le Berger, une même sensation d'anxiété dans un passage, que ce soit la femme cherchant son mari dans *Une vieille maîtresse,* ou le mari, dans *L'Ensorcelée,* parcourant la lande, et l'Ensorcelée elle-même au sortir de la messe. […]

Je ne peux pas vous parler comme cela en une minute des plus grands, mais vous verriez dans Stendhal un certain sentiment de l'altitude se liant à la vie spirituelle : le lieu élevé où Julien Sorel est prisonnier, la tour au haut de laquelle est enfermé Fabrice, le clocher où l'abbé Blanès s'occupe d'astrologie et d'où Fabrice jette un si beau coup d'œil. Vous m'avez dit que vous aviez vu certains tableaux de Ver Meer, vous vous rendez bien compte que ce sont les fragments d'un même monde, que c'est toujours, quelque génie avec lequel elle soit recréée, la même table, le même tapis, la même femme, la même nouvelle et unique beauté, énigme à cette époque où rien ne lui ressemble ni ne l'explique, si on ne cherche pas à l'apparenter par les sujets, mais à dégager l'impression particulière que la couleur produit.

Marcel PROUST, *La Prisonnière*, 1923,
Éd. Gallimard, coll. «Bibliothèque de la Pléiade», p. 375-377.

NOTIONS CLÉS

Beauté – Critères de qualité – Forme – Lecteur – Style – Vision du monde.

▶ Plus que par son contenu, l'œuvre d'un grand artiste se distingue par la nouveauté des formes qu'elle impose au public.

▶ La récurrence de ces mêmes motifs originaux constitue un critère de qualité.

▶ Marcel PROUST, *Contre Sainte-Beuve*: «Par l'usage entièrement nouveau et personnel qu'il a fait du passé défini, du passé indéfini, du participe présent, de certains pronoms et de certaines propositions, [Flaubert] a renouvelé presque autant notre vision des choses que Kant, avec ses Catégories, les théories de la Connaissance et de la Réalité du monde extérieur.»

7. HANS ROBERT JAUSS
Pour une esthétique de la réception (1978)

Les deux ouvrages de Hans Robert Jauss, professeur de littérature à l'Université de Constance, *Pour une esthétique de la réception* et *Pour une herméneutique littéraire*, publiés en France respectivement en 1978 et en 1988, ont renouvelé l'approche des textes et de l'histoire littéraires en la centrant sur la notion de *réception** et en définissant les concepts d'«horizon d'attente» et d'«écart esthétique».

Jauss constate d'abord qu'une œuvre s'insère dans le système de références fourni par les lectures antérieures: c'est «**l'horizon d'attente du lecteur**» (présenté en détail dans le texte 41).

Cette notion débouche sur celle d'«**écart esthétique**», défini comme «l'écart entre l'horizon d'attente préexistant et l'œuvre nouvelle» et comme la **condition du caractère artistique de l'œuvre**. Jauss l'illustre en montrant comment dans *Jacques le Fataliste* Diderot joue sur l'horizon d'attente des lecteurs (le schéma romanesque alors à la mode du récit de voyage) pour opposer, à des fins de provocation, une vérité de l'histoire qui démente et « démonte » les mensonges inhérents à la fiction.

L'écart esthétique

La notion d'écart esthétique fournit ainsi à Jauss un critère de qualité : **une grande œuvre rompt avec les formes préétablies,** *bouleverse les habitudes de lecture et les attentes du public (cette réaction peut aller jusqu'à l'incompréhension ou au refus, comme le montre l'exemple de* Madame Bovary *; voir 45. Jauss). L'œuvre commerciale, au contraire, flatte le goût dominant et coïncide exactement avec l'horizon d'attente des lecteurs : cet « art culinaire », cette littérature de « consommation » ne les oblige pas à remettre en question leurs cadres esthétiques et à faire une expérience nouvelle.*

L'écart esthétique, ressenti d'abord comme étonnement puis comme **plaisir littéraire,** *va s'effacer pour les lecteurs ultérieurs qui, assimilant la nouveauté, intégreront l'œuvre à leur horizon d'attente d'œuvres à venir. Cette intégration définit le «* **classicisme** *» des « chefs-d'œuvre ». (Sur ce point, voir le chapitre 11.)*

La façon dont une œuvre littéraire, au moment où elle apparaît, répond à l'attente de son premier public, la dépasse, la déçoit ou la contredit, fournit évidemment un critère pour le jugement de sa valeur esthétique. L'écart entre l'horizon d'attente et l'œuvre, entre ce que l'expérience esthétique antérieure offre de familier et le « changement d'horizon » *(Horizontwandel)* requis par l'accueil de la nouvelle œuvre, détermine, pour l'esthétique de la réception, le caractère proprement artistique d'une œuvre littéraire : lorsque cette distance diminue et que la conscience réceptrice n'est plus contrainte à se réorienter vers l'horizon d'une expérience encore inconnue, l'œuvre se rapproche du domaine de l'art « culinaire », du simple divertissement. Celui-ci se définit, selon l'esthétique de la réception, précisément par le fait qu'il n'exige aucun changement d'horizon, mais comble au contraire parfaitement l'attente suscitée par les orientations du goût régnant : il satisfait le désir de voir le beau reproduit sous des formes familières, confirme la sensibilité dans ses habitudes, sanctionne les vœux du public, lui sert du « sensationnel » sous la forme d'expériences étrangères à la vie quotidienne, convenablement apprêtées, ou encore soulève des problèmes moraux – mais seulement pour les «résoudre» dans le sens le plus édifiant, comme autant de questions dont la réponse est connue d'avance. Si, au contraire, le caractère proprement artistique d'une œuvre se mesure à l'écart esthétique qui la sépare, à son apparition, de l'attente de son premier public, il s'ensuit de là que cet écart, qui, impliquant une nouvelle manière de voir, est éprouvé d'abord comme source de plaisir ou d'étonnement et de perplexité, peut s'effacer pour les lecteurs ultérieurs à mesure que la négativité originelle de l'œuvre s'est changée en évidence et, devenue objet familier de l'attente, s'est intégrée à son tour à l'horizon de l'expérience esthétique à venir. C'est de ce deuxième changement d'horizon que relève notamment le classicisme de ce qu'on appelle les chefs-d'œuvre ; leur beauté formelle désormais consacrée et évidente et leur «signification éternelle» qui semble ne plus poser de problèmes les rapprochent dangereusement, pour une esthétique de la réception, de l'art «culinaire», immédiatement assimilable et convaincant, de sorte qu'il faut faire l'effort tout particulier de les lire à rebours de nos habitudes pour ressaisir leur caractère proprement artistique.

Hans Robert Jauss, *Pour une esthétique de la réception* (1975), trad. fr. de C. Maillard, © Éd. Gallimard, 1978, p. 53-54.

NOTIONS CLÉS

Classique – Écart esthétique – Forme – Horizon d'attente – Lecteur – Littérature de consommation – Plaisir – Réception – Survie de l'œuvre.

▶ Une œuvre vaut d'abord par sa rupture avec les conventions du moment.

▶ Une fois intégrée dans le champ de l'expérience esthétique, elle devient classique.

▶ Pierre Bourdieu, *Les Règles de l'art* : «On peut se demander si la division en deux marchés, qui est caractéristique des champs de production culturelle depuis le milieu du XIXe siècle, avec d'un côté le champ restreint des producteurs pour producteurs, et de l'autre le champ de grande production et la "littérature industrielle", n'est pas menacée de disparition, la logique de la production commerciale tendant de plus en plus à s'imposer à la production d'avant-garde (à travers, notamment, dans le cas de la littérature, les contraintes qui pèsent sur le marché des livres).»

8. MICHEL BUTOR
Répertoire II (1964)

Avant d'élargir sa recherche à la poésie et à d'autres formes d'expression, Michel Butor a participé, avec Claude Simon et Nathalie Sarraute, au grand renouvellement des formes romanesques dont Robbe-Grillet fut le théoricien (voir le texte 75). « Nouveaux romans », *L'Emploi du temps* (1956) et *La Modification* (1957) modifient les rapports habituels entre écrivain et lecteur, obligeant ce dernier à un décryptage, à une reconstruction du récit privé de ses structures narratives conventionnelles (histoire, personnages, temps, espace). De nombreux essais, réunis dans différents *Répertoires*, développent par ailleurs une riche réflexion sur la littérature.

L'un d'eux, intitulé « Le critique et son public », analyse précisément **la relation entre le destinateur et le destinataire** de l'œuvre : « On écrit toujours "en vue" d'être lu. [...] Dans l'acte même d'écrire il y a un public impliqué. » Or la nature de cette relation, c'est-à-dire le choix d'un public par l'écrivain, détermine la valeur de l'œuvre.

L'œuvre de qualité dépasse son public

*Une œuvre « commerciale » est étroitement adaptée au public visé. Cette attitude s'oppose à celle de l'écrivain authentique qui s'adresse à un lecteur pour une large part indéterminé. De ce point de vue, l'œuvre de qualité est celle qui dépasse son projet et son public ; dans une telle œuvre, le destinataire mais aussi le destinateur se révèlent dans l'écriture, qui constitue pour les deux interlocuteurs **une véritable recherch**e.*

Le romancier Michel Tournier (voir le texte 149), dont les œuvres recourent pourtant à des modes de narration plus traditionnels, présente une analyse très voisine. Le critère de la supériorité d'une œuvre « se trouve selon [lui] dans la quantité et la qualité de la co-créativité que le créateur attend et exige du "receveur". J'appelle mineur un art qui ne demande que réceptivité passive et docilité amorphe à ceux auxquels il s'adresse, mineure une œuvre où presque tout est donné, où presque rien n'est à construire[1] ».

---

1. *Le Vent Paraclet*, 1977, Paris, Gallimard, coll. « Folio », p. 173.

L'auteur d'un manuel scolaire écrit pour la classe de seconde, ou pour l'École polytechnique, conformément à des programmes ; lorsque ceux-ci auront changé, il adaptera ses ouvrages.

C'est ce qui se passe pour toute littérature «commerciale».

Il arrive que des faiseurs de livres préparent selon certaines recettes éprouvées une marchandise destinée à un milieu auquel ils n'appartiennent nullement, n'ont pas envie d'appartenir, méprisent au contraire. Ce sont les grands défenseurs de l'exclusion, car ils n'aiment pas tellement voir traîner leurs ouvrages sous les yeux de ceux qu'ils estiment. Désirant marquer leurs distances, ils vont souvent tenter d'écrire, à côté de leurs livres «commerciaux» des livres «sérieux», c'est-à-dire destinés à ceux qu'ils fréquentent, ou qu'ils rêvent de fréquenter ; mais cette tentative sombre en général dans le ridicule, et ne fait que les lier plus encore à cela même qu'ils méprisaient, c'est-à-dire non point à leur public, mais à ce qui était méprisable dans ce public et qu'ils exploitaient, plus encore car, incapables de concevoir d'une façon dynamique ce public autre, incapables sinon ils détruiraient leurs propres œuvres, écraseraient leur ancien moi vil, n'en finiraient plus de l'écraser, ils abordent ceux dont ils se croient les «pairs» par un ensemble de recettes et de conventions tout aussi préétablies, et donc, cherchant à montrer ce qu'ils croient être «en réalité», démontrent qu'ils ne le sont point. Il apparaît enfin que, contrairement à leur illusion, ce n'est pas eux qui ont choisi, mais qu'ils se sont laissé choisir par ce méprisable à quoi désormais ils appartiennent.

C'est que, dans la mesure où cette «adresse», cette visée, cette destination ne comporte point de mensonge ou tricherie, où l'auteur s'efforce bien de parler «en réalité», il faut bien se rendre à cette évidence que le destinataire ne peut jamais être entièrement connu par avance, que c'est le texte lui-même qui va le révéler. On pourrait dire : l'auteur d'un manuel scolaire pour la classe de seconde ne peut considérer celui-ci comme une œuvre au plein sens du terme que dans la mesure où il n'est pas seulement destiné aux élèves de seconde, où il a l'impression d'apporter «quelque chose» qui peut intéresser quelqu'un d'autre.

Kafka sait bien dans son *Journal* que c'est à lui-même qu'il s'adresse, mais qui ne voit à quel point ce lui-même futur est au jour de la rédaction un inconnu? Il écrit pour savoir ce que cela pourra lui dire; s'il le savait déjà, justement parce qu'il ne se suppose point d'autre public, quel besoin aurait-il d'écrire?

Il demande à ce frère lointain: «Qui suis-je?», c'est-à-dire: «Qui es-tu?», si incroyablement lointain dont il ne peut presque rien dire si ce n'est qu'il sera vraisemblablement perdu comme lui, et que cette trace laissée sur le papier pourra peut-être l'aider à se reconnaître, à s'«y» reconnaître.

Michel BUTOR, *Répertoire II*,
© Éd. de Minuit, 1964, p. 128-129.

NOTIONS CLÉS

Critères de qualité – Fonction de la littérature – Littérature «commerciale» – Nouveau Roman – Public – Récit.

▶ Une grande œuvre n'est pas étroitement adaptée à un public; elle doit constituer, pour l'auteur et pour le lecteur, une véritable recherche.

▶ Paul VALÉRY, *Rhumbs*: «Une œuvre est solide quand elle résiste aux substitutions qu'un lecteur *actif* et rebelle tente toujours de faire subir à ses parties.»

9. VINCENT JOUVE
Pourquoi étudier la littérature? (2010)

Pour répondre à la question «Pourquoi étudier la littérature?», Vincent Jouve commence par rappeler qu'elle constitue un art, «notion éminemment relative» puisqu'elle concerne «le goût» individuel mais qui «touche des dimensions de l'existence aussi fondamentales que la culture, l'éducation ou la communication» (p. 8-10). Il définit l'œuvre d'art comme un «**artefact non utilitaire** exprimant quelque chose et auquel on accorde de la valeur» tout en précisant que «l'art littéraire tire cependant sa singularité du fait que le matériau qu'il utilise – le langage – est déjà en lui-même un système signifiant[1]» (p. 31-32), ce qui «met par la force des choses la question du sens au premier plan» (p. 38). Or la critique associe la valeur artistique au travail formel, c'est-à-dire, dans l'art littéraire, à un travail sur le matériau linguistique, sur le signifiant: selon Jakobson, en effet, «l'accent mis sur le

---

1. Voir à ce sujet 2. Barthes.

message pour son propre compte est ce qui caractérise la fonction poétique du langage[1] ». Avant lui Lanson et Valéry avaient aussi privilégié la « forme[2] ».

V. Jouve entend « montrer que **le contenu d'un texte littéraire a une spécificité** et que cette spécificité a une valeur » (p. 65). Les grandes œuvres nous intéressent, observe-t-il, même quand leur esthétique est devenue désuète (c'est le cas des classiques) ou quand elles ont été traduites. Ce constat l'amène à affirmer que la forme joue un grand rôle au moment de la parution de l'œuvre en suscitant « le plaisir esthétique », sans lequel la relation ne pourrait s'engager entre le public et l'œuvre (« La qualité de la forme est donc à l'origine du succès initial de l'œuvre », p. 54), mais qu'elle ne peut expliquer seule sa survie.

« De la forme au contenu »

C'est le sens véhiculé par une œuvre du passé qui lui conserve sa valeur. Sa forme continue à être appréciée mais en raison de la relation qu'elle entretient avec le contenu : on s'intéresse à « des choix d'écriture » dans la mesure où ils « témoignent d'un regard sur le monde et l'existence ». Ainsi « recevoir une œuvre du passé […], c'est s'interroger sur ce qu'elle signifie ».

Plus loin, V. Jouve érige le contenu en critère de qualité : « Le type de connaissance inscrit dans un texte est précisément le critère décisif qui permet de tracer une frontière entre les "grandes" œuvres et les autres. Si le savoir porté par l'œuvre relève toujours de l'humain (il résulte de ce qu'exprime un sujet lorsqu'il écrit sans contraintes ni finalité clairement établies), il n'aura de valeur que dans deux cas précis : lorsqu'il présente un caractère inédit ; lorsqu'il renvoie à une question essentielle » (p. 149).

Ainsi la question à l'origine de cet essai trouve-t-elle une réponse, et une réponse multiple[3]. Étudier la littérature, c'est :

1. « enrichi[r] notre existence » en faisant réfléchir à l'organisation et à la réorganisation possible de notre monde ;

---

1. Voir 1. Jakobson.

2. Gustave LANSON : « Toute idée de roman ou de poème qui n'est pas réalisée en sa forme parfaite n'est qu'un projet ou une ébauche d'idée, enfin une intention sans valeur » (*Hommes et livres*, 1895, Slatkine Reprints, 1979, p. 346). Paul VALÉRY : « La forme seule conserve les œuvres de l'esprit » (voir le texte 54).

3. Voir aussi sur ce sujet la septième partie (« Fonctions de la littérature ») ainsi que les textes 66, 69, 72 (sur le roman) et les chapitres 20 (« Fonctions de la poésie ») et 25 (« Fonctions du théâtre »).

2. «favorise[r] l'esprit critique» puisque la lecture est toujours «distanciée»;

3. «solliciter, en les renforçant, nos capacités d'analyse et de réflexion» par un double travail sur le sens (herméneutique*) et sur la forme (rhétorique);

4. «favorise[r] la liberté de jugement» puisque le lecteur fournit un travail d'interprétation en choisissant parmi «la pluralité des contenus inscrits structurellement dans l'œuvre littéraire»;

5. continuer l'exploration de l'univers humain, souvent en «anticip[ant] sur les connaissances à venir» (p. 211-213).

Raisonnons simplement: si les œuvres traversent les siècles en dépit du caractère culturel de la forme, c'est qu'elles possèdent d'autres propriétés. Ces dernières ont une importance décisive puisque leur impact n'est pas conjoncturel. Lorsque la séduction de l'écriture (inévitablement) s'étiole, demeurent ces propriétés, qui s'imposent donc comme le vrai critère de la valeur d'une œuvre. Si ces propriétés ne tiennent pas à la forme, ne reste qu'une solution: elles relèvent du contenu. De fait, avec le temps, ce qui fait la valeur d'une œuvre n'est pas dû à son écriture, mais au sens qu'elle véhicule. On notera d'ailleurs que la notion d'«œuvre d'art» évoque spontanément celle d'«objet culturel», comme si les œuvres d'art *importantes,* celles *qui restent,* tiraient leur valeur de ce qu'elles expriment ou signifient plus que de l'émotion esthétique qu'elles suscitent encore parfois.

N'en déduisons pas que la forme n'a plus d'intérêt; mais cet intérêt *se déplace*: il ne tient plus à son éventuelle dimension esthétique, mais aux relations étroites qu'elle entretient avec le contenu. C'est pourquoi l'on peut apprécier les tragédies de Racine ou les sonnets de Baudelaire[1] sans désirer pour autant que ces formes d'écriture reviennent au premier plan de la vie littéraire. L'important, c'est la façon particulière – porteuse d'enjeux spécifiques – dont Racine a exploité les ressources du genre tragique et Baudelaire celles du sonnet. Ainsi, même si

---

1. Si beaucoup ressentent encore la dimension esthétique de cette poésie, c'est qu'elle participe d'une aire culturelle dans laquelle, à bien des égards, nous baignons toujours [N.d.A.].

l'on n'est plus sensible à l'esthétique racinienne (dans l'absolu, cela doit bien arriver), on peut apprécier l'«effet de sourdine[1]» qui se dégage de ses pièces (autrement dit, un phénomène formel) pour ce qu'il exprime. Comme l'a montré Léo Spitzer, les divers procédés d'atténuation que l'on trouve dans la tragédie racinienne (désindividualisation par l'article défini, pluriels estompant les contours, expressions périphrastiques, etc.) témoignent, au-delà de leur éventuelle valeur esthétique, d'une conception du Moi qui reste encore très actuelle: le refoulement des sentiments (dont l'atténuation est la traduction stylistique), non seulement coexiste avec la violence intérieure qui habite le héros racinien, mais en est probablement à l'origine. Dans un autre registre, l'«organicité» des fables de La Fontaine (chacune se présente comme un tout autonome) témoigne, sur le plan du contenu, de la synthèse entre la vision du monde héritée du Moyen Âge et le renouveau culturel incarné par la Renaissance: elle s'explique par «la rencontre de la modeste idée médiévale du macrocosme et du microcosme, où l'homme est l'image de la création, et la fière idée de la Renaissance où l'artiste, semblable à Dieu, imagine un monde […][2]». Même lorsqu'un texte n'a pas vraiment de sens, il exprime quelque chose par son énonciation. Ainsi, la poésie lettriste – où les signes de l'alphabet sont combinés de façon «instinctive» sans reproduire les mots de la langue – peut être interprétée comme un refus de la règle et des traditions, une révolte contre un monde rigide et utilitaire, ou encore une valorisation de l'élémentaire, renouant avec l'humanité originelle[3].

Avec le temps, la valeur de la forme émigre donc du plan esthétique vers le plan sémantique. On remarquera, à cet égard, que les thèses de littérature (symptomatiques de la postérité d'un corpus) portent la plupart du temps sur la question du sens (les études thématiques et historiques, même si elles utilisent la poétique et la narratologie comme instruments, restent, quoi qu'on en dise, largement dominantes). Quand les travaux universitaires s'intéressent prioritairement à la forme, ce n'est pas

---

1. Cf. L. SPITZER, *Études de style,* trad. fr., Paris, Gallimard, 1970, p. 208-335 *[N.d.A.].*
2. *Ibid.*, p. 197 *[N.d.A].*
3. Isidore ISOU, *Introduction à une nouvelle poésie et à une nouvelle musique*, Paris, Gallimard, 1947. *[N.d.A.]*

pour montrer en quoi on a affaire à un «beau» texte (cela provo-
querait certainement le sourire amusé du jury), mais pour identifier *ce qu'elle exprime*: étudier le naturalisme huysmansien ou la
phrase proustienne, ce n'est jamais en rester au seul plan esthétique; c'est se demander en quoi des choix d'écriture témoignent
d'un regard sur le monde et sur l'existence. Bref, dans les études
littéraires, la non-séparation fond/forme se fait toujours au profit
du fond. Si lire une œuvre contemporaine, c'est d'abord (par la
force des choses) se demander en quoi elle nous plaît, recevoir
une œuvre du passé (au sens large d'œuvre sanctionnée par la
postérité), c'est s'interroger sur ce qu'elle signifie.

Vincent JOUVE, *Pourquoi étudier la littérature ?*,
© Éd. Armand Colin, 2010, p. 55-57.

NOTIONS CLÉS

Fonctions de la littérature – Forme/Sens – Survie de l'œuvre.

▶ Une œuvre plaît au public contemporain par sa forme (qui lui donne une «prime de séduction», p. 52) mais c'est par son contenu qu'elle intéresse encore les générations suivantes.

▶ La forme et le contenu sont liés: avec le temps, on apprécie la forme de l'œuvre dans la mesure où elle est porteuse d'enjeux spécifiques.

▶ BALZAC, Préface du *Cabinet des Antiques*: «La plupart des livres dont le sujet est entièrement fictif, qui ne se rattachent de près ou de loin à aucune réalité, sont mort-nés; tandis que ceux qui reposent sur des faits observés, étendus, pris à la vie réelle, obtiennent les honneurs de la longévité.»

CHAPITRE 3

L'œuvre et le réel

La réduction de l'œuvre au réel (comme celle de l'œuvre à l'auteur : voir sur ce point le chapitre 7) correspond à une attitude de lecture spontanée, encouragée par les déclarations des classiques, pour qui l'imitation de la nature était un impératif, ou des romanciers réalistes, qui ont souvent défini leur œuvre comme le miroir du réel (voir le chapitre 12). L'art est-il donc un reflet de la nature ?

L'imitation de la réalité, la *mimèsis*, est pour les théoriciens grecs le principe même de la fiction mais ils ne lui accordent pas la même valeur : elle peut être jugée mensongère et dangereuse (**10. Platon**) ou dispensatrice de connaissance et de plaisir (**11. Aristote**).

Au XIXᵉ siècle, le débat sur le réalisme conduit à préciser la relation qui existe entre l'œuvre et le réel : l'art ne peut reproduire intégralement la nature sans disparaître, il doit être «un miroir de concentration» qui permet d'en donner une image plus expressive, plus intense (**12. Hugo**). Plus radicalement encore, c'est la notion même de *réalité* que met en cause Maupassant dans l'étude publiée en préface à *Pierre et Jean* («Le Roman», 1887) : «Quel enfantillage, d'ailleurs, de croire à la réalité puisque nous portons chacun la nôtre dans nos pensées et dans nos organes». Ainsi le romancier ne peut que «reproduire fidèlement [son] illusion» du monde et l'imposer à l'humanité – ce qui est une autre définition du grand artiste. Poussant cette logique jusqu'à son terme, le narrateur de la *Recherche* affirme que «la seule réalité pour chacun [est] le domaine de sa propre sensibilité» que l'artiste doit s'efforcer d'exprimer (**13. Proust**).

La critique fondée sur la linguistique et le structuralisme met l'accent sur «la condition verbale de la littérature», selon l'expression de Valéry. «La littérature, c'est l'irréel même; ou plus exactement, bien loin d'être une copie analogique du réel, *la littérature est au contraire la conscience même de l'irréel du langage*» (Barthes). Soucieuse de ne pas réduire l'œuvre à un document, un nouveau type de lecture sociologique montre que la littérature aborde le réel sur le mode de la « dénégation* » et de la « sublimation » et permet ainsi « l'émergence du réel le plus profond » (**14. Bourdieu**).

Plus récemment, un poète comme Yves Bonnefoy (texte 90), des critiques comme Michel Collot, Jean Starobinski et Tzvetan Todorov (textes 94, 107 et 150) ont réaffirmé la nécessité pour la littérature de s'ouvrir sur le monde (voir aussi à ce sujet les textes 140 et 142 à 144).

10. PLATON
La République (vers 380 av. J.-C.)

La question de la relation de l'art – et notamment de la poésie qui recourt à la fiction – à la nature (il faut entendre par là la nature humaine) est essentielle dans la réflexion de Platon et d'Aristote. Elle s'exprime dans la notion de *mimèsis*, mot dont la traduction en français engage une interprétation : le terme d'*imitation*, consacré par l'usage, peut se charger de connotations négatives (l'œuvre étant réduite à une reproduction de la réalité plus ou moins exacte et dépourvue d'élaboration artistique) et on peut lui préférer celui de *représentation*[1].

Dans la perspective idéaliste de Platon, la *mimèsis* fournit **une image dégradée**, donc trompeuse, de ce qui n'est déjà qu'une perception de l'artiste, le reflet d'une idée, d'une essence inaccessible aux hommes.

Contre les arts d'imitation

Dans La République, *Socrate fait ainsi devant Glaucon* **le procès de la poésie** *qui pratique l'imitation : accusée d'être mensongère, de flatter les passions de l'âme et par là de ruiner la cité, qui devrait être soumise à la raison et à la loi, elle est bannie de l'État idéal.*

En effet, comme la peinture, la poésie qui recourt à la fiction pour imiter la nature n'atteint pas la vérité, elle n'imite que des

---

1. C'est le choix de Roselyne Dupont-Roc et Jean Lallot (*La Poétique*, Paris, Éditions du Seuil, 1980). Dans son édition, Michel Magnien justifie le maintien du mot *imitation* qui fait référence à « la tradition rhétorico-poétique du débat sur l'imitation » (Le Livre de poche, 1990, p. 184). Au moment du débat sur le réalisme ses adversaires dénonçaient une mauvaise lecture d'Aristote : « N'oublions pas qu'Aristote a dit : "L'art est l'interprétation de la nature" ; et non comme ses disciples : "L'art est l'imitation de la nature". De l'interprétation à l'imitation il y a tout un monde » (revue *L'Artiste*, à propos du Salon de 1849 ; cité par Philippe Dufour, *Le Réalisme de Balzac à Proust*, PUF, 1998, p. 77). Sur la *mimèsis* aristotélicienne, voir aussi l'analyse de Daniel Leuwers dans le texte 81.

apparences[1]. *Les poètes qui pratiquent cette illusion sont en réalité des ignorants : Homère, le premier d'entre eux, n'a pas été capable d'instruire les hommes (599-600), « l'imitation n'est qu'un badinage indigne de gens sérieux » (602b). C'est seulement par ses ornements (la mesure, le rythme, l'harmonie) que la poésie charme le public, et elle exerce son pouvoir non sur la partie de nous-mêmes gouvernée par la raison et la loi mais sur celle, déraisonnable, qui fait que nous nous abandonnons aux émotions et aux passions.*

– Or ce qui se prête à des imitations multiples et variées, c'est la partie irascible [de nous-mêmes]; au contraire le caractère sage et calme, toujours égal à lui-même, n'est pas facile à imiter, ni, si on l'imite, facile à concevoir, surtout pour une foule en fête et pour des gens de toute sorte assemblés dans un théâtre; car l'état d'âme dont on leur offrirait l'imitation leur est chose inconnue.

– Assurément.

– Il est évident d'ailleurs que le poète imitateur n'est pas naturellement porté vers ce principe rationnel de l'âme, ni propre, par son talent, à lui donner satisfaction, s'il veut gagner les suffrages de la foule, mais qu'il est fait pour le caractère passionné et varié, qui est facile à imiter.

– Évidemment.

– Dès lors nous avons raison de nous attaquer à lui tout de suite, et de le mettre sur la même ligne que le peintre; car il lui ressemble en ce qu'il fait des ouvrages de peu de prix, si on les rapproche de la vérité, et il lui ressemble encore par les rapports qu'il a avec la partie de l'âme qui est de peu de prix aussi, tandis qu'il n'en a pas avec la meilleure. Aussi voyons-nous là une première raison qui nous justifie de lui refuser l'entrée d'un État qui doit être gouverné par de bonnes lois,

---

1. Au XVIIᵉ siècle, le janséniste Pierre Nicole a utilisé un argument semblable pour condamner le théâtre, dans lequel «les âmes chrétiennes […] voient un vide et un néant tout particulier. Car si toutes les choses temporelles ne sont que des figures et des ombres sans solidité, on peut dire que les comédies sont les ombres des ombres et les figures des figures, puisque ce ne sont que de vaines images des choses temporelles, et souvent de choses fausses.» (Pierre Nicole, *Traité de la Comédie*, XXXIV, 1667 – voir le texte 134b.)

puisqu'il réveille cette mauvaise partie de l'âme, la nourrit, la fortifie et par là mine la raison, ainsi qu'il arrive dans un État, lorsqu'on donne la force et le pouvoir à des méchants et qu'on fait périr les plus sages. De même nous dirons du poète imitateur qu'il implante dans l'âme de chaque individu un mauvais gouvernement, en flattant la partie déraisonnable, qui ne sait pas distinguer ce qui est plus grand de ce qui est plus petit et qui tient les mêmes choses tantôt pour grandes, tantôt pour petites; qu'il crée des fantômes et qu'il est toujours à une distance infinie de la vérité.

[Socrate invoque alors un autre argument contre la poésie imitative : les hommes, et même les honnêtes gens, sont incités par la tragédie à s'abandonner à l'affliction, à la pitié que leur inspirent les malheurs des personnages et par la comédie à la bouffonnerie, émotions et attitude également dégradantes.]

— Et à l'égard de l'amour, de la colère et de toutes les passions agréables ou pénibles de l'âme, qui sont, disons-nous, inséparables de nos actions, l'imitation poétique n'a-t-elle pas sur nous les mêmes effets? Elle les arrose et les nourrit, alors qu'il faudrait les dessécher, elle leur donne le commandement de notre âme, alors qu'elles devraient obéir pour que nous soyons bons et heureux, et non méchants et misérables.

— Je ne saurais dire autrement que toi, dit-il.

— Ainsi, Glaucon, repris-je, quand tu rencontreras des admirateurs d'Homère disant que ce poète a été l'instituteur de la Grèce, et que pour l'administration et l'éducation des hommes il mérite qu'on le prenne et qu'on l'étudie, et qu'on règle selon ses préceptes toute sa conduite, il faudra les saluer et les baiser comme des gens du plus haut mérite possible, et leur accorder qu'Homère est le plus grand des poètes et le premier des poètes tragiques, mais se souvenir qu'en fait de poésie il ne faut admettre dans la cité que des hymnes aux dieux et des éloges des gens de bien. Si au contraire tu y reçois la muse plaisante, soit épique, soit lyrique, le plaisir et la douleur régneront ensemble dans ton État à la place de la loi et du principe que la communauté reconnaît en toute circonstance pour être le meilleur.

PLATON, *La République*, livre x, 604d-607a,
trad. fr. Émile Chambry, © Éd. Les Belles Lettres, 1934.

NOTIONS CLÉS

Mimèsis – Poésie.

▶ Selon la philosophie idéaliste de Platon, le poète qui recourt à la *mimèsis* produit des œuvres sans valeur car infiniment éloignées de la vérité.

▶ En outre, pour plaire au public, il doit flatter ses passions.

▶ Cela justifie l'interdiction de la poésie (et des arts pratiquant l'imitation) dans la cité idéale.

11. ARISTOTE
Poétique (vers 340 av. J.-C.)

Le traité d'Aristote sur la *Poétique*, tel qu'il nous est parvenu, est essentiellement consacré à la tragédie et à l'épopée. Il s'ouvre par une réflexion sur l'imitation, présentée comme naturelle à l'homme et à l'origine de la poésie.

S'opposant à son maître Platon, **Aristote valorise la *mimèsis*** : selon lui, contrairement à l'historien, «le poète [...] raconte [...] des événements qui pourraient arriver. Aussi la poésie est-elle plus philosophique et d'un caractère plus élevé que l'histoire ; car la poésie raconte plutôt le général, l'histoire le particulier. Le général, c'est-à-dire que telle ou telle sorte d'hommes dira ou fera telles ou telles choses vraisemblablement ou nécessairement.»

Intérêt de la *mimèsis*

*L'imitation est ainsi reconnue comme **un moyen de connaissance**. Elle est en outre à la source de l'histoire fictive que raconte (ou plutôt que montre, que mime) le théâtre et qui procure au spectateur deux formes de délassement : la comédie fait rire et la tragédie, par la **catharsis***, est censée opérer une "purgation" de la pitié et de la crainte, deux émotions naturelles mais désagréables que le* *spectateur peut éprouver avec plaisir pendant la pièce parce que sa raison n'en est pas affectée et parce qu'un soulagement leur succède nécessairement.*

La poésie semble bien devoir en général son origine à deux causes, et deux causes naturelles. Imiter est naturel aux hommes et se manifeste dès leur enfance (l'homme diffère des autres animaux en ce qu'il est très apte à l'imitation et c'est au moyen de celle-ci qu'il acquiert ses premières connaissances) et, en second lieu, tous les hommes prennent plaisir aux imitations.

Un indice est ce qui se passe dans la réalité : des êtres dont l'original fait peine à la vue, nous aimons à en contempler l'image exécutée avec la plus grande exactitude ; par exemple les formes des animaux les plus vils et des cadavres.

Une raison en est encore qu'apprendre est très agréable non seulement aux philosophes mais pareillement aussi aux autres hommes ; seulement ceux-ci n'y ont qu'une faible part. On se plaît à la vue des images parce qu'on apprend en les regardant et on déduit ce que représente chaque chose, par exemple que cette figure c'est un tel. Si on n'a pas vu auparavant l'objet représenté, ce n'est plus comme imitation que l'œuvre pourra plaire, mais à raison de l'exécution, de la couleur ou d'une autre cause de ce genre.

L'instinct d'imitation étant naturel en nous, ainsi que la mélodie et le rythme (car il est évident que les mètres* ne sont que des parties des rythmes), dans le principe ceux qui étaient le mieux doués à cet égard firent petit à petit des progrès et la poésie naquit de leurs improvisations. [...]

La comédie est [...] l'imitation d'hommes de qualité morale inférieure, non en toute espèce de vices mais dans le domaine du risible, lequel est une partie du laid. Car le risible est un défaut et une laideur sans douleur ni dommage ; ainsi, par exemple, le masque comique est laid et difforme sans expression de douleur.

[...] la tragédie est l'imitation d'une action de caractère élevée et complète, d'une certaine étendue, dans un langage relevé d'assaisonnements d'une espèce particulière suivant les diverses parties, imitation qui est faite par des personnages en action et non au moyen d'un récit, et qui suscitant pitié et crainte opère la purgation[1] propre à pareilles émotions.

ARISTOTE, *Poétique*, 1448b-1449b,
trad. fr. J. Hardy, © Éd. Les Belles Lettres, 1932.

NOTIONS CLÉS

Catharsis – Comédie – Fiction (fable) – *Mimèsis* – Tragédie.

▶ Contrairement à Platon, Aristote valorise la *mimèsis*, présentée comme un moyen de connaissance et la source du plaisir théâtral. Parce qu'elle confronte le spectateur d'une tragédie à une fiction, elle lui permet de « se purger » de deux émotions désagréables, la crainte et la pitié.

▶ Georges IONESCO, *Notes et contre-notes* : « L'œuvre d'art a de la valeur par la puissance de sa fiction, puisqu'elle est fiction avant tout, puisqu'elle est une construction imaginaire. »

12. VICTOR HUGO
Préface de *Cromwell* (1827)

Poète, romancier, dramaturge, Hugo a cherché à étendre toujours plus le domaine de la littérature, à l'ouvrir à tous les aspects de la vie. C'est au nom de cette **exigence de liberté** que, chef d'école, il a prôné dans la préface de *Cromwell*, qui a valeur de manifeste romantique, un renouvellement du genre théâtral. « Le caractère du drame est le réel ; [...] tout ce qui est dans la nature est dans l'art » : l'homme étant conçu, dans une perspective chrétienne, comme un être fondamentalement double (à la fois âme et corps), le théâtre doit unir le sublime et le grotesque et répudier la vieille unité de ton. Autres conventions du théâtre classique, les unités de temps et de lieu

---

1. La fortune de cette notion de « purgation » (*catharsis*) doit quelque chose à son ambiguïté (que Brecht avait bien perçue : voir le texte 133). Dans son « Introduction », J. Hardy montre qu'Aristote l'emploie comme une métaphore médicale qui ne doit pas être prise à la lettre et qui ne concerne que la pitié et la crainte, considérées comme des faiblesses inhérentes à la nature humaine : la tragédie permet d'éprouver sans dommage ces sentiments désagréables puisqu'ils sont suivis d'un apaisement qui est une forme de plaisir et le spectateur, ainsi familiarisé à peu de frais avec « ces défaillances de l'âme », peut les dominer dans la vie réelle. À l'époque classique, alors que le théâtre était la cible de critiques virulentes de la part de l'Église, cette conception de la *catharsis* a été étendue à toutes les passions, fournissant ainsi une justification morale à la tragédie (voir les textes 134 et 135).

sont aussi refusées. Défini comme «un point d'optique», le drame roman-tique ne connaît d'autre modèle que la nature. Se pose alors la question de la spécificité de l'art.

L'art ne reproduit pas la nature

*Désireux de montrer que le romantisme n'est pas simplement un mouvement négateur, Hugo réaffirme ici la suprématie de l'art par rapport au réel. Il avait auparavant montré la nécessité de **l'éla-boration esthétique**, de «l'unité d'ensemble»: le romantisme n'est pas confondu avec ce qu'on commence à appeler le réalisme[1]. Le dramaturge établit, en une sorte de démonstration par l'absurde, que la nature n'entre pas directement sur la scène, qui ne connaît que l'imitation. L'œuvre elle-même n'existe pas en dehors de cette mise en forme artificielle qui recourt à divers «instruments», dont «la grammaire et la prosodie», symbolisées ici par deux écrivains classiques, Vaugelas* (Remarques sur la langue française, *1657*) *et Richelet* (auteur d'un célèbre Dictionnaire de la langue française, *1680, et d'un traité sur* La Versification française). *La métaphore du miroir ne réduit donc nullement l'œuvre à un reflet fidèle et plat de la réalité puisque le drame est défini comme «**un miroir de concen-tration**».*

À titre de prolongement, rappelons que, dans son compte rendu du Salon de 1859, *Baudelaire critique «la doctrine, ennemie de l'art», qui se donne pour idéal la représentation de la nature et aboutit à «l'invasion de la photographie»: «De jour en jour l'art diminue le respect de lui-même, se prosterne devant la réalité extérieure, et le peintre devient de plus en plus enclin à peindre, non pas ce qu'il rêve, mais ce qu'il voit.» Il exalte, au contraire «la reine des facul-tés»: «L'imagination est la reine du vrai, et le possible est une des provinces du vrai. Elle est positivement apparentée avec l'infini[2].»*

Afin de montrer que, loin de démolir l'art, les idées nou-velles ne veulent que le reconstruire plus solide et mieux fondé, essayons d'indiquer quelle est la limite infranchissable

---

1. Sur ce terme, voir l'introduction du chapitre 12, «Le roman et le réel».

2. *Œuvres complètes* II, Paris, Gallimard, coll. «Bibliothèque de la Pléiade», p. 619 et 621.

qui, à notre avis, sépare la réalité selon l'art de la réalité selon la nature. Il y a étourderie à les confondre, comme le font quelques partisans peu avancés du *romantisme*. La vérité de l'art ne saurait jamais être, ainsi que l'ont dit plusieurs, la réalité *absolue*. L'art ne peut donner la chose même. Supposons en effet un de ces promoteurs irréfléchis de la nature absolue, de la nature vue hors de l'art, à la représentation d'une pièce romantique, du *Cid*, par exemple. – Qu'est cela? dira-t-il au premier mot. Le Cid parle en vers! Il n'est pas *naturel* de parler en vers. – Comment voulez-vous donc qu'il parle? – En prose. – Soit. – Un instant après: – Quoi, reprendra-t-il s'il est conséquent, le Cid parle français! – Eh bien? – La *nature* veut qu'il parle sa langue, il ne peut parler qu'espagnol. – Nous n'y comprendrons rien; mais soit encore. – Vous croyez que c'est tout? Non pas; avant la dixième phrase castillane, il doit se lever et demander si ce Cid qui parle est le véritable Cid, en chair et en os? De quel droit cet acteur, qui s'appelle Pierre ou Jacques, prend-il le nom de Cid? Cela est *faux*. – Il n'y a aucune raison pour qu'il n'exige pas ensuite qu'on substitue le soleil à cette rampe, des arbres *réels*, des maisons *réelles* à ces menteuses coulisses. Car, une fois dans cette voie, la logique nous tient au collet, on ne peut plus s'arrêter.

On doit donc reconnaître, sous peine de l'absurde, que le domaine de l'art et celui de la nature sont parfaitement distincts. La nature et l'art sont deux choses, sans quoi l'une ou l'autre n'existerait pas. L'art, outre sa partie idéale, a une partie terrestre et positive. Quoi qu'il fasse, il est encadré entre la grammaire et la prosodie, entre Vaugelas et Richelet. Il a, pour ses créations les plus capricieuses, des formes, des moyens d'exécution, tout un matériel à remuer. Pour le génie, ce sont des instruments; pour la médiocrité, des outils.

D'autres, ce nous semble, l'ont déjà dit: le drame est un miroir où se réfléchit la nature. Mais si ce miroir est un miroir ordinaire, une surface plane et unie, il ne renverra des objets qu'une image terne et sans relief, fidèle, mais décolorée; on sait ce que la couleur et la lumière perdent à la réflexion simple. Il faut donc que le drame soit un miroir de concentration qui, loin de les affaiblir, ramasse et condense les rayons colorants, qui fasse d'une lueur une lumière, d'une lumière, une flamme. Alors seulement le drame est avoué de l'art.

Le théâtre est un point d'optique. Tout ce qui existe dans le monde, dans l'histoire, dans la vie, dans l'homme, tout doit et peut s'y réfléchir, mais sous la baguette magique de l'art.

Victor HUGO, Préface de Cromwell, 1827.

NOTIONS CLÉS

Art – Réalisme – Réalité.

▶ La réalité absolue n'est jamais transcrite directement par l'art.

▶ Celui-ci atteint la vérité en usant d'artifices (langue, versification, composition) qui lui donnent un pouvoir de révélation dont serait dépourvue une reproduction intégrale.

▶ Alfred de VIGNY, Préface à *Cinq-Mars* : « Ce que l'on veut des œuvres qui font se mouvoir des fantômes d'homme, c'est […] le spectacle philosophique de l'homme travaillé par les passions de son caractère et de son temps ; c'est donc la VÉRITÉ de cet homme et de ce TEMPS, mais tous deux élevés à une puissance supérieure et idéale qui en concentre toutes les forces. »

_____ 13. MARCEL PROUST _____
Le Temps retrouvé (1927)

Selon Proust, le grand écrivain, « traducteur » du « livre intérieur » d'impressions et de souvenirs que la vie a composé en lui, est d'abord à la recherche de son moi véritable (voir la présentation du texte 6). Des rapports nouveaux s'établissent alors entre l'art et la réalité.

L'art doit dégager l'essence de la réalité

*Proust procède à une **redéfinition de « la réalité »**. Pour lui, nous avons une perception fondamentalement subjective du réel : nos impressions du moment sont mêlées aux choses, et les souvenirs qui nous en restent conservent l'essence de notre moi, qui seule intéresse l'artiste. La réalité brute, immédiate, que l'on pourrait décrire simplement ou fixer sur la pellicule, n'a donc aucune valeur. L'écrivain ne peut faire l'économie d'un travail d'interprétation et d'écriture : « un beau style », une métaphore sont porteurs de cette vérité unique que lui seul pouvait exprimer (voir le texte 146).*

*Une telle conception de l'art et de la réalité implique donc une to-
tale **condamnation du réalisme**. La littérature dite réaliste manque
la réalité puisqu'elle se contente de saisir l'apparence des choses.
Quelques pages plus haut, Proust écrit aussi que « rien ne s'éloigne
plus de ce que nous avons perçu en réalité qu'une telle vue cinématographique », qui ne révèle jamais « la vraie vie » (sur le réalisme,
voir le chapitre 12).*

Les choses – un livre sous sa couverture rouge comme les
autres –, sitôt qu'elles sont perçues par nous, deviennent en
nous quelque chose d'immatériel, de même nature que toutes
nos préoccupations ou nos sensations de ce temps-là, et se
mêlent indissolublement à elles. Tel nom lu dans un livre autrefois, contient entre ses syllabes le vent rapide et le soleil brillant
qu'il faisait quand nous le lisions. De sorte que la littérature qui
se contente de «décrire les choses», d'en donner seulement un
misérable relevé de lignes et de surfaces, est celle qui, tout en
s'appelant réaliste, est la plus éloignée de la réalité, celle qui
nous appauvrit et nous attriste le plus, car elle coupe brusquement toute communication de notre moi présent avec le passé,
dont les choses gardaient l'essence, et l'avenir, où elles nous
incitent à la goûter de nouveau. C'est elle que l'art digne de
ce nom doit exprimer, et, s'il y échoue, on peut encore tirer
de son impuissance un enseignement (tandis qu'on n'en tire
aucun des réussites du réalisme), à savoir que cette essence est
en partie subjective et incommunicable. [...]
Une heure n'est pas qu'une heure, c'est un vase rempli de
parfums, de sons, de projets et de climats. Ce que nous appelons la réalité est un certain rapport entre ces sensations et
ces souvenirs qui nous entourent simultanément – rapport
que supprime une simple vision cinématographique, laquelle
s'éloigne par là d'autant plus du vrai qu'elle prétend se borner
à lui – rapport unique que l'écrivain doit retrouver pour en
enchaîner à jamais dans sa phrase les deux termes différents.
On peut faire se succéder indéfiniment dans une description les
objets qui figuraient dans le lieu décrit, la vérité ne commen-
cera qu'au moment où l'écrivain prendra deux objets différents,
posera leur rapport, analogue dans le monde de l'art à celui

qu'est le rapport unique de la loi causale dans le monde de la science, et les enfermera dans les anneaux nécessaires d'un beau style ; même, ainsi que la vie, quand, en rapprochant une qualité commune à deux sensations, il dégagera leur essence commune en les réunissant l'une et l'autre pour les soustraire aux contingences du temps, dans une métaphore.

Marcel PROUST, *Le Temps retrouvé*, 1927,
© Éd. Gallimard, coll. « Bibliothèque de la Pléiade », p. 885 et 889.

NOTIONS CLÉS

Art – Réalisme – Réalité et littérature – Style.

▶ La réalité n'est pas une donnée brute de l'expérience mais le produit d'une élaboration esthétique qui révèle l'essence du moi.

14. PIERRE BOURDIEU
Les Règles de l'art.
Genèse et structure du champ littéraire (1992)

Le sociologue Pierre Bourdieu, à qui l'on doit notamment *La Reproduction* (1970), *La Distinction* (1979), *Ce que parler veut dire* (1982), poursuit ici un double dessein.

Il montre d'abord comment s'est constituée **l'autonomie de la littérature** dans la société du XIXe siècle (« son expression exemplaire » apparaissant ensuite dans le *Contre Sainte-Beuve* – voir 33. Proust).

Dénonçant à la fois ceux qui affirment le caractère ineffable de l'expérience littéraire et ceux qui réduisent l'œuvre à un document sociologique, il entend aussi « proposer une analyse scientifique des conditions sociales de la production et de la réception de l'œuvre d'art ». Dans cette perspective, l'artiste n'est plus conçu comme un génie transcendant mais comme un créateur qui affirme son originalité dans un champ de déterminations sociales et mentales. « Le problème du "réalisme" et du "référent" du discours littéraire » est donc posé en des termes nouveaux, notamment dans le « Prologue » consacré à *L'Éducation sentimentale*.

La forme de l'œuvre « permet l'émergence du réel le plus profond »

Pierre Bourdieu analyse les rapports entre la littérature et le réel en termes freudiens : l'œuvre littéraire, voile et révèle à la fois (comme dans la dénégation* ou le refoulement) « la structure du monde social dans laquelle elle a été produite ».

*D'une part, **l'œuvre ne reproduit pas directement le réel**, elle le nie par sa « mise en forme » même, comparée à « un euphémisme gé-néralisé ». Mais cette « réalité littéraire déréalisée » produit chez le lecteur « un effet de croyance » (Barthes parle de « l'effet de réel »[1]) et fonde la complicité de l'auteur et du lecteur.*

*D'autre part, la fiction constitue la sublimation d'une vérité refou-lée. Cette « vérité qui, dite autrement, serait insupportable » doit être mise au jour par **l'analyse sociologique** de l'œuvre, seule capable de mener jusqu'à son terme le « retour du refoulé » contrôlé (donc limité) par l'écrivain.*

*Ainsi, si « mettre en forme, c'est aussi mettre des formes », c'est-à-dire voiler, la fiction romanesque « permet de savoir tout en refusant de savoir ce qu'il en est vraiment » et assure « **l'émergence du réel le plus profond** ». L'Éducation sentimentale est donc analysée comme « une en-treprise d'objectivation de soi, d'autoanalyse, de socioanalyse » (p. 50).*

L'Éducation sentimentale restitue d'une manière extraordi-nairement exacte la structure du monde social dans laquelle elle a été produite et même les structures mentales qui, façon-nées par ces structures sociales, sont le principe générateur de l'œuvre dans laquelle ces structures se révèlent. Mais elle le fait avec les moyens qui lui sont propres, c'est-à-dire en don-nant à *voir* et à *sentir*, dans des *exemplifications* ou, mieux, des *évocations*, au sens fort d'incantations capables de pro-duire des effets, notamment *sur les corps*, par la « magie évoca-toire » de mots aptes à « parler à la sensibilité » et à obtenir une croyance et une participation imaginaire *analogues* à celles que nous accordons d'ordinaire au monde réel[2].

---

1. Roland BARTHES, « L'effet de réel », *Communications*, n° 11, 1968 ; repris dans *Littérature et réalité*, Points Seuil, 1982.

2. L'effet de croyance que produit le texte littéraire repose, on le verra, sur l'accord entre les présupposés qu'il engage et ceux que nous engageons dans l'expérience ordinaire du monde (*N.d.A.*).

La traduction sensible dissimule la structure, dans la forme même dans laquelle elle la présente et grâce à laquelle elle réussit à produire un *effet de croyance* (plutôt que de réel). Et c'est sans doute ce qui fait que l'œuvre littéraire peut parfois dire plus, même sur le monde social, que nombre d'écrits à prétention scientifique (surtout lorsque, comme ici, les difficultés qu'il s'agit de vaincre pour accéder à la connaissance sont moins des obstacles intellectuels que des résistances de la volonté); mais elle ne le dit que sur un mode tel qu'elle ne le dit pas vraiment. Le dévoilement trouve sa limite dans le fait que l'écrivain garde en quelque sorte le contrôle du retour du refoulé. La mise en forme qu'il opère fonctionne comme un euphémisme généralisé et la réalité littérairement déréalisée et neutralisée qu'il propose lui permet de satisfaire une volonté de savoir prête à se contenter de la sublimation que lui offre l'alchimie littéraire.

Pour dévoiler complètement la structure que le texte littéraire ne dévoilait qu'en la voilant, l'analyse doit réduire le récit d'une aventure au protocole d'une sorte de montage expérimental. On comprend qu'elle ait quelque chose de profondément désenchanteur. Mais la réaction d'hostilité qu'elle suscite contraint à poser en toute clarté la question de la spécificité de l'expression littéraire: mettre en forme, c'est aussi mettre des formes, et la dénégation* qu'opère l'expression littéraire est ce qui permet la manifestation limitée d'une vérité qui, dite autrement, serait insupportable. L'«effet de réel» est cette forme très particulière de croyance que la fiction littéraire produit à travers une référence déniée au réel désigné qui permet de savoir tout en refusant de savoir ce qu'il en est vraiment. La lecture sociologique rompt le charme. Mettant en suspens la complicité qui unit l'auteur et le lecteur dans le même rapport de dénégation de la réalité exprimée par le texte, elle révèle la vérité que le texte énonce, mais sur un mode tel qu'il ne la dit pas; en outre, elle fait apparaître *a contrario* la vérité du texte lui-même qui, précisément, se définit dans sa spécificité par le fait qu'il ne dit pas ce qu'il dit comme elle le dit[1]. La

---

1. Conférer à *L'Éducation* le statut de «document sociologique», comme on l'a fait maintes fois (cf. par exemple J.-Y. DANGELZER, *La Description du milieu dans le roman français*, Paris, 1939; ou B. SLAMA, «Une lecture de *L'Éducation sentimentale*», *Littérature*, n° 2, 1973, p. 19-38) en s'en tenant aux indices les plus extérieurs de la description des «milieux», c'est laisser échapper la spécificité du travail littéraire [*N.d.A.*].

forme dans laquelle s'énonce l'objectivation littéraire est sans doute ce qui permet l'émergence du réel le plus profond, le mieux caché (ici la structure du champ du pouvoir et le modèle du vieillissement social), parce qu'elle est le voile qui permet à l'auteur et au lecteur de le dissimuler et de se le dissimuler.

Pierre BOURDIEU, *Les Règles de l'art.*
Genèse et Structure du champ littéraire,
© Éd. du Seuil, 1992, p. 58-61.

NOTIONS CLÉS

Fiction – Fonction de la littérature – Forme – Illusion référentielle – Réalité et littérature.

▶ Le texte littéraire ne constitue pas un document sociologique directement lisible.

▶ Dans la fiction romanesque, la structure du monde social est à la fois refoulée et sublimée, ce qui permet à la littérature d'exprimer une vérité plus profonde.

▶ Mais cette vérité doit être mise au jour par une lecture sociologique capable de rendre compte de la forme même de l'œuvre.

▶ Eugène IONESCO, *Notes et contre-notes*: «L'œuvre d'art n'est pas le reflet, *l'image* du monde; mais elle est *à l'image du monde.*»

CHAPITRE 4

L'œuvre et les genres

Le choix d'un genre littéraire impose à l'écrivain – aujourd'hui moins qu'autrefois – certaines contraintes (thématiques, formelles, énonciatives) et l'engage dans une relation particulière avec le public : la poésie, le théâtre, le roman ne sont pas diffusés et reçus de la même manière.

Une notion problématique

La notion de genre est devenue aujourd'hui problématique (**15. Schaeffer**). Définie de manière générale et relative, elle désigne une catégorie d'œuvres ayant en commun des critères discriminants (un genre est défini par rapport aux autres). Ces critères sont divers, hétérogènes (énonciatifs, rhétoriques, esthétiques, sociologiques…) et changeants : la poésie, par exemple, n'est plus caractérisée par la versification, et des catégories auparavant opposées ont été réunies dans la tragi-comédie (*Le Cid*), le poème en prose (Ponge parlant même de « Proêmes ») ou plus récemment l'autofiction*. En outre, les genres reconnus peuvent toujours être intégrés dans des classes d'une plus grande extension (le roman et le théâtre relèvent de la fiction) ou divisés en classes plus spécifiques (par exemple tragédie et comédie – voir à ce sujet le **chapitre 22**).

La défiance vis-à-vis de cette notion, contestée dans les années 1970 par les théoriciens de la poétique* qui lui préféraient celle de texte, d'écriture-lecture, peut s'expliquer par la manière dont elle s'est constituée et qui est ici brièvement rapportée[1].

---

1. On trouvera des analyses plus détaillées dans le petit ouvrage de Gérard Genette, *Introduction à l'architexte* (Éd. du Seuil, 1979), ainsi que dans les cours d'Antoine Compagnon (*Théorie de la littérature : la notion de genre*, cours de licence LLM 316 F2, Université de Paris IV-Sorbonne, 2001 – www.fabula.org/compagnon/genre.php) et de Laurent Jenny (*Les Genres littéraires*, Université de Genève, 2003 – http://www.unige.

La constitution de la « triade » générique

La question des genres s'enracine dans la réflexion des philosophes grecs sur les problèmes de la représentation littéraire de la nature, la *mimèsis**, qui est une forme d'imitation puisqu'elle concerne des êtres de fiction. En prenant en compte seulement l'imitation de la parole, donc l'énonciation*, **Platon**, dans *La République*, condamne le théâtre, entièrement fondé sur la parole de personnages fictifs[1], auquel il oppose d'une part le dithyrambe, forme de narration pure (la *diégèsis*) où les paroles des personnages sont aussi prises en charge par le narrateur, et d'autre part l'épopée, mode mixte qui mêle narration et parole des personnages.

Contrairement à Platon, son disciple **Aristote** valorise la *mimèsis*, qui ne concerne plus la seule imitation de la parole mais est placée au fondement de tous les arts. Dans l'art de la fiction littéraire (la *poésie* au sens large – *poièsis* en grec signifiant « création »), il distingue des classes déterminées par le choix de l'objet représenté (des personnages socialement et moralement supérieurs ou inférieurs) et par celui du mode de représentation (les actions et les paroles des personnages dans le mode narratif ou seulement leurs paroles dans le mode dramatique, qui est valorisé par Aristote). Le croisement de ces catégories fournit quatre classes, qui sont à l'origine de nos genres : la **tragédie** (objet supérieur, mode dramatique), la **comédie** (objet inférieur, mode dramatique), **l'épopée** (objet supérieur, mode narratif), la parodie (objet inférieur, mode narratif). On le voit, ce classement mêle d'emblée deux critères hétérogènes : le critère formel des modes d'énonciation et le critère thématique des objets.

Alors que chez Platon et Aristote la poésie n'apparaît pas comme un genre distinct mais comme un moyen d'expression, au XVIIIe siècle, l'abbé Batteux étend le principe général de l'imitation à **la poésie lyrique** (qui « ne peint que la seule situation de l'âme[2] », les sentiments exprimés pouvant être fictifs). Ainsi se constitue la **tripartition lyrique-épique-dramatique**, fondée sur des distinctions modales (l'énonciation* est celle du seul poète, celle du narrateur et des personnages ou celle des seuls personnages) et de ce fait attribuée à tort à Aristote, comme le fait observer Gérard Genette ; celui-ci remarque en outre que « la triade de genres, ou d'archigenres, *lyrisme/épopée/drame*, » est présentée comme naturelle alors que seule est

---

ch/lettres/framo/enseignements/methodes/genres/). Voir aussi la réflexion concise et précise d'Oswald Ducrot et Tzvetan Todorov dans leur *Dictionnaire encyclopédique des sciences du langage*, Éd. du Seuil, 1972, p. 193-201.

1. Voir le texte 10, p. 48.

2. Charles Batteux, *Les Beaux-Arts réduits à un même principe*, 1746, chap. 13, « Sur la poésie lyrique » (cité par Gérard Genette, *Introduction à l'architexte, op. cit.*, p. 37).

incontestable la distinction (linguistique) « des trois modes *narration pure/ narration mixte/imitation dramatique*[1] ».

Au début du XIXᵉ siècle, l'approche des genres prend en compte l'histoire. En Allemagne, la réflexion des frères Schlegel et la philosophie de l'histoire de Hegel débouchent sur l'idée que le développement des arts et des genres est parallèle au développement dialectique de l'esprit dans l'histoire : l'épique apparaît d'abord, voué à l'objectivité du monde, puis vient la poésie lyrique, vouée à la subjectivité de l'auteur, et leur synthèse se fait dans la poésie dramatique, la phase la plus élevée de la poésie et de l'art à l'époque moderne. Pour Hugo, cette **triade** romantique fait correspondre à « trois grands âges du monde » trois formes de littérature : aux « temps primitifs » l'ode (la Genèse), à « la société antique » l'épopée (d'Homère et des tragiques), à « la civilisation moderne » née du christianisme, qui postule la dualité de l'homme, le « drame », « poésie complète » qui enserre l'ode (lyrique) et l'épopée et, « comme la nature », doit « mêler [...] le grotesque au sublime, en d'autres termes, le corps à l'âme », effaçant ainsi la frontière entre tragédie et comédie (Préface de *Cromwell*, 1827).

La contestation des genres

Toutefois, l'esprit de liberté et d'individualisme inhérent au romantisme conduit à l'affaiblissement, voire au **refus des distinctions génériques** (**16. Hugo**). Ce phénomène s'accentue dans la deuxième moitié du XIXᵉ siècle qui voit la poésie s'étendre au « poétique », et même au « style » pour Mallarmé : « Le vers est partout dans la langue où il y a rythme, partout, excepté dans les affiches et à la quatrième page des journaux. Dans le genre appelé prose, il y a des vers, quelquefois admirables, de tous rythmes. Mais en vérité, il n'y a pas de prose : il y a l'alphabet et puis des vers plus ou moins serrés, plus ou moins diffus. Toutes les fois qu'il y a effort au style, il y a versification. » Et il affirme ainsi que « les grandes œuvres de Flaubert, des Goncourt et de Zola [...] sont des sortes de poèmes[2] ».

Au XXᵉ siècle, le récit se fait encore davantage « poétique[3] », comme si la poésie était coextensive avec la littérature elle-même, au point qu'un contestataire radical comme Tzara ne reconnaît que deux genres,

---

1. Gérard GENETTE, *op. cit.*, p. 74.

2. Stéphane MALLARMÉ, Entretien avec Jules Huret dans le cadre de son *Enquête sur l'évolution littéraire*, *L'Écho de Paris*, 14 mars 1891 (http://fr.wikisource.org/wiki/ Enquête_sur_l'évolution_littéraire).

3. Voir Jean-Yves TADIÉ, *Le Récit poétique*, PUF, 1978, nouvelle édition Gallimard, coll. « Tel », 1994.

« le poème et le pamphlet[1] ». Cette affirmation péremptoire est bien sûr infirmée par la réalité : au terme d'une étude quantitative, Henri Béhar conclut non à une réduction mais à « une **explosion des genres** au cours du siècle, d'une manière interne par le grand nombre de combinaisons génériques opérées ; d'une façon externe par la multiplicité des termes à valeur typologique employés par les auteurs eux-mêmes pour caractériser leurs ouvrages[2] ».

En dépit de ces incertitudes et de ces incohérences, une **tripartition empirique** s'est établie qui distingue trois « genres » englobants : le **roman** (constitué à partir de l'épique et caractérisé par le récit et la fiction), la **poésie** (constituée à partir du lyrique) et le **théâtre** ; trois grandes parties leur sont consacrées dans cette anthologie. D'autres « genres » ou « sous-genres » sont étudiés dans les chapitres 8 (« L'écriture du moi »), 10 (« La lecture critique ») et 22 (« Tragédie et comédie »).

D'une conception normative à une approche pragmatique

La conscience du caractère singulier et hybride des grandes œuvres a conduit à rejeter une conception normative et prescriptive du genre, sans toutefois récuser totalement cette notion (**17. Combe**). L'appartenance d'une œuvre à un (ou des) genre(s) crée chez le lecteur un horizon d'attente qui détermine, au moins pour une part, la manière dont elle est reçue (**18. Compagnon**). En outre, les genres constituent des groupes ou des familles historiques ; ils s'inscrivent bien dans l'histoire littéraire mais selon une temporalité complexe (**19. Macé**).

Un genre multiforme : l'essai

L'attitude empirique qui fait admettre l'existence des trois grands genres (ou « archigenres ») que sont la poésie, le roman et le théâtre conduit à leur en ajouter un quatrième qui réunit différentes formes de ce qu'on appelle parfois la littérature d'idées, parmi laquelle l'essai a pris au XXᵉ siècle une place particulièrement importante sans avoir été (ou, sans doute, pour ne pas avoir été) codifié. « Plus que tout autre, il pose *la question des frontières* » (**20. Glaudes et Louette**).

---

1. « Monsieur Aa l'antiphilosophe » est catégorique : « Il n'y a que deux genres dit-il : le poème et le pamphlet » (Tristan TZARA, « Haute couture », *Littérature*, n° 11, janvier 1920, p. 12).

2. Henri BÉHAR, « Il n'y a que deux genres, le poème et le pamphlet », dans *L'Éclatement des genres au XXᵉ siècle*, sous la direction de Marc DAMBRE et Monique GOSSELIN-NOAT, Presses de la Sorbonne Nouvelle, 2001, p. 79.

15. JEAN-MARIE SCHAEFFER
Qu'est-ce qu'un genre littéraire ? (1989)

Il pourrait paraître inutile de s'interroger sur les genres littéraires tant les noms qui les désignent (poésie, théâtre, roman, essai, mais aussi bien d'autres) sont d'un usage courant. Constatant pourtant que cette question a toujours été posée, Jean-Marie Schaeffer avance que l'intérêt porté aux distinctions génériques s'explique par la difficulté à définir la « spécificité sémiotique » de la littérature : « La théorie des genres est ainsi devenue le lieu où se joue le sort du champ extensionnel et de la définition en compréhension de la littérature ». Au terme d'un « bref historique », il conclut à **l'échec des tentatives de classification** opérées de Platon à Hegel et Brunetière : « une théorie générique [...] ne peut pas décomposer la littérature en classes de textes mutuellement exclusives ». Cet échec s'explique selon lui par le fait que l'œuvre littéraire, en tant qu'« acte discursif » global, est **un « objet sémiotique complexe »** qui admet « plusieurs descriptions différentes et néanmoins adéquates » dont les noms des classes et des genres littéraires ne suffisent pas à rendre compte : « À l'apparente relation toute simple entre un texte et son genre se substituent des relations complexes et hétérogènes entre divers aspects d'actes communicationnels et de réalisations textuelles. »

« La logique générique est plurielle »

> *« Les rapports du texte au genre [sont] tantôt des relations de pure exemplification, tantôt des relations de transformation. »* **Exemplification** *au niveau de l'acte communicationnel (discursif) : le texte possède les propriétés partagées par tous les membres du genre (*Œdipe roi *ou* En attendant Godot *respectent des « conventions constituantes » concernant l'énonciation et ses effets, faute de quoi ils ne seraient pas des « drames »).* **Transformation** *ou «* **modulation générique** *», selon des conventions textuelles qui déterminent seulement certains aspects de l'œuvre : «* **conventions régulatrices** *» qui constituent des prescriptions explicites (par exemple les règles métriques du sonnet ou celles de la tragédie classique) ou «* **conventions traditionnelles** *», sémantiques, qui relèvent des relations hypertextuelles entre des œuvres qui se conforment à un modèle (comme le conte philosophique ou le roman d'apprentissage). J.-M. Schaeffer y ajoute les «* **conventions de ressemblance** *» qui permettent au lecteur de rapprocher des œuvres semblables (on peut se demander si une simple analogie suffit à déterminer des classes génériques). Il n'y a donc pas une mais* **des « logiques génériques »***.*

Ainsi l'analyse des noms de genres dans leur diversité nous aura permis de découvrir que la logique générique est non pas unique mais plurielle: «classer des textes» peut vouloir dire des choses différentes selon que le critère est l'exemplification d'une propriété, l'application d'une règle, l'existence d'une relation généalogique ou celle d'une relation analogique. Le résultat final de toutes ces opérations peut être une classe extensionnelle, mais la logique de la constitution de ces classes est très diverse et irréductible à une simple relation analogique entre les textes retenus. [...]

Il nous reste à franchir un dernier (?) pas pour boucler la boucle. Nous étions partis de l'idée que l'acte littéraire, et plus globalement l'acte linguistique, est un acte sémiotique complexe, qui peut être considéré selon de multiples points de vue. Les quatre logiques génériques que nous avons distinguées ne sont donc pas des phénomènes absolus mais des phénomènes relatifs: ce sont aussi autant de manières différentes d'aborder n'importe quelle œuvre. Abstraitement, tout texte relève de ces quatre logiques: tout texte est en effet un acte communicationnel; tout texte a une structure à partir de laquelle on peut extrapoler des règles *ad hoc*; tout texte (sauf à rechercher quelque *Urtext* introuvable[1]) se situe par rapport à d'autres textes, donc possède une dimension hypertextuelle; tout texte enfin ressemble à d'autres textes. Cela ne veut pas dire que tous les niveaux soient également pertinents pour tous les textes. La création d'un texte implique déjà des choix: il n'existe pas de texte nu, ni de degré zéro de l'écriture. Par exemple, écrire un sonnet, c'est du même coup privilégier le régime des conventions régulatrices. Cela à son tour ne signifie pas qu'un texte ne puisse être abordé que selon les aspects génériques privilégiés par l'auteur. En effet, la décision d'aborder une œuvre selon tel régime générique plutôt que tel autre dépend aussi de nos intérêts cognitifs: une étude de la littérature sous l'angle de l'intentionalité pragmatique se concentrera surtout sur l'étude des propriétés communicationnelles; une étude institutionnelle de la littérature abordera la littérature par le biais des conventions régulatrices; une étude des modalités de la créativité littéraire tirera sans doute grand profit d'une analyse de la généricité hypertextuelle; enfin, un esprit curieux de la nature humaine se passionnera sans doute pour les parentés non généalogiques

---

1. Un texte original, premier, qui n'aurait donc aucune relation avec un autre texte.

pouvant exister entre différentes œuvres littéraires. On peut se réjouir ou se désoler de ce pluralisme ou de cet éparpillement de la «théorie des genres». Dans tous les cas, on est bien obligé de s'en accommoder. On s'y résoudra peut-être plus facilement en méditant cette constatation désabusée de Paul Hernadi : «En général il a été plus facile de construire des systèmes génériques plausibles que d'en éviter de superflus[1].»

Jean-Marie SCHAEFFER, *Qu'est-ce qu'un genre littéraire ?*
© Éd. du Seuil, 1989, p. 181-185.

NOTIONS CLÉS

Énonciation – Genre – Lecture.

▶ La «théorie des genres» classe les œuvres selon des critères hétérogènes et relatifs, il y a plusieurs régimes génériques.

▶ De ce fait, le lecteur est libre d'aborder une œuvre selon d'autres aspects génériques que ceux privilégiés par l'auteur.

▶ Tzvetan TODOROV, *Introduction à la littérature fantastique* : « On devrait dire qu'une œuvre manifeste tel genre, non qu'il existe dans cette œuvre. »

16. VICTOR HUGO
Préface des *Odes et Ballades* (1826)

À l'époque romantique, la prise en compte de l'histoire a remis en cause les distinctions génériques. Hugo, après avoir défini le drame, a exalté le roman en y voyant la synthèse des trois genres constitutifs de la «triade romantique» : «L'épopée a pu être fondue dans le drame, et le résultat, c'est cette merveilleuse nouveauté littéraire qui est en même temps une puissance sociale, le roman. // L'épique, le lyrique et le dramatique amalgamés, le roman est ce bronze. *Don Quichotte* est iliade, ode et comédie[2]. » Cette contestation des genres, dans leurs frontières et leur hiérarchie, est plus radicale quand l'écrivain, conscient de son génie propre, revendique sa **liberté d'artiste**.

---

1. Paul HERNADI, *Beyond Genre. New Directions in Literary Classification*, Ithaca, Cornell University Press, 1972, p. 104 *[N. d. A.]*.

2. Victor HUGO, *William Shakespeare*, 1864, I, IV, « Shakespeare l'Ancien ».

« Le goût du génie »

> *C'est au nom de la « nature », celle du créateur inspiré, que le respect des conventions génériques est ici rejeté, ce qui vaut pour une* **condamnation de l'imitation**, *caractéristique de l'attitude classique. Une seule réserve, toutefois : bien que le génie, esprit singulier, ne se soucie pas de « régularité » (source de « médiocrité »), il doit « respecter la grammaire » et chercher à « purifier sa diction*[1] *»*
>
> *La* **transgression des limites** *entre les genres s'est accentuée depuis le milieu du XIXᵉ siècle, avec, par exemple, l'apparition du poème en prose chez Aloysius Bertrand* (Gaspard de la nuit, *1842) puis Baudelaire* (Le Spleen de Paris, *1862). Pour Aragon, les distinctions génériques n'ont plus de sens : « je […] trouve infimes les distinctions qu'on fait entre les genres littéraires, poésie, roman, philosophe, maximes, tout m'est également parole. Habitués à ces distinctions, nos contemporains sont déroutés par tout ce qui y déroge, mais les écoliers de l'avenir, bâillant aux mouches, n'imagineront qu'avec peine et par respect de leurs maîtres qu'on classe dans deux casiers différents Vauvenargues, et* La Terre *par exemple. Ils y verront une subtilité pédagogique, de laquelle ils riront entre eux*[2]. *»*

On entend tous les jours, à propos de productions littéraires, parler de la *dignité* de tel genre, des *convenances* de tel autre, des *limites* de celui-ci, des *latitudes* de celui-là ; la *tragédie* interdit ce que le *roman* permet ; la *chanson* tolère ce que l'*ode* défend, etc. L'auteur de ce livre a le malheur de ne rien comprendre à tout cela ; il y cherche des choses et n'y voit que des mots ; il lui semble que ce qui est réellement beau et vrai est beau et vrai partout ; que ce qui est dramatique dans un roman sera dramatique sur la scène ; que ce qui est lyrique dans un couplet sera lyrique dans une strophe ; qu'enfin et toujours la seule distinction véritable dans les œuvres de l'esprit est celle du bon et du mauvais. La pensée est une terre vierge et féconde dont les productions veulent croître librement, et, pour ainsi

---

1. « Donner un sens plus pur aux mots de la tribu », dira aussi MALLARMÉ (« Le Tombeau d'Edgar Poe », 1877).

2. Louis ARAGON, « Une année de romans », note de 1923 publiée dans *Projet d'histoire littéraire contemporaine*, Gallimard, coll. « Digraphe », 1994.

dire, au hasard, sans se classer, sans s'aligner en plates-bandes comme les bouquets dans un jardin classique de Le Nôtre, ou comme les fleurs du langage dans un traité de rhétorique.

[Hugo file ensuite longuement la métaphore en opposant « une forêt primitive du Nouveau Monde » au « jardin royal de Versailles » pour montrer que c'est « l'ordre naturel » et non l'artifice qui est source de beauté.]

Ce qu'il est très important de fixer, c'est qu'en littérature comme en politique l'ordre se concilie merveilleusement avec la liberté ; il en est même le résultat. Au reste, il faut bien se garder de confondre l'ordre avec la régularité. La régularité ne s'attache qu'à la forme extérieure ; l'ordre résulte du fond même des choses, de la disposition intelligente des éléments intimes d'un sujet. La régularité est une combinaison matérielle et purement humaine ; l'ordre est pour ainsi dire divin. Ces deux qualités si diverses dans leur essence marchent fréquemment l'une sans l'autre. Une cathédrale gothique présente un ordre admirable dans sa naïve irrégularité ; nos édifices français modernes, auxquels on a si gauchement appliqué l'architecture grecque ou romaine, n'offrent qu'un désordre régulier. Un homme ordinaire pourra toujours faire un ouvrage régulier ; il n'y a que les grands esprits qui sachent ordonner une composition. Le créateur, qui voit de haut, ordonne ; l'imitateur, qui regarde de près, régularise ; le premier procède selon la loi de sa nature, le dernier suivant les règles de son école. L'art est une inspiration pour l'un ; il n'est qu'une science pour l'autre. En deux mots, et nous ne nous opposons pas à ce qu'on juge d'après cette observation les deux littératures dites *classique* et *romantique*, la régularité est le goût de la médiocrité, l'ordre est le goût du génie.

Il est bien entendu que la liberté ne doit jamais être l'anarchie ; que l'originalité ne peut en aucun cas servir de prétexte à l'incorrection. Dans une œuvre littéraire, l'exécution doit être d'autant plus irréprochable que la conception est plus hardie. Si vous voulez avoir raison autrement que les autres, vous devez avoir dix fois raison. Plus on dédaigne la rhétorique, plus il sied de respecter la grammaire. On ne doit détrôner Aristote que pour faire régner Vaugelas, et il faut aimer l'*Art poétique* de Boileau, sinon pour les préceptes, du moins pour le style. Un écrivain qui a quelque souci de la postérité cherchera sans cesse à purifier sa diction, sans effacer toutefois le caractère particulier par lequel son expression révèle l'individualité de son esprit. Le néologisme n'est d'ailleurs qu'une triste ressource pour l'impuissance. Des fautes de langue ne rendront jamais une pensée, et le style est comme le cristal : sa pureté fait son éclat.

L'auteur de ce recueil développera peut-être ailleurs tout ce qui n'est ici qu'indiqué. Qu'il lui soit permis de déclarer, avant de terminer, que l'esprit d'imitation, recommandé par d'autres comme le salut des écoles, lui a toujours paru le fléau de l'art, et il ne condamnerait pas moins l'imitation qui s'attache aux écrivains dits *romantiques* que celle dont on poursuit les auteurs dits *classiques*. Celui qui imite un poète *romantique* devient nécessairement un *classique*, puisqu'il imite[1]. Que vous soyez l'écho de Racine ou le reflet de Shakespeare, vous n'êtes toujours qu'un écho et qu'un reflet. Quand vous viendriez à bout de calquer exactement un homme de génie, il vous manquera toujours son originalité, c'est-à-dire son génie. Admirons les grands maîtres, ne les imitons pas[2]. Faisons autrement. Si nous réussissons, tant mieux ; si nous échouons, qu'importe ?

Victor HUGO, Préface des *Odes et Ballades* (1826).

NOTIONS CLÉS

Création littéraire – Genre – Imitation – Personnalité – Règles – Style.

▶ Les écoles et les genres imposent des conventions que le créateur de génie doit ignorer pour échapper à la médiocrité et n'être pas seulement un homme de métier.

▶ L'individualité du génie se manifeste librement dans son style mais dans le respect de la langue.

1. « Ces mots sont employés ici dans l'acception à demi comprise, bien que non définie, qu'on leur donne le plus généralement » [N.d.A.].
2. À cette condamnation de l'imitation, on peut opposer la position d'Aragon (donnée en complément du texte 25), qui la juge indissociable de la création littéraire.

▶ Le *romantique* s'oppose au *classique* comme l'originalité à l'imitation.

▶ Maurice BLANCHOT, *Le Livre à venir* : « Seul importe le livre, tel qu'il est, loin des genres, en dehors des rubriques, prose, poésie, roman, témoignage, sous lesquelles il refuse de se ranger et auxquelles il dénie le pouvoir de lui fixer sa place et de déterminer sa forme. Un livre n'appartient plus à un genre, tout livre relève de la seule littérature. »

17. DOMINIQUE COMBE
Les Genres littéraires (1992)

La conscience de la singularité des œuvres et la difficulté d'ordonner leur infinie diversité dans un nombre fini de classes conduisent à condamner le concept normatif de genre : « Tout véritable chef-d'œuvre a violé la loi d'un genre établi, semant ainsi le désarroi dans l'esprit des critiques, qui se virent dans l'obligation d'élargir ce genre[1]. » **Le genre se voit dénier toute valeur prescriptive**, il n'est qu'un nom permettant d'opérer un classement des œuvres. Cette conception nominaliste s'oppose à celle d'un critique comme Brunetière qui considère que, comme dans la botanique et la zoologie, « il y a [...] en littérature et en art des groupes naturels, des genres ou des espèces » et qu'il est légitime de les caractériser et de les classer selon une hiérarchie afin de mieux expliquer et juger les œuvres[2]. Quels sont donc les rapports qui s'établissent entre l'identité générique et la singularité qui fait d'un texte une œuvre d'art ?

« Généricité » et « littérarité »

*Dominique Combe constate que la conception normative, essentialiste des genres littéraires ne convient plus à la littérature moderne, qui pratique l'**intertextualité** * et le mélange des genres et des cultures. Le respect des contraintes, la conformité à un genre bien défini caractérisent désormais les produits de la paralittérature, chez lesquels la **singularité esthétique**, la « littérarité* », est la moins marquée. Le concept de genre n'en est pas pour autant dépassé.*

---

1. Benedetto CROCE, *Estetica*, 1902, cité par H. R. JAUSS dans « Littérature médiévale et théorie des genres » (article de 1970 recueilli dans *Théorie des genres*, Seuil, 1986, p. 41).
2. Ferdinand BRUNETIÈRE, article « Critique. III. Littérature », *La Grande Encyclopédie*, 1892, p. 419.

C'est dans la seconde moitié du siècle dernier, après Baudelaire, que la transgression et la synthèse des genres seront élevées au rang de principe de création – avec le thème symboliste de l'«Œuvre total», du «Livre[1]» et le développement de formes hybrides telles que le «poème en prose», le «roman poétique», le «théâtre poétique», le «monodrame» ou encore d'œuvres absolument inclassables, telles que *Les Chants de Maldoror* (1869) de Lautréamont, qui participent de manière parodique de tous les genres, savants et populaires : épopée, roman «gothique», roman-feuilleton, poésie lyrique romantique, confession autobiographique, sermon religieux, discours oratoire, etc. Il est d'ailleurs probable que le développement d'une littérature «au second degré», qui joue délibérément sur l'intertextualité* à des fins humoristiques ou ironiques – parodie, pastiche, etc. – contribue largement à la transgression des genres établis. Jules Laforgue, dont les *Moralités légendaires* (1887) se présentent comme une parodie, sous la forme de récits en prose, des grands mythes décadents – Hamlet, Salomé, Lohengrin, etc. –, réunit la poésie, le théâtre, le roman, le «drame» wagnérien même dans le moule de textes dont il reconnaît lui-même qu'ils échappent à toute catégorie rhétorique, comme l'œuvre de Lautréamont, en somme. Il en est de même pour *Une saison en enfer* (1873), à la fois confession autobiographique, long poème en prose, mais incluant aussi, au titre de citations des *Poésies,* des poèmes versifiés. Ce procédé d'infléchissement, de subversion en quelque sorte interne des anciens genres constitue peut-être un des traits stylistiques majeurs de l'œuvre moderne : comment dès lors rendre compte de l'*Ulysse* (1922) de Joyce qui, sur le canevas de l'*Odyssée* propose une épopée prosaïque de la vie moderne – comme d'une épopée, d'un roman, d'un poème en prose ? En d'autres termes, les textes contemporains, parce qu'ils sont essentiellement polyphoniques, pluriels, n'ont pas pour but l'appartenance à un genre unique. Un modèle de description fondé sur le postulat de la «pureté» – sur l'existence idéale de genres essentiels – ne peut être qu'inadéquat à une littérature où sont valorisés le «mélange», l'intertextualité,

---

1. Stéphane MALLARMÉ : «Tout, au monde, existe pour aboutir à un livre» («Quant au livre», *Divagations*, 1897). Et dans sa réponse à Jules Huret (1891) : «Le monde est fait pour aboutir à un beau livre.»

le «métissage» des cultures. Nul doute, de ce point de vue, que nous vivions encore aujourd'hui sur le rêve symboliste de l'«Œuvre total» et de la «correspondance des arts», bien davantage que sur l'idée «classique» d'une distinction et d'une autonomie des arts : le peintre Paul Klee était musicien, le poète Henri Michaux, qui d'ailleurs récusait les genres («Si vous les ratez, eux ne vous ratent pas», disait-il), exposait ses dessins et ses lavis, le réalisateur Pier-Paolo Pasolini était d'abord poète ; le romancier Claude Simon, aujourd'hui, publie ses photographies. Certes, le phénomène n'est pas nouveau : on rééditte les *Sonnets* de Michel-Ange, et Léonard de Vinci a composé quelques partitions. Mais ce qui paraît nouveau (du moins depuis la fin du siècle dernier), c'est la volonté explicite et systématique d'une synthèse des genres qui amène l'auteur à emprunter ses moyens à un autre art.

C'est peut-être aujourd'hui le propre des œuvres littéraires importantes, ambitieuses, que d'être mixtes par nature, tandis que la paralittérature, elle, respecte fidèlement les définitions et les cloisonnements génériques. On sait que les auteurs de la série des romans sentimentaux «Harlequin» sont soumis à des exigences extrêmement contraignantes, selon une grille dictée par les impératifs commerciaux et la traductibilité. C'est ainsi que la psychologie des personnages, leur milieu social, leur langage (qui doit être châtié, y compris dans les situations les plus scabreuses), la structure de l'histoire (avec un dénouement heureux et «moral»), le décor sont minutieusement prévus, bien que, malgré la multiplicité des auteurs – de toutes langues et de toutes cultures –, le lecteur ait bien toujours le sentiment de lire le même type de roman[1]. L'identité générique – «roman à l'eau de rose» – est alors parfaitement définie, comme si la «généricité» était inversement proportionnelle à la «littérarité». C'est en effet la possibilité, comme pour les feuilletons télévisés, de reproduire l'œuvre en série qui assure la détermination des genres. L'œuvre littéraire contemporaine, au contraire, cultive en général délibérément sa singularité, son irréductibilité aux critères de genres. La poésie de Saint-John Perse, qui pourtant est indéniablement «épique», paraît aujourd'hui importante parce qu'elle ne se confond pas avec l'ancienne épopée ; c'est

---

1. Voir l'analyse de «l'art culinaire» par H. R. Jauss (texte 7, p. 37).

parce qu'ils débordent constamment le genre romanesque, auquel ils appartiennent néanmoins, que les romans de Claude Simon font de lui l'un des plus grands écrivains de langue française.

Des apories* suscitées par les œuvres modernes, les «terroristes» et les nominalistes, tels Benedetto Croce au début du siècle, ont tiré argument pour dénoncer le concept même de genre. Mais ce sont bien plutôt les définitions normatives que la tradition rhétorique (et esthétique) a imposées aux genres qui semblent aujourd'hui dépassées, bien plus que le concept lui-même.

Dominique COMBE, *Les Genres littéraires*,
© Hachette Supérieur, 1992, p. 150-151.

NOTIONS CLÉS

Genre – Intertextualité – Paralittérature.

▶ Depuis la seconde moitié du XIXᵉ siècle, l'œuvre moderne pratique la transgression et la synthèse des genres traditionnels.

▶ L'hybridation est caractéristique des grandes œuvres.

▶ La notion de genre ne peut donc plus être définie par de strictes conventions rhétoriques et esthétiques.

18. ANTOINE COMPAGNON
Le Démon de la théorie (1998)

Dans le «bilan de la théorie littéraire» qu'il établit en 1998, Antoine Compagnon n'accorde pas une grande place à «la théorie des genres» parce qu'elle ne répond pas aux questions fondamentales que pose la littérature («Qui parle? De quoi? À qui?»). Le genre n'intéresse pas le théoricien de la littérature comme un principe de classification (de taxinomie) mais comme « **une compétence du lecteur** ».

« Le genre comme modèle de lecture »

Une œuvre n'est pas la réalisation d'une structure générale qui serait le genre, comme la parole est la réalisation individuelle de la langue, code linguistique propre à une collectivité. Le genre est bien un « code littéraire » mais celui-ci joue un rôle dans l'acte de lecture en créant des attentes dans l'esprit du lecteur qui a reconnu l'appartenance de l'œuvre à un genre. Il est « une catégorie légitime de la réception ».

Le genre, comme taxinomie, permet au professionnel de classer les œuvres, mais sa pertinence théorique n'est pas celle-là : c'est de fonctionner comme un schéma de réception, une compétence du lecteur, confirmée et/ou contestée par tout texte nouveau dans un processus dynamique. Le constat de cette affinité entre genre et réception invite à corriger la vision conventionnelle qu'on a du genre, comme structure dont le texte serait la réalisation, comme langue sous-jacente au texte considéré comme parole. En effet, pour les théories qui adoptent le point de vue du lecteur, c'est le texte lui-même qui est perçu comme une langue (une partition, un programme), par opposition à sa concrétisation dans la lecture, vue comme une parole. Même quand un théoricien des genres, par exemple Brunetière à qui cela a été vivement reproché, présente le rapport du genre et de l'œuvre sur le modèle du couple de l'espèce et de l'individu, ses analyses montrent qu'il adopte en fait un point de vue de réception, historique en l'occurrence. On a prétendu qu'il croyait à la subsistance des genres en dehors des œuvres, sous prétexte qu'il déclarait : «Comme toutes choses de ce monde, ils ne naissent que pour mourir» (Brunetière, 1879, p. 454). Mais c'était une image vive[1]. Comme critique, il adopte en effet toujours le point de vue de la lecture, et le genre a dans ses analyses un rôle de médiation entre l'œuvre et le public – dont l'auteur –, comme l'horizon d'attente. Pris à rebours, le genre est l'horizon du déséquilibre, de l'écart produit par toute grande œuvre nouvelle : «Autant que par elle-même et par ses entours, une œuvre littéraire s'explique par celles qui

---

1. BRUNETIÈRE file en effet la métaphore : «S'il y a donc en littérature et en art des groupes naturels, des genres ou des espèces, nous pouvons, nous aussi, comme les naturalistes, nous proposer de les reconnaître» (article «Critique. III. Littérature» de *La Grande Encyclopédie*, t. XIII, 1892, p. 419 – texte disponible sur http://gallica.bnf.fr/ark:/12148/bpt6k246480/f423.image).

l'ont elle-même précédée et suivie[1] », déclarait Brunetière dans son article « Critique » de *La Grande Encyclopédie* (Brunetière, 1892, p. 418B). Brunetière opposait ainsi l'évolution générique comme histoire de la réception à la rhétorique (expliquer l'œuvre par elle-même) et à l'histoire littéraire (l'expliquer par son environnement). Ainsi redressé, le genre est bien une catégorie légitime de la réception.

La concrétisation qu'accomplit toute lecture est donc insé-parable de contraintes génériques, au sens où les conventions historiques propres au genre auquel le lecteur fait l'hypo-thèse que le texte appartient lui permettent de sélectionner et de limiter, parmi les ressources offertes par le texte, celles que sa lecture actualisera. Le genre, comme code littéraire, ensemble de normes, de règles du jeu, informe le lecteur sur la façon dont il devra aborder le texte, et il en assure ainsi la compréhension. En ce sens, le modèle de toute théorie des genres reste la tripartition classique des styles. Ingarden dis-tinguait ainsi trois modes – sublime, tragique et grotesque –, qui constituaient à ses yeux le répertoire fondamental de la lecture ; Frye, à son tour, reconnaissait dans la romance, la satire et l'histoire les trois genres élémentaires, selon que le monde fictionnel est représenté comme meilleur, pire que le monde réel, ou égal à lui. Ces deux triades sont échafaudées sur la polarité de la tragédie et de la comédie, qui, depuis Aristote, constitue la forme élémentaire de toute distinction générique, comme anticipation faite par le lecteur et réglant son investissement dans le texte.

Antoine COMPAGNON, *Le Démon de la théorie*,
© Éd. du Seuil, 1998, p. 167-169.

---

1. Avec « suivie », Brunetière évoque donc, comme des critiques bien plus récents, l'existence d'un effet de lecture rétrospective : la perception d'une œuvre peut être modi-fiée par la connaissance d'une œuvre qui lui est postérieure.

NOTIONS CLÉS

Genre – Horizon d'attente – Intertextualité – Lecture – Style.

▶ Le genre peut être analysé dans le cadre de la théorie de la réception.

▶ La manière dont le lecteur aborde et comprend un texte est orientée par sa connaissance des caractéristiques du genre auquel il le rattache.

▶ Tzvetan TODOROV, *Introduction à la littérature fantastique* : « D'une manière générale, ne pas reconnaître l'existence des genres équivaut à prétendre que l'œuvre littéraire n'entretient pas de relations avec les œuvres déjà existantes. Les genres sont précisément ces relais par lesquels l'œuvre se met en rapport avec l'univers de la littérature. »

19. MARIELLE MACÉ
Le Genre littéraire (2004)

« Le genre est une norme, une convention, une généralité intermédiaire, non une substance[1]. » Dans l'« Introduction » de l'anthologie qu'elle a consacrée au genre littéraire, Marielle Macé analyse ainsi **la fonction de médiation** des genres : les auteurs subissent leur « *pression* » puisque les genres « impriment une direction à l'écriture, un point de vue ou un mode de conceptualisation » ; les lecteurs y trouvent des « cadres de connaissance » qui créent des attentes et orientent la réception des œuvres ; les critiques les utilisent pour décrire, classer, évaluer les œuvres. À cette pluralité des fonctions s'ajoute la diversité des noms utilisés pour définir et caractériser les genres ainsi que celle des relations entre une œuvre et un genre. En outre, de nouvelles œuvres imposent de nouvelles distinctions, de nouveaux noms de genres (comme « l'autofiction* »). L'idée de genre elle-même a évolué : la **conception normative, essentialiste de l'âge classique**, qui privilégiait l'imitation et jugeait les œuvres selon leur conformité à des modèles, a laissé la place au XIXᵉ siècle à une **conception évolutionniste**, plus soucieuse d'explication que de jugement et qui valorisait pourtant l'originalité de l'œuvre (voir 16. Hugo). « L'éclatement des genres au XXᵉ siècle » a conduit la critique à adopter d'autres approches, structurales ou pragmatiques, à recourir aux notions d'*intertextualité* * et d'*hybridation*. Ainsi, dans le cours de l'histoire littéraire, « l'intensité de la *conscience générique* a considérablement évolué » mais s'est maintenue.

---

1. Antoine COMPAGNON, *Théorie de la littérature : la notion de genre*, cours donné à l'Université de Paris IV-Sorbonne, 2001 (www.fabula.org/compagnon/genre.php).

« Les genres et la temporalité littéraire »

La pluralité des conceptions et des approches du genre témoigne de son importance dans l'histoire littéraire, où elle prend diverses formes.

Forts de cette pluralité d'usages et de statuts, les genres incarnent une scansion fondamentale de l'histoire littéraire ; ils constituent plus précisément la part esthétique de cette histoire, et participent activement à l'événementialité de la littérature.

Il y a autant d'histoires qu'il y a de genres. Leurs lignes d'évolution sont autant de divisions chronologiques dans une temporalité plus vaste : la chronologie de l'épopée est celle d'une disparition progressive, celle de la pastorale se réduit à un moment, le temps de la poésie s'est considérablement ralenti en France au xviiie siècle, la plupart des genres référentiels (Mémoires, autobiographie, journal, autoportrait...) semblent plus stables et moins changeants sur le temps long que leurs correspondants fictionnels ou poétiques, l'histoire de l'essai depuis le xvie siècle est une histoire à lacunes, faite de mises entre parenthèses, d'exils, de réémergence...

Il y a aussi plusieurs temporalités à l'intérieur de l'histoire d'un même genre : des rythmes différents se superposent, celui des pratiques, celui des institutions, celui des représentations, qui sont parfois synchrones et parfois découplés : une représentation du genre peut persister lorsque les pratiques sont en train de changer (c'est l'anachronisme de l'épopée au xviiie siècle) ; apparemment absent du système des genres classiques, rendu en quelque sorte impossible théoriquement, le roman était pourtant très présent au xviie siècle ; envahissant dans les titres, l'essai n'était pas considéré comme un pôle générique fort au xixe siècle, dissimulé par les catégories plus englobantes de la Critique et de l'Histoire. L'immobilité apparente des répétitions croise le rythme des chefs-d'œuvre, histoire des « œuvres saillantes qui créent ou abolissent une norme », définies par « une modification aussi inattendue qu'enrichissante de l'horizon d'un genre » (Jauss).

On peut emprunter à Paul Ricœur la notion de « tuilage » pour décrire cette temporalité non seulement feuilletée mais aussi alinéaire. Histoire sans téléologie[1], histoire d'ouverture et de réduction de possibles qui ne sont discernables que rétrospectivement. On n'a pas nécessairement affaire à une succession de «périodes génériques», mais à des superpositions, à des phénomènes de rémanences, à des effets de réversion ou de rétroaction. En posant la question de la naissance, de révolution et de la disparition des genres individuels, Brunetière s'est peut-être seulement trompé de métaphore[2], s'interdisant dans ce paradigme biologique de penser des modes d'historicité intrinsèques aux objets artistiques, leur temporalité multiple, lacunaire, réversible, leur participation conjointe au temps de l'écriture et au présent de la lecture. Il faut insister sur la réversibilité du temps des genres, qu'incarne par exemple l'attribution générique rétroactive, ou ce que Pierre Bayard appelle le «plagiat par anticipation[3]». Sans Rousseau, pourrions-nous lire les *Confessions* d'Augustin au tamis de l'autobiographie?

Marielle MACÉ, *Le Genre littéraire*,
© GF, 2014, p. 41-43.

NOTIONS CLÉS

Genre – Histoire littéraire – Horizon d'attente.

▶ Chaque genre littéraire a sa chronologie propre.
▶ Cette temporalité n'est pas strictement linéaire, elle peut être lacunaire et même réversible.

20. PIERRE GLAUDES, JEAN-FRANÇOIS LOUETTE
L'Essai (2011)

On peut définir l'essai en référence à l'œuvre de Montaigne qui est à l'origine de ce genre protéiforme dans la littérature française et lui a donné son nom. Jean Starobinski observe ainsi chez Montaigne «deux versants de l'essai, l'un objectif, l'autre subjectif», qui sont réunis dans «une relation

---

1. Sans finalité qui l'oriente.
2. La «métaphore» de Brunetière concernant les genres («Comme toutes choses de ce monde, ils ne naissent que pour mourir») est commentée par Antoine Compagnon, p. 77.
3. Voir le texte 47, p. 178.

indissoluble» : le monde et la diversité de ses objets sont soumis à l'examen de l'écrivain qui met à l'épreuve sa **faculté de juger**[1] et le conduit à une **réflexion sur soi**, à l'invention dans la littérature française de *la peinture du moi*. S'y ajoute «l'essai de la parole et de l'écriture», qui a pour but «de toucher le lecteur au vif, de l'entraîner à penser et à sentir plus intensément»[2].

Cette forme d'«**essai-méditation**», selon Marc Angenot, est «un *discours*, ce qui suppose une technique expressive», qui ressortit au «genre "délibératif intérieur"» où «le *moi* de l'énonciateur [est] sans cesse présent, non comme garant de la vérité de son écrit mais comme conscience et mesure de sa portée». Il le distingue de «**l'essai-diagnostic**» (ou cognitif), à visée didactique, qui «cherche à rassembler une série de phénomènes et à en tirer des lois en se constituant en un tout fermé» et qui n'est pas dépourvu de «caractère "esthétique"» en cela même qu'il procède à un effacement de l'énonciation* pour faire croire à sa neutralité (comme Julien Benda dans *La Trahison des clercs*, 1927)[3].

Pierre Glaudes et Jean-François Louette définissent d'abord l'essai comme une «prose non fictionnelle, subjective, à visée argumentative, mais à composition antiméthodique, où le style est déjà en lui-même une pratique de pensée». Ils précisent ensuite que s'il ressortit bien au «genre délibératif» – un des trois genres de l'art oratoire, avec le démonstratif (ou épidictique) et le judiciaire, distingués par Aristote dans sa *Rhétorique* –, il se situe aussi dans **un «entre-deux»** : il est souvent aux frontières de la fiction[4], de la vérité (entre un discours de savoir et un discours d'opinion) et de «l'agonique» (entre le débat et les discours de combat comme le polémique, la satire, le pamphlet).

« L'essai est un genre civique »

> *L'essai n'est donc pas un genre normatif, prescriptif, il ne se laisse pas enfermer dans une définition : les deux auteurs concluent leur ouvrage en énumérant « quelques traits récurrents » du discours original et paradoxal que constitue l'essai. Sa subjectivité appelle la*

---

1. «Le jugement est un outil à [*pour*] tous sujets, et se mêle partout. À [*pour*] cette cause, aux essais que j'en fais ici, j'y emploie toutes sortes d'occasions» (Montaigne, «De Démocrite et Héraclite», *Essais*, I, 50).

2. Jean STAROBINSKI, «Peut-on définir l'essai?», 1985, repris dans François DUMONT (dir.), *Approches de l'essai. Anthologie*, Québec, Éditions Nota bene, 2003, p. 174-175.

3. Marc ANGENOT, «Remarques sur l'essai littéraire», dans *La Parole pamphlétaire*, Payot, 1982.

4. Montaigne en donne un bon exemple dans «De l'exercitation» (*Essais*, II, 6) où sa réflexion sur la mort est nourrie par le récit minutieux de sa chute de cheval suivie d'un évanouissement.

rencontre de l'autre, sa transgression des frontières génériques va de pair avec la conscience des limites et de la relativité des savoirs : c'est le discours de l'homme moderne.

[…] la structure générale du discours est hasardeuse et révèle une pensée en train de se faire, *work in progress,* souvent aporétique*, qui vise à établir une vérité personnelle contre la *doxa*[1] ; ses développements sont fragmentaires, discontinus, rhapsodiques ; à l'ordre contigu de la démonstration se substituent les sauts analogiques de l'imaginaire et la densité ravissante des formules ; le moi de l'énonciateur est sans cesse présent, non pas seulement comme garant de la vérité de son écrit, mais comme mesure de sa portée ; les figures tendent à tenir lieu de concept, et le discours, où la signification s'opacifie, se charge, comme par compensation, d'intensités pures qui visent à toucher l'interlocuteur. Car il s'agit bien de le toucher : de susciter son adhésion, pour le tirer de l'apathie et du repliement sur soi dans son monde privé. L'essai est un genre civique : sa vérité, selon André Tournon, «ne se situe pas dans l'ordre des connaissances, philosophie ou érudition, mais dans l'ordre *des témoignages*[2]» ; ici, l'œuvre est l'homme et a pour but la mise en activité du destinataire. S'adressant à un large public, qui ne se réduit pas aux spécialistes d'un sujet, il est, dans la littérature d'idées, le genre qui vise l'ensemble de la communauté qui empêche les individus de s'isoler dans leur champ de compétence ou leur espace intérieur. Reliant les savoirs particuliers aux grandes questions éthiques, politiques ou esthétiques, il offre une médiation culturelle qui tranche sur la plupart des pratiques discursives, dans la mesure où spécialité et publicité y sont en général antithétiques.

L'un des paradoxes de l'essai tient à cette double nature, égotiste et civique, qui lui permet d'associer le «je» au «nous». Si le sujet y occupe une place éminente, si on l'y voit exercer son jugement à propos de tout, la délibération avec soi-même

---

1. L'opinion commune.
2. André Tournon, *Montaigne en toutes lettres, [Bordas, 1989,]* p. 81 *[N.d.A.].*

n'y conduit pas au solipsisme[1]. [...] Le «moi» de l'énonciateur, toujours présent, y appelle à une rencontre avec son lecteur. L'essai est une «tentative de risquer la pensée sur des terrains nouveaux, avec l'ambition d'inscrire dans la longue durée d'un écho intellectuel différé ce que l'auteur laisse en héritage : une question formulée, des hypothèses avancées[2]».

Un mot de regret, pour conclure, qui dessine un autre chemin possible : une interrogation plus approfondie sur le rapport de l'essai à la société. On le connaît divers : Montaigne usait peut-être de cette forme par souci d'esquiver l'intolérance de son époque. Mais l'apparition même du genre serait à rapprocher de l'idée de découverte, de la crise du savoir et de cet esprit d'exploration essentiels à la Renaissance[3]. Fondé sur la conscience du temps et de la relativité, l'essai a partie liée avec l'avènement de l'herméneutique*, à l'aube des temps modernes. Le développement du genre est indissociable de ce courant de pensée qui vise à s'affranchir de la théologie et des philosophies à système, en récusant leur prétention à s'ériger en science souveraine. L'essai est la forme que prend une réflexion qui refuse de reconnaître la légitimité d'une conscience voulant contenir en soi l'entière vérité : en tout essayiste est profondément enracinée la conviction que l'esprit humain, loin d'être une puissance infinie à laquelle tout serait immédiatement présent, est composé d'un ensemble de facultés que le sujet doit sans cesse éprouver, réévaluer et clarifier par l'expérience.

Aussi le savoir qui se constitue dans l'essai est-il d'abord fondé sur la conscience de la précarité du sujet connaissant, lequel est toujours pris dans sa propre interprétation, et toujours en corrélation avec le monde, qu'il ne peut saisir que par un retour sur soi. L'essai est donc un type de discours qui prend en compte «la finitude de tout phénomène historique, que ce soit une religion, un idéal ou un système philosophique, et par suite la relativité de toute interprétation humaine du rapport

---

1. «Attitude du sujet pensant pour qui sa conscience propre est l'unique réalité, les autres consciences, le monde extérieur n'étant que des représentations» (*Trésor de la langue française*).

2. Éric VIGNE, *L'Essai, [Paris, ADPF publications, 1997]*, p. 7 *[N.d.A.]*.

3. Voir Michael L. HALL, «The emergence of the Essay and the idea of discovery, *Essays on the Essay*, Alexander J. BUTRYM (éd.), *[Athens (Ga) & London, Univ. of Georgia Press, 1989,]* pp. 73-91 *[N.d.A.]*.

des choses[1]». Il est inséparable de ce moment où l'homme moderne prend conscience de la pluralité de sens qui peut affecter les phénomènes, de la sédimentation de ces significations au cours de l'histoire et des divergences d'interprétation qui peuvent en résulter.

[…] puissions-nous avoir fait pressentir que l'essai est peut-être moins un genre en soi qu'une certaine qualité de l'esprit. C'est ce que suggère, par exemple, J.-Y. Pouilloux : «Il ne suffit pas que le terme "essai" entre dans l'intitulé pour que la tonalité attendue [le modèle posé par Montaigne] soit présente ; à la limite, plus qu'un genre, l'essai désigne des qualités humaines qu'on demande à trouver à travers un style, un refus du système, une bonhomie souriante, une acceptation des contradictions, une précision sans facilités, bref, l'intelligence[2]». Ce qui n'est pas peu demander…

Pierre GLAUDES et Jean-François LOUETTE, *L'Essai*,
Éd. Armand Colin, 2011, p. 295-297.

NOTIONS CLÉS

Essai – Genre – Sujet.

▶ L'essai présente une pensée en mouvement qui cherche à mobiliser celle du lecteur.

▶ Le genre s'est développé, depuis Montaigne, dans une société consciente des limites de l'esprit humain, de la relativité des savoirs.

▶ Libéré des conventions rhétoriques, il se caractérise par une forme d'intelligence qui allie exigence et modestie.

---

1. Wilheim DILTHEY, *Le Monde et l'esprit*, t. 1, traduit en français par M. Rémy, Paris, Aubier, 1947, p. 15 *[N.d.A.]*.

2. Jean-Yves POUILLOUX, « Essai », *Dictionnaire des genres et notions littéraires*, [Paris, Encyclopædia universalis et Albin Michel, 1997], p. 269 *[N.d.A.]*.

CHAPITRE 5

Avant l'œuvre : génétique et intertextualité

Qu'y a-t-il avant l'œuvre ? Peut-on analyser le processus de la création littéraire ? Dans ce domaine, notait en 1957 Alain Robbe-Grillet, écrivain et théoricien du Nouveau Roman, « les mythes du XIXᵉ siècle conservent toute leur puissance » : l'artiste est encore vu comme « une sorte de monstre inconscient, irresponsable et fatal, [...] un simple médiateur entre le commun des mortels et une puissance obscure, un au-delà de l'humanité, un esprit éternel, un dieu[1]... »

Le témoignage de Rousseau a pu contribuer à la naissance de ce mythe romantique. Il déclare avoir eu la soudaine intuition de son système en découvrant la question de l'Académie de Dijon demandant « si le rétablissement des Sciences et des Arts a contribué à épurer les mœurs ». L'expérience qu'il décrit constitue une véritable illumination : « Si jamais quelque chose a ressemblé à une inspiration subite, c'est le mouvement qui se fit en moi à cette lecture ; tout à coup je me sens l'esprit ébloui de mille lumières ; des foules d'idées vives s'y présentèrent à la fois avec une force et une confusion qui me jeta dans un trouble inexprimable[2]. » De son côté, Balzac, le père du roman réaliste, dont le nom est associé à l'idée d'un labeur forcé, attribue aux romanciers une « puissance » qui, plus que « *l'observation* » et « *l'expression* », est à la source du génie : il

---

1. Alain Robbe-Grillet, *Pour un nouveau roman*, Paris, Éd. de Minuit, 1963, coll. « Idées », p. 11-12.

2. Jean-Jacques Rousseau, *Lettres à Malesherbes* (1762), Paris, Le Livre de poche, coll. « Libretti », 2010, p. 23.

s'agit d'«une sorte de seconde vue qui leur permet de deviner la vérité dans toutes les situations possibles», sans avoir à se déplacer[1].

L'analyse des manuscrits apporte quelque lumière sur le processus complexe de la création littéraire. Elle distingue «deux grands types d'écritures littéraires : il y a des écrivains [comme Flaubert ou Zola] qui ne peuvent travailler qu'avec un canevas précis selon le principe d'une "programmation scénique" qui anticipe sur la textualisation, et d'autres [comme Stendhal ou Kafka] qui ont besoin de se jeter dans la rédaction sans se sentir contraints par le moindre plan en suivant la méthode d'une "structuration rédactionnelle"[2]». C'est aussi le cas d'Aragon, romancier réaliste passé par le surréalisme, qui a soutenu que l'impérieux besoin de noter des phrases que n'appelait aucune réflexion a été à l'origine de ses romans (**21. Aragon**).

À la question : La création littéraire est-elle gouvernée par l'auteur, qui définirait clairement ses buts et ses moyens, ou instinctive, œuvre d'un génie inspiré ? Malraux a répondu : «gouvernée et instinctive», précisant en outre que, l'art étant le monde des formes, une œuvre naît sur le terreau de celles qui l'ont précédée (**22. Malraux**). Ce phénomène est maintenant analysé par la critique moderne en termes d'intertextualité* (**23. Jenny**).

Un autre domaine récent de la critique, la génétique, étudie les documents de travail de l'écrivain pour interpréter l'œuvre (**24. de Biasi**). Cette approche peut être comprise de manière extensive et intégrer l'intertextualité afin de pouvoir prendre en compte les œuvres sans archives (**25. Grésillon**).

La réflexion sur le processus créateur se prolonge dans les chapitres 6 («L'écriture et ce qui s'y joue), 7 («L'homme et l'œuvre») et 18 («La création poétique»).

─────────── **21. LOUIS ARAGON** ───────────
Je n'ai jamais appris à écrire ou les Incipit (1969)

On divise trop souvent l'œuvre et la vie d'Aragon en trois périodes marquées par des engagements différents : textes provocants et éclatants d'invention du jeune surréaliste (*Le Paysan de Paris*, 1926), production plus rangée du communiste et du chantre d'Elsa (*réalisme socialiste** des romans du

---

1. BALZAC, Préface de la première édition de *La Peau de chagrin* (1831). *Facino Cane* donne une autre illustration de cette «qualité dont l'abus mènerait à la folie» et qui permet de «devenir autre que soi par l'ivresse des facultés morales» : le narrateur déclare pouvoir ainsi «épouser» la vie des ouvriers qu'il côtoie dans la rue.

2. Pierre-Marc DE BIASI, *La Génétique des textes*, Paris, Nathan, coll. «128», 2000, p. 32.

Monde réel – voir le texte 72 –, retour à la poésie versifiée avec les recueils de la Résistance et les poèmes d'amour comme *Le Crève-cœur* en 1941 et *Les Yeux d'Elsa* en 1942) et enfin, après la crise politique de 1956 (déstalini-sation), renouvellement des formes et de l'inspiration poétiques (*Le Roman inachevé*, 1956 ; *Le Fou d'Elsa*, 1963) et romanesques (*La Semaine sainte*, 1958 ; *La Mise à mort*, 1965 ; *Blanche ou l'Oubli*, 1967).

« Il n'y a pas de solution de continuité dans mon œuvre », affirmait pour-tant Aragon[1]. De fait, **l'unité de cette œuvre** considérable apparaît nette-ment dans l'entreprise éditoriale des dernières années : à partir de 1964, les *Œuvres romanesques croisées d'Elsa Triolet et Aragon* puis l'*Œuvre poétique* s'enrichissent d'importants écrits théoriques qui révèlent chez l'homme et l'écrivain la permanence d'**un questionnement sur soi** et de la référence au surréalisme.

La force entraînante de l'incipit

Aragon a évoqué de manière concrète la genèse des Cloches de Bâle *dans une postface de 1964. Trente ans après sa publication, il rapporte comment il a écrit ce roman à partir d'une phrase venue spontanément sous sa plume et tout de suite perçue comme la phrase initiale d'un texte (un incipit) : « Cela ne fit rire personne quand Guy appela M. Romanet papa[2] ». À l'origine du processus créateur, il y a donc une expérience voisine de celle décrite dans le passage du* Manifeste du surréalisme *où Breton rapporte sa découverte de* **l'écriture automatique**, *qui a constitué la pierre de touche du pre-mier surréalisme (voir le texte 99).*

L'incipit voit sa fonction créatrice systématisée dans Je n'ai ja-mais appris à écrire. *« Conjonction de mots » donnée par « accident » et engendrant l'ensemble du roman, il constitue le germe d'une créa-tion qui s'opère* **en dehors de la conscience claire** *du romancier : l'auteur est l'autre (voir la deuxième partie et Rimbaud, texte 98).*

Ce processus créateur répond à une nécessité intérieure et consti-tue **une aventure personnelle** *: il y va de la vie de l'auteur « mené chez l'Ogre ». L'entreprise romanesque perd ainsi cette apparence*

---

1. Entretien avec Jacqueline Piatier, *Le Monde*, 13 septembre 1967.
2. La gratuité d'une telle phrase n'est d'ailleurs qu'apparente, car il n'est pas indifférent que cet incipit définisse le petit Guy par sa recherche d'un père. Dans les œuvres les moins personnelles d'Aragon, on peut en effet repérer les traces d'un roman des origines, du *com-mencement* de la vie : fils naturel du préfet de police Louis Andrieux (qui ne voulut jamais le reconnaître mais lui choisit un nom), l'enfant fut élevé par sa mère et sa grand-mère qui, par peur du scandale, se firent respectivement passer pour sa sœur aînée et sa mère.

> *de jeu gratuit et pauvrement inventé qui lui valait le mépris de Breton.*
> *Le surréalisme constitue donc un autre « arrière-plan » de l'œuvre et*
> *de la pratique d'Aragon, comme l'indique la référence explicite à*
> *Lautréamont que les surréalistes célébraient comme un précurseur.*
>   *Le danger d'une telle attitude serait de réduire l'œuvre à la bio-*
> *graphie. Aragon l'écarte dans un autre passage des* Incipit *: « Je ne*
> *cherche pas à expliquer ce qui s'écrit par la vie de l'homme qui*
> *écrit. Simplement je constate le parallélisme de deux processus, l'un*
> *qui se reflète dans l'écriture, l'autre dans la biographie. »*

Je n'ai de ma vie, au sens où l'on entend ce verbe, *écrit* un seul roman c'est-à-dire ordonné un récit, son développement, pour donner forme à une imagination antérieure, suivant un plan, un agencement prémédité. Mes romans, à partir de la première phrase, du geste d'échangeur qu'elle a comme par hasard, j'ai toujours été devant eux dans l'état d'innocence d'un lecteur. Tout s'est toujours passé comme si j'ouvrais sans rien en savoir le livre d'un autre, le parcourant comme tout lecteur, et n'ayant à ma disposition pour le connaître autre méthode que sa *lecture*. Comprenez-moi bien : ce n'est pas manière de dire, métaphore ou comparaison, je n'ai jamais écrit mes romans, *je les ai lus*. Tout ce qu'on en dit, a dit, en dirait, sans cette connaissance préalable du fait, ne peut être que vue *a priori*, jugement mécanique, ignorance de l'essentiel. Comprenez-moi bien : *je n'ai jamais su qui était l'assassin*. C'est au mieux cet inconnu qui m'a pris par la main pour être le témoin de son acte. Et, le plus souvent, le Petit Poucet n'a pas semé derrière lui à mon intention les cailloux blancs ou les miettes de pain qui m'auraient permis de suivre sa trace. J'ai été mené chez l'Ogre non par un raisonnement, mais par une rencontre de mots, ou de sons, la nécessité d'une allitération*, une logique de l'illogisme, la légitimation après coup d'un heurt des mots. L'accident expliqué. Si vous voulez, tout roman m'était la ren-contre d'un parapluie et d'une machine à coudre sur une table de dissection[1] : cette invention qui, chez Lautréamont, est

---

1. « Il est beau comme [...] la rencontre fortuite sur une table de dissection d'une machine à coudre et d'un parapluie ! » (Lautréamont, *Les Chants de Maldoror*, chant VI).

donnée pour la beauté même, l'une des innombrables définitions de la beauté maldororienne, a toujours figuré pour moi
l'équation de départ d'un roman écrit pour justifier après coup
cette conjonction de mots.

Louis ARAGON, *Je n'ai jamais appris à écrire ou les Incipit*,
dans *Œuvres romanesques croisées*,
© Éd. Gallimard, 1969, t. 42, p. 191-192

NOTIONS CLÉS

Biographie – Création littéraire – Surréalisme.

▶ Aragon écrit un roman à partir d'une première phrase surgie brusquement à sa conscience avec la valeur et la force entraînante d'un *incipit*.

▶ Dans ce cas (sans doute extrême), l'écrivain se définit comme le premier lecteur de son œuvre.

▶ Jean BELLEMIN-NOËL, *Psychanalyse et littérature*: « Les mots de tous les jours assemblés d'une certaine manière acquièrent le pouvoir de suggérer l'imprévisible, l'inconnu, et les écrivains sont des hommes qui, en écrivant, parlent à leur insu de choses qu'à la lettre "ils ne savent pas". Le poème en sait plus que le poète. »

22. ANDRÉ MALRAUX
L'Homme précaire et la littérature (1977)

Il est commode de distinguer plusieurs volets dans l'œuvre de Malraux: romans (*Les Conquérants*, 1928 ; *La Voie royale*, 1930 ; *La Condition humaine*, 1933 ; *L'Espoir*, 1937) ; essais, réunis en 1976 sous le titre *Le Miroir des limbes* ; écrits sur l'art (*Les Voix du silence*, 1951 ; *Le Musée imaginaire de la sculpture mondiale*, 1952-1955 ; *La Métamorphose des dieux*, 1957-1976). L'unité de cette œuvre (et d'une vie consacrée aussi à l'engagement politique, antifasciste d'abord, gaulliste ensuite) peut être cherchée dans **la permanence de l'interrogation métaphysique sur la mort**, le sens de la vie, le destin, mais aussi dans **le culte de l'art**. « Ce qui compte essentiellement pour moi, c'est l'art. Je suis en art comme on est en religion », déclarait-il en 1945.

Dans sa méditation sur la création artistique, Malraux oppose constamment le monde des formes et la vie. L'artiste cherche moins à imiter le réel qu'à échapper au destin humain : « l'art est un anti-destin » (voir le texte 148). *L'Homme précaire et la littérature*, publié un an après sa mort, réaffirme la distinction fondamentale entre la littérature et le réel : « *Madame Bovary*,

Anna Karénine ne ressemblent guère plus aux faits divers dont ils sont nés qu'un champ de seigle ne ressemble au sac de graines dont il fut semé». L'imaginaire de l'artiste (à la différence de l'imagination du rêveur) est « **un domaine de formes** », c'est pourquoi « la création littéraire naît dans le monde des créations et non dans celui de la Création ».

Un roman renvoie à la bibliothèque

*Malraux dénonce ainsi l'illusion qui voit dans la littérature une transcription de la réalité. L'œuvre s'inscrit dans une relation non avec le réel mais avec « le monde-d'un-art », qui échappe aux lois de l'espace et du temps humains : c'est le Musée imaginaire pour la peinture, la Bibliothèque pour le roman. **Il n'y a pas de création sans forme esthétique**, aussi Balzac a-t-il construit son œuvre moins en faisant « concurrence à l'état civil » (comme il l'a proclamé dans l'« Avant-propos » de* La Comédie humaine*) qu'en s'appropriant et en renouvelant les formes romanesques de son temps. Une telle analyse conduit donc à faire de l'intertextualité* – bien que le concept ne soit pas ici utilisé – une caractéristique essentielle de l'œuvre littéraire.*

Rimbaud ne commence pas par écrire du Rimbaud informe, mais du Banville ; de même, si nous changeons le nom de Banville, pour Mallarmé, Baudelaire, Nerval, Victor Hugo. Un poète ne se conquiert pas sur l'informe, mais sur les formes qu'il admire. Un romancier aussi. Avant de concevoir *La Comédie humaine* et de se battre avec l'état civil, Balzac s'est battu avec le roman de son temps. C'est sur Walter Scott, Ducray-Duminil, bien d'autres, puis sur maintes *Scènes de la vie privée* qu'il conquiert *Le Père Goriot*, non sur son ancien propriétaire ruiné par ses filles. La création n'est pas le prix d'une victoire du romancier sur la vie, mais sur le monde de l'écrit dont il est habité. [...]

Toute narration est plus proche des narrations antérieures que du monde qui nous entoure ; et les œuvres les plus divergentes, lorsqu'elles se rassemblent dans le musée ou la bibliothèque, ne s'y trouvent pas rassemblées par leur rapport avec la réalité, mais par leurs rapports entre elles. La réalité n'a pas plus de style que de talent.

Nous appelons réalité le système des rapports que nous prêtons au monde – au plus vaste englobant possible. La création, dans les arts plastiques et ceux du langage, semble la transcription fidèle ou idéalisée de ces rapports, alors qu'elle se fonde sur *d'autres*. Tantôt d'autres rapports de leurs éléments entre eux, tantôt avec leur englobant – qui n'est ni le monde ni le réel mais le monde-d'un-art, un temps qui n'est pas le temps, un espace qui n'est pas l'espace ; la bibliothèque ou le musée, le roman ou la peinture. Il faut une illusion-logique chevillée au corps pour voir, dans le Musée Imaginaire, un monde illustré, et dans la Bibliothèque, un récit de l'aventure humaine. Car la création, semblable aux liquides, qui ne prennent forme que par leur contenant, nous apparaît par les formes qu'elle a prises ; elle nous apparaît encore dès que nous nous attachons à leur dissemblance, non à leur ressemblance : à ce qui sépare *Madame Bovary* de tout modèle, un tableau, de toute photographie, *Le Cuirassé Potemkine* de toute révolte de matelots.

André MALRAUX, *L'Homme précaire et la littérature*,
© Éd. Gallimard, 1977, p. 155 et 159-160.

NOTIONS CLÉS

Création artistique – Illusion réaliste – Intertextualité.
▶ L'artiste est un créateur de formes, non un imitateur du réel.
▶ Il trouve sa manière propre à partir des œuvres des artistes qui l'ont précédé.

23. LAURENT JENNY
« *La stratégie de la forme* » (1976)

En réaction contre « la critique traditionnelle "des sources" » et sous l'influence de la linguistique structurale, la critique moderne (précédée par Proust et son *Contre Sainte-Beuve* : voir le texte 33) a été marquée par un mouvement de retour au texte littéraire, considéré comme une structure relativement autonome (voir ci-dessus les textes 1. Jakobson et 2. Barthes). Cette critique formelle (ou textuelle) ne constitue pas pour autant la seule approche du texte littéraire. Celui-ci peut être aussi envisagé comme le résultat d'un long travail et la critique génétique a entrepris de rendre compte de la spécificité d'un texte en étudiant son **mode d'engendrement** à partir des diverses traces laissées par l'auteur (brouillons, manuscrits, variantes).

L'autonomie du texte littéraire a été aussi relativisée par les travaux du critique soviétique Bakhtine qui recourt à la notion de **dialogisme*** (voir le texte 79) : le discours romanesque, notamment, se compose de diverses voix (Bakhtine parle de «polyphonie»), de divers discours qui lui préexistent dans la société et dans la littérature. La notion d'*intertextualité**, reprise ensuite par Julia Kristeva, se fonde sur le fait que la littérature travaille sur des langages déjà constitués et qu'un texte s'insère «dans l'ensemble social considéré comme un ensemble textuel».

L'intertextualité

L'article de Laurent Jenny, paru dans un numéro de la revue Poétique *consacré aux* Intertextualités, *définit d'abord l'intertextualité comme « la condition même de la lisibilité littéraire » puisque* **l'œuvre travaille le langage**, *qui véhicule tout un système de représentations. L'intertextualité est donc présente dans le code même. Le texte littéraire reçoit là une nouvelle spécificité : il impose au lecteur* **un déchiffrage particulier**, *que « la pratique d'une multiplicité de textes » rend possible.*

L'intertextualité peut être plus ou moins explicite dans les œuvres qui pratiquent les diverses formes de l'imitation ; elle appartient alors au contenu de l'œuvre. Quand elle n'est pas explicitement déclarée, son repérage et son analyse dépendent des compétences du lecteur.

Lorsque Mallarmé écrit : «Plus ou moins, tous les livres contiennent la fusion de quelque redite comptée[1]», il souligne un phénomène qui, loin d'être une particularité curieuse du livre, un effet d'écho, une interférence sans conséquence, définit la condition même de la lisibilité littéraire. Hors de l'intertextualité, l'œuvre littéraire serait tout simplement imperceptible, au même titre que la parole d'une langue encore inconnue. De fait, on ne saisit le sens et la structure d'une œuvre littéraire que dans son rapport à des archétypes, eux-mêmes abstraits de longues séries de textes dont ils sont en quelque sorte l'invariant.

---

1. MALLARMÉ, *Crise de vers*, 1896.

Ces archétypes, issus d'autant de «gestes littéraires», codent les formes d'usage de ce «langage secondaire» (Lotman) qu'est la littérature. Vis-à-vis des modèles archétypiques, l'œuvre littéraire entre toujours dans un rapport de réalisation, de transformation ou de transgression. Et pour une large part, c'est ce rapport qui la définit. Même si une œuvre se définit comme n'ayant aucun trait commun avec les genres existants, loin de nier sa sensibilité au contexte culturel, elle en fait l'aveu par cette négation même. Hors système, l'œuvre est donc impensable. Sa perception suppose une compétence dans le déchiffrage du langage littéraire, qui ne saurait être acquise que dans la pratique d'une multiplicité de textes : du côté du décodeur la virginité est donc tout aussi inconcevable. Si l'on a pu omettre si longtemps cet aspect de l'œuvre littéraire, c'est tout simplement que son code aveuglait à force d'évidence. L'œuvre apparaissait «hors-code», comme une tranche de réalité vivant dans les pages, et qui dès lors ne pouvait être mise en rapport avec rien d'autre qu'elle-même. Dès lors qu'une critique formelle est, comme aujourd'hui, solidement assurée dans ses fondements, l'intertextualité se doit d'être située par rapport au «fonctionnement» de la littérature. Si tout texte réfère implicitement *aux* textes, c'est d'abord d'un point de vue génétique que l'œuvre littéraire a partie liée avec l'intertextualité. Mais il convient de replacer sur la scène formelle un phénomène mal compris par la critique traditionnelle «des sources».

Il arrive aussi que non seulement l'intertextualité conditionne l'usage du code, mais encore soit explicitement présente au niveau du contenu formel de l'œuvre. C'est le cas de tous les textes qui laissent transparaître leur rapport à d'autres textes : imitations, parodie, citation, montage, plagiat, etc. La détermination intertextuelle de l'œuvre est alors double : ainsi, une parodie entre à la fois en rapport avec l'œuvre qu'elle caricature et avec toutes les œuvres parodiques constitutives de son propre genre. Ce qui demeure évidemment problématique, c'est la détermination du degré d'explicitation de l'intertextualité dans telle ou telle œuvre, en dehors du cas-limite de la citation littérale. S'il est clair que des critères structurels peuvent servir à «prouver» un fait intertextuel, dans toute une catégorie de cas, il sera difficile de déterminer si le fait intertextuel dérive de l'usage du code ou s'il est la matière même de l'œuvre. En fait, on devine qu'il n'y a rien d'incompatible dans ces «positions» du fait intertextuel, si l'œuvre a une forte coloration métalangagière. Ce qui peut varier aussi, c'est la sensibilité des lecteurs à la «redite». Cette sensibilité est évidemment fonction de la culture et de la mémoire de chaque époque, mais aussi des préoccupations formelles de ses écrivains. Par exemple le dogme de l'imitation propre à la Renaissance est aussi une invite à une lecture double des textes et au déchiffrage de leur rapport intertextuel avec le modèle antique. Les modes de lecture de chaque époque sont donc aussi inscrits dans leurs modes d'écriture.

Laurent Jenny, «La stratégie de la forme»,
dans *Poétique*, n° 27, 1976, p. 257-258.

NOTIONS CLÉS

Genre – Imitation – Intertextualité – Langage – Lecteur – Réception.

▶ Une œuvre littéraire se comprend non par son rapport au réel mais par ses relations avec les autres œuvres.

▶ Elle suppose un lecteur rompu à «la pratique d'une multiplicité de textes».

▶ Julia Kristeva, *Sémiotiké, recherches pour une sémanalyse* : «Tout texte se construit comme mosaïque de citations, tout texte est absorption et transformation d'un autre texte. À la place de la notion d'intersubjectivité s'installe celle d'*intertextualité*, et le langage poétique se lit, au moins, comme *double*.»

24. PIERRE-MARC DE BIASI
La Génétique des textes (2000)

La critique génétique adopte une **perspective herméneutique** : elle cherche à «interpréter les formes et significations de l'œuvre à la lumière du processus dynamique qui les a produites». À cet effet, elle constitue «l'avant-texte» de l'œuvre dans lequel sont conservés, après avoir été déchiffrés, transcrits, datés, ordonnés, les documents que l'écrivain a produits (dossier préparatoire, manuscrits, épreuves corrigées, etc.) ou consultés (autres œuvres, documentation diverse) au cours de son travail ainsi que ceux qui peuvent éclairer la genèse de l'œuvre (correspondance, archives familiales, etc.). Cette approche modifie la conception de l'œuvre littéraire, qui ne se réduit pas au texte final. Elle a rencontré la réflexion du poète Francis

Ponge qui a intégré dans son œuvre les textes ayant contribué à l'élaboration progressive d'un poème (*La Fabrique du pré*, 1971).

Génétique et critique textuelle

> *Pierre-Marc de Biasi montre ici que la démarche génétique remet en cause la conception de l'œuvre comme totalité close, fondement de la critique textuelle. Celle-ci, en se privant des matériaux qui constituent l'avant-texte, prend le risque de proposer des interprétations erronées. Elle tend à sacraliser l'œuvre, à la figer dans une interprétation, alors que la génétique réintroduit la dimension temporelle et offre « **des chances de lectures indéfiniment plurielles** ».*

Les brouillons, plans, notes, ébauches, carnets, scénarios, notes d'enquête, calepins de voyage, journaux intimes, etc., substituent un foisonnement de documents complexes à ce qui était, avec le texte, l'ordre limpide d'un objet unique et délimité. Ce désordre induit des réactions de rejet, à tel point que certains critiques du texte jugent qu'il serait préférable de faire comme si ces manuscrits de travail n'avaient jamais existé. Ce déni de réalité, intellectuellement très étrange (il y a des manuscrits, mais je ne veux rien savoir de ce qu'ils pourraient nous apprendre sur le texte), trouve sa justification théorique dans le présupposé de «clôture». Le texte, objet de l'herméneutique*, est *institué* comme totalité interprétable par le «geste arbitraire et souverain» du critique: «pas de lecture possible sans clôture des textes», *exit* le document de genèse. Cet ostracisme critique fait problème: comment, du simple fait d'avoir été imprimée, l'œuvre pourrait-elle constituer une entité n'entretenant plus aucune relation avec le travail de l'écrivain, ni aucun lien avec ses manuscrits? Sans devenir pour autant généticien, on peut avoir recours aux manuscrits par curiosité, par respect pour l'écrivain qui les a légués, par modestie… ou par simple prudence, car le «geste arbitraire et souverain» du critique ne met pas à l'abri des bévues et des contresens. Que penser raisonnablement des interprétations littéraires qui, à l'abri de cette fameuse «clôture du texte», se trouvent en contradiction flagrante avec ce que nous disent les brouillons de l'œuvre? La circonspection est d'ailleurs souvent récompensée: si les manuscrits offrent un moyen sûr pour contrôler et valider les hypothèses formées à partir du texte, ils constituent aussi et surtout, pour la critique, une formidable mine de découvertes. Il y a toujours plus dans les brouillons de l'œuvre que dans toute la philosophie du critique qui cherche à la comprendre. Alors, pourquoi tant de réticences? Parce que, hélas!, la plupart des manuscrits apportent un démenti formel à la possibilité de conclure sur le sens des textes. La critique textuelle aime en finir avec le sens de l'œuvre, statuer sur sa valeur et se faire donatrice de signification; le document de genèse proroge l'inachèvement, l'installe au cœur du texte parachevé, transforme l'interprète en explorateur des possibles. L'avant-texte de l'œuvre ne suspend pas la relation interprétative, mais il la rend plus complexe et y introduit une dimension indiscutablement problématique. Relu à la lumière de ses manuscrits, le texte littéraire ne supporte plus d'être institué en configuration de sens fini. Le clore, c'est le défigurer, car il ne s'est construit qu'en déjouant à chaque instant le risque d'engendrer une interprétation hégémonique et totalisante. Les brouillons et les documents de genèse le démontrent à chaque page, presque à chaque ligne : le plus petit geste d'écriture (le choix d'un mot, une rature, un ajout, un déplacement) est *toujours* déterminé par la coexistence de plusieurs exigences simultanées, exigences hétérogènes qui, séparées, pourraient alimenter autant d'interprétations distinctes ou même divergentes, mais qui, dans l'œuvre à l'état naissant, sont strictement *solidaires* et doivent être étudiées comme telles. Pour la génétique, c'est cette solidarité qui constitue la «réalité» structurale de l'écriture : un phénomène de relativité généralisée, une structuration qui se tisse dans l'avant-texte comme un réseau croissant de liens interconnectés dont la dynamique reste active dans le texte sous la forme d'arborescences autorisant une infinité de parcours possibles, des chances de lectures indéfiniment plurielles. C'est donc à une conversion de l'herméneutique* que conduit certainement l'approche génétique. L'herméneutique des textes a toujours flirté avec l'idéalisme et l'intemporel : son modèle implicite est le texte révélé, le Livre solidement étayé par la glose et le commentaire. La critique génétique, au contraire, résolument laïque, croit que l'œuvre est l'effet d'un travail.

Pierre-Marc de Biasi, *La Génétique des textes*,
Éd. Nathan, coll. « 128 », 2000, p. 85-86.

NOTIONS CLÉS

Genèse – Interprétation – Avant-texte / texte.

▶ Le bon sens et la prudence plaident pour l'étude génétique des œuvres qui fournit des matériaux pour leur interprétation.

▶ La génétique définit la relation interprétative comme problématique, elle ouvre le texte achevé à de nouvelles lectures.

▶ Elle constitue une approche historique et matérialiste de la littérature.

25. ALMUTH GRÉSILLON
Éléments de critique génétique (1994)

Réfléchissant aux fondements théoriques de la génétique et soucieuse d'élargir le champ de ses activités, Almuth Grésillon propose d'ajouter aux manuscrits directement associés à la production littéraire tous les documents dont l'écrivain a eu connaissance. Cette extension doit pourtant être limitée à ceux que l'œuvre s'est effectivement appropriée. En s'ouvrant ainsi à l'intertextualité*, la génétique s'intéresse aux lectures des écrivains, elle fait donc une place à la théorie de la réception.

Écriture et lecture sont liées

Ne devrait-on pas réfléchir à l'extension donnée au terme de «trace» de genèse? Ne serait-il pas sage d'associer aux manuscrits et brouillons autographes tout document écrit qui soit en rapport direct avec la production du texte? Dès lors, les documents comme la correspondance, les témoignages de tiers, les articles de presse, les ouvrages consultés avant ou pendant la rédaction, que le généticien a de toute façon inclus tacitement dans ses analyses, auraient un vrai statut, et, surtout, des époques jusqu'à présent exclues de l'investigation génétique, notamment les XVIe et XVIIe siècles français, pourraient donner lieu à certaines recherches génétiques. On a assez évoqué les éditions successives des *Essais* de Montaigne pour savoir la valeur inestimable de l'édition dite «de Bordeaux», où l'auteur a inscrit de sa main entre 1588 et 1592 tout ce qu'il pensait ajouter dans l'édition suivante, qui n'a cependant pu être publiée qu'après sa mort. On a cité plus haut les cinq éditions que Ronsard a préparées lui-même de ses *Œuvres complètes,* en les réorganisant, en les réécrivant à chaque fois autrement. Par ailleurs, si pour cette époque l'on ne dispose pas de manuscrits de genèse, on sait que la production littéraire était essentiellement une esthétique de l'imitation des Anciens. Dans beaucoup de cas, on sait même de manière sûre que tel recueil de lieux communs, telle anthologie de poèmes latins, telle poésie de Pétrarque ou telle édition de florilèges ont été directement utilisés pour l'écriture littéraire. Pourquoi ces documents n'auraient-ils pas un statut comparable à celui des notes documentaires de Flaubert ou Zola? Certes, l'écueil à éviter est de retomber dans une simple critique de sources ou d'influences. Il faut donc que ces documents externes prennent une part active dans le processus d'imitation, de transformation et de production de discours. Vaste champ pour des études d'une intertextualité «à la lettre».

Cette brèche en ouvre une autre. Elle montre que toute analyse de processus d'*écriture* est indissociablement liée à des phénomènes de *lecture* et qu'une approche théorique ne peut pas continuer à tenir ces deux phénomènes éloignés l'un de l'autre : «La création poétique [...] est un mélange d'oubli et de souvenir de ce que nous avons lu[1].» Tout scripteur, nous l'avons dit, est d'abord lecteur d'autres textes, puis lecteur critique de ses propres textes, avant de les réécrire à sa façon, et de les corriger pour, enfin, les confier à d'autres lecteurs. On perçoit du même coup que deux courants littéraires, l'esthétique de la réception et la critique génétique, qui se tiennent jusqu'à présent à une distance respectable, ne peuvent, théoriquement, qu'être complémentaires. Certes, dans des recherches concrètes, il est bon, pour des questions heuristiques, de se situer clairement dans l'une ou l'autre des deux perspectives. Mais, sur le fond, lire et écrire ressortissent à une même activité cognitive.

Almuth GRÉSILLON, *Éléments de critique génétique*,
© PUF, 1994, p. 215-216.

---

1. Jorge Luis BORGES, « Le Livre comme mythe » (conférence de 1978), *Le Débat*, n° 22, novembre 1982, p. 125 *[N.d.A.]*.

NOTIONS CLÉS

Génétique – Intertextualité.

▶ L'intertextualité peut constituer une dimension de l'analyse génétique, notamment pour les très nombreuses œuvres qui nous sont parvenus (et nous parviendront) sans manuscrits.

▶ La critique génétique doit aussi prendre en compte la réception des œuvres puisque l'écriture littéraire est toujours liée à la lecture.

▶ Louis ARAGON, «Arma virumque cano. Préface», *Les Yeux d'Elsa*: «Pour moi, je n'écris jamais un poème qui ne soit la suite de réflexions portant sur chaque point de ce poème, et qui ne tienne compte de tous les poèmes que j'ai précédemment écrits, ni de tous les poèmes que j'ai précédemment lus.

Car j'imite. Plusieurs personnes s'en sont scandalisées. La prétention de ne pas imiter ne va pas sans tartuferie, et camoufle mal le mauvais ouvrier. Tout le monde imite. Tout le monde ne le dit pas.»

PARTIE 2

L'expérience de l'écrivain

Si le lecteur est indispensable à l'existence de l'œuvre, l'expérience de l'écriture et celle de la lecture semblent radicalement différentes : selon Valéry, l'écrivain ne peut jouir de « l'effet instantané » que produit son texte, cette « émotion composée » est réservée aux lecteurs « qui ne connaissent pas cet ouvrage, qui n'ont pas vécu avec lui, qui ne savent pas les lenteurs, les tâtonnements, les dégoûts, les hasards… mais qui voient seulement comme un magnifique dessein réalisé d'un coup » (*Tel quel*). Flaubert, qui vouait le même culte à l'art, souhaitait provoquer chez son lecteur « une espèce d'ébahissement » (**voir le texte 31c**). La création littéraire doit-elle donc rester un mystère pour le lecteur ? Mérite-t-elle de retenir notre attention alors qu'aujourd'hui la réflexion savante s'intéresse à la *poétique** de l'œuvre beaucoup plus qu'à son auteur ? Peut-on en parler sans sortir du champ littéraire et recourir à des considérations psychologiques ou mythiques sur l'inspiration ?

La notion d'*auteur* au sens d'individu entièrement conscient des buts et des moyens de sa création doit être remise en cause : **l'écriture et ce qui s'y joue** (chapitre 6) manifestent une série de déterminations intérieures et extérieures à l'écrivain.

C'est bien pourquoi on ne peut établir une relation privilégiée entre **l'homme et l'œuvre** (chapitre 7). Certes, comme l'a noté Sartre, contrairement à l'artisan qui peut objectiver son ouvrage (par ses mains, c'est le « on » social qui travaille), l'artiste « ne trouve jamais que [lui] dans [son] œuvre » parce qu'il

⟶

⊪➡ a lui-même inventé les règles de sa production (*Qu'est-ce que la littérature?*). Mais il y trouve sa personnalité d'artiste et non l'individu qui intéresse le biographe.

Les rapports entre l'homme, l'œuvre et le monde, l'interrogation sur le sujet qui se donne à voir dans l'écriture littéraire ont retrouvé un nouvel intérêt avec le développement de l'autobiographie et son orientation romanesque, l'*autofiction**. La réflexion sur **l'écriture du moi** (**chapitre 8**) menée ici sera complétée par celle sur le lyrisme poétique (**chapitre 17**).

CHAPITRE 6

L'écriture
et ce qui s'y joue

On a pris conscience que l'écriture était autre chose qu'un beau style, un enrichissement ornemental destiné à donner la qualité littéraire à un langage innocent, transparent qui désignerait directement son objet, le *réel* ou le *message* de *l'auteur*. Ces notions ont été mises en cause comme autant de fausses évidences qui masquent la véritable condition de l'œuvre et de l'écrivain.

L'écrivain est celui qui travaille sa parole et ce travail n'est pas une opération simple. Engageant à la fois ce qui relève du plus secret (d'une « humeur », au vieux sens biologique du terme) et de l'Histoire, histoire des hommes et histoire des formes, le langage littéraire se trouve à l'articulation de l'individuel et du social (**26. Barthes**).

Qu'en est-il alors du sujet de l'écriture ? « Je m'appelle *personne* » : il y a chez le poète « un inconnu » (« Je est un autre », disait Rimbaud, voir le texte 98), une part obscure mais féconde qui interdit de percer le mystère de « l'arcane de la génération des poèmes » (**27. Valéry**). Si l'on approfondit la réflexion, cette dualité devient une multiplicité : le « "je" de l'auteur » s'analyse en une série de « strates » et se dissout en un « "je" fantomatique » (**28. Calvino**).

La sociologie de la littérature ajoute une autre dimension à l'écriture en considérant que l'écrivain donne forme et cohérence aux « tendances affectives, intellectuelles et pratiques » d'un groupe social (**29. Goldmann**).

Dans les années 1990, le champ de la critique s'est élargi de l'œuvre considérée comme close et autonome au « fait littéraire », dans lequel tous les facteurs de la « communication littéraire » sont pris en compte. Le texte et le contexte ne sont plus séparés quand on réfléchit en termes d'analyse du discours : l'œuvre exprime ainsi la situation paradoxale de l'écrivain dans la société. (**30. Maingueneau**).

26. ROLAND BARTHES
Le Degré zéro de l'écriture (1953)

« Qu'est-ce que l'écriture ? » Selon Barthes, la forme littéraire correspond au choix de l'écrivain confronté à la double détermination de la langue et du style.

« **La langue** est un corps de prescriptions et d'habitudes, communs à tous les écrivains d'une époque. » Code social, elle s'oppose à **la parole**, « acte individuel de sélection et d'utilisation » (*Éléments de sémiologie*).

Le style, « phénomène d'ordre germinatif », est l'expression de la nature de l'écrivain, il renvoie à « une biologie » ou à « un passé ».

Produits naturels du temps et du corps, la langue et le style ne relèvent pas de la responsabilité de l'écrivain. Celui-ci s'engage en inventant une autre forme, l'écriture.

« Le langage n'est jamais innocent »

Par l'écriture, l'écrivain affirme des valeurs (« Il n'y a pas de litté-rature sans une morale du langage », dit aussi Barthes, p. 12), s'ins-crit dans « une aire sociale » et dans les « grandes crises de l'his-toire ». Mais une nouvelle détermination pèse sur l'écriture : celle des formes littéraires, historiquement datées. « Jamais innocent », le langage conserve des significations anciennes au sein même d'« une nouvelle problématique du langage littéraire », limitant ainsi la li-berté de l'écrivain.

La langue est donc en deçà de la Littérature. Le style est presque au-delà : des images, un débit, un lexique naissent du corps et du passé de l'écrivain et deviennent peu à peu les automatismes mêmes de son art. Ainsi sous le nom de style, se forme un langage autarcique qui ne plonge que dans la mythologie personnelle et secrète de l'auteur, dans cette hypo-physique de la parole, où se forme le premier couple des mots et des choses, où s'installent une fois pour toutes les grands thèmes verbaux de son existence. Quel que soit son

raffinement, le style a toujours quelque chose de brut: il est
une forme sans destination, il est le produit d'une poussée,
non d'une intention, il est comme une dimension verticale et
solitaire de la pensée. Ses références sont au niveau d'une biologie ou d'un passé, non d'une Histoire: il est la «chose» de
l'écrivain, sa splendeur et sa prison, il est sa solitude. Indifférent
et transparent à la société, démarche close de la personne, il
n'est nullement le produit d'un choix, d'une réflexion sur la
Littérature. Il est la part privée du rituel, il s'élève à partir des
profondeurs mythiques de l'écrivain, et s'éploie hors de sa responsabilité. Il est la voix décorative d'une chair inconnue et
secrète; il fonctionne à la façon d'une Nécessité, comme si,
dans cette espèce de poussée florale, le style n'était que le
terme d'une métamorphose aveugle et obstinée, partie d'un
infra-langage qui s'élabore à la limite de la chair et du monde.
Le style est proprement un phénomène d'ordre germinatif, il
est la transmutation d'une Humeur. Ainsi les allusions du style
sont-elles réparties en profondeur: la parole a une structure
horizontale, ses secrets sont sur la même ligne que ses mots et
ce qu'elle cache est dénoué par la durée même de son continu;
dans la parole tout est offert, destiné à une structure immédiate,
et le verbe, le silence et leur mouvement sont précipités vers un
sens aboli: c'est un transfert sans sillage et sans retard. Le style,
au contraire, n'a qu'une dimension verticale, il plonge dans le
souvenir clos de la personne, il compose son opacité à partir
d'une certaine expérience de la matière; le style n'est jamais que
métaphore, c'est-à-dire équation entre l'intention littéraire et la
structure charnelle de l'auteur (il faut se souvenir que la structure est le dépôt d'une durée). Aussi le style est-il toujours un
secret; mais le versant silencieux de sa référence ne tient pas à
la nature mobile et sans cesse sursitaire du langage; son secret
est un souvenir enfermé dans le corps de l'écrivain; la vertu
allusive du style n'est pas un phénomène de vitesse, comme
dans la parole, où ce qui n'est pas dit reste tout de même un
intérim du langage, mais un phénomène de densité, car ce qui
se tient droit et profond sous le style, rassemblé durement ou
tendrement dans ses figures, ce sont les fragments d'une réalité
absolument étrangère au langage. Le miracle de cette transmutation fait du style une sorte d'opération supra-littéraire, qui

emporte l'homme au seuil de la puissance et de la magie. Par son origine biologique, le style se situe hors de l'art, c'est-à-dire hors du pacte qui lie l'écrivain à la société. On peut donc imaginer des auteurs qui préfèrent la sécurité de l'art à la solitude du style. Le type même de l'écrivain sans style, c'est Gide, dont la manière artisanale exploite le plaisir moderne d'un certain éthos* classique, tout comme Saint-Saëns a refait du Bach ou Poulenc du Schubert. À l'opposé, la poésie moderne – celle d'un Hugo, d'un Rimbaud ou d'un Char – est saturée de style et n'est *art* que par référence à une intention de Poésie. C'est l'Autorité du style, c'est-à-dire le lien absolument libre du langage et de son double de chair, qui impose l'écrivain comme une Fraîcheur au-dessus de l'Histoire.

Roland BARTHES, *Le Degré zéro de l'écriture*,
© Éd. du Seuil, 1953 ; © Éd. Gonthier/Médiations, 1964, p. 12-13.

NOTIONS CLÉS

Auteur – Écriture – Histoire – Langue – Style.

▶ Soumis à des déterminations biologiques (le style) et sociales (la langue), l'écrivain invente une écriture. Mais cette liberté est encore réduite par le poids des formes littéraires anciennes.

▶ André BRETON, *Second Manifeste du surréalisme*: «Nul ne fait, en s'exprimant, mieux que s'accommoder d'une possibilité de conciliation très obscure de ce qu'il savait avoir à dire avec ce que, sur le même sujet, il ne savait pas avoir à dire et que cependant il a dit.»

27. PAUL VALÉRY

«Au sujet d'Adonis» dans *Variété* (1924)

Dans les cinq volumes de *Variété* (1924-1944) et dans plusieurs recueils de pensées et de maximes (*Tel quel*, 1941-1943), Paul Valéry a mené une constante réflexion sur la littérature, la philosophie, la politique, l'art et sur sa propre pratique de poète. Admirateur et continuateur des classiques mais aussi contemporain des linguistes de la première moitié du XXe siècle, il a nettement opposé la littérature et le *réel*: «Le réel d'un discours, ce sont les mots seulement, et les formes» («Calepin d'un poète»). Ses analyses rencontrent ainsi celles des écrivains et des critiques contemporains.

Trois principes sous-tendent sa conception de la création poétique :

– le **refus de l'inspiration** et du roman (voir les textes 97 et 71) ;

– l'affirmation du **primat du langage** et de la forme : une « espèce de matérialisme verbal » prévaut chez le poète qui, « *créateur créé* », se trouve ainsi partiellement dépassé et révélé par sa création ;

– le **rejet de la biographie**, motivé par la distinction radicale de l'homme qui vit et de l'homme qui écrit. « *Ce* qui fait un ouvrage n'est pas *celui* qui y met son nom » (*Mauvaises pensées et autres*).

« L'arcane de la génération des poèmes » renvoie aux profondeurs de l'être.

« Tout se passe dans l'intime de l'artiste »

*Comme Proust (texte 33), Valéry oppose « l'ouvrier d'un bel ouvrage » et le « personnage peu considérable » que livre la biographie de l'écrivain. « Un connu et un inconnu » coexistent dans l'être qui crée : « il n'est positivement personne ». Si la création, n'est jamais entièrement dirigée (« Je me ferai une surprise ; si j'en doutais, je ne serais rien »), elle n'est pas l'œuvre d'une inspiration transcendante mais d'un « instinct », d'une puissance qui joue « des secrètes harpes qu'elle s'est faites du langage ». Elle exprime ainsi **l'unité profonde d'un Moi** qui ne se connaît pas lui-même et se révèle dans l'œuvre : l'auteur n'existe qu'en tant qu'il est « le fils de son œuvre » (Tel quel, p. 673).*

Racine savait-il lui-même où il prenait cette voix inimitable, ce dessin délicat de l'inflexion, ce mode transparent de discourir, qui le font Racine, et sans lesquels il se réduit à ce personnage peu considérable duquel les biographes nous apprennent un assez grand nombre de choses qu'il avait de communes avec dix mille autres Français ? Les prétendus enseignements de l'histoire littéraire ne touchent donc presque pas à l'arcane de la génération des poèmes. Tout se passe dans l'intime de l'artiste comme si les événements observables de son existence n'avaient sur ses ouvrages qu'une influence superficielle. Ce qu'il y a de plus important, – l'acte même des Muses, – est indépendant des aventures, du genre de vie, des incidents, et de tout ce qui peut figurer dans une biographie. Tout ce que l'histoire peut observer est insignifiant.

Mais ce sont des circonstances indéfinissables, des rencontres occultes, des faits qui ne sont visibles que pour un seul, d'autres qui sont à ce seul si familiers ou si aisés qu'il les ignore, qui font l'essentiel du travail. On trouve facilement par soi-même que ces événements incessants et impalpables sont la matière dense de notre véritable personnage.

Chacun de ces êtres qui créent, à demi certain, à demi incertain de ses forces, se sent un connu et un inconnu dont les rapports incessants et les échanges inattendus donnent enfin naissance à quelque produit. Je ne sais ce que je ferai ; et pourtant mon esprit croit se connaître ; et je bâtis sur cette connaissance, je compte sur elle, que j'appelle *Moi*. Mais *je me ferai une surprise ;* si j'en doutais, je ne serais rien. Je sais que je m'étonnerai de telle pensée qui me viendra tout à l'heure, – et pourtant je me demande cette surprise, je bâtis et je compte sur elle, comme je compte sur ma certitude. J'ai l'espoir de quelque imprévu que je désigne, j'ai besoin de mon connu et de mon inconnu.

Qu'est-ce donc qui nous fera concevoir le véritable ouvrier d'un bel ouvrage ? Mais il n'est positivement *personne*. Qu'est-ce que le Même, si je le vois à ce point changer d'avis et de parti, dans le cours de mon travail, qu'il le défigure sous mes doigts ; si chaque repentir peut apporter des modifications immenses ; et si mille accidents de mémoire, d'attention, ou de sensation, qui surviennent à mon esprit, apparaissent enfin dans mon œuvre achevé, comme les idées essentielles et les objets originels de mes efforts ? Et cependant cela est bien de moi-même, puisque mes faiblesses, mes forces, mes redites, mes manies, mes ombres et mes lumières, seront toujours reconnaissables dans ce qui tombe de mes mains.

Désespérons de la vision nette en ces matières. Il faut se bercer d'une image. J'imagine ce poète, un esprit plein de ressources et de ruses, faussement endormi au centre imaginaire de son œuvre encore incréée, pour mieux attendre cet instant de sa propre puissance qui est sa proie. Dans la vague profondeur de ses yeux, toutes les forces de son désir, tous les ressorts de son instinct se tendent. Là, attentive aux hasards entre lesquels elle choisit sa nourriture ; là, très obscure au milieu des réseaux et des secrètes harpes qu'elle s'est faites du langage, dont les trames s'entretissent et toujours vibrent vaguement, une mystérieuse Arachné, muse chasseresse, guette.

> Paul VALÉRY, « Au sujet d'Adonis », dans *Variété*, 1924, *Œuvres* I,
> © Éd. Gallimard, coll. « Bibliothèque de la Pléiade », p. 483-484.

NOTIONS CLÉS

Auteur – Biographie – Création littéraire – Langage.

▶ Le poète effectue un travail sur le langage dont les motivations ne lui sont pas entièrement connues. Il n'engage pas l'homme de la biographie mais le moi profond de l'artiste.

▶ André MALRAUX, *Les Voix du silence* : « Le poète est obsédé par une voix à quoi doivent s'accorder les mots ; le romancier est si bien dominé par certains schèmes *initiaux* que ceux-ci modifient, parfois fondamentalement, les récits qu'ils n'ont pas suscités […] Pauvre poète qui n'entendrait pas cette voix, pauvre romancier pour qui le roman serait *seulement* un récit ! »

28. ITALO CALVINO
La Machine littérature (1984)

« Si autrefois la littérature était vue comme miroir du monde, ou comme l'expression directe de sentiments, aujourd'hui nous ne pouvons plus oublier que les livres sont faits de mots, de signes, de procédés de construction ; nous ne pouvons plus oublier que ce que les livres communiquent reste parfois inconscient à l'auteur même, que ce que les livres disent est parfois différent de ce qu'ils se proposaient de dire ; que dans tout livre, si une part relève de l'auteur, une autre part est œuvre anonyme et collective. » En rappelant comme des vérités premières ces acquis de la critique moderne, le romancier italien confirme l'analyse de Robbe-Grillet selon laquelle nous sommes dans « une époque de la fiction où les problèmes de l'écriture [sont] envisagés lucidement par le romancier ». Traducteur de Ponge et membre de l'OuLiPo[1], Calvino a réuni ses réflexions théoriques dans *La Machine littérature* auquel nous empruntons deux autres extraits (textes 55 et 143).

---

1. Sur l'OuLiPo, voir l'introduction du texte 43, p. 166.

« Les divers "je" » de l'écrivain

Analysant « les niveaux de réalité en littérature », Calvino signale « la multiplication du sujet de l'écriture ». L'auteur du roman n'est pas l'homme de sa biographie mais une image particulière que ce texte donne de lui, une création de l'œuvre : l'auteur-de-Madame-Bovary n'est pas l'auteur-de-Salammbô, qui n'est pas l'individu Flaubert.

*Ainsi le sujet de l'écriture est **un « "je" fantomatique »**, un « lieu vide ». C'est pourquoi il peut servir de médiation « à la culture collective, à l'époque historique ou aux sédimentations profondes de l'espèce ». On pourrait ajouter que ces trois « strates » autorisent des lectures différentes faisant appel respectivement à l'intertextualité* (le roman, ouvert aux diverses voix de son époque, se caractérise par son dialogisme*, voir 69. Bakhtine), à la sociologie ou à la psychologie.*

La condition préliminaire de toute œuvre littéraire est la suivante : la personne qui écrit doit inventer ce premier personnage qui est l'auteur de l'œuvre. Qu'une personne se mette tout entière dans l'œuvre qu'elle écrit, voilà quelque chose qu'on entend fréquemment mais qui ne correspond à aucune vérité. Ce n'est jamais qu'une projection de soi que l'auteur met en jeu dans l'écriture, et ce peut être la projection d'une vraie part de soi-même comme la projection d'un moi fictif, d'un masque.

Écrire présuppose toujours le choix d'une attitude psychologique, d'un rapport avec le monde, d'une position de la voix, d'un ensemble homogène de moyens linguistiques, de données d'expériences et de fantasmes, en somme, d'un style. L'auteur est auteur dans la mesure où il entre dans un rôle, comme un acteur, et s'identifie avec cette projection de soi dans le moment où il écrit.

Comparé au moi de l'individu comme sujet empirique, ce personnage-auteur est quelque chose de moins et quelque chose de plus. Quelque chose de moins parce que, par exemple, le Gustave Flaubert auteur de *Madame Bovary* exclut le langage et les visions du Gustave Flaubert auteur de *La Tentation de saint Antoine* ou de *Salammbô*, opère une rigoureuse réduction de son monde intérieur à cette somme de données qui constitue le monde de *Madame Bovary*. Mais c'est aussi quelque chose de plus, parce que le Gustave Flaubert qui n'existe qu'en relation avec le manuscrit de *Madame Bovary* participe d'une existence beaucoup plus compacte et définie que le Gustave Flaubert qui, tandis qu'il écrit *Madame Bovary*, sait qu'il est aussi l'auteur de *La Tentation* et qu'il sera celui de *Salammbô*, sait qu'il oscille continuellement entre un univers et l'autre, sait qu'en dernière instance tous ces univers s'unifient et se dissolvent dans son esprit. [...]

Quelle part du «je» qui donne forme aux personnages est en réalité un «je» auquel ce sont les personnages qui donnent forme? Plus on avance en distinguant les diverses couches qui forment le «je» de l'auteur, et plus on s'aperçoit que nombre de ces strates n'appartiennent pas à l'individu auteur mais à la culture collective, à l'époque historique ou aux sédimentations profondes de l'espèce. Le premier maillon de la chaîne, le vrai premier sujet de l'écriture nous paraît toujours plus lointain, plus indistinct; peut-être est-ce un «je» fantomatique, un lieu vide, une absence.

Italo CALVINO, *La Machine littérature*,
© Éd. du Seuil, 1984, p. 92-94.

NOTIONS CLÉS

Auteur – Dialogisme – Style – Sujet.

▶ Le «je» qui écrit n'est pas le «je» qui vit mais sa projection dans l'écriture.

▶ Il est d'autant moins assimilable à la personne de l'écrivain qu'il obéit à des déterminations qui le dépassent et relèvent de la société, de l'histoire, de l'espèce.

▶ Paul VALÉRY, «Au sujet du "Cimetière marin"» : «Je n'ai pas *voulu dire*, mais *voulu faire*, et [...] ce fut l'intention de *faire* qui a *voulu* ce que j'ai *dit...* »

29. LUCIEN GOLDMANN
Pour une sociologie du roman (1964)

Lucien Goldmann a largement contribué au renouveau des études littéraires. Se réclamant du matérialisme dialectique, le critique entend expliquer la pensée par «l'homme vivant et entier», lui-même conçu comme «un élément de l'ensemble qu'est le groupe social» : aucune œuvre importante ne peut être l'expression d'une expérience purement individuelle (la biographie et la psychologie sont d'ailleurs récusées comme étant à la fois externes à l'œuvre et impossibles à établir scientifiquement). Il a élaboré une «méthode sociologique et historique qui se sert du concept de **vision du monde**», définie comme «*l'extrapolation conceptuelle* jusqu'à *l'extrême cohérence* des tendances réelles, affectives, intellectuelles et même motrices des membres d'un groupe». Ainsi les *Pensées* de Pascal et «les tragédies de Racine, si peu éclairées par sa vie, s'expliquent, en partie tout au moins, en les rapprochant de la pensée janséniste et aussi de la situation sociale et économique des gens de robe sous Louis XIV» (*Le Dieu caché*, Gallimard, 1959).

En 1964, appliquant cette méthode au roman, Goldmann établit une **homologie de structure entre la forme romanesque et la société individualiste** née du capitalisme dans laquelle la qualité, la valeur d'usage, est dégradée en quantité, en valeur d'échange. L'écrivain, le penseur, qui privilégient nécessairement des critères qualitatifs, apparaissent ainsi comme des «individus essentiellement *problématiques*» et le roman comme l'«histoire d'une recherche dégradée de valeurs authentiques dans un monde inauthentique» (Goldmann développe ici les analyses de Lukács et de Girard[1]). L'économie libérale valorisait la vie individuelle, c'est pourquoi le roman balzacien se présente comme la biographie d'un «héros problématique». À l'époque où «le marché libéral et avec lui l'individualisme sont déjà dépassés», apparaît le Nouveau Roman «à caractère non biographique», les romans de Malraux correspondant à une époque de transition.

L'expression d'une conscience collective

> *Dans les dernières pages de Pour une sociologie du roman, Goldmann précise la relation entre l'œuvre et le «le groupe social qui – par l'intermédiaire du créateur – se trouve être en dernière instance le véritable sujet de la création». Un chef-d'œuvre se distingue de l'œuvre médiocre par sa capacité à exprimer de façon rigoureuse* **la structure virtuelle d'un groupe**, *auquel il permet d'objectiver et de comprendre ce qui, dans ses façons de penser et de sentir, fait système.*

---

1. René GIRARD, *Mensonge romantique et vérité romanesque*, Grasset, 1961. Sur Lukács, voir le texte 60.

La sociologie littéraire orientée vers le *contenu* a souvent un caractère anecdotique et s'avère surtout opératoire et efficace lorsqu'elle étudie des *œuvres de niveau moyen* ou des *courants littéraires*, mais perd progressivement tout intérêt à mesure qu'elle approche les grandes créations.

Sur ce point, le structuralisme génétique a représenté un changement total d'orientation, son hypothèse fondamentale étant précisément que le caractère collectif de la création littéraire provient du fait que les *structures* de l'univers de l'œuvre sont homologues aux *structures* mentales de certains groupes sociaux ou en relation intelligible avec elles, alors que sur le plan des contenus, c'est-à-dire de la création d'univers imaginaires régis par ces structures, l'écrivain a une liberté totale. L'utilisation de l'aspect immédiat de son expérience individuelle pour créer ces univers imaginaires est sans doute fréquente et possible mais nullement essentielle et sa mise en lumière ne constitue qu'une tâche utile mais secondaire de l'analyse littéraire.

En réalité, la relation entre le groupe créateur et l'œuvre se présente le plus souvent sur le modèle suivant : le groupe constitue un processus de structuration qui élabore dans la conscience de ses membres des tendances affectives, intellectuelles et pratiques, vers une réponse cohérente aux problèmes que posent leurs relations avec la nature et leurs relations inter-humaines. Sauf exception, ces tendances restent cependant loin de la cohérence effective, dans la mesure où elles sont, comme nous l'avons déjà dit plus haut, contrecarrées, dans la conscience des individus, par l'appartenance de chacun d'entre eux à de nombreux autres groupes sociaux.

Aussi les catégories mentales n'existent-elles dans le groupe que sous forme de tendances plus ou moins avancées vers une cohérence que nous avons appelée vision du monde, vision que le groupe ne crée donc pas, mais dont il élabore (et il est seul à pouvoir les élaborer) les éléments constitutifs et l'énergie qui permet de les réunir. Le grand écrivain est précisément l'individu exceptionnel qui réussit à créer dans un certain domaine, celui de l'œuvre littéraire (ou picturale, conceptuelle, musicale, etc.), un univers imaginaire, cohérent ou presque rigoureusement cohérent, dont la structure correspond à celle vers laquelle tend l'ensemble du groupe ; quant à l'œuvre, elle est, entre autres, d'autant plus médiocre ou plus importante que sa structure s'éloigne ou se rapproche de la cohérence rigoureuse.

On voit la différence considérable qui sépare la sociologie des contenus de la sociologie structuraliste. La première voit dans l'œuvre *un reflet* de la conscience collective, la seconde y voit au contraire *un des éléments constitutifs* les plus importants de celle-ci, celui qui permet aux membres du groupe de prendre conscience de ce qu'ils pensaient, sentaient et faisaient sans en savoir objectivement la signification. On comprend pourquoi la sociologie des contenus s'avère plus efficace lorsqu'il s'agit d'œuvres de niveau moyen alors qu'inversement la sociologie littéraire structuraliste-génétique s'avère plus opératoire, quand il s'agit d'étudier les chefs-d'œuvre de la littérature mondiale.

Lucien GOLDMANN, *Pour une sociologie du roman*,
© Éd. Gallimard, coll. « Tel », 1964, p. 345-347.

NOTIONS CLÉS

Biographie – *Catharsis* – Critères de qualité – Critique littéraire –
Fonction de la littérature – Roman – Société – Structuralisme – Vision
du monde.

▶ Toute grande œuvre littéraire ou artistique du passé est l'expression d'une conscience collective « qui atteint son maximum de clarté conceptuelle ou sensible dans la conscience du penseur ou du poète » (*Le Dieu caché*).

30. DOMINIQUE MAINGUENEAU
Le Discours littéraire.
Paratopie et scène d'énonciation (2004)

Dominique Maingueneau envisage l'œuvre dans la perspective de l'analyse du discours littéraire, dans laquelle **le « texte » n'est plus séparé du « contexte »**, son « contenu » comporte des références à ses conditions d'énonciation*. La création littéraire n'est plus conçue comme « un processus linéaire : d'abord un besoin de s'exprimer, puis la conception d'un sens, puis le choix d'un support et d'un genre, puis la rédaction, puis la quête d'une instance de diffusion, puis l'hypothétique découverte d'un destinataire, enfin l'éventuelle reconnaissance de la légitimité littéraire de son auteur. À ce type de schéma, il faut préférer ceux de dispositifs communicationnels qui intègrent à la fois l'auteur, le public, le support matériel du texte, qui ne considèrent pas le genre comme une enveloppe contingente mais comme une partie du message, qui ne sépare pas la vie de l'auteur du statut de l'écrivain, qui ne pense pas la subjectivité créatrice indépendamment de son activité d'écriture. »

Selon le critique, le discours littéraire appartient à la catégorie des « discours constituants », « qui se donnent comme discours d'Origine, validés par une scène d'énonciation qui s'autorise d'elle-même » et qui « donnent sens aux actes de la collectivité ». Or « celui qui énonce à l'intérieur d'un discours constituant ne peut se placer ni à l'extérieur ni à l'intérieur de la société », il occupe une localisation parasitaire et paradoxale, la « *paratopie* ».

« L'embrayage paratopique »

> *Les discours constituants sont caractérisés par leur « réflexivité foncière » : ils doivent « motiver leur propre cadre énonciatif ». Dominique Maingueneau considère ainsi comme « une donnée constitutive de l'énonciation littéraire [...]* **la nécessité pour l'œuvre de réfléchir dans l'univers qu'elle construit les conditions de sa propre énonciation.** *On peut parler ici d'une sorte d'embrayage du texte sur ses conditions d'énonciation, et au premier chef la paratopie qui en est le moteur ».*
>
> *Ainsi, au XIXe siècle, l'artiste exprime sa situation paratopique, son impossible insertion dans la société par la figure du bohémien : dans* Notre-Dame de Paris, *« le personnage d'Esmeralda constitue l'embrayeur paratopique central ».*

L'embrayage « bohémien » est caractéristique de la paratopie de l'artiste romantique. Dans la société dont participent les *Fables* de La Fontaine, en revanche, la paratopie de l'auteur se dit avant tout à travers l'appartenance éminemment paradoxale du parasite, de celui qui directement ou indirectement est protégé et nourri par les grands, à qui il dédie ses œuvres, et par le premier d'entre eux, le roi.

De nombreuses fables mettent en scène des parasites. Ainsi « Le Rat de ville et le Rat des champs » (I, 9) où le parasite invite un autre parasite, «Le Rat qui s'est retiré du monde» (VII, 3), «L'Huître et les Plaideurs», où le juge dévore l'huître en litige (IX, 9)… Le lien entre le parasitisme et le statut d'écrivain est établi dès les deux premières fables du recueil: dans «La Cigale et la Fourmi» (I, 1) la chanteuse doit mendier sa subsistance auprès de ceux qui thésaurisent, tandis qu'avec «Le Corbeau et le Renard» (I, 2) la parole séductrice détourne les richesses accumulées. En vertu d'un stéréotype immémorial, l'écrivain est identifié au renard, au beau parleur rusé qui use de détours pour berner les gens en place. La position du corbeau installé sur l'arbre avec son fromage contraste avec la condition parato-pique du renard errant, dans la position minimale, mais qui va réussir à inverser la hiérarchie.

Les parasites des *Fables* se distribuent sur deux registres: d'un côté les parasites de la société (clercs, juges, fermiers géné-raux, princes…), de l'autre, les parasites de ces parasites, beaux parleurs patentés. L'auteur des *Fables* est parmi ces derniers; parasite de ceux dont son œuvre dénonce le parasitisme, il donne lui aussi de belles paroles contre des fromages. La para-topie du parasite est donc doublement ce qui permet d'écrire: elle donne les moyens de subsister et la matière de l'œuvre. C'est par cette brèche que l'écrivain nourrit sa production lit-téraire de ceux qui le nourrissent. Si le juge Perrin Dandin («L'Huître et les Plaideurs») est le parasite des plaideurs qui font appel à lui, l'auteur, en «métaparasite», parasite le parasitisme de son personnage pour le dénoncer et édifier son œuvre.

Pas plus que l'histoire d'Esmeralda, ces histoires de rats et de renards ne doivent être considérées comme une «allégorie» de la condition du fabuliste. Le drame de l'énonciation et les drames représentés dans le récit s'étayent et se déstabilisent réciproquement. En évoquant des parasites, les *Fables* parlent bien des juges, des fermiers généraux ou des grands seigneurs, mais leur énonciation tire son acuité et sa nécessité d'être elle-même assujettie à un parasitisme constitutif, celui de l'auteur lui-même.

Dominique MAINGUENEAU,
Le Discours littéraire. Paratopie et scène d'énonciation,
© Éd. Armand Colin, 2004, p. 97-98.

NOTIONS CLÉS

Communication littéraire – Situation de l'écrivain.

▶ La réflexivité du discours littéraire fait qu'il exprime aussi les conditions de son énonciation.

▶ L'écrivain, auteur d'un discours qui donne sens aux actes de la collectivité, occupe une place problématique : il n'est ni à l'extérieur ni à l'intérieur de la société.

▶ Cette situation « paratopique » de l'écrivain est exprimée à l'époque romantique par la figure du bohémien et au XVIIᵉ siècle, chez La Fontaine, par la figure du parasite.

CHAPITRE 7

L'homme et l'œuvre

31 GUSTAVE FLAUBERT	**33** MARCEL PROUST
32 GEORGE SAND	**34** JEAN BELLEMIN-NOËL

Une solide tradition scolaire fait de la connaissance de la biographie de l'écrivain un préalable à l'étude de son œuvre. Cette pratique a une conséquence dangereuse et un présupposé discutable que nous examinerons successivement.

D'une part, elle favorise la confusion du personnage (imaginaire) et de l'écrivain, ce que Balzac, las de passer pour un «viveur», dénonçait dans la préface de *La Peau de chagrin*: «Il est […] bien difficile de persuader au public qu'un auteur peut concevoir le crime sans être criminel!…» Certains romanciers du XIXᵉ siècle ont souhaité se prémunir contre ce danger: à l'impersonnalité hautaine de l'artiste (**31. Flaubert**) s'oppose l'engagement moral du romancier qui désire être compris et éclairer ses lecteurs (**32. George Sand**).

D'autre part, elle se fonde sur une conception réductrice du travail de l'écrivain, qui procéderait simplement à la mise en forme d'une pensée ou d'une expérience préexistantes au texte; au lecteur d'en retrouver la trace dans l'œuvre en s'aidant des données biographiques. Or, comme l'ont montré les textes du chapitre précédent, le sujet de l'écriture n'est pas la personne qui écrit; si «un livre est le produit d'un autre *moi*», le questionnement biographique perd tout intérêt (**33. Proust**).

C'est la position qu'adopte la nouvelle critique d'inspiration psychanalytique qui s'intéresse à «l'inconscient du texte» (**34. Bellemin-Noël**).

La question des rapports entre l'homme et l'œuvre est envisagée dans une perspective nouvelle par **Dominique Maingueneau** qui prend en compte la condition particulière («paratopique» – voir le texte 30) de l'écrivain dans la société: «Si l'œuvre n'émerge qu'à travers une paratopie, est créateur celui qui a organisé une existence telle qu'il peut y advenir une œuvre, la sienne. Processus d'"organisation" paradoxale, puisqu'il doit tout à la fois conforter et contester la faille qui le rend possible et qui prend souvent le visage d'un apparent chaos, d'un pacte obscur avec la mort et la souffrance[1]. »

L'écrivain obéit à certaines déterminations, sociales mais aussi historiques, culturelles et sexuelles, qui rendent son écriture particulière, et même nécessaire dans la mesure où il se sait capable d'objectiver une réalité que d'autres ont vécue sans pouvoir l'analyser ni même la décrire. Dans son «journal d'écriture», **Annie Ernaux** se montre très sensible à la dimension collective que son *moi* a reçu de sa condition de femme, de son enfance dans une famille de petits commerçants normands d'origine ouvrière, de son éducation catholique, du déclassement et de l'acculturation (vécus comme une déchirure, une trahison) produits par son accès à l'Université et au professorat : «Et toute l'Histoire, les choses autour de moi, les changements, je suis ce "lieu". Une femme dans l'Histoire, et cette femme, c'est moi comme dirait Rousseau. » D'où un sentiment de responsabilité et une exigence d'écriture à la fois personnelle et éclairante : «Je me dis que seule je peux entreprendre cela, cette histoire d'une femme, des habitus[2], des idéologies, parce que je suis spectatrice de moi-même pour des raisons de déchirure sociale. Que le social et l'historique sont la matière de mon être[3]. »

31. GUSTAVE FLAUBERT
Extraits de la correspondance

Flaubert est sans doute le premier écrivain à avoir accordé une aussi grande place à la réflexion sur sa pratique de romancier. Sa correspondance constitue une manière d'art poétique et expose ses principes esthétiques.

Le culte de **la forme** et du style est poussé jusqu'à «une espèce de mysticisme esthétique» (4 avril 1852). «Une bonne phrase de prose doit être comme un bon vers, *inchangeable*, aussi rythmée, aussi sonore» (22 juillet 1852). Le sujet devient secondaire : «Il n'y a pas en littérature de beaux sujets d'art [...] *L'artiste doit tout élever*» (25 juin 1853 ; voir aussi le texte 74).

Mais le domaine de l'art reste toujours «**le Vrai**», le beau style étant la forme exacte de la vérité : «Où la Forme, en effet, manque, l'Idée n'est

---

1. Dominique MAINGUENEAU, *op. cit.*, p. 92.
2. Dans la sociologie de Bourdieu, un habitus est un ensemble de dispositions propres à une classe sociale.
3. Annie ERNAUX, *L'Atelier noir*, Édition des Busclats, 2011, p. 120 et 122. L'allusion à Rousseau renvoie au fameux incipit des *Confessions* : «Je forme une entreprise qui n'eut jamais d'exemple et dont l'exécution n'aura point d'imitateur. Je veux montrer à mes semblables un homme dans toute la vérité de la nature ; et cet homme ce sera moi. »

plus. Chercher l'un, c'est chercher l'autre. Ils sont aussi inséparables que la substance l'est de la couleur, et c'est pour cela que l'art est la Vérité même » (15-16 mai 1852).

Cela implique la critique des lieux communs et le **retrait de la vie sociale** : « le vrai n'est jamais dans le présent. Si l'on s'y attache, on y périt » (26 avril 1853).

Cela exige aussi « *l'impersonnalité* de l'œuvre. […] Il ne faut pas *s'écrire* » si l'on veut atteindre « le Beau indéfinissable *résultant de la conception même* et qui est la splendeur du Vrai, comme disait Platon » (18 mars 1857).

31a. Le refus de la sentimentalité romantique

La critique du romantisme larmoyant, dont Lamartine est ici la figure emblématique, revient comme un leitmotiv dans la correspondance de Flaubert. À ce déballage de sensiblerie féminine, il oppose la force virile du style. Paradoxalement, c'est le travail de la forme et non l'expansion incontrôlée du moi qui exprime les sentiments les plus intenses et les plus vrais.

Baudelaire condamne de même « la poésie du cœur ! […] Le cœur contient la passion, le cœur contient le dévouement, le crime ; l'Imagination seule contient la poésie[1] ».

La personnalité sentimentale sera ce qui plus tard fera passer pour puérile et un peu niaise, une bonne partie de la littérature contemporaine. Que de sentiment, que de sentiment, que de tendresse, que de larmes ! Il n'y aura jamais eu de si braves gens. Il faut avoir, avant tout, *du sang* dans les phrases, et non de la lymphe, et quand je dis du sang, c'est du *cœur*. Il faut que cela batte, que cela palpite, que cela émeuve. Il faut faire s'aimer les arbres et tressaillir les granits. On peut mettre un immense amour dans l'histoire d'un brin d'herbe. La fable des deux pigeons m'a toujours plus ému que tout Lamartine. *Et ce n'est que le sujet.*

Gustave FLAUBERT,
Lettre à Louise Colet, 22 avril 1854.

---

1. « Théophile Gautier », 1859, dans *Œuvres complètes* II, Paris, Gallimard, coll. « Bibliothèque de la Pléiade », p. 115.

> ▶ Pierre REVERDY, *Nord-Sud*, octobre 1917 : « Nous ne devons pas confondre la personnalité *sentimentale* d'un artiste et celle qui se dégage des moyens *personnels* acquis et employés.
> ▶ La première participe de la vie de l'artiste et est étrangère à l'art – la seconde se confond avec l'art même – elle en est le principal facteur. »

31b. L'exigence d'impersonnalité

« La première qualité de l'Art et son but est l'illusion. L'émotion, laquelle s'obtient souvent par certains sacrifices de détails poétiques, est une tout autre chose et d'un ordre inférieur » (16 septembre 1853). Omniprésent mais impassible, le romancier peut donner une vie saisissante à son œuvre.

L'auteur, dans son œuvre, doit être comme Dieu dans l'univers, présent partout, et visible nulle part. L'art étant une seconde nature, le créateur de cette nature-là doit agir par des procédés analogues : que l'on sente dans tous les atomes, à tous les aspects, une impassibilité cachée et infinie. L'effet, pour le spectateur, doit être une espèce d'ébahissement. Comment tout cela s'est-il fait ! doit-on dire ! et qu'on se sente écrasé sans savoir pourquoi. – L'art grec était dans ce principe-là et, pour y arriver plus vite, il choisissait ses personnages dans des conditions sociales exceptionnelles, rois, dieux, demi-dieux. – On [ne] vous intéressait pas avec vous-mêmes. – Le Divin était le but.

Gustave FLAUBERT,
Lettre à Louise Colet, 9 décembre 1852.

31c. Le refus de l'engagement

« Laissons l'Empire marcher, fermons notre porte, montons au plus haut de notre tour d'ivoire, sur la dernière marche, le plus près du ciel » (22 novembre 1852). Selon Flaubert, en voulant philosopher et intervenir dans la vie de son temps, Hugo s'est éloigné à la fois du vrai et de l'art.

Les Misérables m'exaspèrent [...]. Je ne trouve dans ce livre ni vérité ni grandeur. Quant au style, il me semble intentionnellement incorrect et bas. C'est une façon de flatter le populaire. [...] Ce livre est fait pour la crapule catholico-socialiste, pour toute la vermine philosophico-évangélique. [...] L'observation est une qualité secondaire en littérature, mais il n'est pas permis de peindre si faussement la société quand on est le contemporain de Balzac et de Dickens. C'était un bien beau sujet pourtant, mais quel calme il aurait fallu et quelle envergure scientifique ! Il est vrai que le père Hugo méprise la science et il le prouve. [...] La postérité ne lui pardonnera pas, à celui-là, d'avoir voulu être un penseur, malgré sa nature. Où la rage philosophique l'a-t-elle conduit ? Et quel philosophie ! Celle de Prudhomme, du bonhomme Richard et de Béranger[1]. Il n'est pas plus penseur que Racine ou La Fontaine qu'il estime médiocrement ; c'est-à-dire qu'il résume comme eux le courant, l'ensemble des idées banales de son époque, et avec une telle persistance qu'il en oublie son œuvre et son art.

Gustave FLAUBERT,
Lettre à Mme Roger des Genettes, juillet 1862.

NOTIONS CLÉS

Auteur – Engagement – Forme – Style.

▶ Le but de l'écrivain est de composer une œuvre qui s'impose par ses qualités esthétiques.

▶ Cela exclut toute expression personnelle et tout engagement.

---

1. Monsieur Prudhomme, personnage créé par l'écrivain et caricaturiste Henri MONNIER, incarnait le bourgeois honni des romantiques et des artistes (voir le sonnet de Verlaine qui porte ce titre). – Sous le pseudonyme de Richard Saunders, Benjamin FRANKLIN avait publié en Pennsylvanie, de 1732 à 1757, un almanach (*Poor Richard's Almanach*) qui eut un grand succès ; dans le but d'assurer « la propagation de l'instruction parmi le peuple », il contenait des « sentences proverbiales [...] propres à inspirer l'amour du travail et de l'économie, comme le moyen d'arriver à la fortune, et, par conséquent, d'affermir la vertu » ; un recueil de ces sentences parut en France sous le titre *La Science du bonhomme Richard*. – Sous la Restauration, BÉRANGER exalta, dans des chansons populaires, les idées libérales et patriotiques ainsi que l'épopée napoléonienne.

> ▸ Émile Zola, *Le Roman expérimental* : « L'intervention passionnée ou attendrie de l'écrivain rapetisse un roman, en brisant la netteté des lignes [...] Une œuvre vraie sera éternelle, tandis qu'une œuvre émue pourra ne chatouiller que le sentiment d'une époque. »

32. GEORGE SAND
Lettre à Flaubert du 12 janvier 1876

Flaubert a longtemps considéré George Sand comme le modèle de l'écrivain sentimental et sans style : l'« expansion » féminine ne peut produire de grandes œuvres, « c'est avec la tête qu'on écrit », écrivait-il à Louise Colet (16 novembre 1852). Plus tard pourtant, les deux écrivains ont été liés par une amitié dont témoigne la correspondance suivie qu'ils ont échangée de 1866 à 1876. Figure maternelle et artiste respectée, Sand prodiguait conseils et encouragements à l'ermite de Croisset aigri par des revers de fortune et par ses échecs littéraires (*L'Éducation sentimentale* en 1869, *Le Candidat* en 1874).

L'art poétique de George Sand s'oppose en tous points à celui de Flaubert, auquel elle répète qu'une œuvre doit exprimer « une vue bien arrêtée et bien étendue sur la vie. L'art n'est pas seulement de la peinture. La vraie peinture est, d'ailleurs, pleine de l'âme qui pousse la brosse ». Désireuse de « rendre moins malheureux » ses lecteurs, elle refuse de ne montrer que le mauvais comme **le réalisme** (dans lequel Flaubert ne se reconnaissait nullement) et récuse le culte de la forme et l'impersonnalité qui ne s'adressent qu'à des lettrés alors qu'« **on est homme avant tout** » (18 et 19 décembre 1875). Dans une ses dernières lettres, elle pose clairement le problème de la réception de l'œuvre : pour elle, **l'auteur doit guider le lecteur** en jugeant clairement ses personnages.

La réponse de Flaubert montre qu'il ne renonça pas à ses principes : « Si le lecteur ne tire pas d'un livre la moralité qui doit s'y trouver, c'est que le lecteur est un imbécile, ou que le livre est *faux* au point de vue de l'exactitude. Car du moment qu'une chose est Vraie, elle est bonne » (6 février 1876). C'est donc bien la question du public qui oppose les deux romanciers.

L'auteur doit guider le lecteur

[...] dès que tu manies la littérature, tu veux, je ne sais pourquoi, être un autre homme, celui qui doit disparaître, celui qui s'annihile, celui qui n'est pas ! Quelle drôle de manie ! quelle fausse règle de *bon goût!* Notre œuvre ne vaut jamais que par ce que nous valons nous-mêmes.

Qui te parle de mettre ta personne en scène? Cela, en effet, ne vaut rien, si ce n'est pas fait franchement comme un récit. Mais retirer son âme de ce que l'on fait, quelle est cette fantaisie maladive? Cacher sa propre opinion sur les personnages que l'on met en scène, laisser par conséquent le lecteur incertain sur l'opinion qu'il en doit avoir, c'est vouloir n'être pas compris, et, dès lors, le lecteur vous quitte: car, s'il veut entendre l'histoire que vous lui racontez, c'est à la condition que vous lui montriez clairement que celui-ci est un fort et celui-là un faible.

L'Éducation sentimentale a été un livre incompris, je te l'ai dit avec insistance, tu ne m'as pas écoutée. Il y fallait ou une courte préface ou dans l'occasion, une expression de blâme, ne fût-ce qu'une épithète heureusement trouvée pour condamner le mal, caractériser la défaillance, signaler l'effort. Tous les personnages de ce livre sont faibles et avortent, sauf ceux qui ont de mauvais instincts; voilà le reproche qu'on te fait, parce qu'on n'a pas compris que tu voulais précisément peindre une société déplorable qui encourage ces mauvais instincts et ruine les nobles efforts: quand on ne nous comprend pas, c'est toujours notre faute. Ce que le lecteur veut, avant tout, c'est de pénétrer notre pensée, et c'est là ce que tu lui refuses avec hauteur. Il croit que tu le méprises et que tu veux te moquer de lui. Je l'ai compris, moi, parce que je te connaissais. Si on m'eût apporté ton livre sans signature, je l'aurais trouvé beau mais étrange, et je me serais demandé si tu étais un immoral, un sceptique, un indifférent ou un navré. Tu dis qu'il en doit être ainsi et que M. Flaubert manquera aux règles du bon goût s'il montre sa pensée et le but de son entreprise littéraire. C'est faux, archi-faux. Du moment que M. Flaubert écrit bien et sérieusement, on s'attache à sa personnalité, on veut se perdre ou se sauver avec lui. S'il vous laisse dans le doute, on ne s'intéresse plus à son œuvre, on la méconnaît ou on la délaisse. […]

Il faut écrire pour tous ceux qui ont soif de lire et qui peuvent profiter d'une bonne lecture. Donc, il faut aller tout droit à la moralité la plus élevée qu'on ait en soi-même et ne pas faire mystère du sens moral et profitable de son œuvre. On a trouvé celui de *Madame Bovary*[1]. Si une partie du public criait au scandale, la partie la plus saine et la plus étendue y voyait une rude et frappante leçon donnée à la femme sans conscience et sans foi, à la vanité, à l'ambition, à la déraison. On la plaignait, l'art le voulait ; mais la leçon restait claire, et l'eût été davantage, elle l'eût été pour *tous*, si tu l'avais bien voulu, en montrant davantage l'opinion que tu avais, et qu'on devait avoir de l'héroïne, de son mari et de ses amants.

Cette volonté de peindre les choses comme elles sont, les aventures de la vie comme elles se présentent à la vue, n'est pas bien raisonnée, selon moi. Peignez en réaliste ou en poète les choses inertes, cela m'est égal ; mais, quand on aborde les mouvements du cœur humain, c'est autre chose. Vous ne pouvez pas vous abstraire de cette contemplation ; car l'homme, c'est vous, et les hommes, c'est le lecteur. Vous aurez beau faire, votre récit est une causerie entre vous et lui.

George SAND, Lettre à Flaubert, 12 janvier 1876.

NOTIONS CLÉS

Auteur – Fonction de la littérature – Lecteur – Morale – Personnage – Réalisme – Style.

▶ La volonté d'impersonnalité expose le romancier réaliste à ne pas être compris des lecteurs.

▶ Ceux-ci s'attachent à la personnalité de l'écrivain et souhaitent que le roman exprime clairement ses opinions sur les personnages.

33. MARCEL PROUST
Contre Sainte-Beuve (1908-1909)

Sainte-Beuve en se donnant comme but l'analyse scientifique des grands esprits avait placé au premier plan les données biographiques. Dans une étude au titre significatif (« Chateaubriand jugé par un ami intime en 1803 »), il écrivait : « La littérature, la production littéraire, n'est point pour moi distincte ou du moins séparable du reste de l'homme et de l'organisation : je

---

1. Sur la réception de *Madame Bovary* par le public de 1857, voir le texte 41. Jauss.

puis goûter une œuvre, mais il m'est difficile de la juger indépendamment de l'homme même ; et je dirais volontiers : *tel arbre, tel fruit.* »

Proust s'est élevé contre cette « fameuse méthode » au nom d'une conception radicalement différente de la littérature et de l'art : le grand écrivain ne retranscrit pas les accidents de sa vie, il déchiffre le **« livre intérieur de signes inconnus »** que des impressions fugitives ont constitué en lui (voir le texte 6).

« Un livre est le produit d'un autre moi »

Ceci rend donc dérisoire toute méthode d'investigation superficielle, qui resterait extérieure à l'œuvre. Le lecteur doit effectuer, par « un effort de [son] cœur », un travail « au fond de [lui-même] » pour **« recréer » le moi profond de l'auteur.** *Ainsi l'idée que Proust se fait de l'art conduit à distinguer radicalement l'homme de l'œuvre et à réévaluer le rôle du lecteur.*

L'œuvre de Sainte-Beuve n'est pas une œuvre profonde. La fameuse méthode, qui en fait, selon Taine, selon Paul Bourget et tant d'autres, le maître inégalable de la critique du XIXᵉ, cette méthode, qui consiste à ne pas séparer l'homme et l'œuvre, à considérer qu'il n'est pas indifférent pour juger l'auteur d'un livre, si ce livre n'est pas «un traité de géométrie pure», d'avoir d'abord répondu aux questions qui paraissent les plus étrangères à son œuvre (comment se comportait-il, etc.), à s'entourer de tous les renseignements possibles sur un écrivain, à collationner ses correspondances, à interroger les hommes qui l'ont connu, en causant avec eux s'ils vivent encore, en lisant ce qu'ils ont pu écrire sur lui s'ils sont morts, cette méthode méconnaît ce qu'une fréquentation un peu profonde avec nous-mêmes nous apprend : qu'un livre est le produit d'un autre *moi* que celui que nous manifestons dans nos habitudes, dans la société, dans nos vices. Ce moi-là, si nous voulons essayer de le comprendre, c'est au fond de nous-mêmes, en essayant de le recréer en nous, que nous pouvons y parvenir. Rien ne peut nous dispenser de cet effort de notre cœur. Cette vérité, il nous faut la faire de toutes pièces et il est trop facile de croire qu'elle nous arrivera, un beau matin, dans notre courrier, sous forme d'une lettre inédite, qu'un bibliothécaire de nos amis nous communiquera, ou que nous la recueillerons de la bouche de quelqu'un, qui a beaucoup connu l'auteur.

Marcel PROUST, *Contre Sainte-Beuve*, 1908-1909,
© Éd. Gallimard, 1954, coll. « Bibliothèque de la Pléiade »,
p. 221-222.

NOTIONS CLÉS

Auteur – Biographie – Lecteur – Sujet.

▶ Le *moi* créateur de l'artiste n'est pas le *moi* de la biographie.

▶ C'est pourquoi nous devons nous efforcer de « le recréer en nous » à partir de l'œuvre.

▶ Paul VALÉRY, *Tel quel*: « L'auteur est une création de l'œuvre », « cet auteur est fiction ».

34. JEAN BELLEMIN-NOËL
Vers l'inconscient du texte (1979)

S'il est vrai que « le fait littéraire ne vit que de receler en lui une part d'inconscience, ou d'inconscient », on comprend que certains critiques, suivant en cela l'exemple de Freud lui-même (*Délire et rêves dans la « Gradiva » de Jensen*, 1907), aient entrepris de lire les textes littéraires à la lumière de la psychanalyse. Jean Bellemin-Noël a dressé un bilan critique de ces recherches dans *Psychanalyse et littérature* (PUF, 1978).

Une place particulière doit être accordée à **la « psychocritique » de Charles Mauron**, qui, par une méthode rigoureuse de superposition des textes, met en évidence des réseaux d'associations et d'images qui ordonnent l'ensemble de l'œuvre d'un écrivain puis dégage une structure symbolique fondamentale, inconsciente, comparable au sens latent d'un rêve, dont le critique cherche ensuite confirmation dans les données biographiques (*Des métaphores obsédantes au mythe personnel*, José Corti, 1963). *Phèdre* transpose ainsi un fantasme œdipien: en aimant Aricie, Hippolyte (le Fils, qui incarne le Moi le plus conscient) tente vainement d'échapper à une Mère possessive (« Phèdre représente le désir incestueux qu'Hippolyte refuse d'éprouver », elle incarne un Moi plus inconscient) et se heurte à un Père implacable (le Surmoi). Plus généralement, l'œuvre théâtrale de Racine exprime sa lutte contre « la menace de névrose janséniste », héritage de l'éducation rigoriste reçue à Port-Royal.

Le risque est ici de s'intéresser à l'homme plus qu'à l'œuvre. T. Todorov a reproché à la psychocritique de «postuler l'existence d'un original» (biographique) alors que «le texte est toujours la transformation d'une autre transformation» (*Poétique de la prose*, p. 251). Pour se prémunir contre le «beuvisme[1]» et la psychobiographie, Jean Bellemin-Noël choisit d'aller *vers l'inconscient du texte* sans «jamais faire appel à l'auteur des textes mis en lecture». Il s'agit de reconnaître le «fonctionnement oblique du texte comme force engagée dans l'œuvre d'écriture».

Le je(u) littéraire

Il y a dans le texte «un effet de désir» que le lecteur met en scène par son travail, aussi cet inconscient du texte ne peut-il jamais être isolé et attribué au sujet-créateur. La lecture du fameux incipit de la Recherche *met ainsi en relation toute **une série de sujets** :*

Le monde	Le texte	Le lecteur
Marcel Proust	JE : l'auteur implicite du récit	je : le moi conscient du lecteur
	Je : le narrateur explicite	«je» : le moi inconscient du lecteur
	je : le personnage du récit	

C'est dans «ce jeu des je» que réside, selon Jean Bellemin-Noël, la séduction mystérieuse de la littérature. Explicitons : le lecteur ne s'approprie pas purement et simplement le je *de la fiction, il est contraint de composer avec lui, de faire une expérience nouvelle, susceptible de le transformer.*

On confrontera ces analyses à celles d'Italo Calvino (texte 28).

Soit la première phrase de *À la recherche du temps perdu* : «Longtemps je me suis couché de bonne heure.» Rien de plus simple au prime abord, quelqu'un raconte un épisode de sa vie. Mais la grammaire dans cette déclaration télescope deux sujets : *Je* prétend(s) ici et aujourd'hui que «longtemps» *je* (moi-un autre, que je ne suis plus actuellement, dont je parle comme je parlerais du lit où je me couchais) «s'est couché de bonne heure» ; *Je* est sujet de l'énonciation*, *je* l'est de l'énoncé. L'un

---

1. Voir le texte 33. Proust.

énonce le souvenir qui est rapporté à l'autre comme à celui qui a vécu l'aventure, et il *paraît* qu'ils sont le(s) même(s). Mais le lecteur est bien vite confronté à un troisième locuteur, qui précède *Je* d'un cran et qui est censé déclarer à l'orée du livre : «*JE* vais vous raconter une histoire, puisque ceci s'intitule roman» ; ce *JE* marque la limite du texte, qui le sépare du monde et le relie au monde. Derrière lui, bien sûr, se profile quelqu'un, qui signe «M. Proust», qui s'est donné la peine d'écrire les pages de ce livre où *JE* déclare écrire le roman dans lequel *Je* prend la parole pour évoquer *je* en train de se mettre au lit dans des conditions telles qu'un (autre) «je» s'en souviendra plus tard en prenant le thé, etc. Laissons de côté le *JE* de Marcel Proust, celui d'un être humain qui a fait autre chose que d'écrire, qui a son «moi» – il le disait lui-même – de la vie quotidienne où il ne saisissait fugitivement que des «intermittences»…

On peut déjà appeler sujet inconscient du texte cette série de glissements qu'il est impossible d'arrêter, car le glissement tient au fait même de l'inconscience : de l'«impossession» où nous sommes de nos propres actes, états, paroles et pensées. Mais il y a plus frappant. Lorsque je lis ce «je» de la première phrase du roman, je m'identifie à lui, je prends en charge son dire, je l'identifie à moi. C'est-à-dire que je me rapporte moi-même à un passé que le texte m'octroie l'espace d'un instant, et en même temps je reste le sujet de la présente lecture, comme présence lisante flanquée de tous les sujets de mes autres lectures, expériences, etc., dotée du pouvoir paradoxal d'écrire sur cette phrase et de la transformer. Car, et c'est là qu'il fallait en arriver, en supposant même que l'Inconscient soit insuffisamment engagé dans ce jeu de continuelles substitutions, mon inconscient à moi s'engrène sur ce récit de Proust ; le «je» sujet de mon désir en ce moment où je lis (où je lisais, plus exactement, et où j'écris maintenant là-dessus), ce «je» s'investit *peut-être* dans l'évocation des soirées de Combray, y retrouve son compte, ses mécomptes, y démêle la tragédie de la mère absente, et ainsi de suite.

Il paraît difficile, voire impossible, de décrire avec précision cette chaîne – enchaînements et déchaînements – qu'on appelle le sujet inconscient, à commencer par cet aspect de transférence qui définit la subjectivité, où l'on peut voir le «témoin» que se passent des relayeurs évanescents… Resterait surtout à décrire et à théoriser la *trans-subjectivité*, ou pour reprendre un terme d'André Green[1], le *transnarcissisme* qui *dans l'art* fait s'interconnecter les inconscients. Autre manière de dire que tout énoncé que je reformule pour le compte d'un *je* de fiction est reformulé pour le compte de je (conscient) *et* pour celui de «je» (inconscient), surtout si le premier s'en défend. Raisons probablement d'une séduction de la littérature encore mal étudiée. Car il serait faux de dire que je reverse ainsi sur mon compte tous les énoncés des «vrais» locuteurs qui disent Je devant moi. Le *je* de la fiction littéraire est un *tu* très particulier, qui me contraint plus qu'un être vivant à faire son je(u).

Jean BELLEMIN-NOËL, *Vers l'inconscient du texte*,
© PUF, 1979, p. 196-198.

NOTIONS CLÉS

Biographie – Fonction de la littérature – Inconscient – Lecteur – Plaisir – Sujet.

▶ Le texte littéraire met en relation différents sujets, conscients et inconscients.

▶ L'interconnexion entre les inconscients du texte et du lecteur est à la source du plaisir de la lecture.

1. André GREEN, « Le Double et l'Absent », *Critique*, mai 1973 [*N.d.A.*].

CHAPITRE 8

L'écriture du moi

L'autobiographie, qui s'est développée depuis le XVIIIe siècle, a été constituée en genre par la critique des années 1970, notamment grâce aux travaux de Philippe Lejeune qui l'a analysée comme un texte littéraire. Dans *Le Pacte autobiographique*, le critique montre que « ce genre se définit moins par les éléments formels qu'il intègre que par un "**contrat de lecture**" » particulier. Il définit ainsi l'autobiographie comme un « récit rétrospectif en prose qu'une personne réelle fait de sa propre existence, lorsqu'elle met l'accent sur sa vie individuelle, en particulier sur l'histoire de sa personnalité » ; ce récit se caractérise par l'« identité de *l'auteur*, du *narrateur* et du *personnage*[1] » et par l'engagement du narrateur à dire la vérité.

Herman Parret prolonge cette analyse en indiquant que le récit autobiographique respecte « trois réglages[2] », que Gisèle Mathieu-Castellani résume ainsi : « l'identité, au moins postulée, du narrateur et du héros de la narration, le compromis ou l'alternance entre récit et discours, narration et commentaire, et l'instauration d'une double relation, rétrospective et prospective, entre le scripteur et son passé, le scripteur et son avenir ». La présence constante d'un discours commentatif du narrateur et la perspective temporelle qui donne cohérence aux événements racontés révèlent la part d'autojustification inhérente à l'écriture autobiographique, qui recourt à « **une mise en scène judiciaire**[3] ».

---

1. Philippe LEJEUNE, *Le Pacte autobiographique*, Paris, Éd. du Seuil, 1975, respectivement p. 8, 14 et 15.

2. Herman PARRET, « "Ma Vie" comme effet de discours », dans *Le Travail du biographique*, *La Licorne*, n° 14, Publications de l'Université de Poitiers, 1988, p. 161-177 [N.d.A.].

3. Gisèle MATHIEU-CASTELLANI, *La Scène judiciaire de l'autobiographie*, PUF, coll. « Écriture », 1996, respectivement p. 19 et 17.

La justification de « l'écriture du moi », en effet, semble un lieu commun du genre. Les *Essais* s'ouvrent par un avertissement d'une désinvolture affectée qui invite le lecteur à fermer un livre ne parlant que de l'auteur (« je suis moi-même la matière de mon livre ») mais d'autres passages se veulent plus convaincants (**35. Montaigne**). Le préambule solennel des *Confessions* instaure un autre rapport au lecteur, institué explicitement en juge devant reconnaître la supériorité morale de l'auteur ; une première rédaction mettait l'accent sur l'intérêt que le livre peut présenter pour le lecteur désireux de se connaître soi-même (**36. Rousseau**).

Mais à quelle connaissance de lui-même le sujet de l'écriture autobiographique peut-il parvenir ? **La question de l'identité** est ici essentielle, et elle reçoit des réponses différentes selon qu'elle est envisagée de manière problématique ou non (**37. Mathieu-Castellani**).

L'authenticité de l'écriture du moi, censée délivrer la vérité sur l'auteur, a été mise en doute par les écrivains eux-mêmes, certains lui préférant même le roman. Tous deux jouent pourtant dans le même espace autobiographique, le roman présentant une forme indirecte du « pacte » (**38. Lejeune**).

L'écriture personnelle a connu une grande extension ces dernières décennies, au point d'intéresser le théoricien du Nouveau Roman, Alain Robbe-Grillet, qui affirme d'ailleurs dans le premier volume de ses *Romanesques* : « Je n'ai jamais parlé d'autre chose que de moi » (*Le Miroir qui revient*). De ce fait, les frontières entre les genres ont été remises en cause : fiction et autobiographie se combinent dans « *l'autofiction* », terme utilisé par Serge Doubrovsky[1] pour son roman *Fils* (1977), « fiction d'événements et de faits strictement réels », redéfini par Vincent Colonna comme « la fictionnalisation de soi » (la projection dans la fiction d'un personnage qui a le nom de l'auteur) puis pris de manière extensive et confondu avec la notion de « roman autobiographique ». Plus encore que l'autobiographie, un genre aussi hybride et paradoxal peut susciter des critiques mais son ambiguïté même lui confère un pouvoir particulier (**39. Gasparini**).

Dans *Le Roman, le Je*, l'écrivain et critique Philippe Forest a tenté d'y voir plus clair en distinguant dans la « littérature du moi » trois pôles selon le traitement réservé au sujet et au « réel ». Deux formes de récit réduisent le sujet à un « moi » conçu soit comme une « réalité » extérieure à l'écriture (c'est l'« ego-littérature », aujourd'hui triomphante, qui pratique la « religion du "vécu" » et tombe dans l'illusion naturaliste), soit comme un « "autre" » qui n'a de consistance qu'imaginaire et voue la littérature

---

1. Philippe GASPARINI fait observer que « le véritable inventeur du terme » est le romancier américain Jerzy Kosinski, qui a qualifié d'« autofiction » son roman *L'Oiseau bariolé* (1966) où il raconte à la première personne l'histoire (fictive) d'un enfant juif en Europe centrale pendant la Seconde Guerre mondiale.

au "virtuel" comme horizon vide de toute signification» (c'est l'«autofiction», où le «moi» est construit comme une «fiction»). Seules certaines œuvres (comme *Drame* de Philippe Sollers, *La Mise à mort* et *Blanche ou l'Oubli* d'Aragon) font une place authentique à «la problématique catégorie du sujet» en voyant en lui non plus «l'expression d'une personnalité mais l'expérience d'un impossible», le «réel», qui le livre à l'hétérogène (c'est «le Roman du Je», qui pratique l'«hétérographie»).

L'écriture autobiographique peut aussi être comprise comme une charge quand l'écrivain obéit à des déterminations que font peser sur lui ses origines et se sent investi vis-à-vis de ceux dont il est issu de la responsabilité de tirer au clair leur expérience de la vie (**40. Bergounioux**). Elle prend alors une tout autre valeur, bien différente du narcissisme dénoncé par certains critiques[1].

Parmi les écrivains contemporains qui ont voulu *écrire la vie*, **Annie Ernaux** s'est fait une place toute particulière en mêlant étroitement l'intime et le sociologique (l'ethnologique). Dans son «journal d'écriture», elle déclare vouloir écrire «une autre forme d'autobiographie» qu'elle qualifie de «totale» puisqu'elle tente d'y «*articuler le collectif* (historique, etc.) et le singulier», de concilier dans l'écriture même subjectivité et objectivité. L'autobiographie est contestée, dépassée dans un tel «récit ethno» (p. 80) où le *moi* est immergé dans la réalité : «Commencer un livre, c'est sentir le monde autour de moi, et moi comme dissoute, acceptant de me dissoudre, pour comprendre et rendre la complexité du monde[2]. »

35. MICHEL DE MONTAIGNE
«*Du repentir*», *Essais* (1580-1592)

Les *Essais* de Montaigne ne constituent certes pas une autobiographie mais ce «livre consubstantiel à son auteur» accorde une très large place à l'écriture du *moi*. Celle-ci est devenue progressivement le sujet principal d'un ouvrage dans lequel l'auteur fait aussi «l'essai de [ses] facultés naturelles», c'est-à-dire de son «jugement».

---

1. Tzvetan Todorov (*La Littérature en péril*, Paris, Gallimard, 2007, p. 35) voit dans l'autobiographie le produit d'«une attitude complaisante et narcissique» qui amène l'auteur à céder à la fascination de soi. «L'une de ses variantes récentes est ce qu'on appelle l'"autofiction" : l'auteur se consacre toujours autant à l'évocation de ses humeurs, mais de plus il se libère de toute contrainte référentielle, bénéficiant ainsi à la fois de l'indépendance supposée de la fiction et du plaisir engendré par la mise en valeur de soi».

2. Annie Ernaux, *L'Atelier noir*, Édition des Busclats, 2011, respectivement p. 151, 155, 80 et 83. Voir aussi le «Prolongement» à la fin de ce chapitre, p. 154.

Cela va à l'encontre de l'esthétique héritée d'Aristote, qui recherche le général, l'universel et non l'individuel (voir l'introduction du texte 11). En dehors de la poésie lyrique et des Mémoires rédigés par les grands hommes, l'écriture de soi a ainsi longtemps été rejetée pour sa vanité (aux deux sens du mot). « Le moi est haïssable », affirme Pascal, qui critique « le sot projet que Montaigne a eu de se peindre ». Les classiques recherchaient la vérité de la "nature humaine", non celle d'un individu particulier. Montaigne leur a répondu par avance en justifiant son projet par des considérations philosophiques et morales.

« La forme entière de l'humaine condition »

*Montaigne reconnaît ici que « parler de soi » relève de l'« indiscrétion », d'un manque de modération et de modestie, que c'est une occupation futile, un bavardage. Il n'admet toutefois ces jugements que pour mieux les relativiser en invoquant d'autres arguments : la nécessité d'**un effort constant pour se connaître**, la valeur universelle et la sincérité (qui n'est toutefois pas totale) de son portrait qui, s'il n'est pas celui d'un grand homme, est du moins « le premier » du genre[1].*

Les autres [les moralistes] forment [*instruisent*] l'homme ; je le récite [*décris*] et en représente un particulier, bien mal formé, et lequel, si j'avais à façonner de nouveau, je ferais vraiment bien autre qu'il n'est. Meshui [*désormais*], c'est fait. Or les traits de ma peinture ne fourvoient [*s'égarent*] point, quoiqu'ils se changent et diversifient. Le monde n'est qu'une branloire pérenne[2], toutes choses y branlent sans cesse : la terre, les rochers du Caucase, les pyramides d'Égypte, et du branle public [*général*] et du leur. La constance même n'est autre chose qu'un branle plus languissant. Je ne puis assurer mon objet : il va trouble et chancelant, d'une ivresse naturelle. Je le prends en ce point [*moment*], comme il est, en l'instant que je m'amuse à [*m'occupe de*] lui. Je ne peins pas l'être, je peins le passage, non un passage d'âge

---

1. Pour faciliter la lecture, l'édition citée (Petits Classiques Larousse) a modernisé l'orthographe de Montaigne et placé entre crochets la traduction des mots difficiles.

2. *En éternel mouvement.* Cette vision du monde vient d'Héraclite et de Copernic ; Montaigne lui donne une extension plus grande : lui-même, qui est l'« objet » de son étude, est toujours changeant (voir le texte 37, p. 145, n. 1).

en autre ou, comme dit le peuple, de sept en sept ans, mais de jour en jour, de minute en minute. Il faut accommoder mon histoire à l'heure. Je pourrai tantôt changer, non de fortune seulement, mais aussi d'intention. C'est un contrôle [*registre*] de divers et muables accidents [*événements changeants*] et d'imaginations irrésolues [*d'idées incertaines*] et, quand il y échoit [*le cas échéant*], contraires : soit que je sois autre moi-même, soit que je saisisse les sujets par autres circonstances et considérations. Tant y a que je me contredis bien à l'aventure, mais la vérité, comme disait Démade, je ne la contredis point. Si mon âme pouvait prendre pied [*se fixer*], je ne m'essaierais pas, je me résoudrais[1] : elle est toujours en apprentissage et en épreuve.

Je propose [*j'expose*] une vie basse, et sans lustre : c'est tout un [*peu importe*]. On attache aussi bien toute la philosophie morale à une vie populaire [*ordinaire*] et privée qu'à une vie de plus riche étoffe : chaque homme porte la forme entière de l'humaine condition. Les auteurs se communiquent au peuple par quelque marque spéciale et étrangère ; moi, le premier, par mon être universel, comme Michel de Montaigne, non comme grammairien ou poète ou jurisconsulte. Si le monde se plaint de quoi je parle trop de moi, je me plains de quoi il ne pense seulement pas à soi. Mais est-ce raison que, si particulier [*privé*] en usage[2], je prétende me rendre public en connaissance ? Est-il aussi raison que je produise [*montre*] au monde, où la façon et l'art ont tant de crédit et de commandement, des effets de nature et crus et simples, et d'une nature encore bien faiblette ? Est-ce pas faire une muraille sans pierre, ou chose semblable, que de bâtir des livres sans science ? Les fantaisies de la musique sont conduites par art, les miennes par sort [*hasard*]. Au moins, j'ai ceci selon la discipline [*science*] que jamais homme ne traita sujet qu'il entendît ni connût mieux que je fais celui que j'ai entrepris, et qu'en celui-là je suis le plus savant homme qui vive ; secondement, que jamais aucun ne pénétra en sa matière plus avant ni en éplucha plus distinctement les membres [*parties*] et suites, et n'arriva plus exactement et plus pleinement

---

1. *Je m'arrêterais* (et proposerais de moi un portrait définitif). Montaigne fait dans chaque « essai » un examen et une expérience de lui-même afin de mieux se connaître.

2. En 1571, Montaigne, ayant vendu sa charge de conseiller au parlement de Bordeaux, a choisi de se consacrer à lui-même.

à la fin qu'il s'était proposée à sa besogne. Pour la parfaire [*l'achever*], je n'ai besoin d'y apporter que la fidélité [*bonne foi*] : celle-là y est, la plus sincère et pure qui se trouve. Je dis vrai, non pas tout mon saoul, mais autant que je l'ose dire ; et l'ose un peu plus en vieillissant car il semble que la coutume concède à cet âge plus de liberté de bavasser [*bavarder*] et d'indiscrétion [*d'immodération*] à parler de soi.

Michel de MONTAIGNE, «Du repentir», *Essais*, III, 2, 1580-1592,
Petits Classiques Larousse, 2002, p. 53-54.

NOTIONS CLÉS

Écriture du moi – Essai – Sujet.

▶ La peinture de soi à laquelle se livre Montaigne dans les *Essais* ne peut avoir de fin, l'être humain étant pour lui en perpétuel changement.

▶ Il ne se targue pas de dire toute la vérité et justifie son entreprise, qui n'a ainsi plus rien de futile, par l'universalité de la condition humaine.

36. JEAN-JACQUES ROUSSEAU
Premier préambule des Confessions (1764)

Au sortir d'une grave crise morale, Rousseau écrit en janvier 1762 «Quatre lettres à M. le Président de Malesherbes contenant le vrai tableau de [son] caractère et les vrais motifs de toute [sa] conduite». Il entend s'y peindre «sans fard, et sans modestie,» afin de rétablir la vérité sur sa personne : «passant ma vie avec moi je dois me connaître et je vois par la manière dont ceux qui pensent me connaître, interprètent mes actions et ma conduite qu'ils n'y connaissent rien. Personne au monde ne me connaît que moi seul[1]». Se faire connaître tel qu'il est, dans **une illusion de transparence totale**, doit suffire à justifier sa conduite. Cette motivation inspire toujours les *Confessions*, mais elle n'est plus la seule.

---

1. Jean-Jacques ROUSSEAU, *Lettres à Malesherbes* (1762), Paris, Le Livre de poche, coll. «Libretti», 2010, p. 19.

«Un pas de plus dans la connaissance des hommes»

Comment éviter l'accusation d'orgueil lorsqu'on écrit sur soi ?
Montaigne y répondait en faisant assaut de modestie, et sur sa per-
sonne et sur la qualité du portrait qu'il en faisait (voir le texte précé-
dent). Rousseau, certain d'être le meilleur des hommes, revendique
cet orgueil et y ajoute d'autres arguments, avançant notamment
l'idée que la sincérité exceptionnelle de son autoportrait lui donne
une valeur de référence.

J'ai résolu de faire faire à mes lecteurs un pas de plus dans la connaissance des hommes, en les tirant s'il est possible de cette règle unique et fautive de toujours juger du cœur d'autrui par le sien ; tandis qu'au contraire il faudrait souvent pour connaître le sien même, commencer par lire dans celui d'autrui. Je veux tâcher que pour apprendre à s'apprécier, on puisse avoir du moins une pièce de comparaison ; que chacun puisse connaître soi et un autre, et cet autre ce sera moi.

Oui, moi, moi seul, car je ne connais jusqu'ici nul autre homme qui ait osé faire ce que je me propose. Des histoires, des vies, des portraits, des caractères ! Qu'est-ce que tout cela ? Des romans ingénieux bâtis sur quelques actes extérieurs, sur quelques discours qui s'y rapportent, sur de subtiles conjectures où l'Auteur cherche bien plus à briller lui-même qu'à trouver la vérité. On saisit les traits saillants d'un caractère, on les lie par des traits d'invention, et pourvu que le tout fasse une physionomie, qu'importe qu'elle ressemble ? Nul ne peut juger de cela.

Pour bien connaître un caractère il y faudrait distinguer l'acquis d'avec la nature, voir comment il s'est formé, quelles occasions l'ont développé, quel enchaînement d'affections secrètes l'a rendu tel, et comment il se modifie, pour produire quelquefois les effets les plus contradictoires et les plus inattendus. Ce qui se voit n'est que la moindre partie de ce qui est ; c'est l'effet apparent dont la cause interne est cachée et souvent très compliquée. Chacun devine à sa manière et peint à sa fantaisie ; il n'a pas peur qu'on confronte l'image au modèle, et comment nous ferait-on connaître ce modèle intérieur, que celui qui le peint dans un autre ne saurait voir, et que celui qui le voit en lui-même ne veut pas montrer?

Nul ne peut écrire la vie d'un homme que lui-même. Sa manière d'être intérieure, sa véritable vie n'est connue que de lui; mais en l'écrivant il la déguise; sous le nom de sa vie, il fait son apologie; il se montre comme il veut être vu, mais point du tout comme il est. Les plus sincères sont vrais tout au plus dans ce qu'ils disent, mais ils mentent par leurs réticences, et ce qu'ils taisent change tellement ce qu'ils feignent d'avouer, qu'en ne disant qu'une partie de la vérité ils ne disent rien. Je mets Montaigne à la tête de ces faux sincères qui veulent tromper en disant vrai. Il se montre avec des défauts, mais il ne s'en donne que d'aimables; il n'y a point d'hommes qui n'en aient d'odieux. Montaigne se peint ressemblant mais de profil. Qui sait si quelque balafre à la joue ou un œil crevé du côté qu'il nous a caché, n'eût pas totalement changé sa physionomie. [...]

Il est donc sûr que si je remplis bien mes engagements j'aurai fait une chose unique et utile.

Jean-Jacques ROUSSEAU, Ébauches des Confessions, manuscrit de Neuchâtel (1764), dans Les Confessions, Gallimard, coll. «Bibliothèque de la Pléiade», p. 1149-1150.

NOTIONS CLÉS

Autobiographie – Fonctions de la littérature.

▶ Rousseau entend faire un portrait totalement sincère de lui-même, sans rien cacher de sa vie et de sa personnalité : ce ne sera pas une apologie.

▶ Contrairement à Montaigne (et à Hugo – voir le texte 92b), il ne prétend pas que les hommes se reconnaîtront en lui mais affirme sa singularité et sa supériorité : en étant capable de se montrer tel qu'il est (ce que personne n'a jamais fait), il fournira aux hommes un point de comparaison qui leur permettra de mieux se connaître.

▶ Philippe FOREST, Le Roman, le Je : «Qui raconte sa vie la transforme fatalement en roman et ne peut déléguer de lui-même à l'intérieur du récit que le faux-semblant d'un personnage.»

37. GISÈLE MATHIEU-CASTELLANI
La Scène judiciaire de l'autobiographie (1996)

Gisèle Mathieu-Castellani rapproche l'autobiographie de la scène judiciaire : « La narration autobiographique, comme la *narratio* de l'*oratio* judiciaire, est orientée vers la preuve, ou au moins vers la persuasion de l'auditeur : la position qu'occupe le narrateur est celle d'un avocat portant intérêt à la cause qu'il défend, même s'il dresse contre lui l'acte d'accusation, même si, comme Gide ou Rousseau, il se défend de se défendre. Qui raconte ? **Quelqu'un qui se justifie, et se justifie de se justifier** » (p. 175). Le narrateur cherche à accréditer son récit mais aussi le commentaire qui l'accompagne et lui donne sens.

Dans leur diversité, les autobiographies ont en outre en commun de lier le travail de l'écriture à « l'élaboration d'une identité ».

La problématique du sujet

Toutes les autobiographies ne « problématisent » pas la question du sujet. L'auteur distingue ainsi les œuvres de saint Augustin (Confessions, *397-401*), *Montaigne* (Les Essais, *1580-1595*) *et Genet* (Journal du voleur, *1949*) *de celles de Rousseau* (Les Confessions, *1764-1770*), *Gide (*Si le grain ne meurt, *1926*), *Verlaine* (Confessions. Notes autobiographiques, *1895*) *et Claude Roy (*Moi je, *1969*).

L'écriture du moi ne définit pas un genre unique, mais éclaire divers types de textes, diverses formes de discours, dans lesquels l'exploration du sujet se fait dans l'écriture et par l'écriture. Certains écrivains « problématisent » leur entreprise et sondent ses difficultés (Augustin, Montaigne, Genet), d'autres se lancent à corps perdu sans avoir l'air de mettre en doute la possibilité de se connaître et de se dire tel qu'on se connaît (Rousseau, Gide, Verlaine, Roy).

[…] La problématique du sujet est marquée dans les *Essais* par plusieurs traits, qui tous déclarent sa « complication ». Le moi y est obscur, opaque à lui-même, un profond « labyrinthe » […]. Là où *je* pense, *je* n'est pas, ou pas tout entier. Là où *je* pense, le moi pensant n'est pas seul, car « nous sommes, je ne sais comment, doubles en nous-mêmes[1]». Première systématisation d'un sujet non systématique, les *Essais* nouent cette problématique à celle de l'écriture, qui n'en sortira pas indemne.

À ce modèle, s'oppose un autre modèle de subjectivité, et chez Rousseau ou chez Gide, le sujet, plus traditionnel, est le lieu d'un «clivage» entre extérieur et intérieur, le moi social (contraint) s'opposant au moi intime (libre ou en voie de libération). D'où un refus ou une ignorance (salutaire?) de la problématique.

Celui qui déclare «Je sens mon cœur et je connais les hommes» assure qu'il est en mesure de se peindre «exactement d'après nature et dans toute sa vérité». Il ose dire : «C'est l'histoire de mon âme que j'ai promise, et pour l'écrire fidèlement, il me suffit de rentrer en moi[2].» Gide à son tour, lecteur de Rousseau plus que de Montaigne, entend décrire «les mouvements de [son] cœur», et s'assigne pour devoir de devenir ce qu'il est. L'ombre que découvre l'adulte dans l'enfant qu'il fut est moins opacité échappant au regard que zone trouble, «vérité» de l'être non encore soumis à la censure sociale et au contrôle familial.

Rousseau, Gide, Roy, Beauvoir peuvent s'essayer sans trembler à l'écriture autobiographique qui postule l'unité globale du sujet, et entre *je* écrivant et moi écrit, une idéale transparence ; qui admet aussi qu'il peut y avoir «une histoire de ma vie[3]», une continuité sans solution.

Augustin, Montaigne, Proust sont plutôt du côté de l'autographie que de l'autobiographie, questionnant l'identité du *je* écrivant, reconnaissant la mort des moi successifs.

[...] La problématique du sujet n'est pas sans incidences sur l'écriture du moi, qui privilégie soit la cohérence du parcours, le «dessin» d'un destin (Gide), «la destinée», la ligne continue, soit l'errance et l'erreur, l'ombre, les contradictions. L'écriture

---

1. MONTAIGNE, «De la gloire», *Les Essais*, Paris, PUF, coll. «Quadrige», t. II, chap. XVI, p. 619.

2. ROUSSEAU, *Les Confessions*, respectivement livres I et VII, Paris, Gallimard, coll. «Bibliothèque de la Pléiade», p. 5 et 278.

3. George Sand a intitulé son autobiographie *Histoire de ma vie*. L'«*auto-bio-graphie*», précise G. Mathieu-Castellani, comporte la référence à un genre, le récit de vie, et «une vie écrite [...] implique l'artifice d'une composition, d'une alternance du récit et du commentaire, de la narration et de la description» (p. 167). La vie devient une œuvre et prend la cohérence d'un destin.

du moi, lorsqu'elle choisit la seconde voie, ne saurait se réduire à la peinture du moi. Le cas des *Essais* est exemplaire à cet égard. La peinture suppose un moi à la fois extérieur et antérieur à l'entreprise d'écrire, comme dans la tradition classique française, un moi unique dans sa diversité et cohérent dans la multiplicité de ses visages, un moi «naturel» qui s'opposerait au moi construit par l'instance sociale, et l'analyse peut s'assigner un terme. L'autographie du second type suppose un moi qui se construit, se détruit, se reconstruit dans l'acte même d'écrire qui fixe de moment en moment des «instantanés», des métamorphoses qui «étrangent» et altèrent le sujet en devenir, un clivage interne qui fait du sujet l'autre d'un autre[1].

Gisèle Mathieu-Castellani,
La Scène judiciaire de l'autobiographie,
PUF, coll. «Écriture», 1996, p. 192-197.

NOTIONS CLÉS

Autobiographie – Sujet.

▶ Un type d'écriture autobiographique (comme *Les Essais* de Montaigne) révèle le caractère problématique du sujet, qui s'interroge sur son identité: le moi, mouvant, se cherche dans l'écriture, jusqu'à devenir autre.

▶ Un autre type (comme *Les Confessions* de Rousseau) refuse cette problématique en postulant l'unité du sujet et sa capacité à se connaître entièrement: le moi, intime et unique, se révèle dans l'écriture sous le moi social.

---

1. «[...] si nous demeurons toujours mesmes et uns, comment est-ce que nous nous esjouissons maintenant d'une chose, et maintenant d'une autre? comment est-ce que nous aymons choses contraires, ou les hayssons, nous les louons, ou nous les blasmons? comment avons nous differentes affections, ne retenants plus le mesme sentiment en la mesme pensée? Car il n'est pas vray-semblable que sans mutation nous prenions autres passions *[impressions]*; et ce qui souffre mutation ne demeure pas un mesme, et, s'il n'est pas un mesme, il n'est donc pas aussi. Ains quant et *[Mais en même temps que]* l'estre tout un, change aussi l'estre simplement, devenant tousjours autre d'un autre» (Montaigne, *Les Essais*, II, 12, PUF, p. 603).

38. PHILIPPE LEJEUNE
Le Pacte autobiographique (1975)

La question de la sincérité est inhérente à «l'écriture du moi» : Montaigne proteste de sa «bonne foi», Rousseau assure qu'il a «dit le bien et le mal avec la même franchise». Selon Philippe Lejeune, si **l'engagement de l'auteur à dire la vérité** est bien un élément du «pacte autobiographique» (voir p. 135), cela n'implique pas que cette vérité soit celle de «l'être-en-soi du passé (si tant est qu'une telle chose existe), mais l'être-pour-soi, manifesté dans le présent de l'énonciation». L'authenticité de l'écriture autobiographique se mesure par exemple dans «le double effort de Rousseau vers 1764 pour *peindre* : 1) sa relation au passé ; 2) ce passé tel qu'il était, avec l'intention de ne rien y changer» (p. 40).

L'espace autobiographique

Dès lors, des deux genres référentiels que sont l'autobiographie et le roman, peut-on dire que c'est le deuxième qui, paradoxalement, atteint le mieux la vérité, comme l'ont affirmé des romanciers ? Plutôt que de les opposer, Philippe Lejeune préfère les déclarer complémentaires : tous deux s'inscrivent dans le même «espace», où ils jouent l'un par rapport à l'autre.

Il s'agit maintenant de montrer sur quelle illusion naïve repose la théorie si répandue selon laquelle le roman serait plus vrai (plus profond, plus authentique) que l'autobiographie. Ce lieu commun, comme tous les lieux communs, n'a pas d'auteur ; chacun, tour à tour, lui prête sa voix. Ainsi André Gide : « Les Mémoires ne sont jamais qu'à demi sincères, si grand que soit le souci de vérité : tout est toujours plus compliqué qu'on ne le dit. Peut-être même approche-t-on de plus près la vérité dans le roman[1]. » Ou François Mauriac : «Mais c'est chercher bien haut des excuses, pour m'en être tenu à un seul chapitre de mes Mémoires. La vraie raison de ma paresse n'est-elle pas que nos romans expriment l'essentiel de nous-même ? Seule la fiction ne ment pas ; elle entrouvre sur la vie d'un homme une porte

---

1. André GIDE, *Si le grain ne meurt*, Gallimard, coll. « Folio », 1972, p. 278 *[N.d.A.]*.

dérobée, par où se glisse, en dehors de tout contrôle, son âme inconnue[1].»

Albert Thibaudet a donné au lieu commun la forme universitaire du «parallèle», sujet idéal de dissertation, opposant le roman (profond et multiple) et l'autobiographie (superficielle et schématique)[2].

Je démontrerai l'illusion en partant de la formulation proposée par Gide, ne serait-ce que parce que son œuvre fournit un incomparable terrain de démonstration. Qu'on se rassure : je n'entends pas du tout prendre la défense du genre autobiographique, et établir la vérité de la proposition contraire, à savoir que ce serait l'autobiographie qui serait la plus vraie, la plus profonde, etc. Renverser la proposition de Thibaudet n'aurait aucun intérêt : sinon de montrer qu'à l'endroit ou à l'envers, c'est toujours *la même* proposition.

En effet : au moment même où en *apparence* Gide et Mauriac rabaissent le genre autobiographique et glorifient le roman, ils font *en réalité* bien autre chose qu'un parallèle scolaire plus ou moins contestable : ils désignent l'espace autobiographique dans lequel ils désirent qu'on lise l'ensemble de leur œuvre. Loin d'être une condamnation de l'autobiographie, ces phrases souvent citées sont une forme indirecte du pacte autobiographique : elles établissent en effet de quel ordre est la vérité dernière que visent leurs textes. Dans ces jugements, le lecteur oublie trop souvent que l'autobiographie apparaît à deux niveaux : en même temps que l'un des deux *termes* de la comparaison, elle est le *critère* qui sert à la comparaison. Quelle est cette «*vérité*» que le roman permet d'approcher mieux que l'autobiographie, sinon la vérité personnelle, individuelle, intime, de l'auteur, c'est-à-dire cela même que vise tout projet autobiographique ? Si l'on peut dire, c'est en tant qu'autobiographie que le roman est décrété plus vrai.

Le lecteur est ainsi invité à lire les romans non seulement comme des *fictions* renvoyant à une vérité de la «nature humaine», mais aussi comme des *fantasmes* révélateurs d'un

---

1. François MAURIAC, *Commencements d'une vie,* dans *Écrits intimes,* Genève-Paris, Éd. La Palatine, 1953, p. 14 [*N. d. A.*]. Sur le rapport entre vérité et fiction dans le roman, voir aussi la réflexion d'Aragon dans le texte 72.

2. Albert THIBAUDET, *Gustave Flaubert,* Éd. Gallimard, 1935, p. 87-88 [*N.d.A.*].

individu. J'appellerai cette forme indirecte du pacte autobiographique *le pacte fantasmatique*.

Si l'hypocrisie est un hommage que le vice rend à la vertu, ces jugements sont en réalité un hommage que le roman rend à l'autobiographie. Si le roman est plus vrai que l'autobiographie, alors pourquoi Gide, Mauriac et bien d'autres ne se contentent-ils pas d'écrire des romans? À poser la question ainsi, tout devient clair: s'ils n'avaient pas écrit et publié *aussi* des textes autobiographiques, même «insuffisants», personne n'aurait jamais vu de quel ordre était la vérité qu'il fallait chercher dans leurs romans. Ces déclarations sont donc des ruses peut-être involontaires mais très efficaces: on échappe aux accusations de vanité et d'égocentrisme quand on se montre si lucide sur les limites et les insuffisances de son autobiographie; et personne ne s'aperçoit que, par le même mouvement, on étend au contraire le pacte autobiographique, sous une forme *indirecte*, à l'ensemble de ce qu'on a écrit. Coup double.

Coup double, ou plutôt vision double, – écriture double, effet, si je puis risquer ce néologisme d'emploi, de *stéréographie*.

Ainsi posé, le problème change complètement de nature. Il ne s'agit plus de savoir lequel, de l'autobiographie ou du roman, serait le plus vrai. Ni l'un ni l'autre; à l'autobiographie, manqueront la complexité, l'ambiguïté, etc.; au roman, l'exactitude; ce serait donc: l'un plus l'autre? Plutôt: l'un *par rapport* à l'autre. Ce qui devient révélateur, c'est l'espace dans lequel s'inscrivent les deux catégories de textes, et qui n'est réductible à aucune des deux. Cet effet de relief obtenu par ce procédé, c'est la création, pour le lecteur, d'un «espace autobiographique».

Philippe LEJEUNE, *Le Pacte autobiographique*,
© Éd. du Seuil, coll. «Poétique», 1975, p. 41-42.

NOTIONS CLÉS

Autobiographie – Roman – Vérité.

▶ La vérité que la fiction romanesque exprime sur son auteur constitue une forme indirecte du pacte autobiographique.

▶ Autobiographie et roman prennent sens «l'un *par rapport* à l'autre», dans un espace commun.

_____ 39. PHILIPPE GASPARINI _____
Est-il Je ? Roman autobiographique et autofiction (2004)

L'ambiguïté de l'*autofiction*, c'est-à-dire du récit qui mêle fiction et autobiographie, amène à se poser la question : « Est-ce l'auteur qui raconte sa vie ou un personnage fictif ? » Pour y répondre, Philippe Gasparini entreprend de « cerner la spécificité de cette configuration générique ». Il distingue ainsi les deux catégories de récits qui la composent :

– « L'autofiction est au moi créateur (« auto »), ce que la science-fiction est à la science et à la technique : un développement projectif dans des situations imaginaires » (p. 26).

– « Le roman autobiographique s'inscrit dans la catégorie du possible *(eikôs)*, du vraisemblable naturel. Il doit impérativement convaincre le lecteur que tout a pu se passer logiquement de cette manière. Faute de quoi il bascule dans un autre genre qui, lui, mélange vraisemblable et invraisemblable, l'autofiction » (p. 29).

Après avoir répertorié les traits du roman autobiographique, s'interrogeant sur « l'adéquation entre forme fictionnelle et discours sur soi », il énonce « les principaux arguments en faveur de la fictionnalisation du témoignage personnel » (p. 244) :

– L'ambiguïté générique protège le « romancier-autobiographe » qui, comme le romancier et contrairement à l'autobiographe, n'a « pas de comptes à rendre au réel » (p. 235). Sa créativité lui permet d'échapper à des contraintes familiales, sociales, juridiques, éditoriales (p. 238).

– Le recours à la fiction implique une construction esthétique plus élaborée, donc plus valorisée que le récit autobiographique, et qui bénéficie en outre de l'aptitude à la polyphonie, spécifique au roman selon Bakhtine (voir le texte 69).

– Le « romancier du moi » sait que la sincérité déclarée de l'autobiographe est illusoire ; « il se constitue en personnage » et peut sous ce masque découvrir ce qu'il ignore sur lui-même mais aussi « une réalité psychique inaperçue qui dépasse son cas particulier » (p. 242).

Fonctions de l'écriture du roman autobiographique

Considérant que la littérature a nécessairement « une fonction transitive de communication entre les êtres humains », Philippe Gasparini s'interroge, dans une perspective axiologique*, sur l'effet de l'autofiction sur le lecteur.

Consciemment ou non, le commentateur établit une hié-rarchie entre ces trois récepteurs du texte littéraire que sont la société, le lecteur et l'auteur. Et il classe les textes en fonction de leur effet sur celui qu'il leur assigne en priorité. Non seu-lement cet ordre commande son système de valeurs littéraires, mais il détermine sa théorie et sa hiérarchie des genres. Ainsi l'ancienne critique condamnait-elle «la littérature personnelle» pour ses effets pernicieux sur l'ordre social. Brunetière estimait que le discours du moi, «incivil», allait «contre l'objet de la litté-rature [...] contre celui même de la société».

Ce type de jugement est frappé d'obsolescence. Non qu'on ne prenne plus en compte l'impact de la littérature sur la société, mais plutôt parce que l'écriture autobiographique n'est plus considérée, *a priori,* comme perverse ou subversive. Chacun reconnaît au contraire son utilité sociale, son aptitude à dépasser le simple témoignage anecdotique pour exprimer une parole collective, voire universelle. À cet égard, le roman autobiographique présente un intérêt particulier car sa stratégie originale d'ambiguïté générique, de déguisement, de feinte, permet de représenter des situations de malaise, d'injustice, d'oppression, d'aliénation qui étaient occultées ou déniées.

J'ai évoqué à ce sujet les premiers romans de peuples colo-nisés. Mais il faudrait aussi analyser sous cet angle la tactique de Vallès pour redonner la parole aux communards, celle de Barbusse pour faire discourir les poilus ou encore celle d'Hé-lisenne de Crenne pour montrer la condition des femmes de son temps. Quand Dickens ou Istrati se représentent en enfants au travail, Jack London ou Erri de Luca en prolétaires exploités, Claude Simon en vaincu de quarante, Jiri Weil en porteur de l'étoile jaune, Guibert en mourant du sida, Ôé en parent de handicapé mental, Gao Xingjian en victime de la Révolution culturelle, leurs personnages transcendent leur plainte indivi-duelle pour analyser, et dénoncer, une réalité sociale et poli-tique. Jouant sur deux registres, la confidence autobiographique et la dynamique romanesque, ils prennent le lecteur à témoin d'une souffrance scandaleuse, à la fois intime et collective. Ils lui font partager la tragédie de ce destin.

L'ambiguïté générique ne sert donc pas exclusivement à véhiculer le soliloque d'un sujet coupé du monde. Au contraire, elle inscrit ce sujet dans le réseau de ses implications affectives, familiales, sociales. La traduction de l'expérience personnelle dans un langage romanesque transforme peu ou prou le «moi» singulier en héros, en type, en symbole, en métaphore. Le romancier construit alors sa légende en s'autoproclamant emblème et porte-parole d'un groupe humain. Il transcende et légitime ainsi son travail mémoriel. Cette «iconisation» marque le passage aristotélicien[1] du particulier au général sans résilier l'ancrage référentiel du témoignage.

> Philippe GASPARINI, *Est-il Je ?*
> *Roman autobiographique et autofiction*,
> © Éd. du Seuil, coll. «Poétique», 2004, p. 335-336.

NOTIONS CLÉS

Autofiction – Fonction de la littérature.

▶ L'ambiguïté du roman autobiographique lui permet d'exprimer une vérité à la fois personnelle et collective.

▶ Philippe FOREST, *Le Roman, le Je*: «Loin de constituer l'exercice narcissique et complaisant souvent dénoncé, le Roman du Je dissout toute forme assurée de conscience de soi en enseignant cette seule vérité à l'auteur: le Moi n'existe jamais que comme fiction.»

40. PIERRE BERGOUNIOUX
«Dedans, dehors» (2001)

Dire que Pierre Bergounioux est né à Brive en 1949 n'est pas une précision vaine. Il a vécu comme un événement majeur de son existence l'ouverture à la modernité du monde ancien qui a subsisté sur la terre limousine, avec « [ses] routes secondaires, [ses] vallons déserts, [ses] bois de châtaigniers, [ses] pauvres espérances», jusqu'à la rupture des années 1960, ouverture accentuée par son «exil» à Paris, son accès aux études supérieures, au savoir dans lequel il a cherché passionnément le sens de ce qu'il était en train de vivre et de ce qu'avaient vécu ceux qui l'avaient précédé sur ce territoire enclavé. Le moyen d'exprimer cette expérience, c'était la littérature: «Elle est porteuse d'une connaissance que nulle autre approche ne saurait dégager. C'est ce qui lui confère sa nécessité depuis trois mille ans,

---

1. Sur la conception aristotélicienne de la *mimèsis*, voir le texte 11.

sa pérennité. Elle court dans la zone qui sépare la clarté inhumaine, glacée que la science jette sur les choses de la couche obscure où nous agissons dans l'urgence et le tremblement[1] ».

Or, du fait de la division naturelle de l'homme, corps, situation, action mais aussi pensée, représentation, parole, il y a une « contradiction dans les termes qui oppose le fait d'écrire à celui d'agir » : la littérature est d'exercice difficile, comme la pensée elle se déploie dans un mouvement de retrait du monde, il faut tenter « d'introduire la réalité du dehors, les pensées de l'extérieur […] dans l'espace protégé, aux heures sereines, où l'on peut réfléchir[2] . »

« L'objectivation de l'existence »

Pierre Bergounioux s'est employé à tirer au clair (une clarté humaine, cette fois) son expérience de la vie et celle de ses proches, au point que, de Catherine *(1984) à* Miette *(1995), le mot « roman » a disparu de la couverture de ses récits qui sont apparus de moins en moins comme des fictions. Ce faisant, il n'a pas choisi la facilité : « L'autobiographie, écrit-il dans cet article, élève à une puissance seconde cette absence au monde, cette mort partielle » nécessaire à l'écriture littéraire. « Elle oblige à constituer comme objet le sujet en quoi l'on consistait ». L'écrivain obéit aussi aux déterminations que son inscription dans le monde extérieur et dans l'histoire font peser sur lui, c'est pourquoi la voix qu'il fait entendre n'est pas seulement la sienne.*

La relation en première personne d'événements très étroitement situés et datés dont j'ai pu être le protagoniste ou le témoin, m'est dictée par les circonstances. On ne dispose pas plus du contenu de son livre qu'on ne décide, dans l'antichambre des limbes, du lieu où l'on viendra, de l'heure qu'on va passer de l'autre côté, dans la lumière tiède. Les versions que le monde réel suscite, parfois, sur le papier, participent du même caractère de nécessité. La littérature ne descend pas du ciel des idées. Elle n'enferme pas sa raison suffisante. Elle

---

1. Pierre BERGOUNIOUX, *L'Héritage. Entretiens avec Gabriel Bergounioux*, Charenton-le-Pont, Flohic, 2002, respectivement p. 129 et p. 187.
2. Ces idées sont développées dans *La Cécité d'Homère* (Strasbourg, Circé, 1995) et *Jusqu'à Faulkner* (Paris, Gallimard, 2002).

porte dans le registre de l'expression une expérience préalable qui se passe fort bien de trouver un écho dans des volumes imprimés. Des faits indépendants de ma volonté m'ont imposé non seulement la matière de mes livres mais leur manière et l'inclination à les faire.

La mise à distance, l'objectivation de l'existence où l'on est engagé, je n'ai pas eu à m'en occuper. Le cours des choses s'en est chargé sans qu'on m'ait consulté. [...]

On ne fait jamais qu'intérioriser le monde extérieur, qui est lui-même un legs des âges antérieurs. Nos aspirations, les replis de notre cœur, les clairières de notre âme, ses pentes, ses abîmes, cette voix qui murmure en nous, comme une source, nous les avons pris au dehors. Notre aventure n'est que l'effet induit de grandes choses qui lui préexistaient, d'une causalité qui nous échappe en partie et parfois, par endroits, en totalité. La grande chance que nous avons eue – ce qui, à la lettre, nous est tombé dessus –, ce fut la révolution des forces productives, l'extension de l'échange, la commotion de l'exil, avec le déchirement, la révélation, aussi, la perte et le retour sur soi, l'effort pour devenir. Sous le signe du «je», c'est du groupe auquel j'ai appartenu qu'il est question, de l'étendue raboteuse, hirsute, inclémente, de l'obstacle partout, des eaux, des mauvaises routes, des coins perdus, des petites gares où j'ai fait, avec mes semblables, escholiers limozins[1] et autres crétins ruraux, les expériences cardinales, connu l'attente et la félicité, le doute, la déconvenue, l'émerveillement et le désespoir. Si j'y reviens, en pensée, c'est qu'elles n'incluaient pas, quand elles m'ont submergé, l'élémentaire notion de leurs attendus et de leurs conséquences, le précieux miroitement de leur sens.

L'ultime paradoxe du genre auquel je sacrifie, la trace, dans mon travail, du départ et de la division consécutive qui me l'ont imposé, réside dans sa destination même. J'écris à la lumière du présent. Je tiens compte de ce que j'ai découvert à l'autre bout des rails, respiré avec l'air supérieurement délié de la capitale. Outre qu'on n'écrit pas ce qu'on veut, on ne le fait pas

---

1. Allusion à un personnage de Rabelais (*Pantagruel*, chap. VI): pour montrer le savoir qu'il a retiré de ses études à Paris, un jeune Limousin se met à parler un français latinisé, amphigourique et ridicule jusqu'à ce que Pantagruel l'oblige à reprendre sa langue naturelle, le dialecte de sa région.

librement, à sa fantaisie. La littérature a une histoire que nul n'est censé ignorer, s'il se mêle d'écrire. Il est indispensable de savoir en quoi cela peut consister, d'avoir lu, et de près, ceux qui ont porté cet exercice à une hauteur telle qu'elle décourage, presque, de les suivre, rend l'exemple funeste, écrasant. C'est au lecteur d'aujourd'hui que je m'adresse, au regard des attentes qui sont les siennes – les miennes, lorsque je lis – que j'écris. Mais par delà ce destinataire formel, tardif, invisible, inévitable, c'est vers le passé, l'origine et ses habitants que je suis secrètement tourné. Je leur tends les aperçus, les propositions, les simples mots que je me suis procurés au loin, après, et dont l'absence a limité leurs vues, obscurci leurs jours. Il me semble leur parler, leur dire tout bas ce qui me semble s'être effectivement passé et qu'ils ne savaient pas, ce qui aurait pu être. Mais ils n'en ont cure puisqu'il y a le temps et qu'ils ne sont plus là pour me donner leur assentiment, m'accorder le pardon et la paix.

Pierre BERGOUNIOUX, « Dedans, dehors »,
Revue des sciences humaines,
n° 263, juillet-septembre 2001, p. 36 et 41-42.

NOTIONS CLÉS

Autobiographie – Fonction de la littérature – Réalité et littérature.

▶ La littérature, qui ne peut naître que dans le retrait du monde, permet de penser l'expérience vécue, de tenter de lui trouver un sens.

▶ L'écriture autobiographique de Pierre Bergounioux est l'expression d'une expérience collective, géographiquement et historiquement située.

▶ Si elle est déterminée par le présent dans lequel elle est produite (situation de la littérature, attentes du public), elle est tournée vers le passé du groupe humain dont l'auteur est issu et qu'il souhaite éclairer.

▶ Philippe FOREST, *Le Siècle des nuages* : « Raconter n'est jamais l'affaire de ceux qui ont vécu et qui abandonnent à la manie mélancolique de quelques autres le soin de faire à leur place le récit pour rien de leur vie. »

Prolongement. – De son côté, depuis *La Place* (1983), Annie Ernaux, admiratrice de la sociologie de Bourdieu, a adopté « une *posture* d'écriture » qui est une « exploration de la réalité extérieure ou intérieure, de

l'intime et du social dans le même mouvement, en dehors de la fiction».
Ses récits sont «moins autobiographiques que auto-socio-biographiques»:
dans les plus personnels comme *Passion simple* (1991), *L'Événement* (1997)
ou *L'Occupation* (2002), «il s'agit de la recherche et du dévoilement rigoureux de ce qui a appartenu à l'expérience réelle d'une femme». De ce fait,
cette écriture «a à voir énormément avec la politique»: «*la valeur collective
du "je" autobiographique et des choses racontées* [...], c'est le dépassement
de la singularité de l'expérience, des limites de la conscience individuelle
qui sont les nôtres dans la vie, c'est la possibilité pour le lecteur de s'approprier le texte, de se poser des questions ou de se libérer[1].» Cette appropriation est rendue possible par le choix d'une «écriture factuelle des choses»:
«Bien sûr, on vit les choses personnellement. Personne ne les vit à votre
place. Mais il ne faut pas les écrire de façon qu'elles ne soient que pour soi.
Il faut qu'elles soient transpersonnelles[2].» «Aucune poésie du souvenir, pas
de dérision jubilante. L'écriture plate[3].» L'investissement personnel n'en
reste pas moins très fort, comme en témoigne la fin du récit consacré à sa
mère: «Ceci n'est pas une biographie, ni un roman naturellement, peut-
être quelque chose entre la littérature, la sociologie et l'histoire. Il fallait
que ma mère, née dans un milieu dominé, dont elle a voulu sortir, devienne
histoire, pour que je me sente moins seule et factice dans le monde dominant des mots et des idées où, selon son désir, je suis passée[4].»

---

1. Annie ERNAUX, *L'Écriture comme un couteau. Entretien avec Frédéric-Yves Jeannet*
(2003), Folio, 2011, successivement p. 36, 23 et 73-74.

2. Annie ERNAUX, *Le Vrai Lieu. Entretiens avec Michelle Porte*, Gallimard, 2014,
p. 108 et 109.

3. Annie ERNAUX, *La Place*, Gallimard, 1983, p. 24.

4. Annie ERNAUX, *Une femme*, 1987, dans *Écrire la vie*, Quarto/Gallimard, 2011,
p. 597.

PARTIE 3

L'œuvre
et ses lecteurs

I l n'est plus possible aujourd'hui de considérer l'œuvre en
soi, comme une forme qui n'existerait que pour elle-même.
Sartre avait déjà montré que «l'objet littéraire est une
étrange toupie, qui n'existe qu'en mouvement. Pour la faire
surgir, il faut un acte concret qui s'appelle la lecture, et elle ne
dure qu'autant que cette lecture peut durer». Aussi peut-on
conclure avec lui qu'«il n'y a d'art que pour et par autrui»
(*Qu'est-ce que la littérature?*, **chap.** II). La théorie de la réception* accorde une place encore plus grande au lecteur, dont
la sensibilité et le jugement sont déterminés par les conventions esthétiques de son époque. Il importe donc d'envisager
la relation entre l'œuvre littéraire et le lecteur, c'est-à-dire les
différentes modalités de l'acte de lecture, notamment de la
lecture romanesque[1] (**chapitre 9**: **Qu'est-ce que lire?**). On
distinguera le cas particulier de **la lecture critique** (**chapitre
10**), dont le renouvellement et le développement au XXe siècle
ont été nourris par l'essor des sciences humaines: «pour la
première fois, la critique littéraire s'est voulue l'égale des
œuvres qu'elle analyse[2]». Il convient aussi de s'interroger sur
le destin de l'œuvre et la relation du lecteur aux «**classiques**»
(**chapitre 11**).

_____

1. Sur la lecture du roman, voir aussi les textes 32, 43, 67 et 70. La lecture du poème est abordée dans le chapitre 19.
2. Jean-Yves TADIÉ, *La Critique littéraire au XXe siècle*, Paris, Belfond,
1987, p. 9.

CHAPITRE 9

Qu'est-ce que lire?

41 Hans Robert Jauss	45 Hans Robert Jauss
42 Jean-Marie Goulemot	46 Marcel Proust
43 Italo Calvino	47 Pierre Bayard
44 Umberto Eco,	

L'œuvre n'existe pas sans lecteur, ou plutôt sans lecture. C'est ce que montrent les théoriciens de la réception (voir les textes 4 et 7) qui caractérisent le texte littéraire par son incomplétude et sa polysémie et définissent l'œuvre comme «la constitution du texte dans la conscience du lecteur». Mais l'expérience esthétique est d'abord *intersubjective* dans la mesure où une œuvre nouvelle est perçue par le public à travers le système de conventions et de références créé par les œuvres antérieures et qu'elle contribue à modifier (**41. Jauss**). Il n'y a donc pas de texte sans *hors-texte*, c'est-à-dire une situation de lecture dans laquelle interviennent des déterminations individuelles et collectives (**42. Goulemot**).

Les romanciers se sont eux aussi intéressés au rapport du lecteur à l'œuvre. Balzac observe ainsi que «les romans, et même tous les livres, peignent les sentiments et les choses avec des couleurs bien autrement brillantes que celles qui sont offertes par la nature» et que le lecteur accueille favorablement et même accentue une telle peinture: «Lire, c'est créer peut-être à deux» (*Physiologie du mariage*, 1829). L'activité du lecteur du Nouveau Roman est encore plus importante – et nécessaire: «L'auteur aujourd'hui proclame l'absolu besoin qu'il a de son concours [du lecteur], un concours actif, conscient, *créateur*. Ce qu'il lui demande, ce n'est plus de recevoir tout fait un monde achevé, plein, clos sur lui-même, c'est au contraire de participer à une création, d'inventer à son tour l'œuvre – et le monde – et d'apprendre ainsi à inventer sa propre vie» (Alain Robbe-Grillet, *Pour un nouveau roman*, 1963). La collaboration du lecteur à la création de la fiction romanesque a été mise en scène malicieusement par un romancier (**43. Calvino**).

Le public agit sur la production et sur la réception de la littérature. Paul Bénichou a montré comment l'œuvre de Molière, conforme en bien des points au goût et aux valeurs de l'aristocratie de son temps, avait été ensuite accommodée aux mœurs bourgeoises du XIXᵉ siècle[1]. Les romanciers eux-mêmes se sont posé très tôt ce problème. Diderot, dans *Jacques le Fataliste*, soumet un *lecteur* pudibond et prisonnier des codes narratifs et moraux de son temps aux critiques d'un *auteur* malicieux et provocant. Rousseau estime que les gens du monde, contrairement aux provinciaux, ne peuvent tirer aucun profit moral de leurs lectures (seconde préface de *La Nouvelle Héloïse*). Stendhal, en signalant «l'immense consommation de romans qui a lieu en France», distingue le «roman *pour les femmes de chambre*» et «le roman des *salons*[2]»; conscient de déranger les habitudes de lecture de ses contemporains, il destinait son œuvre aux *happy few*.

Dans la première moitié du XIXᵉ siècle, l'œuvre tend à devenir une marchandise. Tocqueville a signalé ce phénomène: «Les littératures démocratiques fourmillent toujours de ces auteurs qui n'aperçoivent dans les lettres qu'une industrie, et, pour quelques grands écrivains qu'on y voit, on y compte par milliers des vendeurs d'idées» (*De la démocratie en Amérique*) et Balzac a magistralement décrit dans *Illusions perdues* ce que le critique marxiste Georg Lukács a appelé une «capitalisation de l'esprit» (*Balzac et le réalisme français*). L'écrivain peut donc être tenté de s'adapter délibérément aux attentes du public comme le montre l'exemple des *Mystères de Paris* (**44. Eco**). Aujourd'hui, le champ littéraire est ordonné par «le système médiatique» qui conduit à un appauvrissement de la littérature.

Inversement, les recherches formelles quasi systématiques pratiquées par certains écrivains au XXᵉ siècle ont éloigné d'eux une grande partie du public. «Désormais, un abîme se creuse entre littérature de masse, production populaire en prise directe avec la vie quotidienne de ses lecteurs; et littérature d'élite, lue par les professionnels – critiques, professeurs, écrivains – qui ne s'intéressent qu'aux seules prouesses techniques de ses créateurs. D'un côté le succès commercial, de l'autre les qualités purement artistiques[3]». Plus généralement, toute innovation dans ce domaine heurte les habitudes de lecture du public: ainsi *Madame Bovary*, qui recourt à la narration impersonnelle, a suscité l'incompréhension des contemporains de Flaubert (**45. Jauss**). Une œuvre originale, en effet, est toujours d'accès difficile pour les contemporains: elle leur demande un effort d'adaptation avant d'être acceptée et de modifier leur vision du monde (**46. Proust**).

D'un autre côté, par un phénomène de lecture rétrospective, la perception d'une œuvre ancienne peut être modifiée, enrichie par la connaissance

---

1. *Morales du grand siècle*, Paris, Gallimard, 1948, rééd. coll. «Idées», 1967, p. 262 s.
2. Stendhal, projet d'article sur *Le Rouge et le Noir*, Paris, Gallimard, coll. «Bibliothèque de la Pléiade», p. 703.
3. Tzvetan Todorov, *La Littérature en péril*, Paris, Flammarion, 2007, p. 63.

d'une œuvre postérieure, ce qui produit un effet paradoxal d'inversion de l'histoire littéraire (**47. Bayard**).

41. HANS ROBERT JAUSS
Pour une esthétique de la réception (1978)

Selon Jauss et les théoriciens de l'école de Constance, l'œuvre « englobe à la fois le texte comme structure donnée et sa réception ou perception par le lecteur ». Il est donc fondamental d'analyser ce processus de réception qui actualise la structure de l'œuvre et lui donne sens, ce sens se constituant progressivement dans l'histoire « chaque fois que les conditions historiques et sociales de la réception se modifient ».

« Une perception guidée »

Ce passage analyse deux moments de l'expérience esthétique, celui de la découverte d'une œuvre nouvelle et celui de son interprétation.

*L'œuvre n'est jamais reçue « comme une nouveauté absolue » par un esprit vierge : dès le début, par son genre et son style, elle « évoque des choses déjà lues » et prend place dans le système de références du lecteur, c'est-à-dire dans « tout un ensemble d'attente et de règles du jeu avec lesquelles les textes antérieurs l'ont familiarisé ». Cet **horizon d'attente** est en outre sans cesse modifié par la succession des « signaux » inscrits dans **la stratégie textuelle de l'œuvre** elle-même ; la lecture est donc pour une part « guidée », programmée dans le cadre d'un « système sémiologique* ».*

*Dans cette perspective, l'interprétation d'une œuvre n'est pas un phénomène strictement individuel et subjectif : elle s'inscrit dans l'« horizon d'**une expérience esthétique intersubjective** préalable qui fonde toute compréhension individuelle d'un texte et l'effet qu'il produit ».*

Même au moment où elle paraît, une œuvre littéraire ne se présente pas comme une nouveauté absolue surgissant dans un désert d'information ; par tout un jeu d'annonces, de signaux – manifestes ou latents –, de références implicites, de caractéristiques déjà familières, son public est prédisposé à un certain mode de réception. Elle évoque des choses déjà lues, met le lecteur dans telle ou telle disposition émotionnelle, et dès son début crée une certaine attente de la «suite», du «milieu» et de la «fin» du récit (Aristote), attente qui peut, à mesure que la lecture avance, être entretenue, modulée, réorientée, rompue par l'ironie, selon des règles de jeu consacrées par la poétique explicite ou implicite des genres et des styles. À ce premier stade de l'expérience esthétique, le processus psychique d'accueil d'un texte ne se réduit nullement à la succession contingente de simples impressions subjectives; c'est une perception guidée, qui se déroule conformément à un schéma indicatif bien déterminé, un processus correspondant à des intentions et déclenché par des signaux que l'on peut découvrir, et même décrire en termes de linguistique textuelle. [...]

Le processus de la réception peut être décrit comme l'expansion d'un système sémiologique*, qui s'accomplit entre les deux pôles du développement et de la correction du système. Le rapport du texte isolé au paradigme, à la série des textes antérieurs qui constituent le genre, s'établit aussi suivant un processus analogue de création et de modification permanentes d'un horizon d'attente. Le texte nouveau évoque pour le lecteur (ou l'auditeur) tout un ensemble d'attente et de règles du jeu avec lesquelles les textes antérieurs l'ont familiarisé et qui, au fil de la lecture, peuvent être modulées, corrigées, modifiées ou simplement reproduites. La modulation et la correction s'inscrivent dans le champ à l'intérieur duquel évolue la structure d'un genre, la modification et la reproduction en marquent les frontières[1]. Lorsqu'elle atteint le niveau de l'interprétation, la réception d'un texte présuppose toujours le contexte d'expérience antérieure dans lequel s'inscrit la perception esthétique: le problème de la subjectivité de l'interprétation et du goût chez le lecteur isolé ou dans les différentes catégories de lecteurs ne peut être posé de façon pertinente que si l'on a d'abord reconstitué et horizon d'une expérience esthétique intersubjective préalable qui fonde toute compréhension individuelle d'un texte et l'effet qu'il produit.

Hans Robert JAUSS, Pour une esthétique de la réception (1975),
trad. fr. C. Maillard, © Éd. Gallimard, 1978, p. 50-51.

---

1. Sur ce point je peux renvoyer à mon essai: «Littérature médiévale et théorie des genres» dans *Poétique*, I, 1970, p. 79-101 *[N.d.A.]*.

NOTIONS CLÉS

Horizon d'attente – Interprétation.

▶ La réception d'une œuvre n'est pas un acte individuel relevant de la pure subjectivité, elle s'inscrit dans un horizon d'attente.

▶ Celui-ci est déterminé par l'expérience esthétique – individuelle et intersubjective – du lecteur, sans cesse corrigée par les données textuelles.

▶ Charles GRIVEL, *Production de l'intérêt romanesque*: «*La narration a pour but la maîtrise du lecteur.* [...] *Elle s'en fait le guide, se constitue comme dirigisme intégral. La personnalité souvent évoquée du lecteur, cette altérité que le texte suppose comme partenaire dans son "dialogue", n'est qu'une feinte du roman. La liberté (éventuelle) du lecteur consiste au plus à prendre ou ne pas prendre le volume proposé; sitôt dans ses mains pourtant le livre lui dérobe totalement sa liberté.*»

42. JEAN-MARIE GOULEMOT
«*De la lecture comme production de sens*» (1985)

Intervenant dans un colloque qui entend élucider «l'histoire et le présent» de la lecture, Jean-Marie Goulemot, dans un exposé synthétique, analyse «la pratique d'une lecture culturelle, lieu de production du sens, de compréhension et de jouissance». Il commence par rappeler «quelques évidences», bien établies par la critique moderne: la lecture est un «procès d'appropriation et d'échange» qui réunit **le texte** et «**le *hors-texte***» c'est-à-dire «le lecteur, la situation de lecture». Le texte littéraire étant fondamentalement polysémique, une lecture actualise «une des virtualités signifiantes du texte». La situation de lecture («*le hors-texte*») est déterminée par trois grands facteurs: «une physiologie, une histoire et une bibliothèque».

Le hors-texte

Le témoignage de Jean-Marie Goulemot sur la réception de L'Éducation sentimentale *avant et après 1968 peut être prolongé par l'analyse de Sartre sur «l'historicité» du lecteur:* Le Silence de la mer *était adapté au public de 1941, il l'invitait à ne pas sympathiser avec les Allemands, que la propagande présentait aux Français comme des hommes; mais la nouvelle de Vercors avait «perdu son efficace» en 1942, quand la résistance contre la barbarie nazie avait pris des formes plus radicales (*Qu'est-ce que la littérature?*, chap. III).*

Une lecture est aussi déterminée par «la mémoire des lectures antérieures» et par les différents modèles narratifs qui coexistent à *une époque donnée. Le rôle de la bibliothèque s'analyse en termes d'**intertextualité*** et d'**horizon d'attent**e*.*

L'histoire, que nous l'acceptions ou non, au-delà de nos options politiques, oriente nos lectures. J'en donnerai un exemple particulièrement pertinent me semble-t-il. J'étais jeune assistant à la Sorbonne en 1967. [...]

Je devais expliquer *L'Éducation sentimentale* et nourri d'un Barthes émergeant qui avait encore des saveurs de fruit interdit, je demandai à mes étudiants de déterminer les séquences, à partir desquelles, eux, jeunes gens et jeunes filles de ces années-là, nourris d'une certaine culture, constituaient le sens du roman. Leurs découpages orientaient unanimement le roman vers un seul et même effet : les amours d'un adolescent et d'une dame mûre. *L'Éducation sentimentale*, le drame en plus, c'était une sorte de *Diable au corps*, à les en croire. En mars 1969, la même expérience. Tout avait changé après les Accords de Grenelle, sauf les programmes de la licence. Les étudiants constituaient le sens du roman à partir des séquences politiques. Frédéric était dénoncé comme bourgeois réactionnaire et lâche qui préférait les charmes de la forêt de Fontainebleau, en galante compagnie, à l'action révolutionnaire. On isolait le sac des Tuileries, la description de la répression de 1848, la satire des clubs, comme autant de temps essentiels du roman. Oublié le roman des amours inaccomplies de Frédéric Moreau et de Madame Arnoux ! Et cela quelle qu'ait été l'option face aux événements de mai. Sur les mêmes séquences privilégiées par tous, s'articulaient des valorisations adverses. Le sac des Tuileries permettait de dire le refus de la violence des occupations, mais aussi le caractère profondément réactionnaire, sous d'autres apparences, de l'œuvre de Flaubert. [...]

Venons-en à la *bibliothèque*. J'ai voulu dire par là que toute lecture est une lecture comparative, mise en rapport du livre avec d'autres livres. Comme il y a *dialogisme* et *intertextualité*, au sens où Bakhtine entend le terme, il y a *dialogisme* et *intertextualité* dans la pratique de la lecture elle-même. Rien ici pourtant qui soit mesurable. Nous sommes dans le champ des hypothèses et du probable. Lire, ce serait donc faire émerger la bibliothèque vécue, c'est-à-dire la mémoire des lectures antérieures et des données culturelles. Il est rare qu'on lise l'inconnu. Le genre du livre, le lieu d'édition, les critiques, le savoir scolaire nous placent en position valorisée d'écoute, en état de réception. On lit du Gallimard, des Éditions de Minuit, différemment: ce qui signifie que la réputation publique de ces maisons prépare une écoute: du sévère au raisonnable, du sérieux au rasoir, le sens est déjà donné.

Il est vrai aussi que la culture institutionnelle nous prédispose à une réception particulière du texte. On pourrait utiliser ici le concept *d'horizon d'attente* de Jauss et de l'École de Constance. C'est-à-dire que chaque époque construit ses modèles et ses codes narratifs et qu'à l'intérieur de chaque moment il existe des codes divers selon les groupes sociaux-culturels. À l'époque du *Don Quijote*, Cervantès se moque des romans de chevalerie qui existent encore et du public qui en accepte les effets de crédibilité et les codes narratifs. Sans remonter aussi loin, il existe aujourd'hui conjointement Guy des Cars et Alain Robbe-Grillet, James Joyce et le roman linéaire à la Martin du Gard. C'est donc reconnaître que cohabitent dans le même espace culturel et social, divers modes de récits. La possession des codes qui les régissent permet la lecture. Elle constitue par ailleurs l'horizon d'attente, au sens où je l'entends.

Jean-Marie GOULEMOT,
«De la lecture comme production de sens»,
dans *Pratiques de la lecture*,
© Éd. Payot-Rivages, 1985, p. 116 à 123.

NOTIONS CLÉS

Interprétation – Intertextualité – Lecteur – Réception de l'œuvre.

▶ La lecture littéraire est une opération complexe qui met en jeu le corps, l'histoire et la culture du lecteur.

▶ Jean-Paul SARTRE, *Qu'est-ce que la littérature?*: «Tous les ouvrages de l'esprit contiennent en eux-mêmes l'image du lecteur auxquels ils sont destinés.»

43. ITALO CALVINO
Si par une nuit d'hiver un voyageur (1979)

Italo Calvino fut le correspondant italien de l'Ouvroir de Littérature Potentielle qui réunit autour du mathématicien François Le Lionnais des écrivains comme Jacques Roubaud, Georges Perec et Raymond Queneau. L'OuLiPo s'est intéressé aux contraintes et procédures qui président à l'engendrement des œuvres littéraires et s'est attaché soit à en inventer de nouvelles (comme le lipogramme, utilisé dans *La Disparition* de Perec où la lettre *e* est exclue), soit à analyser celles qui donnent forme aux œuvres du passé.

Si par une nuit d'hiver un voyageur porte la trace de ces recherches formelles. Les deux héros, un Lecteur et une Lectrice, en quête d'un roman dont ils n'ont pu lire que le début, en découvrent neuf autres qui tous s'interrompent au moment le plus palpitant. Ces dix débuts de romans constituent autant de pastiches où Calvino varie, avec une grande virtuosité, l'écriture, la technique narrative, les références à des pays géographiquement et politiquement typés. Mais loin de se réduire à un exercice de style, le roman constitue **une réflexion sur les relations entre le livre, le lecteur, l'auteur et la société**.

Un univers de signes

> *L'incipit du roman mêle malicieusement deux univers de référence généralement disjoints dans la conscience du lecteur :*
> *– **une petite gare de province** d'avant l'électrification qui sert de cadre à l'action d'un inconnu (agent secret, résistant, militant d'une organisation clandestine ?) à la recherche d'un mystérieux contact ;*
> *– **le roman dans sa matérialité même** (chapitres, alinéas, phrases), qui rappelle sans cesse que le lecteur est en train de construire l'histoire à partir des données du texte et selon les modèles narratifs du roman policier.*
> *Les variations du système énonciatif provoquent et contrôlent à la fois l'identification du lecteur au héros, habituelle dans ce genre de récit. Les commentaires du narrateur, le choix du présent puis le remplacement de la troisième personne (« l'homme entre dans le bar ») par les deux premières (« Cet homme s'appelle "moi", et tu ne sais rien d'autre de lui ») obligent le lecteur, comme l'homme au pardessus qui entre dans une gare inconnue, à **voir dans les éléments du récit des indices à interpréter** : « Tout émerge d'un voile d'obscurité et de brouillard. »*

Dans ce début discrètement parodique, le roman policier appa-
raît ainsi comme la métaphore de tout roman, défini comme un sys-
tème de « signes » lacunaire mais construit pour permettre au lecteur
de reconstituer facilement « une atmosphère qu'[il] conna[ît] par
cœur » et de donner la vie à des êtres de papier. Ce texte peut être
lu comme une illustration de la thèse de Jauss selon laquelle la per-
ception du lecteur est sans cesse « guidée » par les « signaux » qu'il
repère dans le texte (voir 41. Jauss).

Le roman commence dans une gare de chemin de fer, une
locomotive souffle, un sifflement de piston couvre l'ouverture
du chapitre, un nuage de fumée cache en partie le premier
alinéa. Dans l'odeur de gare passe une bouffée d'odeur de
buffet. Quelqu'un regarde à travers les vitres embuées, ouvre
la porte vitrée du bar, tout est brumeux à l'intérieur, comme vu
à travers des yeux de myope ou que des escarbilles ont irrités.
Ce sont les pages du livre qui sont embuées, comme les vitres
d'un vieux train ; c'est sur les phrases que se pose le nuage de
fumée. Soir pluvieux ; l'homme entre dans le bar, déboutonne
son pardessus humide, un nuage de vapeur l'enveloppe ; un
coup de sifflet s'éloigne le long des voies luisantes de pluie à
perte de vue.

Quelque chose comme un sifflet de locomotive et un jet de
vapeur sortent du percolateur que le vieil employé met sous pression comme il lancerait un signal : c'est du moins ce qui résulte
de la succession des phrases du second alinéa, où les joueurs
attablés replient contre leur poitrine l'éventail de leurs cartes et se
tournent vers le nouveau venu avec une triple torsion du cou, des
épaules et de leur chaise, tandis que d'autres consommateurs au
comptoir soulèvent leurs petites tasses et soufflent à la surface du
café, les lèvres et les yeux entrouverts, ou bien aspirent le trop-
plein de leurs chopes de bière avec des précautions extrêmes,
pour ne rien laisser déborder. Le chat fait le gros dos, la cais-
sière ferme la caisse enregistreuse, qui fait drin. Tous signes qui
tendent à vous informer qu'il s'agit d'une de ces petites gares de
province, où celui qui arrive est aussitôt remarqué.

Les gares se ressemblent toutes ; peu importe que les lampes
ne parviennent pas à éclairer au-delà d'un halo imprécis : c'est

une atmosphère que tu connais par cœur, avec son odeur de train qui subsiste bien après le départ de tous les trains, l'odeur spéciale des gares après le départ du dernier train. Les lumières de la gare et les phrases que tu lis semblent avoir la tâche de dissoudre les choses plus que de les montrer : tout émerge d'un voile d'obscurité et de brouillard. Cette gare, j'y ai débarqué ce soir pour la première fois, et il me semble déjà y avoir passé toute une vie, entrant et sortant de ce bar, passant de l'odeur de la verrière à celle de sciure mouillée des toilettes, le tout mélangé dans une unique odeur qui est celle de l'attente, l'odeur des cabines téléphoniques quand il ne reste plus qu'à récupérer les jetons puisque le numéro ne donne pas signe de vie.

L'homme qui va et vient entre le bar et la cabine téléphonique, c'est moi. Ou plutôt : cet homme s'appelle «moi», et tu ne sais rien d'autre de lui, juste comme cette gare s'appelle seulement «gare», et en dehors d'elle il n'existe rien d'autre que le signal sans réponse d'un téléphone qui sonne dans une pièce obscure d'une ville lointaine.

Italo CALVINO, *Si par une nuit d'hiver un voyageur* (1979),
trad. fr. © Éd. du Seuil, 1981, p. 15-16.

NOTIONS CLÉS

Lecture – Roman.

▶ L'univers de référence du roman se constitue peu à peu dans l'esprit du lecteur, habitué à repérer dans le récit des indices à partir desquels il prête vie au héros et au milieu dans lequel il évolue.

▶ Jean BELLEMIN-NOËL, *Psychanalyse et littérature* : «Dans l'œuvre littéraire quelle qu'elle soit, qu'on la produise ou qu'on la consomme, on se lit *d'abord* soi-même.»

44. UMBERTO ECO

Lector in fabula.
Le rôle du lecteur ou la Coopération interprétative
dans les textes narratifs (1979)

Dans une perspective voisine de celle de Wolfgang Iser (voir le texte 4), Umberto Eco définit le texte littéraire comme « un tissu d'espaces blancs, d'interstices à remplir », c'est-à-dire qu'une partie de son contenu n'est pas manifestée au plan de l'expression. Ainsi, il « requiert des mouvements coopératifs actifs et conscients de la part du lecteur », qui peut seul le faire fonctionner en actualisant ce qui n'est pas exprimé explicitement. Ses compétences doivent donc être accordées à celles du scripteur ; c'est pourquoi le texte présuppose (mais aussi construit) « un Lecteur Modèle » doté de certaines connaissances (d'une certaine « encyclopédie ») et capable d'en acquérir de nouvelles.

Se pose alors la question de la liberté d'interprétation du lecteur : l'actualisation du contenu est-elle entièrement réglée par le texte ? Umberto Eco définit deux types extrêmes : contrairement au « **texte "fermé"** », le « **texte "ouvert"** » ne cherche pas à imposer une seule lecture, il rend possible la « libre aventure interprétative » des lecteurs mais assure la cohérence de ces interprétations.

Cette liberté a pourtant des limites, et c'est ce qu'Umberto Eco rappelle lui-même dans un ouvrage postérieur, *Interprétation et surinterprétation* (1996). À ceux qui affirment qu'une interprétation « n'est intéressante qu'à partir du moment où elle est extrême » parce que les interprétations, « si elles sont extrêmes, ont plus de chance de mettre en lumière des liaisons ou des implications qui n'ont pas encore été révélées » (chap. 5, « Défense de la surinterprétation »), il répond en cherchant à préciser « les degrés d'acceptabilité des interprétations » à partir d'un constat : tout acte de lecture met en tension l'intention de l'auteur, celle du texte et celle du lecteur. On peut rapprocher cette analyse de celle de Michael Riffaterre selon laquelle « le texte [littéraire] est un code limitatif et prescriptif », « construit de manière à contrôler son propre décodage » (voir le texte 5).

Le « texte "fermé" » et ses lectures

> *Le texte « fermé » est parfaitement adapté à un public spécifique qui n'a donc pas besoin de se montrer particulièrement coopératif : les 32 volumes de* Fantômas *(d'Allain et Souvestre) visaient ainsi le public populaire des années 1911-1913, mais d'autres lecteurs peuvent les lire au second degré.*

Avec Les Mystères de Paris, *initialement destinés au public culti-vé, Eco montre que l'adaptation de l'œuvre au public a pu se faire pendant la rédaction : la publication en feuilleton (de 1842 à 1843) a permis à Eugène Sue d'orienter son roman dans un sens morali-sateur et réformiste quand il s'est rendu compte de son succès popu-laire. Mais son message n'a pas été vraiment compris du peuple, qui a voulu voir dans le roman une œuvre révolutionnaire. Cet exemple montre que même un « texte "fermé" » ne contrôle pas entièrement son actualisation et que* **« le rôle du lecteur »** *reste déterminant.*

Certains auteurs cernent avec sagacité sociologique et pru-dence statistique leur Lecteur Modèle : ils s'adresseront tour à tour à des enfants, à des mélomanes, à des médecins, à des homosexuels, à des amateurs de planche à voile, à des ména-gères petites-bourgeoises, à des amateurs de tissus anglais, à des hommes-grenouilles. Pour parler comme les publicitaires, ils se choisiront un *target*, une «cible» (et une cible, ça coo-père très peu : ça attend d'être touché). Ils feront en sorte que chaque terme, chaque tournure, chaque référence encyclopé-dique soient ce que leur lecteur est, selon toute probabilité, capable de comprendre. Ils viseront à stimuler un effet précis ; pour être sûrs de déclencher une réaction d'horreur, ils diront avant : «Il se passa alors quelque chose d'horrible.» À certains niveaux, le jeu fonctionnera.

Cependant, il suffira que Souvestre et Allain, qui écrivaient pour un public populaire, tombent entre les mains du plus friand des consommateurs de kitsch littéraire pour que ce soit la grande fête de la littérature transversale, de l'interprétation entre les lignes, de la dégustation du *poncif*, du goût huys-mansien pour les textes qui balbutient. Le texte, de «fermé» et répressif qu'il était, deviendra très ouvert, une machine à engendrer des aventures perverses.

Mais il y a pis (ou mieux, selon les cas) : la prévision quant à la compétence même du Lecteur Modèle peut avoir été insuffisante – par manque d'analyse historique, erreur d'évaluation sémio-tique, ou sous-évaluation des circonstances de destination. *Les Mystères de Paris*, de Sue, nous donnent un splendide exemple de ces aventures de l'interprétation. Écrits avec des intentions de

dandysme pour raconter à un public cultivé les péripéties savou-
reuses d'une misère pittoresque, ils sont lus par le prolétariat
comme une description claire et honnête de son asservissement;
l'auteur s'en aperçoit et continue à les écrire, pour le prolétariat
cette fois, truffant son texte de moralités sociales-démocrates afin
de convaincre ces classes «dangereuses[1]», qu'il comprend mais
craint, de ne pas se désespérer, d'avoir confiance dans la justice
et dans la bonne volonté des classes possédantes. Catalogué par
Marx et Engels comme un modèle de plaidoirie réformiste[2], le
livre accomplit un mystérieux voyage dans l'esprit de ses lecteurs, ceux-là mêmes que nous retrouverons sur les barricades
de 1848, tentant la révolution parce que, entre autres motifs, ils
avaient lu *Les Mystères de Paris*.

Il se peut que le livre ait contenu aussi cette actualisation possible. Il se peut qu'il ait dessiné, en filigrane, ce Lecteur Modèle-là.
C'est probable même. À condition de le lire en omettant les parties moralisantes – ou de *ne pas vouloir les comprendre*.

Umberto Eco, *Lector in fabula. Le rôle du lecteur*
ou la Coopération interprétative dans les textes narratifs (1979),
trad. fr. © Éd. Grasset, 1985, coll. «Biblio», p. 70-71.

NOTIONS CLÉS

Critères de qualité – Lecteur – Réception.

▶ Le texte littéraire est par nature incomplet, il exige la coopération d'un «Lecteur Modèle».

▶ Même un texte étroitement adapté à un public peut être lu indépendamment
des intentions de son auteur.

▶ Gustave LANSON, «L'immortalité littéraire», dans *Hommes et Livres*: «Mais
Scribe? A-t-il fait réussir ses pièces par la qualité de son esprit, ou parce que
le public n'avait pas besoin d'une qualité supérieure d'esprit? Et ainsi n'est-il
pas grand en raison de sa médiocrité même, accommodée à la médiocrité de
la bourgeoisie de son temps? Plus fin, plus profond, plus artiste, plus poète,
plus penseur, enfin s'il n'eût pas été Scribe, il eût moins "convenu", et il aurait
manqué la gloire en la méritant plus. »

---

1. Allusion à l'ouvrage de l'historien Louis CHEVALIER, *Classes laborieuses et classes
dangereuses à Paris pendant la première moitié du XIXᵉ siècle*, Paris, Plon, 1958. Le chapitre consacré à la littérature populaire prend l'exemple des *Mystères de Paris*.

2. Dans *La Sainte Famille*, 1844.

45. HANS ROBERT JAUSS
Pour une esthétique de la réception (1978)

Selon Jauss, le propre d'une grande œuvre est de rompre avec l'horizon d'attente* préexistant (voir le texte 7). Mais cet « **écart esthétique** » peut susciter l'incompréhension du public, dérouté par une forme nouvelle. Le théoricien de la réception* donne l'exemple du procès que valut à Flaubert la publication de *Madame Bovary* : lorsque parut le roman, en 1857, les lecteurs, qui avaient pour horizon d'attente les normes romanesques établies à partir du roman balzacien, furent déconcertés par la volonté d'impersonnalité et l'emploi novateur du style indirect libre[1].

La réception de *Madame Bovary*

Au début de son ouvrage, Jauss rapporte une anecdote significative. À la même époque, un ami de Flaubert, Ernest Feydeau, publie un roman intitulé Fanny, *aujourd'hui totalement oublié. Ce roman, comme* Madame Bovary, *s'adresse à un public qui a « abjuré tout romantisme et mépris[e] également la grandeur des passions et leur naïveté »* (Pour une esthétique de la réception, p. 56-57). *Tous deux mettent en scène une histoire identique, un adultère en milieu provincial. Mais le roman de Feydeau, narré sous la forme facile et traditionnelle d'une confession, connaît treize éditions alors que celui de Flaubert, fondé sur « l'innovation formelle de son principe de narration impersonnelle » n'est compris que par un cercle restreint de connaisseurs.*

*Cette anecdote illustre parfaitement « l'effet insoupçonné produit par une nouvelle forme artistique qui, entraînant **une nouvelle manière de voir les choses**, avait le pouvoir d'arracher le lecteur aux évidences de son jugement moral habituel », innovation formelle cause du malentendu initial avec le public. En effet, le choix d'un mode de narration impersonnel pose problème à partir du moment où, lié à l'emploi du style indirect libre, il ne permet pas aux lecteurs de déterminer avec certitude l'origine des propos rapportés. Description objective à mettre au compte du narrateur ? Discours rapporté à mettre au compte du personnage ?... L'enjeu moral est évident, et le public, peu rompu à ce type de narration, habitué au contraire au « jugement moral univoque et garanti porté sur les personnages » par le narrateur balzacien, y a vu une « glorification de l'adultère ».*

---

1. Voir à ce sujet le débat entre Flaubert et G. Sand (textes 31 et 32).

Comment une forme esthétique nouvelle peut entraîner aussi des conséquences d'ordre moral ou, en d'autres termes, comment elle peut donner à un problème moral la plus grande portée sociale imaginable, c'est ce que démontre de façon impressionnante le cas de *Madame Bovary*, tel que le reflète le procès intenté à Flaubert après la première publication de l'œuvre en 1857 dans la *Revue de Paris*. La forme littéraire nouvelle qui contraignait le public de Flaubert à percevoir de manière inaccoutumée le «sujet éculé» était le principe de la narration impersonnelle (ou impartiale), en rapport avec le procédé stylistique du «discours indirect libre» que Flaubert maniait en virtuose et avec un à-propos parfait. Ce que cela signifie peut être mis en lumière à propos d'une description que le procureur Pinard, dans son réquisitoire, incrimina comme particulièrement immorale. Elle suit dans le roman le premier «faux pas» d'Emma et la montre en train de se regarder, après l'adultère, dans un miroir: «En s'apercevant dans la glace, elle s'étonna de son visage. Jamais elle n'avait eu les yeux si grands, si noirs, ni d'une telle profondeur. Quelque chose de subtil épandu sur sa personne la transfigurait. Elle se répétait: J'ai un amant! un amant! se délectant à cette idée comme à celle d'une autre puberté qui lui serait survenue. *Elle allait donc enfin posséder ces plaisirs de l'amour, cette fièvre de bonheur dont elle avait désespéré. Elle entrait dans quelque chose de merveilleux, où tout serait passion, extase, délire...*» Le procureur prit ces dernières phrases pour une description objective impliquant le jugement du narrateur, et s'échauffa sur cette «glorification de l'adultère», qu'il tenait pour bien plus immorale et dangereuse encore que le faux pas lui-même[1]. Or l'accusateur de Flaubert était victime d'une erreur que l'avocat ne se fit pas faute de relever aussitôt: les phrases incriminées ne sont pas une constatation objective du narrateur, à laquelle le lecteur pourrait adhérer, mais l'opinion toute subjective du personnage, dont l'auteur veut décrire ainsi la sentimentalité romanesque. Le procédé artistique consiste à présenter le discours

---

1. FLAUBERT, *Œuvres*, Paris, 1951, vol. 1, p. 657: «Ainsi, dès cette première faute, dès cette première chute, elle fait la glorification de l'adultère, sa poésie, ses voluptés. Voilà, messieurs, qui pour moi est bien plus dangereux, bien plus immoral que la chute elle-même» [*N.d.A.*].

intérieur du personnage sans les marques du discours direct
(«Je vais donc enfin posséder…») ou du discours indirect («Elle
se disait qu'elle allait enfin posséder…»); il en résulte que le
lecteur doit décider lui-même s'il lui faut prendre ce discours
comme expression d'une vérité ou d'une opinion caractéristique du personnage.

[…] Le désarroi provoqué par les innovations formelles du
narrateur Flaubert éclate à travers le procès : la forme impersonnelle du récit n'obligeait pas seulement ses lecteurs à percevoir
autrement les choses – «avec une précision photographique»,
selon l'appréciation de l'époque –, elle les plongeait aussi dans
une étrange et surprenante incertitude de jugement. Du fait
que le nouveau procédé rompait avec une vieille convention
du genre romanesque : la présence constante d'un jugement
moral univoque et garanti porté sur les personnages, le roman
de Flaubert pouvait poser de façon plus radicale ou renouvelée
des problèmes concernant la pratique de la vie, qui au cours
des débats reléguèrent tout à fait à l'arrière-plan le chef d'accusation initial, la prétendue lascivité du roman[1].

Hans Robert Jauss, *Pour une esthétique de la réception* (1975),
trad. fr. C. Maillard, © Éd. Gallimard, 1978, p. 76-80.

NOTIONS CLÉS

Écart esthétique – Fonction de la littérature – Horizon d'attente
– Morale – Réalisme – Réception – Style.

▶ L'exemple de *Madame Bovary* montre comment des innovations formelles qui
rompent avec l'horizon d'attente d'un public peuvent susciter l'incompréhension.

———————— 46. MARCEL PROUST ————————
Le Côté de Guermantes (1920)

Selon Proust, chaque individu perçoit le monde d'une manière unique,
mais cette «différence qualitative», enfouie au plus profond du *moi*, reste
inaccessible à l'intelligence : l'artiste est le seul à pouvoir exprimer la sienne

—————

1. Sur le procès intenté à Flaubert, voir les textes 136 et 137.

au terme d'un travail d'écriture. **L'originalité de l'œuvre** constitue ainsi un critère de qualité (voir les textes 6 et 141).

Se pose alors le problème de la communication entre l'artiste et le public : la singularité fondamentale de l'œuvre ne constitue-t-elle pas un obstacle à sa réception ?

Une œuvre nouvelle exige un travail du lecteur

*On sait que la passivité est interdite au lecteur proustien qui doit « recréer en [lui] » le moi profond de l'artiste (voir le texte 33). Ce texte met à nouveau l'accent sur le travail du lecteur, comparé à une gymnastique difficile qui demande un apprentissage : il s'agit pour lui de franchir l'obstacle que représente un style radicalement nouveau. Une autre métaphore, plus conforme à la définition habituelle de l'œuvre, fait de l'artiste original un oculiste qui modifie la vision du lecteur : celui-ci doit adopter celle de l'artiste, qui brouille d'abord sa perception du monde avant qu'**un phénomène d'accommodation** ne lui révèle dans toute sa clarté « des rapports nouveaux entre les choses », c'est-à-dire une manière nouvelle de voir le monde.*

*À côté du personnage de l'écrivain Bergotte, Renoir illustre parfaitement le **renouvellement des formes** qu'apporte un grand artiste : ce peintre représente en effet une école dont la modernité fit scandale et à laquelle les critiques reprochaient précisément de mal restituer la réalité (le mot impressionniste fut d'abord employé de façon dépréciative pour qualifier le tableau de Monet* Impression, soleil levant *en 1874).*

La réflexion de Proust anticipe sur les travaux de Jauss (voir les textes 7, 41 et 45) qui montrent comment la réception d'une œuvre nouvelle est réglée par un ensemble de codes hérités d'œuvres plus anciennes et reconnues.

Une œuvre est rarement tout à fait comprise et victorieuse, sans que celle d'un autre écrivain, obscure encore, n'ait commencé, auprès de quelques esprits plus difficiles, de substituer un nouveau culte à celui qui a presque fini de s'imposer. Dans les livres de Bergotte, que je relisais souvent, ses phrases étaient aussi claires devant mes yeux que mes propres idées, les meubles dans ma chambre et les voitures dans la rue. Toutes choses s'y voyaient aisément, sinon telles qu'on les avait toujours vues, du moins telles qu'on avait l'habitude de les voir maintenant. Or un nouvel écrivain avait commencé à publier des œuvres où les rapports entre les choses étaient si différents de ceux qui les liaient pour moi que je ne comprenais presque rien de ce qu'il écrivait. Il disait par exemple : «Les tuyaux d'arrosage admiraient le bel entretien des routes» (et cela c'était facile, je glissais le long de ces routes) «qui partaient toutes les cinq minutes de Briand et de Claudel». Alors je ne comprenais plus parce que j'avais attendu un nom de ville et qu'il m'était donné un nom de personne. Seulement je sentais que ce n'était pas la phrase qui était mal faite, mais moi pas assez fort et agile pour aller jusqu'au bout. Je reprenais mon élan, m'aidais des pieds et des mains pour arriver à l'endroit d'où je verrais les rapports nouveaux entre les choses. Chaque fois, parvenu à peu près à la moitié de la phrase, je retombais, comme plus tard au régiment dans l'exercice appelé portique. Je n'en avais pas moins pour le nouvel écrivain l'admiration d'un enfant gauche et à qui on donne zéro pour la gymnastique, devant un autre enfant plus adroit. Dès lors j'admirai moins Bergotte dont la limpidité me parut de l'insuffisance. Il y eut un temps où on reconnaissait bien les choses quand c'était Fromentin qui les peignait et où on ne les reconnaissait plus quand c'était Renoir.

Les gens de goût nous disent aujourd'hui que Renoir est un grand peintre du xviiie siècle. Mais en disant cela ils oublient le Temps et qu'il en a fallu beaucoup, même en plein xixe, pour que Renoir fût salué grand artiste. Pour réussir à être ainsi reconnus, le peintre original, l'artiste original procèdent à la façon des oculistes. Le traitement par leur peinture, par leur prose, n'est pas toujours agréable. Quand il est terminé, le praticien nous dit : Maintenant regardez. Et voici que le monde (qui n'a pas été créé une fois, mais aussi souvent qu'un artiste original est survenu) nous apparaît entièrement différent de l'ancien, mais parfaitement clair. Des femmes passent dans la rue, différentes de celles d'autrefois, puisque ce sont des Renoir, ces Renoir où nous nous refusions jadis à voir des femmes. Les voitures aussi sont des Renoir, et l'eau, et le ciel : nous avons envie de nous promener dans la forêt pareille à celle qui, le premier jour, nous semblait tout excepté une forêt, et par exemple une tapisserie aux nuances nombreuses mais où manquaient justement les nuances propres aux forêts. Tel est l'univers nouveau et périssable qui vient d'être créé. Il durera jusqu'à la prochaine catastrophe géologique que déchaîneront un nouveau peintre ou un nouvel écrivain originaux.

Marcel PROUST, *Le Côté de Guermantes* (1920),
Éd. Gallimard, «Bib. de la Pléiade», t. II, p. 326-328.

NOTIONS CLÉS

Critère de qualité – Réception.

▶ Une œuvre originale se caractérise par la nouveauté de son style et de sa vision du monde, que le lecteur s'approprie par un long travail d'accommodation.

▶ Paul VALÉRY, *Tel quel*: «Se dresser un public.
Devenir "grand homme" ce n'est que dresser les gens à aimer *tout* ce qui vient de vous; à le désirer. – On les habitue à son moi comme à une nourriture, et ils le lèchent dans la main.
Mais il y a deux sortes de *grands hommes*: – les uns, qui donnent aux gens ce qui plaît aux gens; les autres, qui leur apprennent à manger ce qu'ils n'aiment pas.»

Prolongement. – Sur l'idée que le plaisir esthétique est aussi produit par celui qui le recherche, et non pas seulement donné par l'œuvre, voici une réflexion de Brecht sur les arts plastiques qui pourrait bien valoir aussi pour la lecture littéraire:

«Si l'on veut arriver à la jouissance artistique, il ne suffit jamais de vouloir simplement consommer confortablement et à peu de frais le résultat d'une production artistique; il est nécessaire de prendre sa part de la production elle-même, d'être soi-même à un certain degré productif, de consentir une certaine dépense d'imagination, d'associer son expérience propre à celle de l'artiste, ou de la lui opposer, etc. Rien que de manger, c'est un travail: il faut couper la viande, la porter à sa bouche, mâcher. Il n'y a pas de raison que le plaisir esthétique s'obtienne à meilleur compte.

D'où la nécessité de revivre pour soi les peines de l'artiste, en réduction, mais à fond[1].»

---

1. «Observation de l'art et art de l'observation. Réflexions sur le genre du portrait en sculpture» (août 1939), dans *Considérations sur les arts plastiques*, L'Arche, 1970, p. 65.

47. PIERRE BAYARD
Le Plagiat par anticipation (2009)

L'histoire littéraire, chronologique, qualifie parfois un écrivain de «précurseur» : ainsi en va-t-il de Rousseau par rapports aux romantiques. Dans une démarche qui cultive le paradoxe, Pierre Bayard inverse la chronologie et entreprend de montrer comment «la création […] consiste souvent pour l'écrivain, en prenant un ou plusieurs temps d'avance sur ses contemporains, à s'inspirer d'œuvres à venir, et parfois d'auteurs qui ne sont pas encore nés» (p. 15). Il nomme ainsi ce phénomène «plagiat par anticipation» et le définit comme l'emprunt intentionnel et dissimulé qu'un auteur fait dans un texte écrit postérieurement (appelé «texte majeur»), cet anachronisme produisant dans le texte plagiaire (appelé «texte mineur[1]»), d'une part une impression de «dissonance» (le passage emprunté n'est pas en harmonie avec l'ensemble de l'œuvre), d'autre part un «effet retour» qui en modifie, en enrichit la lecture.

On ne prendra pas à la lettre les formulations métaphoriques, délibérément iconoclastes et provocatrices, de Pierre Bayard. L'intérêt de ses analyses est de rappeler que **tout lecteur renouvelle l'intérêt et la signification d'un texte en le lisant à la lumière d'un texte postérieur.** En outre, cette réflexion met en valeur «la mobilité de l'œuvre littéraire» (p. 68). Développée de manière systématique jusque dans ses conséquences ultimes, elle conduit à prôner une histoire littéraire autonome (dissociée de l'histoire événementielle) et mobile, elle aussi : en effet «les nouvelles chronologies ne sauraient être fixes dans la mesure où toute nouvelle œuvre – et, plus encore, toute œuvre d'importance – déplace l'ensemble de la chronologie constituée et fait apparaître sous un nouveau jour le panorama littéraire existant» (p. 118).

Les «résonances proustiennes» d'un texte de Maupassant

> *L'idée qu'**une œuvre peut servir d'interprétant à une œuvre antérieure** est illustrée par le rapprochement opéré entre la réflexion de Proust sur la mémoire involontaire dans* La Recherche du temps perdu *(1913-1927) et un passage du roman de Maupassant* Fort comme la mort *(1889) qui, « d'une certaine manière, n'existait pas avant Proust » (p. 46) : enrichi des « résonances proustiennes », il devient « une sorte de troisième texte dans Maupassant, qui n'est ni de Maupassant ni de Proust, mais ce qu'est devenu le texte de Maupassant après que nous avons lu Proust ».*

---

1. Les adjectifs « mineur » et « majeur » ne constituent pas ici des jugements de valeur sur les œuvres concernées.

Le héros de Fort comme la mort, *le peintre mondain Bertin, au terme d'une longue liaison amoureuse avec Anne, s'éprend de sa fille, la jeune Annette, qu'il découvre soudain quand elle sort de pension : il revoit en elle celle qu'il a aimée et dont le temps a fait une femme comme lui vieillissante. Cette expérience cruelle de la vieillesse et d'un amour impossible le conduit à la mort. Dans le passage suivant, Bertin, en conversation avec la jeune fille, « sen[t] en lui s'éveiller des souvenirs, ces souvenirs disparus, noyés dans l'oubli et qui soudain reviennent, on ne sait pourquoi ».*

Il cherchait pourquoi avait lieu ce bouillonnement de sa vie ancienne que plusieurs fois déjà, moins qu'aujourd'hui cependant, il avait senti et remarqué. Il existait toujours une cause à ces évocations subites, une cause matérielle et simple, une odeur, un parfum souvent. Que de fois une robe de femme lui avait jeté au passage, avec le souffle évaporé d'une essence, tout un rappel d'événements effacés ! Au fond des vieux flacons de toilette, il avait retrouvé souvent aussi des parcelles de son existence ; et toutes les odeurs errantes, celles des rues, des champs, des maisons, des meubles, les douces et les mauvaises, les odeurs chaudes des soirs d'été, les odeurs froides des soirs d'hiver, ranimaient toujours chez lui de lointaines réminiscences, comme si les senteurs gardaient en elles les choses mortes embaumées, à la façon des aromates qui conservent les momies.

*L'analyse de Pierre Bayard le conduit à distinguer dans ce passage **deux textes de Maupassant** : le texte originel et le texte modifié par la lecture de Proust.*

Il suffit de reprendre ligne à ligne le passage cité plus haut pour voir que ce texte n'est pas proustien avant Proust, mais le *devient* avec lui. Exercice certes difficile – car il implique une sorte d'«épochè[1]» intellectuelle, de suspension de toute

---

1. Le mot grec «épochè» («arrêt, interruption») désigne en philosophie la suspension du jugement.

connaissance de Proust, face à un texte qui est devenu à jamais une page annonciatrice –, mais cependant nécessaire à la compréhension en profondeur du plagiat par anticipation.

L'une des différences majeures entre Maupassant et Proust, ou, si l'on préfère, entre le texte de Maupassant et le texte de Maupassant, est que le premier – celui que nous avons lu grâce à Proust – raconte une expérience euphorique alors que le second, celui que nous lirions si nous ne connaissions pas Proust, raconte une expérience mortifère. Maupassant a bien lu Proust et a tenté d'imiter la joie qui gagne ce dernier lors des réminiscences, mais il n'a pu s'empêcher de se laisser gagner par son habituelle dysphorie[1], laquelle donne, si l'on y prête attention, une autre tonalité à son texte, que la connaissance de Proust tend à effacer.

La position respective de Maupassant et de Proust a ainsi une seconde conséquence, qui est, si l'on peut dire, de séparer le texte de Maupassant de lui-même. Lisant Maupassant depuis Proust, nous ne lisons plus véritablement Maupassant, ou seulement Maupassant, mais un autre texte qui, tout en étant resté le même, est devenu différent. Ce que nous percevons en effet est moins un hypothétique texte en soi, originaire et délié de toute attache culturelle, qu'un texte qui se retrouve, par le jeu de l'histoire des idées, pris dans une série de résonances qui s'associent irrésistiblement à lui pour la simple raison que Proust est venu ensuite.

Ainsi le texte second, celui de Proust, fait-il surgir un texte nouveau dans le premier texte, celui de Maupassant, qui ne s'y trouverait pas si Proust n'avait pas existé. Or ce texte nouveau, qui est un véritable plagiat du second, est, par rapport au texte publié, à la fois identique et différent. Sans doute y a-t-il identité *matérielle* entre le texte de Maupassant et celui que nous lisons, mais cette identité n'empêche pas une dissociation de se produire entre ce qu'était le texte au 19e siècle et ce qu'il est devenu aujourd'hui, transformé par les échos dont il se charge définitivement, après le passage de l'œuvre de Proust.

Or cette transformation du texte lu opère surtout dans un sens. Pour un lecteur familier de la littérature de cette période, il n'est guère évitable de lire Maupassant à travers Proust et

---

1. État de malaise, d'angoisse (par opposition à *euphorie*).

d'y entendre des résonances proustiennes. Mais l'inverse, sans être impossible, est beaucoup moins vrai, et peu de lecteurs de Proust seront portés, même s'ils connaissent Maupassant, à vivre une expérience identique et à entendre du Maupassant dans Proust. Là encore, et indépendamment de toute évaluation esthétique, il y a bien un texte majeur et un texte mineur.

*

Ainsi la découverte du plagiat par anticipation de Maupassant conduit-elle à faire surgir une sorte de *troisième texte* dans Maupassant, qui n'est ni de Maupassant ni de Proust, mais ce qu'est devenu le texte de Maupassant après que nous avons lu Proust.

Or le surgissement de ce troisième texte est intimement lié à la notion de plagiat par anticipation. Le plagiat classique ainsi que les formes plus communes d'influence font certes apparaître dans le texte plagiaire ou influencé la silhouette ou l'ombre du texte antérieur, vainement dissimulé, mais de manière moins surprenante, puisque plus attendue.

Ce faisant, la relecture de Maupassant qui s'ouvre à nous ne fait qu'exemplifier ce qu'il en est de toute lecture et la transformation qu'elle fait subir au texte lu en le remplaçant, pour chaque lecteur, par un texte au statut complexe, lequel, inscrit au cœur d'un réseau de temporalités plurielles, se trouve être, par rapport au premier dont il s'écarte progressivement, à la fois semblable et différent.

Pierre BAYARD, *Le Plagiat par anticipation*,
© Éd. de Minuit, 2009, p. 47-48.

NOTIONS CLÉS

Histoire littéraire – Intertextualité – Lecture – Réception.

▶ La lecture d'un texte peut être modifiée par celle de textes postérieurs, qui constituent des interprétants.

▶ De ce fait, des réseaux mouvants de relations s'établissent entre les œuvres, dont ne rend pas compte une histoire littéraire chronologique.

▶ Judith SCHLANGER, *La Mémoire des œuvres* : « Quelle est donc la fécondité du chef-d'œuvre ? C'est la fécondité de ses interprétations. C'est une fécondité critique. »

CHAPITRE 10

La lecture critique

Si « la critique n'est pas un appendice superficiel de la littérature, mais son double nécessaire[1] », il faut interroger le lien qui les unit, un lien complexe, évolutif, parfois conflictuel.

Critique normative et critique analytique

Dès la *Poétique* d'Aristote, **le discours critique se veut normatif**; regard extérieur et analytique, il définit des critères de validité esthétiques ou génériques, il **théorise, classe et hiérarchise**, Aristote affirmant la prééminence de la tragédie. Au XVIIᵉ siècle, ce discours, de plus en plus prescriptif, s'impose comme **un cadre, théorique et contraignant, que les œuvres doivent respecter** : les écrits de l'abbé d'Aubignac sur le théâtre ou l'*Art poétique* de Boileau définissent des pratiques d'écriture, des frontières génériques, désignées comme des codes esthétiques intangibles. La querelle du *Cid*, opposant Corneille aux tenants des règles, illustre les conflits entre les « doctes » et les praticiens du théâtre. La critique déborde le cadre strict de l'esthétique : elle revendique **une autorité intellectuelle et morale qui légitime ses jugements de valeur**. Au XIXᵉ siècle, cette approche axiologique* paraît encore nécessaire et légitime : « L'objet de la critique est de *juger*, de *classer*, d'*expliquer* les œuvres de la littérature et de l'art[2] ». De fait, c'est bien au nom de critères esthétiques, mais aussi idéologiques et moraux, que, dans un premier temps, la critique a récusé le réalisme. Anatole France, stigmatisant *La Terre* de Zola, dit clairement ce triple grief : « Jamais homme n'avait fait un tel effort pour avilir l'humanité, insulter à toutes les images de la beauté et de l'amour, nier tout ce qui est bon et tout ce qui est bien[3]. »

---

1. Tzvetan TODOROV, *Critique de la critique*, Seuil, 1984.
2. Ferdinand BRUNETIÈRE, article « Critique littéraire », *La Grande Encyclopédie*, 1892, p. 417.
3. Anatole FRANCE, « *La Terre* d'Émile Zola », *La Vie littéraire*, 1887.

La critique, l'œuvre et l'auteur

Cette évolution s'accompagne d'un changement dans les rapports que la critique entretient avec l'œuvre et l'auteur. À l'origine, le discours critique vise essentiellement l'œuvre, indépendamment de son auteur qui n'est jamais pris en compte dans sa fonction créatrice : Aristote ou d'Aubignac s'intéressent à la tragédie dans sa spécificité générique. Rousseau puis le romantisme font émerger l'individu et l'intérêt pour l'individu. On interroge alors la personnalité ou l'inscription sociale de l'auteur dans les rapports qu'elles peuvent entretenir avec la création littéraire. Deux pôles, *l'homme et l'œuvre*, organisent le discours critique : Sainte-Beuve présente des *Critiques et portraits littéraires* (1836-1846), Taine, influencé par le positivisme*, introduit dans l'analyse de l'œuvre les éléments explicatifs que sont « les conditions de lieu, de race et de moment » qui président à sa création et qu'il faut réunir dans « un tableau complet » (*Histoire de la littérature anglaise*, 1863). La critique universitaire de Gustave Lanson se fonde sur la recherche d'un sens, l'intention d'auteur, un « secret » que le commentaire doit mettre au jour, et sur l'histoire littéraire qui permet de contextualiser et d'étayer les analyses.

Proust a critiqué « la fameuse méthode » de Sainte-Beuve[1] et Barthes le « déterminisme analogique » de Lanson, selon lequel « les détails d'une œuvre doivent *ressembler* aux détails d'une vie[2] ». L'œuvre n'est pas réductible à son auteur[3], elle se déploie dans une autonomie que la critique explore par **un retour au texte conçu comme système sémiotique* clos** : on ne cherche plus *l'intention de l'auteur*, mais *l'intention du texte*. Quand l'auteur est réintroduit, notamment par le biais de la psychanalyse ou de la sociologie, il ne s'agit plus de l'inscrire dans un rapport de stricte causalité avec l'œuvre qu'il a produite. Ainsi, c'est une « biographie sociale » de Racine que propose Alain Viala, visant à « éclairer les significations d'une œuvre à partir des phénomènes entrelacés qui ont fait d'un simple particulier ce personnage social singulier, un écrivain[4] ». De même, la critique sociologique voit en l'auteur le représentant d'une « vision du monde » caractéristique d'un « groupe social[5] » donné. **La critique contemporaine cherche « à sortir de cette fausse alternative : le texte ou l'auteur[6] ».**

---

1. La critique de Proust *Contre Sainte-Beuve* fait l'objet du texte 33, p. 128.
2. Roland BARTHES, « Qu'est-ce que la critique ? », *op. cit.*
3. « *L'explication* de l'œuvre est toujours cherchée du côté de celui qui l'a produite », écrit Barthes, qui proclame en 1968 « la mort de l'auteur » (*Le Bruissement de la langue*, Éd. du Seuil, 1984). Sur cette question, voir Antoine COMPAGNON, *Le Démon de la théorie*, Éd. du Seuil, 1998, chapitre 2, « L'auteur ».
4. Alain VIALA, *Racine, la stratégie du caméléon*, Seghers, 1990.
5. Lucien GOLDMANN, *Le Dieu caché*, Gallimard, 1959.
6. Antoine COMPAGNON, *Le Démon de la théorie*, *op. cit.*

Des lectures plurielles

Loin de rechercher un sens, univoque et stable, qu'il aurait pour mission de faire émerger, **le discours critique se fait pluriel** : il se fonde sur les différents champs des sciences humaines, s'ouvre sur une diversité interprétative qui exploite la polysémie de « l'œuvre ouverte[1] ». On accède à l'œuvre « par plusieurs entrées dont aucune ne peut être à coup sûr déclarée principale » car « il n'y a jamais un tout du texte[2] ».

La critique contemporaine se déploie en courants divers, qu'on ne peut qu'évoquer ici[3]. **La critique de l'imaginaire et la critique thématique**, fondées sur l'héritage bachelardien, s'intéressent aux phénomènes de conscience, comme la prise en compte du temps (Georges Poulet), des sensations (Jean-Pierre Richard) et leur traduction dans l'écriture, notamment au plan des thèmes et des images (Gilbert Durand, Jean Rousset) ; elle recherche « les symboles et les idées selon lesquels la pensée de l'écrivain s'organise » (Jean Starobinski). **La critique psychanalytique et la psychocritique**, fondées sur le freudisme, est représentée, notamment, par Charles Mauron, Jean Bellemin-Noël (voir les textes 34 et 115) et Marthe Robert (voir le texte 61). **La sociologie de la littérature** d'inspiration marxiste, est illustrée par les travaux de Georg Lukács (voir le texte 60) et de Pierre Barbéris sur Balzac et par ceux de Lucien Goldmann sur Pascal et Racine (voir le texte 29). **La critique structurale ou formaliste**, envisage l'œuvre comme un objet indépendant du sujet qui l'a produite et cherche à mettre au jour ses modes de fonctionnement, ses micro- et ses macrostructures (comme dans *S/Z*, où Barthes analyse la nouvelle de Balzac, *Sarrasine*). Elle ouvre, également, sur le déploiement de la **narratologie**, sur **une « nouvelle rhétorique »** cultivée par Gérard Genette (voir les textes 7 et 80) et Philippe Hamon (voir les textes 83 et 84). **La critique de la réception** (Wolfgang Iser, Hans Robert Jauss) étudie le rôle essentiel du lecteur (voir les textes 4, 7, 41, 45). **La critique génétique** et les recherches sur **l'intertextualité** étudient l'histoire de l'œuvre et ses relations avec des œuvres antérieures afin d'en éclairer le sens (voir le chapitre 5). Entre toutes ces voix s'établit **un dialogue stimulant**, parfois conflictuel, qui amène au constat d'**une**

---

1. « L'œuvre d'art est un message fondamentalement *ambigu*, une pluralité de signifiés qui coexistent en un seul signifiant » (Umberto Eco, *L'Œuvre ouverte*, 1962, Points Essais, 1979, p. 9).

2. Roland Barthes, *S/Z*, Éd. du Seuil, 1970.

3. Nous renvoyons le lecteur aux ouvrages suivants qui présentent des panoramas exhaustifs : Jean-Yves Tadié, *La Critique littéraire au XXᵉ siècle*, Belfond, 1987 ; Daniel Bergez, *Introduction aux méthodes critiques pour l'analyse littéraire*, Bordas, 1990 ; Élisabeth Ravoux-Rallo, *Méthodes de critique littéraire*, Armand Colin, 1993 ; Anne Maurel, *La Critique*, Hachette, 1994.

nécessaire complémentarité : « il n'y a pas d'autre ressource que d'additionner les perspectives et de juxtaposer les disciplines[1] ».

Cette pluralité interprétative pose la question du **risque de « surinterprétation »** : bien que, pour Umberto Eco, l'œuvre soit « ouverte » à des lectures multiples, celles-ci doivent prendre en compte « les droits des textes », leur cohérence interne, leur contexte culturel et linguistique : il existe une « intention de l'œuvre » qui peut limiter le champ des lectures possibles. Il y aurait donc des « degrés d'acceptabilité des interprétations[2] ».

Un « acte de pleine écriture » (Barthes)

Si certains écrivains ont mis en doute le bien-fondé de la critique, perçue comme un parasitage de l'œuvre (**48. Baudelaire, Flaubert**), d'autres ont contribué à lui conférer une « dignité » littéraire : il existe, ainsi, **une *critique des créateurs*** qui s'exprime aussi bien dans l'article de Balzac sur *La Chartreuse de Parme* que dans les analyses de Proust, Borges, Nabokov, Gracq ou dans celles de poètes comme Yves Bonnefoy ou Philippe Jaccottet. En outre, dans la deuxième moitié du XXe siècle, la critique littéraire a, progressivement, acquis **son autonomie, une reconnaissance** qui fait d'elle, non plus un discours d'accompagnement, mais « **une forme nouvelle de la littérature[3]** ». Le critique n'est plus simplement un « écrivant » mais un « écrivain » ; il s'agit « de redistribuer les rôles de l'auteur et du commentateur » et, par là même, « l'ordre des langages[4] » (**49. Barthes**). De ce fait, la critique contemporaine a cherché à définir ses finalités, ses méthodes, ses postulats et, de là, « les droits et les obligations » du critique (**50. Rousset**). Un des promoteurs de la narratologie et du structuralisme rappelle modestement que « le critique parle » mais aussi « se parle », et que son discours relève d'« une "poésie du bricolage" » (**51. Genette**). Comment concilier, par ailleurs, ces deux approches opposées, à la fois nécessaires et impossibles à réaliser pleinement, que sont, d'une part, la « complicité totale avec la subjectivité créatrice » qui s'est incarnée dans l'œuvre et, d'autre part, le « regard surplombant », distancé, qui voudrait englober la totalité du contexte qui l'a vue naître ? (**52. Starobinski**). Le discours critique doit donc être conscient de ses limites et accepter l'évidence de sa relativité, d'autant que « la réalité de la littérature n'est pas entièrement théorisable » (**53. Compagnon**).

---

1. Serge DOUBROVSKY, *Pourquoi la nouvelle critique ?*, Mercure de France, 1967.
2. Umberto ECO, *Interprétation et surinterprétation*, PUF, 1996.
3. Anne MAUREL, *La Critique*, Hachette, 1994.
4. Roland BARTHES, *Critique et vérité*, Seuil, 1966.

48. DEUX ÉCRIVAINS CONTRE LA CRITIQUE
Baudelaire, Flaubert

Baudelaire adopte, dans ses Salons, *le regard du critique sans, pour autant, abandonner celui de l'artiste. Ce double positionnement le conduit à* **une définition subjective et paradoxale de la critique** *qui doit être « partiale, passionnée et politique », seul moyen, pour elle, d'entrer en écho avec l'œuvre et son auteur. Véritable journal de bord, la correspondance de* **Flaubert** *interroge la création littéraire, le "métier d'écrivain" : un travail souvent douloureux qui n'a* **rien à attendre des critiques**, *juste bons à « embêter » les artistes, et qui « font de la critique » parce qu'ils ne peuvent pas « faire de l'Art ».*

48a. Charles Baudelaire

À quoi bon ? – Vaste et terrible point d'interrogation, qui saisit la critique au collet dès le premier pas qu'elle veut faire dans son premier chapitre.

L'artiste reproche tout d'abord à la critique de ne pouvoir rien enseigner au bourgeois, qui ne veut ni peindre ni rimer, – ni à l'art, puisque c'est de ses entrailles que la critique est sortie.

Et pourtant que d'artistes de ce temps-ci doivent à elle seule leur pauvre renommée ! C'est peut-être là le vrai reproche à lui faire. [...]

Je crois sincèrement que la meilleure critique est celle qui est amusante et poétique ; non pas celle-ci, froide et algébrique, qui, sous prétexte de tout expliquer, n'a ni haine ni amour, et se dépouille volontairement de toute espèce de tempérament ; mais, – un beau tableau étant la nature réfléchie par un artiste, – celle qui sera ce tableau réfléchi par un esprit intelligent et sensible. Ainsi le meilleur compte rendu d'un tableau pourra être un sonnet ou une élégie.

Mais ce genre de critique est destiné aux recueils de poésie et aux lecteurs poétiques. Quant à la critique proprement dite, j'espère que les philosophes comprendront ce que je vais dire : pour être juste, c'est-à-dire pour avoir sa raison d'être, la critique doit être partiale, passionnée, politique, c'est-à-dire faite à un point de vue exclusif, mais au point de vue qui ouvre le plus d'horizons. [...]

Ainsi un point de vue plus large sera l'individualisme bien entendu : commander à l'artiste la naïveté et l'expression sincère de son tempérament, aidée par tous les moyens que lui fournit son métier. Qui n'a pas de tempérament n'est pas digne de faire des tableaux, et, – comme nous sommes las des imitateurs, et surtout des éclectiques, – doit entrer comme ouvrier au service d'un peintre à tempérament. C'est ce que je démontrerai dans un des derniers chapitres.

Désormais muni d'un critérium certain, critérium tiré de la nature, le critique doit accomplir son devoir avec passion ; car pour être critique on n'en est pas moins homme, et la passion rapproche les tempéraments analogues et soulève la raison à des hauteurs nouvelles. [...]

Chaque siècle, chaque peuple ayant possédé l'expression de sa beauté et de sa morale, – si l'on veut entendre par romantisme l'expression la plus récente et la plus moderne de la beauté, – le grand artiste sera donc, – pour le critique raisonnable et passionné, – celui qui unira à la condition demandée ci-dessus, la naïveté, – le plus de romantisme possible.

Charles BAUDELAIRE, « À quoi bon la critique ? », *Salon de 1846*.

48b. Gustave Flaubert

C'est perdre son temps que de lire des critiques. Je me fais fort de soutenir dans une thèse qu'il n'y en a pas eu une de bonne depuis qu'on en fait, que ça ne sert à rien qu'à embêter les auteurs et à abrutir le public, et enfin qu'on fait de la critique quand on ne peut pas faire de l'art, de même qu'on se met mouchard quand on ne peut pas être soldat. Je voudrais bien savoir qu'est-ce que les poètes de tout temps ont eu de commun dans leurs œuvres avec ceux qui en ont fait l'analyse. Plaute aurait ri d'Aristote s'il l'avait connu ; Corneille se débattait sous lui. Voltaire, malgré lui, a été rétréci par Boileau[1].

Gustave FLAUBERT, Lettre à Louise Collet (14 octobre 1846).

---

1. Flaubert fait ici allusion aux tragédies de Voltaire. Selon lui, trop respectueuses des règles classiques (référence métonymique à Boileau), elles ne sont pas véritablement des œuvres d'art puisqu'elles reflètent l'assujettissement réducteur à un système esthétique.

NOTIONS CLÉS

Critique littéraire – Personnalité.

▶ L'artiste et le critique s'opposeraient comme s'opposent la création et la glose : d'un côté, le génie inventif, le travail, expressions d'une personnalité ; de l'autre, la paraphrase inutile et stérile, expression d'un manque, d'une incapacité. Le critique ne serait, alors, qu'un « écrivant ».

▶ La critique ne serait pas tenue à un "devoir" d'objectivité mais pourrait, au contraire, revendiquer la légitimité d'un positionnement subjectif voire partial, pourvu qu'il enrichisse l'œuvre.

▶ Jean-Paul SARTRE, *Qu'est-ce que la littérature ?* : « Il faut se rappeler que la plupart des critiques sont des hommes qui n'ont pas eu beaucoup de chance et qui, au moment où ils allaient désespérer, ont trouvé une place tranquille de gardien de cimetière : il n'en est pas de plus riant qu'une bibliothèque. »

▶ Roland BARTHES, *Essais critiques* : « L'écrivain accomplit une fonction, l'écrivant une activité. »

---

49. ROLAND BARTHES
Essais critiques (1964)

Définissant la critique en 1963, Barthes commence par rappeler que l'œuvre littéraire est d'abord langage, elle « s'offre au lecteur comme un système signifiant déclaré mais se dérobe à lui comme objet signifié » : on ne peut donc apprécier en termes de vrai ou faux un discours dont la référence au monde est problématique. **La critique est elle-même langage**, et à ce titre elle obéit à des déterminations historiques et existentielles qui engagent son auteur. **Son objectivité est illusoire**, toute critique se fonde sur des principes idéologiques qu'elle doit expliciter.

« La tâche critique [...] est purement formelle »

*La critique confronte son langage, qui emprunte à son époque des concepts et des principes, à celui de l'œuvre, « système formel de contraintes logiques élaboré par l'auteur selon sa propre époque ». « Langage second, ou méta-langage », elle s'apparente au discours logique et utilise des instruments intellectuels nouveaux pour rendre compte de la cohérence d'œuvres antérieures. La qualité d'une bonne critique n'est donc pas d'être vraie mais **systématique**, sa validité se mesure à sa capacité à **saturer l'œuvre**. Est ainsi à nouveau récusée la démarche de la critique positiviste qui cherchait à expliquer une œuvre par ses rapports secrets avec le monde de l'écrivain :*

Françoise, le personnage de la Recherche, *n'est pas Céleste Albaret, la domestique de Proust.*

Tout romancier, tout poète, quels que soient les détours que puisse prendre la théorie littéraire, est censé parler d'objets et de phénomènes, fussent-ils imaginaires, extérieurs et antérieurs au langage : le monde existe et l'écrivain parle, voilà la littérature. L'objet de la critique est très différent ; ce n'est pas «le monde», c'est un discours, le discours d'un autre : la critique est discours sur un discours ; c'est un langage *second*, ou *méta-langage* (comme diraient les logiciens), qui s'exerce sur un langage premier (ou *langage-objet).* Il s'ensuit que l'activité critique doit compter avec deux sortes de rapports : le rapport du langage critique au langage de l'auteur observé et le rapport de ce langage-objet au monde. C'est le «frottement» de ces deux langages qui définit la critique et lui donne peut-être une grande ressemblance avec une autre activité mentale, la logique, qui elle aussi est fondée tout entière sur la distinction du langage-objet et du méta-langage.

Car si la critique n'est qu'un méta-langage, cela veut dire que sa tâche n'est nullement de découvrir des «vérités», mais seulement des «validités». En soi, un langage n'est pas vrai ou faux, il est valide ou il ne l'est pas : valide, c'est-à-dire constituant un système cohérent de signes. Les règles qui assujettissent le langage littéraire ne concernent pas la conformité de ce langage au réel (quelles que soient les prétentions des écoles réalistes), mais seulement sa soumission au système de signes que s'est fixé l'auteur (et il faut, bien entendu, donner ici un sens très fort au mot *système).* La critique n'a pas à dire si Proust a dit «vrai», si le baron de Charlus était bien le comte de Montesquiou, si Françoise était Céleste, ou même, d'une façon plus générale, si la société qu'il a décrite reproduisait avec exactitude les conditions historiques d'élimination de la noblesse à la fin du xixe siècle ; son rôle est uniquement d'élaborer elle-même un langage dont la cohérence, la logique, et pour tout dire la systématique, puisse recueillir, ou mieux encore «intégrer» (au sens mathématique du terme) la plus grande quantité possible de langage proustien, exactement comme une équation logique éprouve la validité d'un raisonnement sans prendre parti sur la «vérité» des arguments qu'il mobilise. On peut dire que la tâche critique (c'est la seule garantie de son universalité) est purement formelle: ce n'est pas de «découvrir», dans l'œuvre ou l'auteur observés, quelque chose de «caché», de «profond», de «secret», qui aurait passé inaperçu jusque-là (par quel miracle? Sommes-nous plus perspicaces que nos prédécesseurs?), mais seulement *d'ajuster*, comme un bon menuisier qui approche en tâtonnant «intelligemment» deux pièces d'un meuble compliqué, le langage que lui fournit son époque (existentialisme, marxisme, psychanalyse) au langage, c'est-à-dire au système formel de contraintes logiques élaboré par l'auteur selon sa propre époque. La «preuve» d'une critique n'est pas d'ordre «aléthique» (elle ne relève pas de la vérité), car le discours critique – comme d'ailleurs le discours logique – n'est jamais que tautologique: il consiste finalement à dire avec retard, mais en se plaçant tout entier dans ce retard, qui par là même n'est pas insignifiant: Racine, c'est Racine, Proust, c'est Proust; la «preuve» critique, si elle existe, dépend d'une aptitude, non à *découvrir* l'œuvre interrogée, mais au contraire à la *couvrir* le plus complètement possible par son propre langage.

Roland Barthes, «Qu'est-ce que la critique?», 1963, dans *Essais critiques*, © Éd. du Seuil, 1964, p. 255-256.

NOTIONS CLÉS

Critique littéraire – Langage – Vérité.

▶ La tâche de la critique n'est pas de révéler la «vérité» d'une œuvre.

▶ Elle doit élaborer un langage cohérent, capable de rendre compte du langage de l'œuvre, dont elle marque ainsi la spécificité.

▶ Michel Tournier, *Le Vent Paraclet*: «La vraie critique doit être créatrice et "voir" dans l'œuvre des richesses qui y sont indiscutablement, mais que l'auteur n'y avait pas mises. Proposition paradoxale si l'on s'en tient à l'idée d'un auteur "créant" l'œuvre, c'est-à-dire la sortant de lui-même, comme une poupée gigogne en expulse une autre plus petite qui était dans son ventre. Mais elle prend au contraire tout son sens si l'on accepte le principe [...] d'une autogenèse de l'œuvre dont l'auteur ne serait lui-même que le sous-produit.»

50. JEAN ROUSSET
Forme et signification (1966)

Jean Rousset se propose de « saisir des significations à travers des formes », de montrer comment l'œuvre, « **épanouissement simultané d'une structure et d'une pensée** », crée ses propres formes et, par là même, la cohérence de ses significations. Ce postulat est illustré par une série d'analyses qui, partant d'une récurrence formelle (le contrepoint et l'alternance dans *La Princesse de Clèves*; la structure du double registre dans le théâtre de Marivaux) mettent en lumière la constitution d'un sens. Ainsi, analysant l'écriture du point de vue dans *Madame Bovary*, il met en lumière des points névralgiques du récit, souvent construits autour du motif* de la fenêtre, « thème impérieux de la rêverie flaubertienne » et « schème morphologique », qui constituent la spécificité du roman et de son sens : « Préférer à l'événement son reflet dans la conscience, à la passion le rêve de la passion, substituer à l'action l'absence d'action et à toute présence un vide. » Parvenant ainsi à « faire du plein avec du vide », le roman flaubertien, radicalement novateur, se détache du modèle balzacien saturé d'action.

« L'instrument critique ne doit pas préexister à l'analyse »

> *Véritable discours de la méthode, ce préambule définit d'abord des concepts aussi essentiels que ceux de forme ou de structure.* **La forme est consubstantielle à l'œuvre**, *d'où le postulat fondamental qui refuse toute dichotomie entre la* « *forme* » *et le* « *fond* » : « ***toute œuvre est forme dans la mesure où elle est œuvre*** », *elle est forme signifiante,* « ***forme-sens*** ». *Les récurrences formelles constituent, quant à elles,* **la structure**. *Cette dimension définitionnelle ouvre sur* **une perspective méthodologique** : *si l'œuvre est forme signifiante, le critique doit l'aborder sans a priori, être* « *disponible* », *s'adapter à la spécificité de chaque œuvre. Pour passer de la forme à la signification, il doit repérer les constantes formelles, leurs relations, en se calquant, dans l'ensemble de l'œuvre, sur leur dynamique propre. Il lui faut prendre en compte l'œuvre comme totalité signifiante dans une* « ***lecture globale*** ».

Quels sont dès lors les droits et les obligations du contemplateur et du lecteur critiques?

Si l'œuvre est principe d'exploration et agent d'organisation, elle pourra utiliser et recomposer toute espèce d'éléments empruntés à la réalité ou au souvenir, elle le fera toujours en fonction de ses exigences et de sa vie propre ; elle est cause avant d'être effet, produit ou reflet, ainsi que Valéry aimait à le rappeler[1] ; aussi l'analyse portera-t-elle sur l'œuvre seule, dans sa solitude incomparable, telle qu'elle est issue des «espaces intérieurs où l'artiste s'est abstrait pour créer[2]». Et s'il n'y a d'œuvre que dans la symbiose d'une forme et d'un songe, notre lecture s'appliquera à les lire conjointement en saisissant le songe à travers la forme.

Mais comment saisir la forme ? à quoi la reconnaître ? Tenons tout d'abord pour assuré qu'elle n'est pas toujours où on s'imagine la voir, qu'étant jaillissement des profondeurs et révélation sensible de l'œuvre à elle-même, elle ne sera ni une surface, ni un moulage, ni un contenant, qu'elle n'est pas plus la technique que l'art de composer et qu'elle ne se confond pas nécessairement avec la recherche de la forme, ni avec l'équilibre voulu des parties, ni avec la beauté des éléments. Principe actif et imprévu de révélation et d'apparition, elle déborde les règles et les artifices, elle ne saurait se réduire ni à un plan ou à un schéma, ni à un corps de procédés et de moyens. Toute œuvre est forme, dans la mesure où elle est œuvre. La forme en ce sens est partout, même chez les poètes qui se moquent de la forme ou visent à la détruire. Il y a une forme de Montaigne et une forme de Breton, il y a une forme de l'informe ou de la volonté iconoclaste comme il y a une forme de la rêverie intime ou de l'explosion lyrique. Et l'artiste qui prétend aller au-delà des formes le fera par les formes – s'il est artiste. «À chaque œuvre sa forme[3]», le mot de Balzac prend ici tout son sens.

---

1. Ni effet, ni symptôme pour le psychologue, Jung lui-même en convient : « La psychologie personnelle du créateur rend compte de certains traits de son œuvre, mais ne l'explique pas. » *Problèmes de l'âme moderne,* Paris, 1960, p. 322. *[N. d. A.]*

2. Proust, *À la recherche du temps perdu,* t. I, p. 645 (éd. Pléiade). Qu'on ne voie pas ici une déclaration de guerre ou de dédain à l'histoire littéraire ; je la tiens pour indispensable dès qu'on s'attaque aux œuvres du passé, mais comme prolégomène et garde-fou ; elle n'est qu'un moyen au service de la critique et de l'interprétation. Ici, je fais de la critique, non de l'histoire littéraire ; l'histoire, l'érudition, la biographie des œuvres (non des auteurs) doivent être pratiquées et utilisées, mais à leur place et à leur rang de sciences auxiliaires, et nécessaires, dans la mesure exacte où l'œuvre analysée les peut requérir. L'essentiel est de ne pas mélanger des activités qui ont intérêt à demeurer distinctes. *[N. d. A.]*

3. «À chaque œuvre sa forme, sinon plus de contrastes et la monotonie arriverait nécessairement dans une histoire aussi longue que celle des mœurs faite d'après la Société elle-même» (Balzac, Préface de *Béatrix*, 1839).

Mais il n'y a de forme saisissable que là où se dessine un accord ou un rapport, une ligne de forces, une figure obsédante, une trame de présences ou d'échos, un réseau de convergences ; j'appellerai « structures » ces constantes formelles, ces liaisons qui trahissent un univers mental et que chaque artiste réinvente selon ses besoins.

Convergences, liaisons, ordonnances ; mais on évitera de tout ramener aux seules vertus de proportion et d'harmonie. C'est une habitude ancienne, une habitude « classique » et qui survit chez un Valéry, de définir la forme comme relation des parties au tout. Sans doute, il en est souvent ainsi, et je recourrai à ce principe dans mon analyse du roman de Proust ; l'auteur lui-même m'y invitait expressément. Ce n'est pourtant qu'un critère parmi d'autres. Balzac a raison : « à chaque œuvre sa forme ». Ni l'auteur ni le critique ne savent à l'avance ce qu'ils trouveront au terme de l'opération. L'instrument critique ne doit pas préexister à l'analyse. Le lecteur demeurera disponible, mais toujours sensible et aux aguets, jusqu'au moment où surgira le signal stylistique, le fait de structure imprévu et révélateur. Dans le cas des œuvres étudiées ici, ce sera une certaine alternance caractérisant *La Princesse de Clèves,* ou, chez Marivaux, une distribution particulière des fonctions actives et passives, tandis que le Flaubert de *Madame Bovary* appelle une analyse du point de vue. Les voies d'approche sont aussi libres et diverses que peut l'être l'invention de l'écrivain.

Il n'en reste pas moins vrai que, même si elle se manifeste de façon très variable, la tendance à l'unité, à ce que Proust nomme la « complexité ordonnée », marque la plupart des œuvres ; il arrivera souvent que l'un des faits de composition à retenir soit un fait de relation interne. L'œuvre est une totalité et elle gagne toujours à être éprouvée comme telle. La lecture féconde devrait être une lecture globale, sensible aux identités et aux correspondances, aux similitudes et aux oppositions, aux reprises et aux variations, ainsi qu'à ces nœuds et à ces carrefours où la texture se concentre ou se déploie.

De toute façon, la lecture, qui se développe dans la durée, devra pour être globale se rendre l'œuvre simultanément présente en toutes ses parties. Delacroix fait observer que si le tableau s'offre tout entier au regard, il n'en est pas de même du livre; le livre, semblable à un «tableau en mouvement», ne se découvre que par fragments successifs. La tâche du lecteur exigeant consiste à renverser cette tendance naturelle du livre de manière que celui-ci se présente tout entier au regard de l'esprit. Il n'y a de lecture complète que celle qui transforme le livre en un réseau simultané de relations réciproques; c'est alors que jaillissent les surprises heureuses et que l'ouvrage émerge sous nos yeux, parce que nous sommes en mesure d'exécuter avec justesse une sonate de mots, de figures et de pensées.

> Jean ROUSSET, *Forme et signification.*
> *Essai sur les structures littéraires*
> *de Corneille à Claudel,*
> © Éd. José Corti, 1966, p. X à XIII.

NOTIONS CLÉS

Critique littéraire – Forme – Structure.

▶ La lecture critique ne doit pas se fonder sur des présupposés méthodologiques antérieurs et extérieurs à l'œuvre, mais naître de l'œuvre et de la spécificité de sa forme-sens.

▶ Tzvetan TODOROV, *Critique de la critique*: « Le mouvement d'empathie et de soumission à l'auteur analysé ne constitue que le premier aspect de l'activité critique; l'autre aspect, complémentaire, exige au contraire (au contraire?) qu'on assume sa propre voix. »

—— 51. GÉRARD GENETTE ——
Figures I (1966)

La publication de *Figures I, II* et *III* ouvre le champ de **la narratologie*** dont G. Genette déploie les outils conceptuels et méthodologiques dans l'analyse de la *Recherche* (*Figures III* – voir les textes 77 et 80). Dans *Nouveau discours du récit*, il revient, quelques années plus tard, sur cette classification opératoire pour la préciser et nuancer certains concepts. Publié initialement dans la revue *L'Arc* en hommage à Lévi-Strauss, le texte suivant établit un parallèle entre la critique littéraire et une remarque tirée de *La Pensée sauvage*, selon laquelle la pensée mythique est « une sorte de bricolage intellectuel ».

« Structuralisme et critique littéraire »

> *Si le texte critique peut être littéraire, c'est qu'il participe à la dynamique constitutive de toute littérature, « cette "déception[1]" du sens qui se fige et se constitue en objet de consommation esthétique » au lieu de rester un simple « message ». Mais, comme le bricoleur se distingue de l'ingénieur, le critique se distingue de l'écrivain. Il « démonte » les structures de l'œuvre qu'il analyse pour, ensuite, « élaborer une nouvelle structure », son analyse critique. De même, si l'écrivain travaille sur le monde à l'aide de concepts, le critique travaille, lui, sur des signes, ceux de la littérature. S'opère alors un « brassage du signe et du sens » : les signes de l'écrivain (son œuvre) deviennent sens chez le critique qui les analyse et, ce qui était sens chez l'écrivain, sa vision du monde, devient signe pour le critique qui y déchiffre l'inscription dans une « nature » littéraire spécifique. Ainsi, la critique littéraire « fait du sens avec l'œuvre des autres » tout en faisant « son œuvre avec ce sens ».*

En effet, si l'on isole les deux fonctions les plus visibles de l'activité critique, – la fonction « critique » au sens propre du terme, qui consiste à juger et apprécier les œuvres récentes pour éclairer les choix du public (fonction liée à l'institution journalistique), et la fonction « scientifique » (essentiellement liée, elle, à l'institution universitaire), qui consiste en une étude positive, à fin exclusive de savoir, des conditions d'existence des œuvres littéraires (matérialité du texte, sources, genèse psychologique ou historique, etc.) – il en reste évidemment une troisième, qui est proprement littéraire. Un livre de critique comme *Port-Royal* ou *L'Espace littéraire* est entre autres choses un livre, et son auteur est à sa manière et au moins dans une certaine mesure ce que Roland Barthes appelle un *écrivain* (par opposition au simple *écrivant*) c'est-à-dire l'auteur d'un message qui tend partiellement à se résorber en spectacle. Cette « déception » du sens qui se fige

---

1. À prendre au sens étymologique de tromperie, voire de séduction : il y a tromperie et séduction, sans aucune connotation péjorative, quand le sens d'un texte « se résorbe en spectacle » au lieu de rester un simple « message », c'est-à-dire quand il devient (se fait) littérature.

et se constitue en objet de consommation esthétique, c'est bien sans doute le mouvement (ou plutôt *l'arrêt*) constitutif de toute littérature. L'objet littéraire n'existe que par lui ; en revanche il ne dépend que de lui, et, selon les circonstances, n'importe quel texte peut être ou n'être pas littérature, selon qu'il est reçu (plutôt) comme spectacle ou (plutôt) comme message : l'histoire littéraire est faite de ces aller-retour et de ces fluctuations. C'est dire qu'il n'y a pas à proprement parler d'objet littéraire, mais seulement une *fonction littéraire* qui peut investir ou délaisser tour à tour n'importe quel objet d'écriture. Sa littérarité partielle, instable, ambiguë, n'est donc pas propre à la critique : ce qui la distingue des autres «genres» littéraires, c'est son caractère *second,* et c'est ici que les remarques de Lévi-Strauss sur le bricolage trouvent une application peut-être imprévue.

L'univers instrumental du bricoleur, dit Lévi-Strauss, est un univers «clos». Son répertoire, si étendu soit-il, «reste limité». Cette limitation distingue le bricoleur de l'ingénieur, qui peut en principe obtenir à tout moment l'instrument spécialement adapté à tel besoin technique. C'est que l'ingénieur «interroge l'univers, tandis que le bricoleur s'adresse à une collection de résidus d'ouvrages humains, c'est-à-dire à un sous-ensemble de la culture». Il suffit de remplacer dans cette dernière phrase les mots «ingénieur» et «bricoleur» respectivement par *romancier* (par exemple) et *critique* pour définir le statut littéraire de la critique. Les matériaux du travail critique sont en effet ces «résidus d'ouvrages humains» que sont les œuvres une fois réduites en thèmes, motifs*, mots-clefs, métaphores obsédantes, citations, fiches et références. L'œuvre initiale est une structure, comme ces ensembles premiers que le bricoleur démantèle pour en extraire des éléments à toutes fins utiles ; le critique lui aussi décompose une structure en éléments : un élément par fiche, et la devise du bricoleur : «ça peut toujours servir» est le postulat même qui inspire le critique lors de la confection de son fichier, matériel ou idéal, s'entend. Il s'agit ensuite d'élaborer une nouvelle structure en «agençant ces résidus». «La pensée *critique,* peut-on dire en paraphrasant Lévi-Strauss, édifie des ensembles structurés au moyen d'un ensemble structuré qui est *l'œuvre* ; mais ce n'est pas au niveau de la structure qu'elle s'en empare ;

elle bâtit ses palais idéologiques avec les gravats d'un discours *littéraire* ancien».

La distinction entre le critique et l'écrivain n'est pas seulement dans le caractère second et limité du matériel critique (la littérature) opposé au caractère illimité et premier du matériel poétique ou romanesque (l'univers); cette infériorité en quelque sorte quantitative, qui tient à ce que le critique vient toujours après l'écrivain et ne dispose que de matériaux imposés par le choix préalable de celui-ci, est peut-être aggravée, peut-être compensée par une autre différence: «*L'écrivain* opère au moyen de concepts, *le critique* au moyen de signes. Sur l'axe de l'opposition entre nature et culture, les ensembles dont ils se servent sont imperceptiblement décalés. En effet, une des façons au moins dont le signe s'oppose au concept tient à ce que le second se veut intégralement transparent à la réalité, tandis que le premier accepte, et même exige qu'une certaine épaisseur d'humanité soit incorporée à cette réalité.» Si l'écrivain interroge l'univers, le critique interroge la littérature, c'est-à-dire un univers de signes. Mais ce qui était signe chez l'écrivain (l'œuvre) devient sens chez le critique (puisque objet du discours critique), et d'une autre façon ce qui était sens chez l'écrivain (sa vision du monde) devient signe chez le critique, comme thème et symbole d'une certaine nature littéraire. C'est encore ce que Lévi-Strauss dit de la pensée mythique, qui crée sans cesse, comme le remarquait Boas, de nouveaux univers, mais en inversant les fins et les moyens: «les signifiés se changent en signifiants, et inversement». Ce brassage incessant, cette inversion perpétuelle du signe et du sens indique bien la fonction double du travail critique, qui est de faire du sens avec l'œuvre des autres, mais aussi de faire son œuvre avec ce sens. S'il existe une «poésie critique» c'est donc au sens où Lévi-Strauss parle d'une «poésie du bricolage»: comme le bricoleur «parle au moyen des choses», le critique parle – au sens fort, c'est-à-dire: se parle – au moyen des livres, et l'on paraphrasera une dernière fois Lévi-Strauss en disant que «sans jamais remplir son projet, (il) y met toujours quelque chose de soi».

Gérard GENETTE, «Structuralisme et critique littéraire»,
dans *Figures I*, © Éd. du Seuil, 1966, p. 146-148.

NOTIONS CLÉS

Critique littéraire – Structure.

▶ Il n'y a pas de texte littéraire en soi : n'importe quel texte peut être, ou n'être pas, perçu comme littérature selon qu'il est reçu comme objet esthétique ou comme simple message. Il n'y a donc pas d'objet littéraire mais une fonction littéraire.

▶ La critique, discours second, crée du sens à partir de signes, là où l'œuvre, elle, crée du sens à partir d'un rapport au monde.

▶ Antoine COMPAGNON, *Le Démon de la théorie* : « Il n'y a pas d'essence de la littérature, laquelle est une réalité complexe, hétérogène changeante. »

52. JEAN STAROBINSKI
« Le Voile de Poppée » (1961)

« Le voile de Poppée[1] » désigne ostensiblement « une présence réelle qui nous oblige à lui préférer ce qu'elle dissimule », aiguisant sans cesse le regard et le désir. J. Starobinski y voit l'image métaphorique d'une dynamique qu'il étudie dans les textes de Corneille, Racine, Rousseau et Stendhal, « où s'exprime la poursuite d'une réalité cachée », afin de retracer « l'histoire d'un regard que le désir entraîne de découverte en découverte ». Mais cette dynamique se déploie également dans la lecture et dans le regard critiques où il s'agit « de conduire l'esprit au-delà du royaume de la vue : dans celui du sens ».

« Regarde, afin que tu sois regardé »

*Le regard critique oscille entre « deux possibilités opposées », aussi irréalisables l'une que l'autre : s'identifier à l'œuvre dans « une complicité totale avec la subjectivité créatrice », au risque du silence, au risque de s'absorber dans l'œuvre ; ou, au contraire, conserver une distance, « trahir l'idéal d'identification », pour pouvoir parler de l'œuvre avec un langage autonome. Il s'agirait donc, dans la visée d'une « critique complète », de concilier un regard de fascination et « un regard surplombant », permettant un « droit de regard », dans un continuel mouvement de va-et-vient. Mais **la dynamique des regards n'est pas univoque** : si le regard critique interroge l'œuvre, celle-ci aussi est un regard, un regard interrogateur, « radicalement*

---

1. Épouse de Néron, d'une beauté fascinante que, selon la légende, elle dissimulait sous un voile.

autre », celui d'une « conscience étrangère », celle de l'auteur et/ou celle de l'œuvre. Il s'agit donc, pour le critique, comme pour le lecteur, de « garder les yeux ouverts pour accueillir le regard qui nous cherche ». D'où la devise qui pourrait, au-delà du critique, être celle de tout lecteur : « Regarde, afin que tu sois regardé. » Starobinski allie ici le déploiement métaphorique et poétique du motif du regard et l'acuité d'une analyse autoréflexive ; il illustre ainsi la qualité littéraire de certains textes critiques : la critique est bien un « acte de pleine littérature » (Barthes).

Le critique est celui qui, tout en consentant à la fascination que le texte lui impose, entend pourtant conserver *droit de regard*. Il désire pénétrer plus loin encore : par-delà le sens manifeste qui se découvre à lui, il pressent une signification latente. Une vigilance supplémentaire lui devient nécessaire, à partir de la première «lecture à vue», pour s'avancer à la rencontre d'un *sens second*. Qu'on ne se méprenne pourtant pas sur ce terme : il ne s'agit pas, comme pour l'exégèse médiévale, du déchiffrage de quelque équivalent allégorique ou symbolique, mais de la vie plus vaste ou de la mort transfigurée dont le texte est l'annonciateur. Souvent, il arrivera que cette recherche du plus lointain ramène au plus proche : aux évidences du premier regard, aux formes et aux rythmes qui, de prime abord, semblaient n'être que la promesse d'un message secret. Un long détour nous renvoie aux mots eux-mêmes, où le sens élit sa demeure, et où brille le trésor mystérieux que l'on croyait devoir chercher dans la «dimension profonde».

À la vérité, l'exigence du regard critique tend vers deux possibilités opposées, dont aucune n'est pleinement réalisable. La première l'invite à se perdre dans l'intimité de cette conscience fabuleuse que l'œuvre lui fait entrevoir : la compréhension serait alors la poursuite progressive d'une complicité totale avec la subjectivité créatrice, la participation passionnée à l'expérience sensible et intellectuelle qui se déploie à travers l'œuvre. Mais si loin qu'il aille dans cette direction, le critique ne parviendra pas à étouffer en lui-même la conviction de son identité séparée, la certitude tenace et banale de n'être pas la conscience avec laquelle il souhaite se confondre. À supposer toutefois qu'il réussisse véritablement à s'y absorber, alors, paradoxalement, sa propre parole lui serait dérobée : il ne pourrait que se taire, et le parfait discours critique, à force de sympathie et de mimétisme, donnerait l'impression du plus complet silence. À moins de rompre en quelque façon le pacte de solidarité qui le lie à l'œuvre, le critique n'est capable que de paraphrase ou de pastiche : on doit *trahir* l'idéal d'identification pour acquérir le pouvoir de parler de cette expérience et de décrire, dans un langage qui n'est pas celui de l'œuvre, la vie commune qu'on a connue avec elle, en elle. Ainsi, malgré notre désir de nous abîmer dans la profondeur vivante de l'œuvre, nous sommes contraints de nous distancer d'elle pour pouvoir en parler. Pourquoi alors ne pas établir délibérément une distance qui nous révélerait, dans une perspective panoramique, les *alentours* avec lesquels l'œuvre est organiquement liée ? Nous tenterions de discerner certaines correspondances significatives qui n'ont pas été aperçues par l'écrivain ; d'interpréter ses mobiles inconscients ; de lire les relations complexes qui unissent une destinée et une œuvre à leur milieu historique et social. Cette seconde possibilité de la lecture critique peut être définie comme celle du *regard surplombant* : l'œil ne veut rien laisser échapper de toutes les configurations que le recul permet d'apercevoir. Dans l'espace élargi que le regard parcourt, l'œuvre est certes un objet privilégié, mais elle n'est pas le seul objet qui s'impose à la vue. Elle se définit par ce qui l'avoisine, elle n'a de sens que par rapport à l'ensemble de son contexte. Or voici l'écueil : le contexte est si vaste, les relations si nombreuses, que le regard est saisi d'un secret désespoir ; jamais il ne rassemblera tous les éléments de cette totalité qui s'annonce à lui. Au surplus, dès l'instant où l'on s'oblige à situer une œuvre dans ses coordonnées historiques, seule une décision arbitraire nous autorise à limiter l'enquête. Celle-ci, par principe, pourrait aller jusqu'au point où l'œuvre littéraire, cessant d'être l'objet privilégié qu'elle était d'abord, n'est plus que l'une des innombrables manifestations d'une époque, d'une culture, d'une «vision du monde». L'œuvre s'évanouit à mesure que le regard prétend embrasser, dans le monde social ou dans la vie de l'auteur, davantage de faits corrélatifs. Le triomphe du regard surplombant n'est, lui aussi, qu'une forme de l'échec :

il nous fait perdre l'œuvre et ses significations, en prétendant nous donner le monde dans lequel baigne l'œuvre.

La critique complète n'est peut-être ni celle qui vise à la totalité (comme fait le regard surplombant), ni celle qui vise à l'intimité (comme fait l'intuition identifiante); c'est un regard qui sait exiger tour à tour le surplomb et l'intimité, sachant par avance que la vérité n'est ni dans l'une ni dans l'autre tentative, mais dans le mouvement qui va inlassablement de l'une à l'autre. Il ne faut refuser ni le vertige de la distance, ni celui de la proximité : il faut désirer ce double excès où le regard est chaque fois près de perdre tout pouvoir.

Mais peut-être aussi la critique a-t-elle tort de vouloir à ce point régler l'exercice de son propre regard. Mieux vaut, en mainte circonstance, s'oublier soi-même et se laisser surprendre. En récompense, je sentirai, dans l'œuvre, naître un regard qui se dirige vers moi : ce regard n'est pas un reflet de mon interrogation. C'est une conscience étrangère, radicalement autre, qui me cherche, qui me fixe, et qui me somme de répondre. Je me sens exposé à cette question qui vient ainsi à ma rencontre. L'œuvre m'interroge. Avant de parler pour mon compte, je dois prêter ma propre voix à cette étrange puissance qui m'interpelle ; or, si docile que je sois, je risque toujours de lui préférer les musiques rassurantes que j'invente. Il n'est pas facile de garder les yeux ouverts pour accueillir le regard qui nous cherche. Sans doute n'est-ce pas seulement pour la critique, mais pour toute entreprise de connaissance qu'il faut affirmer : «Regarde, afin que tu sois regardé.»

Jean STAROBINSKI, «Le Voile de Poppée», dans *L'Œil vivant*, © Éd. Gallimard, 1961, p. 24-27.

NOTIONS CLÉS

Critique littéraire – Relation critique.

▶ Il y a, dans l'analyse critique, une réciprocité des questionnements : si le critique interroge l'œuvre, celle-ci l'interroge à son tour.

▶ Le critique doit concilier l'objectivité d'une analyse distanciée et l'implication subjective, la marque d'une personne.

53. ANTOINE COMPAGNON
Le Démon de la théorie (1998)

Présentant en 1998 « un bilan de la théorie littéraire », Antoine Compagnon observe que les recherches théoriques se sont alors engagées très en avant « sur le chemin du **formalisme** et de la **textualité** » et que, dans leur combat contre le sens commun, elles sont sans doute allées trop loin : « Poussée par son démon, la théorie compromet ses chances de l'emporter, car c'est toujours à contrecœur que les littéraires nuancent un argument lorsqu'il peut être conduit jusqu'à un oxymoron[1]. Et le sens commun redresse la tête » (p. 278). En outre, « la théorie s'est institutionnalisée, elle s'est transformée en méthode, elle est devenue une petite technique pédagogique souvent aussi desséchante que l'explication de texte à laquelle elle s'en prenait alors avec verve »[2] (p. 11).

En conservant vis-à-vis d'elles une distance de bon aloi, A. Compagnon évoque ainsi les théories littéraires concernant sept grandes questions que se pose « le sens commun » : « *la littérature, l'auteur, le monde, le lecteur, le style, l'histoire* et *la valeur* », les quatre premières étant ordinairement désignées dans ces théories par les notions de « *littérarité, intention, représentation, réception* » (p. 24-25).

« La réalité de la littérature n'est pas entièrement théorisable »

> *Les théories littéraires, en dépit (ou à cause) de leur prolifération, ne peuvent se constituer en une science capable de se substituer au sens commun dont elles contestent les idées reçues. Elles tendent à se figer en **certitudes illusoires** alors qu'elles valent surtout par l'effort constant de lucidité qu'elles demandent et qui leur imposent de se remettre elles-mêmes en question.*

C'est l'antagonisme perpétuel de la théorie et du sens commun que j'ai tenté de décrire, leur duel sur le terrain des premiers éléments de la littérature. L'offensive de la théorie contre le sens commun se retourne contre elle, et elle échoue d'autant plus à passer de la critique à la science, à substituer

---

1. La théorie littéraire affectionne les paradoxes. Pour illustrer ce jugement d'A. Compagnon, on pourrait donner l'exemple récent de l'essai de Pierre BAYARD, *Le Plagiat par anticipation* (voir le texte 47).

2. Sur ce point, voir aussi la réflexion de Tzvetan Todorov (texte 150).

au sens commun des concepts positifs, que, face à cette hydre, les théories prolifèrent, s'affrontent entre elles au risque de perdre de vue la littérature elle-même. La théorie, comme on dit en anglais, *paints itself into a corner,* elle se prend les pieds dans les pièges qu'elle tend au sens commun, elle bute sur des apories* qu'elle a elle-même suscitées, et le combat recommence. Il faudrait un Hercule singulièrement ironique pour s'en sortir victorieusement.

L'attitude des littéraires devant la théorie rappelle la doctrine de la double vérité dans la théologie catholique. Chez ses adeptes, la théorie est en même temps l'objet d'une foi et d'un désaveu : on y croit, mais on ne va quand même pas faire comme si on y croyait tout à fait. Certes, l'auteur est mort[1], la littérature n'a rien à voir avec le monde, la synonymie n'existe pas, toutes les interprétations sont valables, le canon est illégitime, mais on continue à lire des biographies d'écrivains, on s'identifie aux héros des romans, on suit avec curiosité les traces de Raskolnikov dans les rues de Saint-Pétersbourg, on préfère *Madame Bovary* à *Fanny*[2] , et Barthes se plongeait délicieusement dans *Le Comte de Monte-Cristo* avant de s'endormir. C'est pourquoi la théorie ne peut pas l'emporter. Elle n'est pas en mesure d'anéantir le moi liseur. Il y a une vérité de la théorie, qui la rend séduisante, mais elle n'est pas toute la vérité, car la réalité de la littérature n'est pas entièrement théorisable. [...]

Si les solutions proposées par la théorie échouent, elles ont du moins l'avantage de bousculer les idées reçues, de secouer la bonne conscience ou la mauvaise foi de l'interprétation : c'est même l'intérêt premier de la théorie ; sa pertinence est là, dans sa façon d'aller à l'encontre de l'intuition. Du procès intenté à l'auteur, à la référence, à l'objectivité, au texte, au canon, il résulte une lucidité critique renouvelée. L'effort théorique n'est nullement vain, dans la mesure où il reste conjectural, mais les certitudes théoriques sont aussi manichéennes que celles dont il fallait se défaire. À la sécheresse du structuralisme appliqué, à la glaciation de la sémiologie* scientiste, à l'ennui qui se dégage des taxinomies narratologiques, Barthes opposa très tôt le plaisir de l'«activité structuraliste» et le bonheur de

---

1. Allusion à Barthes (voir p. 184, note 3).
2. Sur *Fanny* et *Madame Bovary*, voir le texte 45. Jauss.

l'«aventure sémiologique». À la théorie comme scolastique, je préfère, comme lui, l'aventure théorique : à la prise, comme Montaigne, la chasse. «Ne faites pas ce que je dis, faites ce que je fais» : telle est à mes yeux la leçon ironique de Barthes, qui n'a jamais cessé d'essayer de nouvelles voies. Ainsi ce livre ne conduit-il nullement à une désillusion théorique, mais au doute théorique, à la vigilance critique, ce qui n'est pas la même chose. La seule théorie conséquente est celle qui accepte de se questionner elle-même, de mettre en cause son propre discours. Barthes appelait son petit *Roland Barthes* «le livre de mes résistances à mes propres idées» (*ibid.*, p. 123). La théorie est faite pour être traversée, pour en revenir, pour prendre du recul, non pour reculer.

Antoine COMPAGNON, *Le Démon de la théorie*,
© Éd. du Seuil, 1998, p. 278-281.

NOTIONS CLÉS

Critique littéraire – Théorie littéraire.

▶ La théorie littéraire échoue à rendre compte de toute la réalité de la littérature.

▶ Son intérêt est de s'opposer aux idées reçues.

▶ Elle ne doit pas dégénérer en «scolastique» mais rester une «aventure» et savoir se remettre constamment en cause.

CHAPITRE 11

Le destin de l'œuvre.
Qu'est-ce qu'un *classique* ?

54 Paul Valéry	**56** Marcel Proust
55 Italo Calvino	**57** Antonin Artaud

L a notion de *classique* désigne d'abord une grande œuvre du XVIIᵉ siècle (et spécialement de la période 1660-1680) conforme à une esthétique fondée sur l'imitation (des Anciens, de la nature), l'impersonnalité, la raison, le respect du public (des bienséances, du goût) et de certaines conventions (les règles), le désir d'instruire en distrayant, c'est-à-dire une œuvre que l'on puisse considérer comme un modèle sur les plans artistique et moral dans la tradition des *humanités*. Plus largement, elle s'applique à toute œuvre, ancienne ou contemporaine, qui a trouvé sa place dans notre patrimoine culturel et qui est devenue un objet d'étude : Judith Schlanger affirme ainsi que «les classiques sont vus comme pertinents pour la dimension *réflexive* des lettres. Le propre des classiques est de susciter des interprétations fécondes qui enrichissent le lecteur et le texte[1]», on leur reconnaît une valeur éducative. En eux sont donc réunies trois caractéristiques du *chef-d'œuvre* littéraire : la qualité, la durée et l'utilité.

La durée d'une œuvre, sa capacité à intéresser un autre public que celui auquel elle était d'abord destinée, est couramment invoquée comme un critère de qualité, le jugement des générations successives confirmant ou corrigeant celui des premiers lecteurs. «Quel est donc ce principe de durée ?» : non pas les idées, vite dégradées, mais «la *forme*», spécialement la forme poétique, affirment certains (**54. Valéry**) alors que d'autres valorisent le contenu (voir 9. Jouve).

À ce principe interne, les analyses modernes ajoutent des considérations fondées sur la réception de l'œuvre : le chef-d'œuvre supporte des interprétations successives, il est sans cesse «*re-produit*» dans la conscience des lecteurs au fur et à mesure que les normes esthétiques se modifient (voir

---

1. Judith Schlanger, *La Mémoire des œuvres*, Verdier/poche, 2008, p. 108.

l'analyse de Jauss dans *Pour une esthétique de la réception*, p. 106-107). La lecture, dans ce cas, obéit à des déterminations complexes qui mettent en jeu toute une série de relations dialectiques entre le présent et le passé, l'individuel et le collectif : c'est pourquoi on peut multiplier les définitions d'un classique (**55. Calvino**).

Cette plasticité du classique n'est pas toujours reconnue : une œuvre ancienne est aussi datée par sa forme. Elle peut donc être appréciée et vénérée comme un monument témoignant d'un état de la langue disparu (**56. Proust**) ou au contraire rejetée au nom du refus du conformisme et de la création de nouvelles formes adaptées au public contemporain (**57. Artaud**).

──────────── **54. PAUL VALÉRY** ────────────
«*Victor Hugo créateur par la forme*» (1924)

Pour Valéry, **la forme est la seule réalité de l'œuvre**. Elle l'est d'abord comme schème créateur : à l'origine du «Cimetière marin», il y eut, selon le poète, «une figure rythmique vide, ou remplie de syllabes vaines, qui [le] vint obséder quelque temps[1]». Elle constitue aussi un critère de qualité puisque «les belles œuvres sont filles de leur forme, *qui naît avant elles*[2]» et c'est elle enfin qui les préserve de la destruction : «la forme est le squelette des œuvres[3]». Ces deux dernières fonctions de la forme sont développées dans le texte suivant.

«La forme seule conserve les œuvres de l'esprit»

> *L'homme est ici défini par sa condition temporelle : tous les éléments de sa vie sont voués au changement et à la dégradation et donc datés, attachés à l'époque qui les a vus naître. Dans le domaine esthétique, les formes changent, le jugement des hommes aussi : le goût d'une génération est rejeté par la suivante. Qu'est-ce qui permet donc à l'œuvre de qualité de résister au temps ?*
>
> *Le «principe de durée» est à chercher dans «**une forme efficace**», c'est-à-dire qui participe de la «structure», du «fonctionnement de l'organisme humain», de «l'être même». Une telle forme a **quelque chose d'essentiel** en cela qu'elle s'appuie sur «la nature constante*

──────────

1. «Au sujet du "Cimetière marin"», dans *Œuvres* I, Paris, Gallimard, coll. «Bibliothèque de la Pléiade», p. 1503.

2. *Tel quel*, dans *Œuvres* II, p. 477.

3. *Ibid.*, p. 679.

de l'homme », épargnée par le temps. Ainsi ce sont les éléments les plus dénués de signification (« rythmes, rimes, nombre, symétrie des figures, antithèses ») qui assurent la survie de l'œuvre parce qu'ils échappent au vieillissement des pensées et des codes.

On pourrait observer que cette analyse de Valéry explique le mystérieux « principe de durée » par une non moins mystérieuse « forme efficace ». En se fondant surtout sur le poème, elle définit la littérature comme un langage et affirme le caractère inessentiel du message et du sujet : « le sujet d'un ouvrage est à quoi se réduit un mauvais ouvrage[1] ». Certains critiques ont réagi contre cette valorisation quasi exclusive de la forme au détriment du contenu (voir 9. Jouve, 94. Collot et 150. Todorov).

Mais quel est donc ce principe de durée, cette qualité singulière qui préserve les écrits de l'effacement total, qui les assure d'une valeur analogue à celle de l'or, car, par elle, ils opposent aux effets du temps je ne sais quelle incorruptibilité merveilleuse ?

Voici la réponse, dont j'emprunte la formule excellente à Mistral : « Il n'y a que la forme », a dit le grand poète de Provence ; « la forme seule conserve les œuvres de l'esprit ».

Pour rendre évidente cette sentence si simple et si profonde, il suffit d'observer que la littérature primitive, celle qui n'est pas écrite, celle qui ne se garde et ne se transmet que par des actes de l'être vivant, par un système d'échange entre la voix articulée, l'ouïe et la mémoire, est une littérature nécessairement rythmée, parfois rimée, et pourvue de tous les moyens que peut offrir la parole pour créer le souvenir d'elle-même, se faire retenir, s'imprimer dans l'esprit. Tout ce qui paraît précieux à conserver est mis en forme de poème, dans les époques qui ne savent pas encore se créer des signes matériels. En forme de poème, c'est-à-dire qu'on y trouve rythme, rimes, nombre, symétrie des figures, antithèses, tous les moyens qui sont bien les caractères essentiels de la forme. La forme d'une œuvre est donc l'ensemble des caractères sensibles dont l'action physique s'impose et tend à résister

---

1. *Ibid.*

à toutes les causes de dissolution très diverses qui menacent les expressions de la pensée, qu'il s'agisse de l'inattention, de l'oubli, et même des objections qui peuvent naître contre elle dans l'esprit. Comme la pesanteur et les intempéries exercent perpétuellement l'édifice de l'architecte, ainsi le temps travaille contre l'œuvre de l'écrivain. Mais le temps n'est qu'une abstraction. C'est la succession des hommes, des événements, des goûts, des modes, des idées, qui agissent sur cette œuvre et qui tendent à la rendre indifférente, ou naïve, ou obscure, ou fastidieuse, ou ridicule. Mais l'expérience montre que toutes ces causes d'abandon ne peuvent abolir une forme vraiment assurée. Elle seule peut défendre indéfiniment une œuvre contre les variations du goût et de la culture, contre la nouveauté et les séductions des œuvres qui se produisent après elle.

Enfin, aussi longtemps que le jugement dernier des ouvrages par la qualité de leur forme n'est pas intervenu, existe une confusion des valeurs. Sait-on jamais qui durera? Un écrivain peut, de son temps, connaître la plus grande faveur, exciter le plus vif intérêt, exercer une immense influence : son destin définitif n'est pas le moins du monde scellé par cet heureux succès. Il arrive toujours que cette gloire, même légitime, perd toutes les raisons d'existence qui ne tiennent qu'à l'esprit d'une époque. Le neuf devient vieux ; l'étrangeté s'imite, et est dépassée ; la passion change d'expression ; les idées se répandent, et les mœurs s'altèrent. L'œuvre qui n'était que neuve, que passionnée, que significative des idées d'un temps peut et doit périr. Mais au contraire, si un auteur a su lui donner une forme efficace, il aura fondé sur la nature constante de l'homme, sur la structure et le fonctionnement de l'organisme humain, sur l'être même. Il aura ainsi prémuni son ouvrage contre la diversité des impressions, l'inconstance des idées, la mobilité essentielle de l'esprit.

Paul VALÉRY, « Victor Hugo créateur
par la forme », *Variété* (1924),
dans *Œuvres* I, © Éd. Gallimard, coll.
« Bibliothèque de la Pléiade », 1957, p. 584-585.

NOTIONS CLÉS

Critère de qualité – Forme – Public – Survie de l'œuvre.

▶ La forme, qui donne à l'œuvre sa qualité, assure par là même sa survie.

▶ Paul VALÉRY, *Tel quel*: «L'œuvre dure en tant qu'elle est capable de paraître tout autre que son auteur l'avait faite.

Elle dure pour s'être transformée, et pour autant qu'elle était capable de mille transformations et interprétations.»

55. ITALO CALVINO

La Machine littérature (1984)

À ceux qui s'interrogent sur l'intérêt des grands textes du passé, on répond souvent que leur fréquentation joue un rôle essentiel dans la formation de l'individu et du citoyen. Ce **discours humaniste** est tenu à la fois par l'institution scolaire (qui affirme que «ce dialogue entre le passé et le présent peut nourrir efficacement la sensibilité et la réflexion des adolescents[1]») et par certains écrivains: «Le commerce des classiques n'est pas seulement compatible avec l'amitié des vivants, il est surtout nécessaire à l'épanouissement heureux de celle-ci[2]».

Cette question subit un déplacement significatif chez Italo Calvino qui se demande plutôt comment on lit les classiques que pourquoi on les lit.

La lecture des classiques

L'article de Calvino prend la forme d'une série de réflexions ponctuées de quatorze définitions originales. Pour le plaisir de la lecture, nous choisissons de ne donner que celles-ci (désignées maintenant par leur numéro) auxquelles nous ajoutons une quinzième phrase à l'allure de maxime.

*La spécificité des classiques se manifeste par le rapport particulier qu'ils entretiennent avec le lecteur. Objets d'enseignement et éléments obligés d'une culture patrimoniale, ils contribuent à **définir l'honnête homme**; la lecture privée et libre laisse donc la place à une lecture collective et guidée: ces textes vénérés sont d'abord connus « par ouï-dire » et à travers un discours critique (1, 5, 7, 9).*

---

1. Instructions officielles de 1987, CNDP, brochure n° 001 F6141, p. 15.
2. Claude ROY, *Défense de la littérature*, Paris, Gallimard, coll. «Idées», 1968, p. 95-96.

Mais cette pratique n'est jamais stérile, la **richesse infinie** des classiques supporte de **multiples relectures** (4, 6, 8).

Cette richesse, qui assure leur survie, explique aussi leur **fonction civilisatrice** : ils touchent la sensibilité et nourrissent la mémoire (2, 3), synthétisent l'expérience humaine (10), permettent à l'homme de se connaître (11, 15) et de se situer dans le temps (13, 14), et définissent « une continuité culturelle » (12).

Les classiques : quatorze définitions, plus une...

1) *Les classiques sont ces livres dont on entend toujours dire : « Je suis en train de le relire... » et jamais : « Je suis en train de le lire... »*

[...]

2) *Sont dits classiques les livres qui constituent une richesse pour qui les a lus et aimés ; mais la richesse n'est pas moindre pour qui se réserve le bonheur de les lire une première fois dans les conditions les plus favorables pour les goûter.*

[...]

3) *Les classiques sont des livres qui exercent une influence particulière aussi bien en s'imposant comme inoubliables qu'en se dissimulant dans les replis de la mémoire par assimilation à l'inconscient collectif ou individuel.*

[...]

4) *Toute relecture d'un classique est en réalité une découverte, comme la première lecture.*

5) *Toute première lecture d'un classique est en réalité une relecture.*

[...]

6) *Un classique est un livre qui n'a jamais fini de dire ce qu'il a à dire.*

[...]

7) *Les classiques sont des livres qui, quand ils nous parviennent, portent en eux la trace des lectures qui ont précédé la nôtre et traînent derrière eux la trace qu'ils ont laissée dans la ou les lectures qu'ils ont traversées (ou, plus simplement, dans le langage et dans les mœurs).*

[...]

8) *Un classique est une œuvre qui provoque sans cesse un nuage de discours critiques, dont elle se débarrasse continuellement.*

[…]

9) *Les classiques sont des livres que la lecture rend d'autant plus neufs, inattendus, inouïs, qu'on a cru les connaître par ouï-dire.*

[…]

10) *On appelle classique un livre qui, à l'instar des anciens talismans, se présente comme un équivalent de l'univers.*

[…]

11) *Notre classique est celui qui ne peut pas nous être indifférents et qui nous sert à nous définir nous-même par rapport à lui, éventuellement en opposition à lui.*

[…]

12) *Un classique est un livre qui vient avant d'autres classiques; mais quiconque a commencé par lire les autres et lit ensuite celui-là reconnaît aussitôt la place de ce dernier dans la généalogie.*

[…]

13) *Est classique ce qui tend à reléguer l'actualité au rang de rumeur de fond, sans pour autant prétendre éteindre cette rumeur.*

14) *Est classique ce qui persiste comme rumeur de fond, là même où l'actualité qui en est la plus éloignée règne en maître.*

[… et 15] «les classiques nous servent à comprendre qui nous sommes et où nous en sommes arrivés.»

Italo CALVINO, *La Machine littérature*,
© Éd. du Seuil, 1984, p. 103-109.

NOTIONS CLÉS

Classique – Fonction de la littérature.

▶ Les classiques, par leur richesse, autorisent des relectures infinies.

▶ Ils permettent ainsi à chacun de se connaître et de connaître le monde.

▶ Pierre REVERDY, *Self defence*: «La durée d'intérêt d'une œuvre est peut-être en raison directe de l'inexplicable qu'elle renferme. Inexplicable ne veut pas dire incompréhensible.»

56. MARCEL PROUST
« *Journées de lecture* » (1905)

Le critique d'art anglais Ruskin voyait dans la lecture une conversation avec les grands auteurs passés qui communiqueraient leur sagesse au lecteur. Or pour Proust (traducteur et préfacier de *Sésame et les lys*), la lecture conduit seulement « au seuil de la vie spirituelle » : « la puissance de notre sensibilité et de notre intelligence, nous ne pouvons la développer qu'en nous-mêmes » (la critique biographique de Sainte-Beuve est condamnée au nom du même principe, voir le texte 33). En revanche, « c'est dans ce contact avec les autres esprits qu'est la lecture, que se fait **l'éducation des "façons" de l'esprit** », c'est-à-dire d'un goût raffiné.

Poursuivant cette analyse du « divertissement de lire », Proust s'interroge alors sur l'intérêt des grands écrivains pour les ouvrages anciens.

« Les belles formes de langage abolies »

Outre la possibilité de « sortir de soi » et de l'univers qui est propre à chaque artiste original (voir le texte 6), ils apprécient la beauté d'une langue disparue, considérée comme « un miroir de la vie » : ils goûtent un plaisir d'esthète à découvrir les « traces persistantes du passé à quoi rien du présent ne ressemble » dans la syntaxe à la fois ciselée et audacieuse des auteurs classiques.

Une longue note, que nous ne pouvons reprendre ici, emprunte à Andromaque *(vers 1542-1543 et 1365) des exemples de ces « belles lignes brisées » :*

« Pourquoi l'assassiner ? Qu'a-t-il fait ? À quel titre ?
Qui te l'a dit ? »

« Je t'aimais inconstant, qu'aurais-je fait fidèle ? »

*Selon Proust, « les plus célèbres vers de Racine le sont en réalité parce qu'ils charment ainsi par quelque audace familière de langage jetée comme un pont hardi entre deux rives de douceur ». Mais c'est la lecture de l'œuvre complète des classiques (et non des morceaux choisis) qui révèle « **cette contexture intime de leur langage** ».*

Les ouvrages anciens [...] n'ont pas seulement pour nous, comme les ouvrages contemporains, la beauté qu'y sut mettre l'esprit qui les créa. Ils en reçoivent une autre plus émouvante encore, de ce que leur matière même, j'entends la langue où ils furent écrits, est comme un miroir de la vie. Un peu du bonheur qu'on éprouve à se promener dans une ville comme Beaune qui garde intact son hôpital du xvᵉ siècle, avec son puits, son lavoir, sa voûte de charpente lambrissée et peinte, son toit à hauts pignons percé de lucarnes que couronnent de légers épis en plomb martelé (toutes ces choses qu'une époque en disparaissant a comme oubliées là, toutes ces choses qui n'étaient qu'à elle, puisque aucune des époques qui l'ont suivie n'en a vu naître de pareilles), on ressent encore un peu de ce bonheur à errer au milieu d'une tragédie de Racine ou d'un volume de Saint-Simon. Car ils contiennent toutes les belles formes de langage abolies qui gardent le souvenir d'usages ou de façons de sentir qui n'existent plus, traces persistantes du passé à quoi rien du présent ne ressemble et dont le temps, en passant sur elle, a pu seul embellir encore la couleur.

Une tragédie de Racine, un volume des *Mémoires* de Saint-Simon ressemblent à de belles choses qui ne se font plus. Le langage dans lequel ils ont été sculptés par de grands artistes avec une liberté qui en fait briller la douceur et saillir la force native, nous émeut comme la vue de certains marbres, aujourd'hui inusités, qu'employaient les ouvriers d'autrefois. Sans doute dans tel de ces vieux édifices la pierre a fidèlement gardé la pensée du sculpteur, mais aussi, grâce au sculpteur, la pierre, d'une espèce aujourd'hui inconnue, nous a été conservée, revêtue de toutes les couleurs qu'il a su tirer d'elle, faire apparaître, harmoniser. C'est bien la syntaxe vivante en France au xviiᵉ siècle – et en elle des coutumes et un tour de pensée disparus – que nous aimons à trouver dans les vers de Racine. Ce sont les formes mêmes de cette syntaxe, mises à nu, respectées, embellies par son ciseau si franc et si délicat, qui nous émeuvent dans ces tours de langage familiers jusqu'à la singularité et jusqu'à l'audace et dont nous voyons, dans les morceaux les plus doux et les plus tendres, passer comme un trait rapide ou revenir en arrière en belles lignes brisées, le brusque dessin. Ce sont ces formes révolues prises à même la vie du passé que nous allons visiter dans l'œuvre de Racine comme dans une cité ancienne et demeurée intacte. Nous éprouvons devant elles la même émotion que devant ces formes abolies, elles aussi, de l'architecture, que nous ne pouvons plus admirer que dans les rares et magnifiques exemplaires que nous en a légués le passé qui les façonna : telles que les vieilles enceintes des villes, les donjons et les tours, les baptistères des églises ; telles qu'auprès du cloître, ou sous le charnier de l'Aitre, le petit cimetière qui oublie au soleil, sous ses papillons et ses fleurs, la Fontaine funéraire et la Lanterne des Morts.

> Marcel PROUST, «Journées de lecture» (1905),
> dans *Pastiches et Mélanges* (1919),
> Éd. Gallimard,
> coll. «Bibliothèque de la Pléiade», p. 189-191.

NOTIONS CLÉS

Classique – Lecture – Plaisir.

▶ Les grandes œuvres classiques conservent dans les formes singulières de leur syntaxe «les traces persistantes du passé».

▶ Judith SCHLANGER, *La Mémoire des œuvres* : «La compréhension du passé lettré n'est pas une extase et ne nous fait pas sortir de la temporalité. Mais c'est une expérience temporelle très particulière, une expérience transhistorique transitive, qui unit des temps distincts et séparés et les approfondit l'un par l'autre.»

57. ANTONIN ARTAUD
«*En finir avec les chefs-d'œuvre*» (1938)

Antonin Artaud s'initie au théâtre sous la direction de Lugné-Poe, de Gémier et de Dullin. En 1924, il adhère au surréalisme qui lui permet de donner libre cours à ses idées radicales. Nerveusement instable, atteint de troubles psychiques, il tente de trouver une thérapie dans l'écriture poétique (*L'Ombilic des limbes, Le Pèse-Nerfs*) puis dans le théâtre. Metteur en scène, mais aussi analyste des pratiques théâtrales et de leur évolution, il expose dans des articles, des manifestes, des conférences, réunis dans *Le Théâtre et son double*, ses théories théâtrales et sa conception du «théâtre de la cruauté», expression de la souffrance existentielle de l'homme.

« Il faut croire à un sens de la vie renouvelé par le théâtre », déclare Artaud dans la préface. Cette ambition «métaphysique» suppose un engagement total des acteurs (comparés à «des suppliciés que l'on brûle et qui font des signes sur leurs bûchers ») et une constante inventivité « pour permettre à nos refoulements de prendre vie » : le danger est donc de « s'attarder artistiquement sur des formes ». Cette **négation de l'art** se fait au nom de **l'utilité du théâtre** : « au Mexique [...] il n'y a pas d'art et les choses servent. »

Au théâtre, « une expression ne vaut pas deux fois »

*Ce texte dénonce l'«**idolâtrie des chefs-d'œuvre fixés** », le « conformisme bourgeois » qui conduit à proposer au public moderne des formes désuètes. L'exemple de l'*Œdipe roi *de Sophocle montre que ce n'est pas le thème de la pièce qui est étranger à la foule d'aujourd'hui mais son langage, ses formes.*

*Ainsi, contrairement à Valéry, Artaud estime que la forme de l'œuvre est le principe de son vieillissement, sanctionné par un oubli légitime. Rappelons que cette analyse vaut pour le théâtre, genre dans lequel il ne peut y avoir, selon Artaud, de « chefs-d'œuvre littéraires » c'est-à-dire fixés dans un texte. Le théâtre est conçu comme un spectacle total toujours renouvelé pour s'accorder à **la sensibilité changeante du public** qu'il veut atteindre.*

Les chefs-d'œuvre du passé sont bons pour le passé ; ils ne sont pas bons pour nous. Nous avons le droit de dire ce qui a été dit et même ce qui n'a pas été dit d'une façon qui nous appartienne, qui soit immédiate, directe, réponde aux façons de sentir actuelles, et que tout le monde comprendra.

Il est idiot de reprocher à la foule de n'avoir pas le sens du sublime, quand on confond le sublime avec l'une de ses manifestations formelles qui sont d'ailleurs toujours des manifestations trépassées. Et si, par exemple, la foule actuelle ne comprend plus *Œdipe roi*, j'oserai dire que c'est la faute à *Œdipe roi* et non à la foule.

Dans *Œdipe roi* il y a le thème de l'Inceste et cette idée que la nature se moque de la morale ; et qu'il y a quelque part des forces errantes auxquelles nous ferions bien de prendre garde ; qu'on les appelle *destin* ces forces, ou autrement.

Il y a en outre la présence d'une épidémie de peste qui est une incarnation physique de ces forces. Mais tout cela sous des habits et dans un langage qui ont perdu tout contact avec le rythme épileptique et grossier de ce temps. Sophocle parle haut peut-être mais avec des manières qui ne sont plus d'époque. Il parle trop fin pour cette époque et on peut croire qu'il parle à côté.

Cependant une foule que les catastrophes de chemins de fer font trembler, qui connaît les tremblements de terre, la peste, la révolution, la guerre ; qui est sensible aux affres désordonnées de l'amour, peut atteindre à toutes ces hautes notions et ne demande qu'à en prendre conscience, mais à condition qu'on sache lui parler son propre langage, et que la notion de ces choses ne lui arrive pas à travers des habits et une parole frelatée, qui appartiennent à des époques mortes et qu'on ne recommencera jamais plus.

La foule aujourd'hui comme autrefois est avide de mystère : elle ne demande qu'à prendre conscience des lois suivant lesquelles le destin se manifeste et de deviner peut-être le secret de ses apparitions.

Laissons aux pions les critiques de textes, aux esthètes les critiques de formes, et reconnaissons que ce qui a été dit n'est plus à dire ; qu'une expression ne vaut pas deux fois, ne vit pas deux fois ; que toute parole prononcée est morte et n'agit qu'au moment où elle est prononcée, qu'une forme employée ne sert plus et n'invite qu'à en rechercher une autre, et que le théâtre est le seul endroit au monde où un geste fait ne se recommence pas deux fois.

Si la foule ne vient pas aux chefs-d'œuvre littéraires c'est que ces chefs-d'œuvre sont littéraires, c'est-à-dire fixés ; et fixés en des formes qui ne répondent plus aux besoins du temps.

Loin d'accuser la foule et le public nous devons accuser l'écran formel que nous interposons entre nous et la foule, et cette forme d'idolâtrie nouvelle, cette idolâtrie des chefs-d'œuvre fixés qui est un des aspects du conformisme bourgeois.

Ce conformisme qui nous fait confondre le sublime, les idées, les choses avec les formes qu'elles ont prises à travers le temps et en nous-mêmes, – dans nos mentalités de snobs, de précieux et d'esthètes que le public ne comprend plus.

Antonin Artaud, « En finir avec les chefs-d'œuvre » (1938), dans *Le Théâtre et son double,* © Éd. Gallimard, 1964, p. 113-116.

NOTIONS CLÉS

Critères de qualité – Fonction du théâtre – Forme – Public – Réception – Spectacle théâtral.

▶ Le vieillissement des formes théâtrales explique que les œuvres du passé n'intéressent plus le public.

▶ Le culte du chef-d'œuvre relève du « conformisme bourgeois ».

PARTIE 4

Le roman

Le roman a longtemps été considéré comme un genre inférieur ou immoral, donc dangereux (voir le texte 136). En 1890, un manuel de l'enseignement secondaire ne lui consacre que quatre pages précédées de cet avertissement: «Ce n'est pas le lieu, ce semble, dans un livre spécialement destiné à la jeunesse, d'insister sur ce genre d'ouvrages» et se réjouit que «les pères de famille se consolent des élucubrations d'un "naturalisme" abject et ordurier en lisant avec leurs enfants la *Fabiola* du cardinal Wiseman, ou les récits aussi purs qu'attachants de M. Jules de Girardin et de Mme Colomb[1]». Ce genre autrefois méprisé intéresse aujourd'hui tous les publics (y compris le public scolaire) et occupe une place dominante dans le champ littéraire. Valorisé par des prix et des adaptations cinématographiques, promu par les médias et diffusé comme un produit de grande consommation, il assure la consécration sociale que l'écrivain cherchait autrefois au théâtre (Balzac, Flaubert et Zola ont voulu s'imposer sur les scènes parisiennes).

Paradoxalement, il doit d'abord son succès au mépris qui l'a frappé. «Le roman, qui tient une place si importante à côté du

⊪➡

---

1. *Cours critique et historique de littérature à l'usage de tous les établissement d'instruction secondaire ou La poésie et la prose dans les trois langues classiques* par A. Henry, professeur de rhétorique au lycée Jeanson de Sailly, Librairie Belin, 1890 (dixième édition). Cité par Julie SCHLANGER, *La Mémoire des œuvres*, Verdier, 2008, p. 76-77.

poème et de l'histoire, est un genre bâtard dont le domaine est vraiment sans limites », écrivait déjà Baudelaire[1] : échappant à toute codification, se renouvelant sans cesse, il a pu prendre toutes les formes, concurrencer tous les autres genres et – progressivement – aborder tous les sujets. Mais il a surtout utilisé les relations particulières que, par l'intermédiaire de la narration[2], il établit entre la fiction et la réalité, permettant ainsi au lecteur de satisfaire aussi bien son goût de l'extraordinaire et du dépaysement que celui de l'observation et de la réflexion. C'est en articulant ces trois notions, auxquelles il faut ajouter celle de personnage, que l'on peut définir la problématique propre d'un genre souvent contesté.

La capacité du roman à rendre compte de **la confrontation de l'individu et du monde** a été pour beaucoup dans son accession à la respectabilité (**chapitre 12.** Le roman et le réel), le réalisme des grands romanciers du XIXe siècle – et déjà chez Diderot – lui ayant donné la caution du « réel ». Le rôle qu'y jouent **les personnages** explique d'autre part qu'il ait conquis un large public (**chapitre 13.** Roman et personnage). Ces deux points ont suscité chez les écrivains **des prises de position opposées** (**chapitre 14.** Le roman en question) avant de faire l'objet, dans la deuxième moitié du XXe siècle, d'un examen plus approfondi de la part de critiques qui l'ont analysé comme **une forme littéraire originale** (**chapitre 15.** Poétique du roman).

---

1. Charles BAUDELAIRE, *Théophile Gautier*, 1859, dans *Œuvres complètes* II, Paris, Gallimard, « Bibliothèque de la Pléiade », p. 119.
2. « Nous comprenons mieux, maintenant, à la lumière de la critique moderne, la nature du roman, dont les contraintes profondes sont celles de la narration et de la fiction » (Henri MITTERAND, *Le Regard et le signe*, Paris, PUF, coll. « Écriture », p. 75).

CHAPITRE 12

Le roman et réel

« Par un roman, on a entendu jusqu'à ce jour un tissu d'événements chimériques et frivoles, dont la lecture était dangereuse pour le goût et pour les mœurs», écrivait Diderot dans son *Éloge de Richardson* (1762). Le genre *romanesque* a longtemps été accusé de donner une vision fausse et idéalisée de la réalité, de flatter les goûts d'un public avide de divertissement et d'exercer un effet corrupteur sur les âmes sensibles: Rousseau raconte ainsi au début de ses *Confessions* que les «émotions confuses» qu'il a éprouvées en apprenant à lire dans les romans qu'avait appréciés sa mère «[lui] donnèrent de la vie humaine des notions bizarres et romanesques, dont l'expérience et la réflexion n'ont jamais bien pu [le] guérir», et Flaubert explique le bovarysme d'Emma par son désir de trouver dans la vie réelle les «*messieurs braves comme des lions, doux comme des agneaux, vertueux comme on ne l'est pas*» qui l'avaient fait rêver dans les romans lus à quinze ans.

Pour devenir un genre sérieux et respectable, le roman s'est alors réclamé de la vérité (**58. Diderot**) avant d'être défini par les romanciers qualifiés aujourd'hui de *réalistes* comme une représentation exacte de «la Société», de «la nature», de «la vie» (**59. Stendhal, Balzac, Flaubert, Zola**). «Ah! la vie, la vie! la sentir et la rendre dans sa réalité, [...] faire vivre, et faire des hommes, la seule façon d'être Dieu!» fait dire Zola au romancier Sandoz dans *L'Œuvre*. Le théoricien du naturalisme a prétendu recourir à la méthode expérimentale de Claude Bernard et fait du romancier «un observateur et [...] un expérimentateur»: «un roman expérimental, *La Cousine Bette* par exemple, est simplement le procès-verbal de l'expérience, que le romancier répète sous les yeux du public[1]».

---

1. Émile Zola, *Le Roman expérimental*, 1880, dans *Œuvres complètes*, Cercle du Livre Précieux, t. X, p. 1179.

Pour ces romanciers, revendiquer la conformité au réel, c'était d'abord s'élever contre les formes convenues de la fiction («les romans de *femmes de chambre*» dont se moquait Stendhal[1]) et non rechercher la copie conforme du réel comme le pensaient les premiers utilisateurs du mot *réalisme* dans le domaine esthétique, où il avait alors une connotation nettement péjorative : en 1826, un rédacteur du *Mercure français* écrit ainsi que «cette doctrine littéraire [...] qui conduirait à une fidèle imitation, non pas des chefs-d'œuvre de l'art mais des originaux que nous offre la nature, pourrait fort bien s'appeler le *réalisme*[2]». C'est en ce sens que le réalisme a été ignoré par Stendhal et Balzac, puis rejeté par Flaubert («j'exècre ce qu'on est convenu d'appeler le *réalisme*, bien qu'on m'en fasse un des pontifes», Lettre à George Sand, 6 février 1876) et même par Zola (voir le texte **59e**). Se voulant d'abord des artistes, ils étaient bien conscients que le roman constitue un art de l'illusion (**58b. Diderot ; 59d. Flaubert**) et fait une large part à la personnalité de l'auteur (**59e et f. Zola**).

Le naturalisme a été rejeté par Gustave Lanson, qui opposait «la littérature et la science», affirmait qu'une œuvre littéraire ne vaut que par «sa forme parfaite» et se moquait des «fabricateurs de "document" humain[3]». Il a été aussi critiqué au nom même du réalisme pour son recours à «la méthode descriptive» (**60. Lukács**).

Il est désormais bien établi que «l'illusion de vie est une constante du genre romanesque», comme l'écrit Vincent Jouve, qui analyse les procédés dont dispose le romancier pour la créer[4]. Écrivains et critiques ont en effet étudié «l'illusion romanesque» (**61. Robert**), récusé la notion de «miroir» (**62. Malraux**) ou montré qu'il était nécessairement «fêlé» (**63. Dufour**).

Cela ne diminue en rien la valeur du genre romanesque qui, en posant systématiquement la question des valeurs et celle de la place de l'individu dans l'ordre commun, peut être défini comme une anthropologie fondamentale (**64. Pavel**).

—————— 58. DENIS DIDEROT ET LE ROMAN «VRAI» ——————

Diderot a fait profession de foi de *réalisme* bien avant les théoriciens et romanciers du XIXe siècle qui ont popularisé le mot dans son acception esthétique. *Jacques le Fataliste*, à la fois roman somme et anti-roman, critique les conventions et inventions des «faiseurs de romans» d'aventures

---

1. STENDHAL, projet d'article sur *Le Rouge et le Noir*, Paris, Gallimard, coll. «Bibliothèque de la Pléiade», p. 703.
2. Cité dans le *Trésor de langue française* (consultable en ligne sur le site http://atilf.atilf.fr/tlf.htm), article «Réalisme».
3. Gustave LANSON, *Hommes et livres* (1895), Slatkine Reprints, 1979, p. 346 et 347.
4. Vincent JOUVE, *L'Effet-personnage*, Paris, PUF, 1998, p. 109-119.

et prétend rapporter des histoires vraies. Ses idées en matière d'esthétique romanesque sont synthétisées dans l'*Éloge de Richardson* et dans *Les Deux Amis de Bourbonne*.

58a. *Éloge de Richardson* (1762)

Diderot célèbre en l'auteur de *Pamela ou la Vertu récompensée* (1740) et de *Clarisse Harlowe* (1748) l'écrivain qui, renonçant à exploiter le goût du public pour le *romanesque* (aventures exotiques, « féerie », « biais chimériques ») et la « débauche », a donné ses lettres de noblesse au roman. Désormais, celui-ci se voit attribuer un double programme, qui est à la fois sa légitimation et la condition de son succès auprès des lecteurs.

Se reconnaître et s'instruire

> *Il doit d'abord se faire* **roman de mœurs** *et représenter « le monde où nous vivons ». En outre, se situant dans une perspective classique qui postule l'existence d'une nature humaine éternelle, Diderot assigne au roman le but de peindre des « caractères » et des « passions » : il admire chez Richardson une profonde* **vérité psychologique**.
>
> *Ainsi, dans le même mouvement, le roman peut* **passionner le lecteur** *(qui se reconnaît dans des « personnages [qui] ont toute la réalité possible ») et l'instruire mieux que l'histoire, accusée de pallier par l'invention les lacunes de sa documentation alors que le romancier copie toujours d'après nature.*
>
> *On notera que pour Diderot cette imitation n'exclut pas l'art, qui est toujours illusion.*

Cet auteur ne fait point couler le sang le long des lambris ; il ne vous transporte point dans des contrées éloignées ; il ne vous expose point à être dévoré par des sauvages ; il ne se renferme point dans les lieux clandestins de la débauche ; il ne se perd jamais dans les régions de la féerie. Le monde où nous vivons est le lieu de la scène ; le fond de son drame est vrai ; ses personnages ont toute la réalité possible ; ses caractères sont pris du milieu de la société ; ses incidents sont dans les mœurs de toutes les nations policées ; les passions qu'il peint sont telles que je les éprouve en moi ; ce sont les mêmes objets qui les émeuvent, elles ont l'énergie que je leur connais ; les traverses et les afflictions de ses personnages sont de la nature de celles qui me menacent sans cesse ; il me montre le cours général des choses qui m'environnent. Sans cet art, mon âme se pliant avec peine à des biais chimériques, l'illusion ne serait que momentanée, et l'impression faible et passagère.

[…] Ô Richardson ! j'oserai dire que l'histoire la plus vraie est pleine de mensonges, et que ton roman est plein de vérités ; l'histoire peint quelques individus ; tu peins l'espèce humaine ; l'histoire attribue à quelques individus ce qu'ils n'ont ni dit, ni fait ; tout ce que tu attribues à l'homme, il l'a dit et fait ; l'histoire n'embrasse qu'une portion de la durée, qu'un point de la surface du globe ; tu as embrassé tous les lieux et tous les temps. Le cœur humain, qui a été, est et sera toujours le même, est le modèle d'après lequel tu copies. Si l'on appliquait au meilleur historien une critique sévère, y en a-t-il un qui la soutînt comme toi ? Sous ce point de vue, j'oserai dire que souvent l'histoire est un mauvais roman ; et que le roman, comme tu l'as fait, est une bonne histoire. Ô peintre de la nature, c'est toi qui ne mens jamais.

Les Deux Amis de Bourbonne (1770)

Diderot distingue « trois sortes de contes » (nous dirions plutôt *récits*) selon leur degré de conformité au réel. Il oppose au « conte historique » (le récit *réaliste*), d'une part « le conte merveilleux » à la manière d'Homère, qui présente une nature « exagérée », d'autre part « le conte plaisant à la façon de La Fontaine […] où le conteur ne se propose ni l'imitation de la nature, ni la vérité, ni l'illusion ». **L'art le plus réaliste est toujours séduction, illusion.** George Sand voyait dans l'œuvre de Balzac « la réalité la plus complète dans la plus complète fiction[1] ».

58b. Théorie et pratique de l'illusion réaliste

Le conte historique, tel qu'il est écrit dans les Nouvelles de Scarron, de Cervantes, de Marmontel […] se propose de vous tromper ; il est assis au coin de votre âtre ; il a pour objet la vérité rigoureuse ; il veut être cru ; il veut intéresser, toucher, entraîner, émouvoir, faire frissonner la peau et couler les larmes ; effet qu'on n'obtient point sans éloquence et poésie. Mais l'éloquence

---

1. Cité par Madeleine FARGEAUD dans l'introduction à *La Comédie humaine*, Paris, Gallimard, coll. « Bibliothèque de la Pléiade », t. I, p. 6.

est une sorte de mensonge, et rien de plus contraire à l'illusion que la poésie ; l'une et l'autre exagèrent, surfont, amplifient, inspirent la méfiance : comment s'y prendra donc ce conteur-ci pour vous tromper ? Le voici. Il parsèmera son récit de petites circonstances si liées à la chose, de traits si simples, si naturels, et toutefois si difficiles à imaginer, que vous serez forcé de vous dire en vous-même : Ma foi, cela est vrai : on n'invente pas ces choses-là. C'est ainsi qu'il sauvera l'exagération de l'éloquence et de la poésie ; que la vérité de la nature couvrira le prestige de l'art ; et qu'il satisfera à deux conditions qui semblent contradictoires, d'être en même temps historien et poète, véridique et menteur.

NOTIONS CLÉS

Fonction du roman – Histoire – Mensonge/Vérité romanesques – Psychologie – Réalisme – Vérité.

▶ Le romancier réaliste donne l'illusion de la réalité en masquant son art par des détails faussement naturels.

▶ Mieux que l'historien, il atteint à la vérité humaine.

———— 59. STENDHAL, BALZAC, FLAUBERT, ZOLA ————
L'affirmation du réalisme au XIXᵉ siècle

« *All is true* », assure le narrateur du *Père Goriot*. Chez les réalistes du XIXᵉ siècle, ce processus de légitimation du roman par la vérité ou le réel (ces deux notions ne sont pourtant pas identiques) s'exprime à travers les métaphores du miroir, de l'historien et du savant.

Le roman est « miroir », reflet fidèle et complet du réel (**59a. Stendhal, 59b. Balzac**). C'est, pour les romanciers, une façon commode de réfuter par avance l'accusation d'immoralité adressée alors au roman réaliste (sur cette question, voir les textes 136 et 137).

La métaphore de l'histoire, déjà utilisée par Diderot dans *Jacques le Fataliste* (« Je n'aime pas les romans, à moins que ce ne soient ceux de Richardson. Je fais l'histoire. […] Mon projet est d'être vrai »), est reprise par Balzac qui se définit comme le « secrétaire » de « l'historien » que constitue à ses yeux « la Société française ». La création romanesque se réduirait ainsi à l'élaboration de personnages types (**59c**).

Dans l'«*Avant-propos*» de *La Comédie humaine*, Balzac disait aussi suivre la voie de Buffon et Geoffroy Saint-Hilaire et caractériser les «Espèces Sociales» sur le modèle des «Espèces Zoologiques». L'auteur de *Madame Bovary* prône «*l'impersonnalité* de l'artiste» et «une méthode impitoyable» qui doit donner à l'art «**la précision des sciences physiques**», tout en associant l'exigence du «Beau» à celle du « Vrai» (**59d. Flaubert**). Zola, se réclamant de Balzac et de Flaubert, fait la théorie du «roman expérimental», fondé sur l'observation et l'expérimentation. Son modèle est alors Claude Bernard qui a constitué la médecine en science par le recours systématique à la méthode expérimentale.

Vanter la perfection de l'observation, c'est risquer de nier le roman en tant qu'œuvre d'art. Les détracteurs du réalisme ne s'en sont pas fait faute qui ont prolongé la métaphore du miroir par celle de la photographie, considérée alors comme dépourvue de toute valeur artistique. Or les réalistes – on l'oublie trop souvent – ont été les premiers à revendiquer leur qualité d'artistes. Balzac affirme ainsi que le romancier de génie, outre «*l'observation*» et «*l'expression*» (qui lui permet de «donner une forme vivante à [ses] pensées»), dispose d'une troisième «puissance» : «une sorte de seconde vue qui [lui] permet de deviner la vérité dans toutes les situations possibles» (Préface de *La Peau de chagrin*). Flaubert se veut artiste dans le travail de la phrase (voir le texte 74a). Zola retrouve les catégories de Balzac, son maître, quand il précise que «le sens du réel» ne vaut pas sans «**l'expression personnelle**» (ces formules correspondent aux titres de deux chapitres du *Roman expérimental*) et considère que c'est la personnalité qui fait vraiment l'artiste (**59e et f. Zola**).

De ce point de la doctrine esthétique de Zola (souvent passé sous silence dans la vulgate scolaire), Maupassant a donné une formulation plus expressive et provocatrice pour mieux distinguer le roman de la photographie : selon lui, «les Réalistes de talent», comme tout individu, se font une image personnelle du monde mais savent la faire accepter au public par des artifices artistiques et devraient donc être considérés comme **des «Illusionnistes»** («Le Roman», étude publiée avec *Pierre et Jean*, 1888).

59a. Stendhal

Un roman est un miroir qui se promène sur une grande route[1]. Tantôt il reflète à vos yeux l'azur des cieux, tantôt la

---

1. «Cette définition, si aujourd'hui elle nous semble un peu courte, a le mérite de nous rappeler que c'est le "réel" – et rien d'autre – qui est bien l'objet de la spéculation romanesque. C'est lui que le roman reflète ou qu'il hallucine, c'est sur lui et avec lui qu'il compte, c'est lui qui fait sa valeur» (Philippe FOREST, *Le Roman, le réel. Un roman est-il encore possible ?*, Saint-Sébastien-sur-Loire, Éditions Pleins Feux, 1999, p. 29).

fange des bourbiers de la route. Et l'homme qui porte le miroir dans sa hotte sera par vous accusé d'être immoral! Son miroir montre la fange, et vous accusez le miroir! Accusez bien plutôt le grand chemin où est le bourbier, et plus encore l'inspecteur des routes qui laisse l'eau croupir et les bourbiers se former.

STENDHAL, *Le Rouge et le Noir*, 1831, II, 19.

59b. Honoré de Balzac

L'art littéraire, ayant pour objet de reproduire la nature par la pensée, est le plus compliqué de tous les arts.

[...] L'écrivain doit être familiarisé avec tous les effets, toutes les natures. Il est obligé d'avoir en lui je ne sais quel miroir concentrique où, suivant sa fantaisie, l'univers vient se réfléchir; sinon, le poète et même l'observateur n'existent pas; car il ne s'agit pas seulement de voir, il faut encore se souvenir et empreindre ces impressions dans un certain choix de mots et les parer de toute la grâce des images ou leur communiquer le vif des sensations primordiales...

Or, sans entrer dans les méticuleux *aristotélismes* créés par chaque auteur pour son œuvre, par chaque pédant dans sa théorie, l'auteur peut être d'accord avec toute intelligence, haute ou basse, en composant *l'art littéraire* de deux parties distinctes: *l'observation – l'expression.*

Honoré de BALZAC, *La Peau de chagrin*, 1831,
Préface de la première édition, Éd. Garnier, p. 309.

59c. Honoré de Balzac

La Société française allait être l'historien, je ne devais être que le secrétaire. En dressant l'inventaire des vices et des vertus, en rassemblant les principaux faits des passions, en peignant les caractères, en choisissant les événements principaux de la Société, en composant des types par la réunion des traits de plusieurs caractères homogènes, peut-être pouvais-je arriver à écrire l'histoire oubliée par tant d'historiens, celle des mœurs.

Honoré de BALZAC, « Avant-propos » de 1842 à *la Comédie humaine.*

> ► BAUDELAIRE, « Théophile Gautier » : « J'ai mainte fois été étonné que la grande gloire de Balzac fût de passer pour un observateur ; il m'avait toujours semblé que son principal mérite était d'être visionnaire, et visionnaire passionné. Tous ses personnages sont doués de l'ardeur vitale dont il était animé lui-même. Toutes ses fictions sont aussi profondément colorées que les rêves. »

59d. Gustave Flaubert

Madame Bovary n'a rien de vrai. C'est une histoire *totalement inventée* ; je n'y ai rien mis ni de mes sentiments ni de mon existence. L'illusion (s'il y en a une) vient au contraire de *l'impersonnalité* de l'œuvre. C'est un de mes principes, qu'il ne faut pas *s'écrire*. L'artiste doit être dans son œuvre comme Dieu dans la création, invisible et tout-puissant ; qu'on le sente partout, mais qu'on ne le voie pas.

Et puis, l'Art doit s'élever au-dessus des affections personnelles et des susceptibilités nerveuses ! Il est temps de lui donner, par une méthode impitoyable, la précision des sciences physiques ! La difficulté capitale, pour moi, n'en reste pas moins le style, la forme, le Beau indéfinissable *résultant de la conception même* et qui est la splendeur du Vrai, comme disait Platon[1].

Gustave FLAUBERT, Lettre à mademoiselle
Leroyer de Chantepie, 18 mars 1857.

> ► Roland BARTHES, *Le Magazine littéraire*, n° 108, janvier 1976 : « Tout le vertige de Flaubert tient dans ces deux mots d'ordre, contradictoires mais maintenus simultanés : "travaillons à finir la phrase" et, d'autre part, "ça n'est jamais fini". Flaubert, par le travail du style, est le dernier écrivain classique, mais, parce que ce travail est démesuré, vertigineux, névrotique, il gêne les esprits classiques, de Faguet à Sartre. C'est par là qu'il devient le premier écrivain de la modernité : parce qu'il accède à une folie. Une folie qui n'est pas de la représentation, de l'imitation, du réalisme, mais une folie de l'écriture, une folie du langage. »

---

1. Il ne semble pas que Platon ait écrit textuellement que « le Beau est la splendeur du Vrai » mais sa pensée associe en effet le beau, le vrai et le bien. Flaubert admirait Boileau (voir l'introduction du texte 74) et son esthétique est sur ce point conforme à l'idéal classique (« Rien n'est beau que le vrai : le vrai seul est aimable ; / Il doit régner partout, et même dans la fable : / De toute fiction l'adroite fausseté / Ne tend qu'à faire aux yeux briller la vérité » – *Épître* IX, 1675).

59e. Émile Zola

Tout en organisant et systématisant jusqu'à l'outrance ses principes esthétiques en une doctrine susceptible de lui assurer la notoriété, le théoricien du naturalisme est resté fidèle au credo formulé dans sa jeunesse dans une lettre du 18 août 1864 à son ami Valabrègue, à qui il recommandait de « donn[er] toute son expansion à [son] tempérament » car le roman réaliste (comparé à un écran sur lequel vient se refléter la nature) « doit avoir en lui des propriétés particulières qui déforment les images, et qui, par conséquent, font de ces images des œuvres d'art » : « La réalité exacte est donc impossible dans une œuvre d'art.[…] Il y a déformation de ce qui existe. Il y a mensonge. »

*Il a formulé ensuite ce credo dans une phrase célèbre : « **Une œuvre d'art est un coin de la création vu à travers un tempérament** » (Mes haines, 1865), reprise, avec des variantes, dans les articles écrits en faveur de Manet et des futurs impressionnistes : « Le mot "réaliste" ne signifie rien pour moi, qui déclare subordonner le réel au tempérament. Faites vrai, j'applaudis ; mais surtout faites individuel et vivant, et j'applaudis plus fort » (Mon Salon, 1866). Plus tard, dans ses manifestes les plus polémiques, il a toujours valorisé la « personnalité d'artiste » en précisant bien que l'observation et l'expérimentation ne constituent que la première phase du travail.*

[…] le naturalisme est purement une formule, la méthode analytique et expérimentale. Vous êtes naturaliste si vous employez cette méthode, quelle que soit d'ailleurs votre rhétorique. […] On ne vous demande pas d'écrire d'une certaine façon, de copier tel maître ; on vous demande de chercher et de classer votre part de documents humains, de découvrir votre coin de vérité, grâce à la méthode.

Ici, l'écrivain n'est encore qu'un homme de science. Sa personnalité d'artiste s'affirme ensuite par le style. C'est ce qui constitue l'art. On nous répète cet argument stupide que nous ne reproduisons jamais la nature dans son exactitude. Eh! sans doute, nous y mêlerons toujours notre humanité, notre façon de rendre. Seulement, il y a un abîme entre l'écrivain naturaliste qui va du connu à l'inconnu, et l'écrivain idéaliste qui a la prétention d'aller de l'inconnu au connu. Si nous ne donnons jamais la nature tout entière, nous vous donnerons au moins la nature vraie, vue à travers notre humanité; tandis que les autres compliquent les déviations de leur optique personnelle par les erreurs d'une nature imaginaire, qu'ils acceptent empiriquement comme étant la nature vraie. En somme, nous ne leur demandons que de reprendre l'étude du monde à l'analyse première, sans rien abandonner de leur tempérament d'écrivain.

Émile ZOLA, Le Roman expérimental (1880), Œuvres complètes,
Cercle du Livre Précieux, t. X, p. 1224-1225.

59f. Émile Zola

Henri Mitterand a souligné les transformations que Germinal *a fait subir aux données géographiques scrupuleusement notées par Zola dans ses carnets : « Il n'en reste que de pures valeurs ou de purs éléments, comme la nuit, le noir, le feu, la terre, le vent, le corps, le gouffre, la bête, qui peu à peu se prennent en système, s'organisent en corrélations relevant d'un autre univers que celui de la société industrielle du Second Empire : l'univers du mythe. [...] C'est ainsi que* **le roman s'érige en mythe explicatif.** *[...] L'homme qui a su voir cède la place au visionnaire*[1] *. »*

Zola a lui-même analysé son « tempérament lyrique », qu'il explique par « le mécanisme de [son] œil » : sa vision hyperbolique et symbolique déforme le réel, mais c'est pour mieux le dévoiler, le « mensonge » est au service du vrai. Ce paradoxe a été développé par de nombreux romanciers (voir 72. Aragon).

J'agrandis, cela est certain; mais je n'agrandis pas comme Balzac, pas plus que Balzac n'agrandit comme Hugo. Tout est là, l'œuvre est dans les conditions de l'opération. Nous mentons tous plus ou moins, mais quelle est la mécanique et la mentalité de notre mensonge? Or – c'est ici que je m'abuse peut-être – je crois encore que je mens pour mon compte dans le sens de la

---

1. Henri MITTERAND, *Le Regard et le signe. Poétique du roman réaliste et naturaliste*, PUF, coll. « Écriture », 1987, p. 89-90.

vérité. J'ai l'hypertrophie du détail vrai, le saut dans les étoiles sur le tremplin de l'observation exacte. La vérité monte d'un coup d'aile jusqu'au symbole. Il y aurait là beaucoup à dire.

Émile ZOLA, Lettre à Henry Céard, 22 mars 1885.

NOTIONS CLÉS

Mensonge/Vérité – Morale – Naturalisme – Personnage – Personnalité de l'écrivain – Réalisme – Science – Style – Vérité.

▶ Soucieux de combattre l'image d'un roman futile et immoral, les romanciers réalistes du XIXᵉ siècle poursuivent un idéal de vérité et se réclament de méthodes scientifiques.

▶ Toutefois – et particulièrement dans le naturalisme zolien – la réalité observée est filtrée et éclairée par la personnalité de l'artiste.

▶ Marthe ROBERT, *Roman des origines et origines du roman* : « Le roman se distingue de tous les autres genres littéraires, et peut-être de tous les autres arts, par son aptitude non pas à reproduire la réalité, comme il est reçu de le penser, mais à remuer la vie pour lui recréer sans cesse de nouvelles conditions et en redistribuer les éléments. »

60. GEORG LUKÁCS
Problèmes du réalisme (1975)

Promoteur de la sociologie de la littérature d'inspiration marxiste mais adversaire du « sociologisme vulgaire », Georg Lukács (1885-1971) met en relation les formes littéraires et les différentes phases de l'histoire sociale : ainsi « le roman est l'épopée d'un monde sans dieux » parce qu'il met en scène un individu problématique dans un monde contingent (*La Théorie du roman*, 1920). Plus précisément, dans un essai de 1936, « Raconter ou décrire ? », il affirme : « **Tout style nouveau naît de la vie, sur la base d'une nécessité socio-historique**, il est la résultante nécessaire du développement social. » Balzac, Stendhal, Dickens, Tolstoï ont participé à la transformation de la vieille société en société capitaliste ; leurs récits épiques et leurs personnages typiques permettent au lecteur de distinguer l'essentiel dans l'imbroglio de la vie. Après 1848, Flaubert et Zola ne sont plus que les « observateurs critiques » de la « société bourgeoise déjà instituée, achevée », ils substituent au récit une « méthode descriptive ». Or, « le récit structure, la description nivelle », comme l'illustre la comparaison d'*Illusions perdues* (1837-1843) et de *Nana* (1880).

Description exhaustive et description dramatique

Dans ces deux romans, la description du théâtre n'a pour Lukács ni le même statut ni la même fonction. Chez Zola, elle prend la forme d'un « tableau » qui ne fait pas progresser l'action ; visant à l'« exhaustivité monographique », elle constitue un morceau de bravoure dans lequel le romancier a mis tout son métier et qui suscite l'admiration du lecteur. Chez Balzac, au contraire, la description est au service du récit : le théâtre sert de cadre aux aventures dramatiques du poète Lucien qui découvre que la société capitaliste ne reconnaît à la littérature qu'une valeur marchande. Le récit balzacien permet de comprendre comment s'opère cette transformation, la description zolienne se contente de montrer le résultat (négligeable : caput mortuum), *le fait social figé et comme naturalisé.*

Au-delà d'une préférence marquée pour le réalisme balzacien, on peut voir dans ce jugement sévère de Lukács sur Zola une défense du roman et de ses pouvoirs : fondé sur la description d'un « milieu », le naturalisme tend en effet à réduire la part des personnages et de la diégèse* alors que la fiction est porteuse d'une vérité que ne peut fournir la seule exploitation des documents.

Prenons la description du théâtre dans le même roman de Zola et comparons-la à celle de Balzac dans *Illusions perdues.* Extérieurement, il y a plus d'une ressemblance. La création de la pièce par quoi commence le roman de Zola décide de la carrière de Nana. Chez Balzac, la première signifie un tournant dans la carrière de Lucien de Rubempré, son passage de la situation de poète méconnu à celle de journaliste à succès et dénué de scrupules.

De nouveau, chez Zola, le théâtre est décrit avec l'exhaustivité la plus consciencieuse. Cette fois, à vrai dire, seulement à partir de la salle. Tout ce qui se passe dans la salle, au foyer, dans les loges, l'aspect de la salle vue de là, tout est décrit avec un éblouissant talent d'écrivain. Et la soif d'exhaustivité monographique de Zola ne s'arrête pas là. Il consacre un autre chapitre de son roman à la description du théâtre vu de la scène, où dès lors les changements de décors, les loges avec les habilleuses, etc., pendant la représentation et les temps morts, font l'objet d'une description tout aussi éblouissante. Et pour compléter ce tableau, dans un troisième chapitre est décrite, de la même façon consciencieuse et éblouissante, la répétition d'une pièce.

Cette exhaustivité des objets matériels est absente chez Balzac. Pour lui, le théâtre, la représentation, n'est que la scène des drames intérieurs des hommes: l'ascension de Lucien, la carrière théâtrale de Coralie, la naissance de la passion entre Lucien et Coralie, les conflits ultérieurs de Lucien avec ses anciens amis du cénacle de d'Arthez, avec son actuel protecteur Lousteau, le début de sa campagne vengeresse contre madame de Bargeton, etc.

Mais qu'est-ce qui est figuré dans toutes ces luttes et tous ces conflits qui sont en rapport, direct ou indirect, avec le théâtre? Le destin du théâtre sous le capitalisme: la subordination universelle et compliquée du théâtre au capital, du théâtre au journalisme, lui-même subordonné au capital; les rapports du théâtre et de la littérature, du journalisme et de la littérature; le caractère capitaliste de ces rapports qui unissent la vie des actrices à la prostitution ouverte et clandestine.

Ces problèmes sociaux apparaissent aussi chez Zola. Mais ils ne sont décrits que comme des faits sociaux, comme des résultats, comme *caput mortuum* du développement. Quand on lui parle de son établissement, le directeur de théâtre chez Zola répète sans cesse: «Dites mon bordel!» Mais Balzac figure *la manière* dont, sous le capitalisme, le théâtre *est* prostitué. Le drame des personnages principaux est en même temps ici le drame de l'institution à laquelle ils collaborent, des choses dont ils vivent, du lieu où ils livrent leurs combats, des objets par lesquels s'expriment et sont médiatisées leurs relations.

Georg LUKÁCS, *Problèmes du réalisme*, trad. fr. C. Prévost et J. Guégan,
© Éd. de L'Arche, 1975, p. 133-134.

NOTIONS CLÉS

Description – Naturalisme – Réalisme – Récit – Roman – Société.

▶ Selon Lukács, la description zolienne, en se substituant au récit, se définit comme un exercice de style et se prive du pouvoir d'éclairer en profondeur la société de son temps.

▶ Julien GRACQ, *En lisant, en écrivant*: «Toutes les maisons, tous les jardins, tous les mobiliers, tous les costumes des romans de Zola, à l'inverse de ceux de Balzac, sentent la fiche et le catalogue.»

61. MARTHE ROBERT
Roman des origines et origines du roman (1972)

Spécialiste de littérature allemande (notamment de Kafka) et de psychanalyse, Marthe Robert entend ici élaborer une théorie du roman qui rende
compte de la diversité de ses réalisations. Or le roman, qui ne respecte
aucune convention, ne peut être défini par des formes littéraires. Son
unité est à chercher dans un « noyau primitif », **une structure psychique
inconsciente** que Freud appelle le *roman familial*, biographie fabuleuse
que s'invente le petit enfant confronté à la nécessité de se détacher de ses
parents.

Dans un premier stade (narcissique et pré-œdipien), il s'attribue le rôle
de *l'enfant trouvé* qui va rejeter ses parents adoptifs roturiers pour vivre
avec sa vraie famille dans un autre monde, radicalement différent. À cet
âge psychique correspond le roman fantaisiste ou fantastique (*Tristan et
Yseult, Don Quichotte, Aurélia*, etc.).

Au stade œdipien, l'enfant se rêve *bâtard*, fils d'une mère adultère
et d'un père puissant mais inconnu, il s'engage dans le monde pour y
conquérir sa vraie place. Ce scénario inspire les romanciers réalistes qui
« retouchent leur propre histoire en simulant le rythme et le grouillement
de la vie ».

Ainsi, les « deux attitudes romanesques possibles » relèvent d'un désir
« préhistorique » (universel, comme le complexe d'Œdipe) de « refaire la
vie dans des conditions idéales » : **la réalité qu'évoque le roman est toujours fictive.**

L'illusion romanesque

> S'il est vrai qu'à cause de son désir en quelque sorte pré-
> historique de refaire la vie dans des conditions idéales (ce
> qui ne veut pas dire que les vies représentées soient néces-
> sairement meilleures ou plus belles que les vraies, il suffit
> qu'en les écrivant l'auteur ait le sentiment de corriger la
> sienne), le roman est recherche du temps perdu, éducation
> sentimentale, années d'apprentissage et de formation, c'est-
> à-dire du temps et de l'espace *mis en œuvre*, il semble toute-
> fois qu'il reste libre de régler ses rapports avec les données
> de l'expérience sensible, ou plus exactement, avec l'illusion
> sur quoi se fondent ses effets. En gros, et sans tenir compte
> des innombrables formes transitoires, l'illusion romanesque
> peut être traitée de deux façons : ou bien l'auteur fait *comme*

si elle n'existait pas du tout, et l'œuvre passe pour réaliste, naturaliste ou simplement fidèle à la vie ; ou bien il exhibe le *comme si* qui est sa principale arrière-pensée, et dans ce cas l'œuvre est dite onirique, fantastique, subjective, ou encore rangée sous la rubrique plus large du symbolique. Il y a donc deux types de roman, l'un qui prétend prélever sa matière sur le vif pour devenir un «tranche de vie» ou le fameux «miroir qu'on promène sur un chemin[1]» ; l'autre qui, avouant de prime abord n'être qu'un jeu de formes et de figures, se tient quitte de toute obligation qui ne découle pas immédiatement de son projet. Des deux naturellement c'est le premier qui trompe le plus sûrement puisqu'il met tous ses soins à escamoter l'illusion ; par surcroît il fait ressortir la tromperie du second, car si l'écrit et le vivant présentent entre eux non pas des analogies, mais bel et bien des degrés de passage que tout auteur peut espérer franchir jusqu'au dernier, le roman de pure fantaisie est nécessairement ressenti comme faux ou tout au moins comme attardé au niveau de la pure distraction (c'est déjà l'argument des *curés* et des *barbiers* contre les romans de chevalerie[2]).

Marthe ROBERT, *Roman des origines et origines du roman*,
© Éd. Grasset, 1972 ; Éd. Gallimard, coll. «Tel», 1977, p. 69-70.

NOTIONS CLÉS

Fiction – Fonction du roman – Illusion réaliste – Inconscient –
Psychologie – Réalité.

▶ Le roman ne donne jamais qu'une image, plus ou moins illusoire, du réel.

▶ Ce recours à la fiction, au fantasme, satisfait chez l'homme le désir inconscient de corriger son histoire individuelle et de refaire le monde.

▶ Bernard PINGAUD, préface à *Pierre et Jean* : «Le domaine du roman est celui du fantasme, c'est-à-dire d'une organisation inconsciente qui forme la réalité en la déformant et que, par conséquent, aucun critère de vraisemblance, d'objectivité ne saurait invalider.»

---

1. Voir 59a. Stendhal.
2. Dans le roman de Cervantes, le curé et le barbier tentent de soustraire Don Quichotte à l'influence nocive des romans de chevalerie.

62. ANDRÉ MALRAUX
L'Homme précaire et la littérature (1977)

Malraux a érigé en principe **l'autonomie de l'art** : pour lui, une œuvre s'inspire non de la réalité mais de l'ensemble des œuvres qui l'ont précédée (de « la Bibliothèque » – voir le texte 22). « Ce que veut tout auteur, avant de raconter l'histoire de Mme de Clèves ou de Coupeau, c'est : écrire-un-chef-d'œuvre » (p. 152). Cette définition du romancier comme artiste, créateur de formes et de relations nouvelles, a deux conséquences importantes.

Roman et histoire

> *Malgré les proclamations des réalistes du XIXe siècle, le roman ne reproduit pas le réel (même déformé par « un tempérament ») :* **le romancier invente un monde** *(« une coordination » entre les choses) qui lui est propre et qui est la marque de son génie (voir 6. Proust). Malraux critique ici « l'illusionnisme » réducteur qui se fonde sur une conception simpliste de la création artistique : celle-ci ne met pas en jeu la seule observation mais des opérations « tantôt gouvernées et tantôt instinctives » (voir sur ce point le chapitre 6). Le roman n'est pas l'interprétation d'une partition qui serait l'histoire, « il n'y a pas de partition » :* **on ne peut isoler l'histoire*** *de la forme qu'elle prend dans l'écriture et la composition sans détruire la valeur artistique du roman. « Le génie du romancier est dans la part du roman qui ne peut être ramenée au récit » (p. 142).*
>
> *Ces deux observations sont liées. Le récit traditionnel ("balzacien") est le principal facteur de l'illusion réaliste, que critique aussi Robbe-Grillet : « Bien raconter, c'est [...] faire ressembler ce que l'on écrit aux schémas préfabriqués dont les gens ont l'habitude, c'est-à-dire à l'idée toute faite qu'ils ont de la réalité » (*Pour un nouveau roman, p. 34*).*

Nous regardons la narration, réalisme compris, comme on regardait la peinture, réalisme compris, en 1850 : l'illusionnisme y va de soi. Tout spectacle peut devenir en peinture ce qu'il devient dans un miroir, toute succession d'événements peut devenir, en littérature, le développement de son résumé.

Depuis «le miroir promené le long d'un chemin[1]», définition du roman prêtée par Stendhal à Saint-Réal, jusqu'à «la nature vue à travers un tempérament[2]», définition de la fin du siècle, on n'est passé que du miroir fidèle au miroir déformant. Alors qu'il ne s'agit pas de déformer, mais de former : d'inventer une autre coordination. Le lecteur voit, dans le romancier, l'interprète d'une histoire qu'il raconte, en raison d'une image puissante comme l'évidence : celle du musicien que chacun voit interpréter sa partition. L'évidence cesse lorsque la caméra nous demande : *quelle est la partition?* [...]

Nous parlons de l'élément spécifique d'un chef-d'œuvre, qui appartient à sa totalité – qu'on l'appelle musique, parfum, palette, ou de tout autre mot allusif – comme s'il était *transcrit*, s'il avait un modèle. Quelque part, fût-ce dans l'imagination de Stendhal, aurait existé une Parme que celui-ci eût reproduite. Mort sans avoir jamais écrit, il eût emporté avec lui *La Chartreuse de Parme*, violettes funèbres. Or, il n'existe pas plus de *Chartreuse*, non écrite, que de symphonie imaginaire ou de modèle d'un tableau cubiste. Le livre est le résultat d'une élaboration, d'une suite de parties, tantôt gouvernées et tantôt instinctives, dont chacune se répercute ; dans lesquelles le grand romancier trouve une coordination qui lui appartient comme le timbre de sa voix. Stendhal, Tolstoï, n'inventent pas mieux que d'autres leur intrigue, ne racontent pas mieux leur histoire. Ces critères s'appliquent aux romans narratifs (entre tous, aux romans policiers) et la création n'en a cure. Même si la survie doit un jour abandonner Stendhal, elle n'a pas retenu pour nous l'histoire de Berthet ni même celle de Julien, elle a retenu *Le Rouge et le Noir*. Pas l'histoire du prince André, mais *Guerre et paix*. Il n'y a pas de partition.

André MALRAUX,
L'Homme précaire et la littérature,
© Éd. Gallimard, 1977, p. 146-148.

---

1. «Un roman : c'est un miroir qu'on promène le long du chemin. SAINT-RÉAL» (épigraphe du *Rouge et le Noir*, I, XIII ; voir le texte 59a).
2. Voir le texte 59e.

NOTIONS CLÉS

Création littéraire – Critères de qualité – Illusion réaliste – Récit.

▶ La création romanesque ne reproduit pas le réel, elle instaure de nouveaux rapports entre les choses qui définissent le génie du romancier.

▶ Elle ne se limite donc pas à l'invention d'une histoire.

▶ Pierre REVERDY, *Self defence. Critique – Esthétique* : «Œuvre indivisible dont on ne peut transporter l'anecdote nue d'un côté, les idées d'un autre en laissant l'art ailleurs. Qu'on l'ait sous les yeux ou devant sa mémoire l'œuvre ne doit jamais se présenter que comme un ensemble qu'on ne peut dessouder.

Une œuvre littéraire ne peut être conçue en bloc autrement qu'écrite. »

63. PHILIPPE DUFOUR
Le Réalisme (1998)

Philippe Dufour étudie le réalisme « de Balzac à Proust », ce cadrage historique restreint réunissant des œuvres qui cherchent à comprendre la société née de la Révolution française : « le réalisme pense son temps, contre son temps », « il dévoile les dessous de l'Histoire », se constitue en « sociologie critique » et par là fait scandale. Il choque en outre en donnant une forme esthétique à la laideur physique ou morale en dehors de toute considération éthique (c'est la fin de « la trinité platonicienne du Beau alias le Vrai alias le Bien[1] » (p. 75) et en remettant en cause la représentation reçue de la réalité, « les idéologies qui se prétendent chacune la Vérité » (p. 91).

Un miroir fêlé

*Le critique montre aussi que le réalisme, loin d'être bridé par les documents fournis par une observation prétendument scientifique, « glisse du vu au rêvé », « met le savoir au service de l'imaginaire » (p. 130). Il existe ainsi **des réalismes** : le «**réalisme de l'observation**» (Balzac) qui analyse le monde extérieur pour en extraire le typique, le «**réalisme de la perception**» qui fabrique «un univers personnel» où le personnage se livre à «la chasse au bonheur» (Stendhal) ou est «en quête d'une esthétique» (Proust), le «**réalisme du sentir**» (Flaubert) dans lequel le monde apparaît au personnage sous la forme de sensations qui échappent à son analyse, le «**réalisme visionnaire**» d'un «écrivain prophète» qui «lit [...] dans la*

---

1. Voir 59d. Flaubert.

réalité présente la réalité à venir d'une société » (Hugo, Zola). Cha-cun des écrivains cités privilégie l'une de ces « écritures réalistes » mais en y mêlant les autres à des degrés divers.

La mobilité des écritures face au réel, la versatilité des styles, les revirements de manière, ces langages pluriels ne désignent-ils pas la radicale impossibilité de définir, de fixer le réel? Le réalisme part d'un projet impossible. Il veut dire la chose, la saisir en sa vérité, ou au moins en saisir une vérité. Mais il est expérience du manque. C'est ce qu'il lui faut tou-jours figurer, ainsi le trou de la fosse dans *Un enterrement* à *Ornans,* le trou au centre du Paris décrit dans *La Femme de trente ans*, les gouffres de Hugo, le «trou noir» de Flaubert. Cependant esthétique impossible, il l'est encore par le fait que de ce réel qu'il rate il ne veut de toute façon pas. Le réa-lisme porte en lui sa négation, par son désir d'excéder le réel. L'écriture visionnaire, de Hugo, de Zola, en est la manifestation la plus voyante : elle représente la réalité actuelle et l'avenir qui la remet en cause, elle désigne un réel promis à se défaire. Elle emporte l'état des choses, les convictions établies dans le tremblement du devenir. D'où le caractère insupportable de cette écriture pour les conservatismes soudainement dérangés dans leur rêve d'éternité. Le réalisme, miroir fêlé, étoile la réa-lité. Sa négation de la *mimèsis** se révèle encore d'une autre façon, quand une écriture somptueuse enveloppe le réel, le renie en même temps qu'elle le dit, grâce à une tension entre l'apparat des mots et les motifs de la laideur. Le style et les thèmes, l'énonciation* et ses énoncés, le signifiant et le réfé-rent entrent en antithèse. La beauté de récriture dénonce le scandale du réel. D'où là encore une force polémique obscu-rément sentie par les contemporains. Le réalisme n'imite pas la nature, il dénonce les fausses natures. Nul besoin pour cela d'articuler des thèses : l'écriture même y suffit. Flaubert, parce qu'artiste de la phrase, est un auteur engagé[1]. Le style possède une force de réfutation, ou de protestation. Ainsi, qu'il laisse

---

1. On peut voir là une réponse à la critique que Sartre adressait à Flaubert (voir le texte 140).

percer des visions ou qu'il fasse briller le poli de la forme au milieu même de son lamento, l'artiste réaliste rêve ou vit autrement cette Histoire dans laquelle il se sent si souvent englué. En ce sens, le réalisme n'est pas représentation de la réalité, mais déni de cette réalité.

Philippe DUFOUR, *Le Réalisme. De Balzac à Proust*,
© PUF, 1998, p. 315-316.

NOTIONS CLÉS

Mimèsis – Réalisme – Style – Vision du monde.

▶ Le réalisme ne peut ni ne veut représenter la réalité.
▶ Il la remet en cause en montrant qu'elle est promise à la destruction ou en magnifiant sa laideur.

—————— 64. THOMAS PAVEL ——————
La Pensée du roman (2003)

Selon Thomas Pavel, l'histoire du roman occidental du milieu du XVIᵉ siècle à la fin du XXᵉ a été animée par un «double mouvement en directions opposées – vers la vraisemblance sociale et psychologique d'abord et vers le modernisme par la suite» (p. 15). Cette évolution a vu s'affronter ainsi, sans que jamais l'une élimine l'autre, deux grandes tendances, l'idéalisme et le réalisme (dont l'avènement a été analysé par Auerbach[1]), et s'affirmer une exigence de recherche formelle. Elle a conduit à scinder le lectorat en deux groupes, le grand public, attaché à des romans qui satisfont son goût de la fiction et du divertissement, et l'élite intellectuelle intéressée par une écriture d'avant-garde[2].

De l'idéalisme au modernisme

L'histoire du roman est maquée par quatre grandes périodes :

– Inspiré du roman hellénistique (comme *Les Éthiopiques* d'Héliodore), **«l'idéalisme prémoderne»** a été longtemps dominant dans le

---

1. Erich AUERBACH, *Mimèsis, essai sur la représentation de la réalité dans la littérature occidentale* (1946), trad. fr. Gallimard, 1968.
2. Tzvetan Todorov fait le même constat : voir ci-dessus l'introduction au chapitre 9, p. 160.

roman de chevalerie, le roman héroïque, le roman pastoral, dont les héros parfaits, incarnant une norme morale transcendante et jouissant d'un privilège d'extraterritorialité, n'avaient rien de commun avec les hommes et la société ordinaires. Mais, en contrepoint, le réalisme se manifeste dans les romans satiriques ou picaresques et dans la nouvelle, d'où émergent *La Princesse de Clèves* (1677) et son exigence de vérité psychologique.

– Une première rupture, avec la *Pamela* de Richardson (1741) puis *La Nouvelle Héloïse* de Rousseau (1761), ouvre la voie à « **l'idéalisme moderne** », marqué par l'incarnation de la norme morale dans une belle âme placée dans un univers vraisemblable, et au roman sentimental consacrant la valorisation de l'individu. Parallèlement, se développent **un roman réaliste**, prenant une distance ironique avec les conventions du roman idéaliste (Sterne, *Vie et opinions de Tristram Shandy*, 1760-1767 ; Diderot, *Jacques le Fataliste*, vers 1773), et le roman gothique (Walpole, *le Château d'Otrante*, 1765 ; Lewis, *le Moine*, 1796) qui s'écarte délibérément de la vraisemblance.

– *Waverley* de Walter Scott (1814) ouvre l'ère de l'enracinement de l'homme dans sa communauté : l'idéal se trouve naturalisé, le personnage déterminé par son milieu. **L'anti-idéalisme** triomphe chez Flaubert, les Goncourt et Zola. L'idéalisme se maintient cependant chez Balzac dans l'invention de personnages exceptionnels qui se détachent de leur société par leur vertu, leur talent ou leur énergie (comme Vautrin) et plus ouvertement dans le roman populaire (héros et monstres s'affrontent chez Alexandre Dumas et Eugène Sue) et dans les figures mythiques du roman hugolien[1].

---

1. Pour prolonger l'analyse de T. Pavel, on peut observer que l'attitude de Zola concernant les personnages romanesques témoigne aussi de cette concurrence entre réalisme et idéalisme. Promoteur d'un « naturalisme » qui lui permettait de conquérir une position originale dans le champ littéraire, il a revendiqué dans ses textes programmatiques « la médiocrité courante de la vie » telle que l'a dépeinte Flaubert (il fallait donc que « le romancier tue les héros, [...] les personnages grandis outre mesure, les pantins changés en colosses ») et reproché à Balzac « le grossissement de ses héros » (« Gustave Flaubert. L'écrivain », 1875, repris dans *Les Romanciers naturalistes*, 1881). Auparavant, jetant les bases de ce qui devait devenir *Les Rougon-Macquart*, il avait pourtant défini son esthétique en romancier désireux de plaire à un large public par « des livres excessifs qui restent dans sa mémoire » et choisi de « faire exceptionnel comme Stendhal » avec Julien Sorel ou les Goncourt avec Germinie Lacerteux : « Ces créations particulières sont d'ailleurs plus d'un artiste, ce mot étant pris dans le sens moderne. Il semble aussi qu'en sortant du général, l'œuvre devient supérieure » (« Notes générales sur la nature de l'œuvre », 1868-1869, dans *Les Rougon-Macquart* V, Paris, Gallimard, coll. « Bibliothèque de la Pléiade », p. 1743). D'où le maintien dans l'œuvre de formes anciennes, héritées du roman idéaliste que combattait pourtant le théoricien du naturalisme.

– *À rebours* de Huysmans (1884) marque le « début de la réaction esthé-tisante qui aboutira bientôt au **modernisme** », cherchant à réunir « le culte de la forme et celui de la subjectivité » (Proust, Joyce, le Nouveau Roman) : le roman se met « à l'école de la poésie », la liberté du créateur, les inven-tions formelles l'emportent sur l'imitation de la réalité sociale, qui peut même devenir incompréhensible (Kafka). Les pratiques du réalisme (créa-tion de personnages et d'aventures vraisemblables) se maintiennent pour-tant chez les romanciers modernes (Mann, Sartre, Camus, Pasternak, etc.) qui, sachant que le roman est « le genre du grand nombre », ont fait le choix de la lisibilité.

Une anthropologie fondamentale

*L'évolution du roman n'a pas pour autant changé « l'objet sécu-laire de son intérêt : l'homme individuel saisi dans sa difficulté d'ha-biter le monde ». Elle est en effet centrée sur **la problématique de l'individu confronté à la société**, de son rapport à la norme morale, partout présente et partout niée, de son désir d'habiter un monde hostile. Cette préoccupation constitue « la pensée du roman ».*

La réussite d'une œuvre narrative – sa beauté, aurait-on dit naguère – vient de la convergence entre l'univers fictif mis en scène et les procédés formels qui l'évoquent. Étant donné que les œuvres narratives en général et les romans en particulier ne se contentent pas de *décrire* la réalité, mais la réinventent toujours dans une certaine mesure afin de mieux la *comprendre,* la différence entre les œuvres ne saurait dériver exclusivement de la manière dont elles pré-sentent l'univers au lecteur (imagination abstraite et naïve chez les auteurs archaïques, concrétion accomplie chez les auteurs du XIXe siècle, surcroît d'astuces formelles chez les modernistes). Pour saisir et apprécier le sens d'un roman, il ne suffit pas de considérer la technique littéraire utilisée par son auteur ; l'intérêt de chaque œuvre vient de ce qu'elle propose, selon l'époque, le sous-genre et parfois le génie de l'auteur, une *hypothèse substantielle* sur la nature et l'or-ganisation du monde humain. Et tout comme dans les arts plastiques l'idée s'incarne dans la matière sensible, ici les hypothèses sur la structure du monde s'incarnent dans la matière anecdotique, qui demeure par conséquent incompréhensible lorsqu'on la considère en elle-même et sans référence à la pensée qui l'anime.

Cette pensée se déploie à plusieurs niveaux, dont le premier, qui a pour objet la place de l'homme dans le monde prise dans sa plus grande généralité, se dégage à l'horizon de l'imagination anthropologique dominante à chaque époque. C'est à ce niveau que le roman réfléchit, comme l'avaient fait avant lui l'épopée et la tragédie, au rôle du divin dans le monde humain et aux rapports entre l'homme et ses semblables ; mais alors que dans l'épopée les héros appartiennent corps et âme à leurs cités et que dans la tragédie le destin des personnages est déterminé à l'avance, dans le roman le personnage est séparé du monde ambiant et ses aventures nous révèlent la contingence de celui-ci. Au moyen de la coupure qu'il pose entre le protagoniste et son milieu, le roman est le premier genre à s'interroger sur la genèse de l'individu et sur l'instauration de l'ordre commun. Il pose surtout, et avec une acuité inégalée, la question axiologique* qui consiste à savoir si l'idéal moral fait partie de l'ordre du monde : car s'il en fait partie, comment se fait-il que le monde soit, au moins en apparence, si éloigné de lui, et s'il est étranger au monde, d'où vient que sa valeur normative s'impose avec une telle évidence à l'individu? Dans le roman, genre qui considère l'homme par le biais de son adhésion à l'idéal, poser la question axiologique revient à se demander si, pour défendre l'idéal, l'homme doit résister au monde, s'y plonger pour y rétablir l'ordre moral ou enfin s'efforcer de remédier à sa propre fragilité, si, en d'autres termes, l'individu peut *habiter* le monde où il voit le jour. C'est en rapport avec ces questions que l'anecdote du roman privilégie l'amour et la formation des couples : tandis que l'épopée et la tragédie tiennent pour acquis le lien entre l'homme et ses proches, en parlant d'amour le roman réfléchit à l'établissement de ce lien sous sa forme interpersonnelle la plus intime.

Thomas PAVEL, *La Pensée du roman*,
© Éd. Gallimard, coll. «NRF Essais», 2003, p. 46-47.

NOTIONS CLÉS

Réalisme – Société et individu – Valeurs.

▶ Le roman en tant que mise en forme d'une fiction ne peut se comprendre en dehors de la «pensée» qui l'anime concernant la place de l'homme dans le monde.

▶ L'individu y est en effet confronté à la question de savoir comment vivre dans un monde qui n'est pas réglé par les valeurs auxquelles il adhère.

▶ Philippe FOREST, *Le Roman, le réel* (1999): «Le roman a substantiellement partie liée avec le négatif. C'est dans la mise en question de lui-même et du monde qu'il s'affirme. [...] Ce négatif puise son énergie dans une "expérience intérieure" au sens que Georges Bataille donnait à ce mot. Il implique la confrontation du sujet – auteur ou lecteur – avec cette dimension que je vous propose d'approcher sous le nom – simple, banal, décevant mais également mystérieux, difficile, énigmatique – de "Réel".»

Roman et personnage

Support de l'action et de l'analyse psychologique, point nodal du récit, le personnage apparaît comme un des vecteurs fondamentaux de l'intérêt romanesque.

Il n'y a pas de roman sans personnage : « *la situation narrative de base comprend le personnage* » (Ch. Grivel, *Production de l'intérêt romanesque*, p. 111). C'est pourquoi le personnage de roman est souvent perçu comme une entité « naturelle », et de fait il joue un rôle essentiel dans la création de l'illusion réaliste : en lui donnant un nom, une activité sociale, une psychologie, en le situant dans l'espace, le temps, l'histoire, le roman tend à faire de lui un être vivant (ainsi au début de *Bel-Ami*, le héros de Maupassant se détache progressivement des "vrais" promeneurs anonymes des grands boulevards comme s'il était tiré directement de la vie). Pour autant, les grands réalistes du XIXᵉ siècle ne confondent pas le *personnage* avec une *personne* réelle : il est **un *type*** et il doit cette aptitude à incarner un sentiment ou une attitude devant la vie au fait qu'il est le produit d'un art (**65. Balzac**). Selon **une dialectique du feint et du vrai**, il est défini comme une imitation, une stylisation de l'humain. Sans ce grossissement, ce « trucage » inhérent à l'art, il n'atteindrait aucune vérité psychologique et le roman perdrait toute légitimité (**66. Mauriac**). Paradoxalement, c'est **l'abstraction du personnage** qui lui permet de toucher l'intelligence et la sensibilité du lecteur (**67. Proust**).

Mais avec le développement des sciences humaines, il est apparu que les catégories superficielles qui définissaient les *types* et leurs sentiments ne correspondaient plus à la conception d'un moi divisé et morcelé : les écrivains du Nouveau Roman ont ainsi répudié la notion même de personnage sur le plan théorique comme dans leur pratique d'écrivain (**68. Sarraute**).

Parallèlement, l'approche structuraliste du roman a conduit à analyser les personnages comme **des êtres de papier**, des constructions du texte, un ensemble de signes et de fonctions : la lecture projective semble désormais impossible (voir les textes 83 et 84). S'écartant de ces approches formelles, les théoriciens de la réception se sont intéressés à *l'effet-personnage*, à la relation du lecteur au personnage de roman (**69. Jouve**).

Dans **une perspective humaniste**, l'identification au personnage a été à nouveau réhabilitée comme le processus élémentaire de l'expérience romanesque qui permet au lecteur de se détacher de soi pour mieux se comprendre (**70. Sallenave**).

_____ 65. BALZAC _____
Préface du *Cabinet des Antiques* (1839)

Balzac s'est voulu observateur de la vie sociale et « historien des mœurs » (voir les textes 59b et 59c), sans pour autant se réclamer du réalisme, compris alors comme une doctrine prônant une reproduction de la réalité dénuée de qualité artistique (voir l'introduction du chapitre 12). L'auteur de *La Comédie humaine* explique ici « la manière dont [il] compose une œuvre immense comme collection de faits sociaux » et un personnage comme la réunion de « plusieurs caractères semblables ». Sa réflexion sur le personnage romanesque, qui s'articule autour des notions d'art, de réalité et de vérité, prend en compte l'intérêt du lecteur.

« Un sentiment habillé »

Beaucoup de gens à qui les ressorts de la vie, vue dans son ensemble, sont familiers, ont prétendu que les choses ne se passaient pas en réalité comme l'auteur les présente dans ses fictions, et l'accusent ici de trop intriguer ses scènes, là d'être incomplet. Certes la vie réelle est trop dramatique ou pas assez souvent littéraire. Le vrai souvent ne serait pas vraisemblable[1], de même que le vrai littéraire ne saurait être le vrai de la nature. Ceux qui se permettent de semblables observations, s'ils étaient logiques, voudraient, au théâtre, voir les acteurs se tuer réellement.

_____

1. Allusion à deux vers de Boileau : « Jamais au spectateur n'offrez rien d'incroyable : / Le vrai peut quelquefois n'être pas vraisemblable. » (*Art poétique*, chant III, 1674.)

Ainsi, le *fait vrai* qui a servi à l'auteur dans la composition du *Cabinet des Antiques* a eu quelque chose d'horrible. Le jeune homme a paru en cour d'assises, a été condamné, a été marqué; mais il s'est présenté dans une autre circonstance, à peu près semblable, des détails moins dramatiques, peut-être, mais qui peignaient mieux la vie de province. Ainsi le commencement d'un fait et la fin d'un autre ont composé ce tout. Cette manière de procéder doit être celle d'un historien des mœurs: sa tâche consiste à fondre les faits analogues dans un seul tableau, n'est-il pas tenu de donner plutôt l'esprit que la lettre des événements, il les synthétise. Souvent il est nécessaire de prendre plusieurs caractères semblables pour arriver à en composer un seul, de même qu'il se rencontre des originaux où le ridicule abonde si bien, qu'en les dédoublant, ils fournissent deux personnages. Souvent la tête d'un drame est très éloignée de sa queue. La nature qui avait très bien commencé son œuvre à Paris, et l'avait finie d'une manière vulgaire, l'a supérieurement achevée ailleurs. Il existe un proverbe italien qui rend à merveille cette observation: Cette queue n'est pas de ce chat. (*Questa coda non è di questo gatto.*) La littérature se sert du procédé qu'emploie la peinture, qui, pour faire une belle figure, prend les mains de tel modèle, le pied de tel autre, la poitrine à celui-ci, les épaules de celui-là. L'affaire du peintre est de donner la vie à ces membres choisis et de la rendre probable. S'il vous copiait une femme vraie, vous détourneriez la tête.

[…] Tout personnage épique est un sentiment habillé, qui marche sur deux jambes et qui se meut: il peut sortir de l'âme. De tels personnages sont en quelque sorte les fantômes de nos vœux, la réalisation de nos espérances, ils font admirablement ressortir la vérité des caractères réels copiés par un auteur, ils en relèvent la vulgarité. Sans toutes ces précautions, il n'y aurait plus ni art ni littérature. Au lieu de composer une histoire, il suffirait, pour obéir à certaines critiques, de se constituer le sténographe de tous les tribunaux de France. Vous auriez alors le vrai dans sa pureté, une horrible histoire que vous laisseriez avant d'avoir achevé le premier volume. Vous pouvez en lire un fragment tous les jours, entre les annonces des remèdes pour les maladies les plus ignobles et les articles louangeurs des livres à soutenir, à côté des mille industries qui naissent et qui meurent, après les débats des Chambres : vous n'en soutiendriez pas la lecture continue.

Honoré de BALZAC,
Préface du *Cabinet des Antiques*, 1839.

NOTIONS CLÉS

Mensonge et vérité romanesques – Personnage – Réalité et littérature.

▶ Pour intéresser les contemporains et la postérité, l'œuvre doit s'inspirer de la réalité, mais ce réalisme est fidèle à l'esprit plutôt qu'à la lettre des événements. Il exclut une reproduction intégrale de la vie, qui lasserait le lecteur.

▶ Ainsi un personnage de roman est un produit de l'art : il emprunte à plusieurs modèles et c'est ce qui lui donne sa valeur humaine.

▶ Victor HUGO, *William Shakespeare* : « Ô puissance de la toute poésie ! les types sont des êtres. Ils respirent, ils palpitent, on entend leurs pas sur le plancher, ils existent. Ils existent d'une existence plus intense que n'importe qui, se croyant vivant, là, dans la rue. Ces fantômes ont plus de densité que l'homme. »

66. FRANÇOIS MAURIAC
Le Romancier et ses personnages (1933)

Mauriac a connu la consécration (élection à l'Académie française en 1933) avec une série de romans (*Genitrix*, 1923 ; *Le Désert de l'Amour*, 1925 ; *Thérèse Desqueyroux*, 1927, etc.) qui donnent une image sombre de la condition humaine déchirée entre les exigences du monde et de la chair et le souci de la grâce.

Sa réflexion sur *le romancier et ses personnages* se fonde sur deux principes :

– les pouvoirs du romancier sont limités, il ne crée pas « une humanité de chair et d'os », mais « une image transposée et stylisée » qui ignore les déterminations de l'inconscient et ne peut « faire concurrence à la vie » ;

– la légitimité du roman ne vient donc pas de sa capacité à reproduire le réel mais de sa portée morale : il contribue à « **la connaissance du cœur humain** ».

Des êtres fictifs pour mieux se connaître

*Notre extrait articule nettement les deux notions de **mensonge et vérité romanesques**. Il précise d'abord que les personnages sont ar-*

tificiels, truqués, puisqu'ils vont jusqu'au bout d'une passion qui est à travers eux clairement analysée. Et c'est, paradoxalement, dans la mesure où ils échappent à l'insignifiance de la vie réelle que ces fantômes constituent des types riches d'enseignement pour les vivants en leur permettant de « voi[r] plus clair dans leur propre cœur » et de mieux comprendre leurs semblables.

Cette conception classique du personnage et du roman a été critiquée par Sartre, qui prenait plutôt comme modèle le roman américain. Dans un article de 1939, il reproche à Mauriac de ne laisser aucune liberté à ses personnages (« avant d'écrire il forge leur essence ») en adoptant « le point de vue de Dieu » alors qu'« un roman est une action racontée de différents points de vue[1] ».

On ne pense pas assez que le roman qui serre la réalité du plus près possible est déjà tout de même menteur par cela seulement que les héros s'expliquent et se racontent. Car, dans les vies les plus tourmentées, les paroles comptent peu. Le drame d'un être vivant se poursuit presque toujours et se dénoue dans le silence. L'essentiel, dans la vie, n'est jamais exprimé. Dans la vie, Tristan et Yseult parlent du temps qu'il fait, de la dame qu'ils ont rencontrée le matin, et Yseult s'inquiète de savoir si Tristan trouve le café assez fort. Un roman tout à fait pareil à la vie ne serait finalement composé que de points de suspension. Car, de toutes les passions, l'amour, qui est le fond de presque tous nos livres, nous paraît être celle qui s'exprime le moins. Le monde des héros de roman vit, si j'ose dire, dans une autre étoile, – l'étoile où les êtres humains s'expliquent, se confient, s'analysent la plume à la main, recherchent les scènes au lieu de les éviter, cernent leurs sentiments confus et indistincts d'un trait appuyé, les isolent de l'immense contexte vivant et les observent au microscope.

Et cependant, grâce à tout ce trucage, de grandes vérités partielles ont été atteintes. Ces personnages fictifs et irréels nous aident à nous mieux connaître et à prendre conscience de nous-mêmes. Ce ne sont pas les héros de roman qui doivent

---

1. « M. François Mauriac et la liberté », repris dans *Situations* I, 1947.

servilement être comme dans la vie, ce sont, au contraire, les êtres vivants qui doivent peu à peu se conformer aux leçons que dégagent les analyses des grands romanciers. Les grands romanciers nous fournissent ce que Paul Bourget, dans la préface d'un de ses premiers livres, appelait des planches d'anatomie morale. Aussi vivante que nous apparaisse une créature romanesque, il y a toujours en elle un sentiment, une passion que l'art du romancier hypertrophie pour que nous soyons mieux à même de l'étudier ; aussi vivants que ces héros nous apparaissent, ils ont toujours une signification, leur destinée comporte une leçon, une morale s'en dégage qui ne se trouve jamais dans une destinée réelle toujours contradictoire et confuse.

Les héros des grands romanciers, même quand l'auteur ne prétend rien prouver ni rien démontrer, détiennent une vérité qui peut n'être pas la même pour chacun de nous, mais qu'il appartient à chacun de nous de découvrir et de s'appliquer. Et c'est sans doute notre raison d'être, c'est ce qui légitime notre absurde et étrange métier que cette création d'un monde idéal grâce auquel les hommes vivants voient plus clair dans leur propre cœur et peuvent se témoigner les uns aux autres plus de compréhension et plus de pitié.

François MAURIAC,
Le Romancier et ses personnages, 1933
© Éd. Buchet/Chastel, p. 155-158.

NOTIONS CLÉS

Fonction du roman – Mensonge/Vérité romanesques – Personnages – Points de vue narratifs – Psychologie.

▶ Les personnages de roman sont des êtres fabriqués pour permettre aux hommes de mieux se comprendre.

▶ Georg LUKÁCS, *Balzac et le réalisme français* : « Seule l'invention de personnages tout à fait hors du commun permettait à Stendhal de représenter de façon parfaitement typique [...] la critique de la bassesse, du mensonge et de l'hypocrisie de la Restauration. »

67. MARCEL PROUST
Du côté de chez Swann (1913)

Dès le premier tome de la *Recherche*, le narrateur évoque sa relation à la littérature : à son coucher, l'enfant écoute sa mère lui lire George Sand, ou bien il s'isole dans le jardin de Combray pour lire des romans. L'acte de lecture se fait selon un double mouvement : dans le domaine de la pensée, le jeune lecteur cherche à s'approprier « la richesse philosophique » et « la beauté du livre » que lui ont conseillé un professeur ou un ami ; dans le domaine des émotions, il participe intensément à l'action dramatique que vivent les personnages. Ce deuxième point conduit à analyser la nature du personnage de roman.

« Ces êtres d'un genre nouveau »

> *Contrairement à un préjugé populaire qui dénie tout intérêt aux êtres de fiction (c'est l'opinion de la domestique Françoise), Proust montre que c'est justement parce qu'ils ne sont pas réels qu'ils plaisent au lecteur. Ce paradoxe s'appuie sur une conception de la nature humaine selon laquelle nos sens ne nous donnent pas accès aux émotions d'autrui : nous ne les partageons que si nous pouvons nous les représenter sous forme d'« images ».*
>
> *Ce texte a le mérite de **dépasser l'opposition entre réalité et fiction** : ce qui est vrai, ce sont les sentiments du lecteur, que seuls peuvent faire naître des êtres fictifs. Il ouvre la voie à une réflexion moderne sur le personnage en montrant qu'il n'est qu'un ensemble de représentations et qu'il ne se constitue que dans l'intelligence et la sensibilité du lecteur.*

Ces après-midi-là étaient plus remplis d'événements drama-tiques que ne l'est souvent toute une vie. C'était les événements qui survenaient dans le livre que je lisais ; il est vrai que les per-sonnages qu'ils affectaient n'étaient pas «réels», comme disait Françoise. Mais tous les sentiments que nous font éprouver la joie ou l'infortune d'un personnage réel ne se produisent en nous que par l'intermédiaire d'une image de cette joie ou de cette infortune ; l'ingéniosité du premier romancier consista à comprendre que dans l'appareil de nos émotions, l'image étant le seul élément essentiel, la simplification qui consisterait à supprimer purement et simplement les personnages réels serait un perfectionnement décisif. Un être réel, si profondément que nous sympathisions avec lui, pour une grande part est perçu par nos sens, c'est-à-dire nous reste opaque, offre un poids mort que notre sensibilité ne peut soulever. Qu'un malheur le frappe, ce n'est qu'en une petite partie de la notion totale que nous avons de lui que nous pourrons en être émus ; bien plus, ce n'est qu'en une partie de la notion totale qu'il a de soi qu'il pourra l'être lui-même. La trouvaille du romancier a été d'avoir l'idée de remplacer ces parties impénétrables à l'âme par une quantité égale de parties immatérielles, c'est-à-dire que notre âme peut s'assimiler. Qu'importe dès lors que les actions, les émotions de ces êtres d'un nouveau genre nous apparaissent comme vraies, puisque nous les avons faites nôtres, puisque c'est en nous qu'elles se produisent, qu'elles tiennent sous leur dépendance, tandis que nous tournons fiévreusement les pages du livre, la rapidité de notre respiration et l'intensité de notre regard. Et une fois que le romancier nous a mis dans cet état, où comme dans tous les états purement intérieurs toute émotion est décuplée, où son livre va nous troubler à la façon d'un rêve mais d'un rêve plus clair que ceux que nous avons en dormant et dont le souvenir durera davantage, alors, voici qu'il déchaîne en nous pendant une heure tous les bonheurs et tous les malheurs possibles dont nous mettrions dans la vie des années à connaître quelques-uns, et dont les plus intenses ne nous seraient jamais révélés parce que la lenteur avec laquelle ils se produisent nous en ôte la perception.

Marcel PROUST,
Du côté de chez Swann (1913),
Éd. Gallimard, coll. « Bibliothèque de la Pléiade »,
t. 1, p. 84-85.

NOTIONS CLÉS

Lecture – Personnage – Plaisir.

▶ Le personnage de roman n'est qu'un composé d'images affectives.

▶ C'est pourquoi il touche directement la sensibilité du lecteur, qui peut croire ainsi à son existence.

68. NATHALIE SARRAUTE
L'Ère du soupçon (1956)

Depuis son premier ouvrage (*Tropismes*, 1939), Nathalie Sarraute s'intéresse à ces «mouvements indéfinissables, qui glissent très rapidement aux limites de notre conscience; ils sont à l'origine de nos gestes, de nos paroles, des sentiments que nous manifestons, que nous croyons éprouver et qu'il est possible de définir». Cette recherche l'a amenée à renouveler les techniques romanesques, notamment à **rejeter le personnage de type balzacien** et «la vieille analyse des sentiments». Elle s'est reconnue ensuite dans le «Nouveau roman» dont *L'Ère du soupçon* constitue le premier manifeste.

Selon elle, le personnage romanesque ne paraît plus crédible au lecteur moderne qui, depuis «Joyce, Proust et Freud», connaît «**le foisonnement infini de la vie psychologique** et les vastes régions encore à peine défrichées de l'inconscient». Réciproquement, soucieux de rendre «la complexité de la vie psychologique, l'écrivain, en toute honnêteté, parle de soi» et renonce aux «types littéraires» et au «ton impersonnel». Ce «nouveau roman», qui récuse la notion de personnage au nom des acquis de la psychologie moderne, suppose **un lecteur actif et même créateur**, prêt à se rendre «sur le terrain de l'auteur» (p. 90).

Le personnage type est un trompe-l'œil

Le lecteur, en effet, même le plus averti, dès qu'on l'abandonne à lui-même, c'est plus fort que lui, typifie.

Il le fait – comme d'ailleurs le romancier, aussitôt qu'il se repose – sans même s'en apercevoir, pour la commodité de la vie quotidienne, à la suite d'un long entraînement. Tel le chien de Pavlov, à qui le tintement d'une clochette fait sécréter de la salive, sur le plus faible indice il fabrique des personnages. Comme au jeu des «statues», tous ceux qu'il touche se pétrifient. Ils vont grossir dans sa mémoire la vaste collection de figurines de cire que tout au long de ses journées il complète à la hâte et que, depuis qu'il a l'âge de lire, n'ont cessé d'enrichir d'innombrables romans.

Or, nous l'avons vu, les personnages, tels que les concevait le vieux roman (et tout le vieil appareil qui servait à les mettre en valeur), ne parviennent plus à contenir la réalité psychologique actuelle. Au lieu, comme autrefois, de la révéler, ils l'escamotent.

Aussi, par une évolution analogue à celle de la peinture – bien qu'infiniment plus timide et plus lente, coupée de longs arrêts et de reculs – l'élément psychologique, comme l'élément pictural, se libère insensiblement de l'objet avec lequel il faisait corps. Il tend à se suffire à lui-même et à se passer le plus possible de support. C'est sur lui que tout l'effort de recherche du romancier se concentre, et sur lui que doit porter tout l'effort d'attention du lecteur.

Il faut donc empêcher le lecteur de courir deux lièvres à la fois, et puisque ce que les personnages gagnent en vitalité facile et en vraisemblance, les états psychologiques auxquels ils servent de support le perdent en vérité profonde, il faut éviter qu'il disperse son attention et la laisse accaparer par les personnages, et, pour cela, le priver le plus possible de tous les indices dont, malgré lui, par un penchant naturel, il s'empare pour fabriquer des trompe-l'œil.

Nathalie SARRAUTE, *L'Ère du soupçon*, © Éd. Gallimard, coll. « Idées », 1956, p. 86-88.

NOTIONS CLÉS

Lecteur – Personnage – Psychologie.

▶ Le personnage balzacien se fonde sur des conceptions psychologiques dépassées.

▶ Les recherches des nouveaux romanciers excluent la création de types et exigent un lecteur actif.

▶ Alain ROBBE-GRILLET, *Pour un nouveau roman* : « Le roman de personnages appartient bel et bien au passé, il caractérise une époque : celle qui marqua l'apogée de l'individu. »

_____ 69. VINCENT JOUVE _____
L'Effet-personnage dans le roman (1998)

Prolongeant la réflexion des théoriciens de la réception qui ont montré que « l'œuvre est [...] la constitution du texte dans la conscience du lecteur » (voir 4. Iser), Vincent Jouve entend « repenser la question du personnage à travers la lecture ». Étant donné son incomplétude (il n'est jamais entièrement décrit par le narrateur), le personnage de roman exige « une véritable "recréation" imaginaire » de la part du lecteur qui doit mobiliser sa connaissance du monde et de la littérature. Michel Picard a analysé « la lecture comme jeu » : « Le jeu dédouble celui qui s'y adonne en sujet *jouant* et sujet *joué* : ainsi y aurait-il un *liseur* et, si l'on ose dire, un *lu*. Le *joué*, le *lu*, seraient du côté de l'abandon […]. Le sujet *jouant*, le *liseur*, seraient du côté du réel[1]. » Vincent Jouve, lui, distingue « trois régimes de lecture », correspondant à trois modes de réception du personnage :

– « *Le lectant* » **refuse l'illusion romanesque** et adopte une attitude réflexive. Le personnage est reçu comme un « pion » qui « fait partie d'un texte ourdi par l'auteur » : le lecteur sensible à cet « **effet-personnel** » envisage le personnage par rapport à l'auteur du roman, perçu comme l'instance narrative et comme « l'instance intellectuelle qui, par le canal du texte, s'efforce de transmettre un "message" » : le « *lectant jouant* » s'interroge sur la stratégie narrative du romancier, le « *lectant interprétant* » sur le sens global de l'œuvre (fonction herméneutique*), « ces deux réceptions du personnel romanesque [étant] très souvent imbriquées l'une dans l'autre ».

– « *Le lisant* » correspond à « la part du lecteur victime de l'illusion romanesque ». Considéré en lui-même, le personnage est reçu comme une personne et cet « **effet-personne** » est à la source du plaisir de lire. La crédulité du lecteur (qui n'est pas totale) est une survivance de l'enfance, qui reparaît au premier plan dans la lecture comme dans le rêve : ce « moi de l'imaginaire », « fictionnel », narcissique, va jusqu'à s'identifier au personnage et cette **identification** ne doit pas être méprisée car elle est « indispensable à la construction du "moi" ».

– « *Le lu* » concerne le « niveau de lecture où ce qui se joue, c'est la relation du sujet à lui-même, du moi à ses propres fantasmes » : il appréhende le personnage comme un prétexte lui permettant, sous le couvert de l'alibi artistique et culturel, de vivre par procuration certaines situations fantasmatiques ». Quand l'« **effet-prétexte** » joue ainsi, « la médiation du personnage libère le refoulé sans offenser nos défenses » et autorise des **investissements pulsionnels** inconscients dans la lecture romanesque.

La réception du personnage de roman

« *Les trois effets-personnages (pion, personne, prétexte), s'ils se complètent harmonieusement, font de la lecture une expérience enrichissante sur les plans intellectuel, affectif et fantasmatique.* » *Leur hiérarchisation varie selon l'objectif visé par le roman.*

---

1. Michel Picard, *La Lecture comme jeu*, Paris, Éd. de Minuit, 1986, p. 112 et 113.

Ces considérations acquises, on peut distinguer une première catégorie de textes : ceux dont la réception s'organise
autour de l'effet-prétexte du personnage, ne jouant que som-
mairement de son effet-personne et de façon quasi nulle
de son effet-personnel. Le but affiché de ces romans («littérature de gare», récits érotiques, romans à l'eau de rose,
séries noires), que l'on peut ranger sous l'étiquette «littérature de masse», est de séduire le lecteur dans une visée
ouvertement mercantile. L'efficacité des ressorts utilisés n'est
plus à démontrer : les collections «SAS» et «Brigades mon-
daines» sont, depuis longtemps, des best-sellers. Dans un
autre registre, le succès de la collection «Harlequin» est tout
aussi éloquent.

Une autre catégorie recouvrirait l'ensemble des récits utilisant pleinement les trois effets du personnage, mais privilégiant tantôt l'effet-personnel (dans une visée didactique
et militante), tantôt l'effet-personne (dans un souci de peinture réaliste et d'authenticité psychologique). Les romans de
Rabelais et de Diderot relèvent du premier cas. Les géants de
l'humanisme, Jacques et son maître ou le neveu de Rameau,
sont d'abord à lire comme personnel herméneutique*. Il
s'agit, pour le lecteur, de relier ces personnages au projet
qui les a fait naître : affirmation de l'esprit de la Renaissance
chez Rabelais, combat politique et culturel des Lumières
chez Diderot. Sur le personnel herméneutique joue également toute la tradition du roman à thèse. La réception du
personnage comme personne domine, elle, la littérature réaliste. Retranscrire le réel suppose une représentation fidèle
des êtres et des choses. L'effet-personne doit, sinon éliminer,
du moins dissimuler les effets prétexte et personnel. Les personnages de Balzac, de Zola ou des frères Goncourt ont
pour souci constant de faire oublier leur nature linguistique.
Qu'il s'agisse de convaincre le lecteur ou de lui faire illusion,
que l'accent soit mis sur la fonction *conative* ou la fonction *référentielle*[1], l'objectif de ce type de romans est d'ins-
taller le lecteur dans un monde achevé et défini, concurrent
du monde réel. Cet ensemble de textes comprend, on le
voit, la majorité des œuvres romanesques. En raison de sa

---

1. Voir le texte 1. Jakobson.

prédominance dans l'histoire littéraire, nous proposons de le ranger sous l'étiquette «littérature classique».

Enfin, une troisième catégorie, celle du Nouveau Roman et d'une partie des textes contemporains, réduit au minimum (voire, tente d'éliminer) le personnage-personne et le personnage-prétexte pour surévaluer le personnage-pion. L'objectif avoué de ces textes est de développer la conscience critique du lecteur. La revue «Tel Quel» a théorisé, à la fin des années 1960, un point de vue global et extrême sur la question. Dans un entretien avec Jacques Henric, Philippe Sollers déclare à propos de l'écriture «textuelle»: «Ce qui est contesté, ici, c'est l'histoire linéaire qui a toujours asservi le texte à une représentation, un sujet, un sens, une vérité; qui réprime sous les catégories théologiques de sens, de sujet et de vérité l'énorme travail à l'œuvre dans les textes-limites». Il s'agit de remplacer le consentement à l'illusion par un regard réflexif sur le texte. On comprendra que, dans cette perspective, la réception du personnage comme pion (c'est-à-dire pour ce qu'il est, une donnée du récit) ait une portée «libératrice».

Vincent JOUVE,
L'Effet-personnage dans le roman,
© PUF, 1998, p. 171-173.

NOTIONS CLÉS

Inconscient – Lecteur – Nouveau Roman – Paralittérature – Personnage – Réalisme – Réception.

▶ Le mode de réception du personnage romanesque varie selon l'objectif de l'œuvre.

▶ Michel PICARD, *La Lecture comme jeu*: « Tout lecteur, qu'il le sache ou non, lit autre chose que ce qu'il pense lire, joue symboliquement mais véritablement avec des données qui lui échappent en partie. »

_____ 70. DANIÈLE SALLENAVE _____
Le Don des morts. Sur la littérature (1991)

Pour Danielle Sallenave, l'expérience littéraire est une expérience vitale qui donne accès à un monde revisité, examiné. Le roman, ainsi, a pour sujet « nous-mêmes, notre existence dans le monde », grâce à lui nous échappons à notre condition et mettons à l'épreuve des situations fictives. Cette analyse de la lecture romanesque s'appuie sur deux concepts d'Aristote : la fiction représente la réalité (c'est la *mimèsis**) ; mais en la transfigurant, en la tenant à distance, notamment par le dialogue entre narrateur et personnages, elle nous permet de « comprendre le sens de nos actions et de nos passions » (c'est la *catharsis**, « l'allégement des passions passées par le filtre de la raison » – voir à ce sujet le texte 11).

Cela suppose **une réévaluation du rôle du personnage**. Le refus de la « psychologie vieillotte » de « la littérature d'assouvissement » ne doit pas conduire à faire des personnages « de simples "figures de papier" » : l'œuvre n'est pas pur langage, elle fait toujours référence au monde et engage dans une « quête du sens » et l'auteur qui produit le texte et le lecteur qui se l'approprie. Cette conception de la littérature se fonde sur une conception de l'homme défini, dans la tradition des Lumières, comme « sujet libre qui réfléchit sur sa vie afin de la gouverner ».

« Être autre »

Il faut le dire et le redire sans compter : il y a un lien indestructible entre le roman et le personnage ; qui attente au second ne peut que porter atteinte au premier. La *catharsis* ne peut se passer du personnage. C'est une énigme, et c'est un fait : nous avons besoin de projection, de transfert, d'identification. Pour que la fiction opère, nous avons besoin de croire à l'existence d'un personnage en qui se résument et se concentrent les actions qu'organise la fable. Le fonctionnement même du texte le veut : sa vérité est obligée de passer par des simulacres de mots ; et la vie même et l'âme de l'auteur de se couler vivantes dans la figure de papier qui le représente. Et qui, dans le même temps, le sauve [...].

Est-ce à dire que notre lecture hallucinée oublie de voir dans le personnage un être de fiction, et nous fait croire à son existence hors du texte ? Non pas. Le personnage vit, sans doute : mais nous savons fort bien de quelle vie. C'est la vie d'une illusion. Ni plus ni moins. Le personnage existe, mais dans la fiction, d'une existence *fictive*. Comme le roi Lear « existe » sur la scène, d'une existence scénique.

L'illusion littéraire suppose un consentement à la croyance temporaire dans la réalité imaginaire des choses fictives. « Héros » d'Homère ou personnage de Balzac, ou simple voix, sans corps ni sexe, de la fiction moderne, le personnage est «entre deux mondes», issu de l'expérience imaginaire ou réelle de l'auteur, et de l'agencement «mimétique» de ses actions, le personnage vient vers le lecteur comme une proposition de sens à achever. Pour parvenir à cette fin, l'auteur a dû lui-même se métamorphoser en un être de fiction, en une figure de pensée, le narrateur, qui se constitue dans l'ordre même qu'il impose à ses objets. L'auteur, en un sens, est devenu un personnage de son propre roman, il se met lui aussi à exister «entre deux mondes», entre le monde de la fiction et le monde vrai auquel il appartient encore un temps. C'est sur ce modèle que le lecteur va plus tard se couler.

Ce battement du réel et de l'imaginaire qui nous saisit pendant la lecture est l'essence de la fiction dramatique ou épique. Une feinte, tout entière au service de la création romanesque, du bonheur du lecteur, du fonctionnement de la fiction. Car l'essentiel est là : le relais maintenant peut être pris; c'est au lecteur d'agir. La pensée s'est emparée de son objet, les actions (et les passions); elle en a constitué la figuration nécessaire pour que nous puissions y entendre notre voix, et tenter, espérer, d'y «*éclairer notre énigme*». À la compréhension des causes s'adjoint alors l'allégement des passions passées par le filtre de la raison.

Le personnage me fait accéder à mon tour au grand règne des métamorphoses. C'est par lui que le roman peut se faire expérience du monde, en m'obligeant à devenir moi aussi un être imaginaire. En lisant, je me livre, je m'oublie; je me compare; je m'absorbe, je m'absous. Sur le modèle et à l'image du personnage, je deviens autre. Comme disait Aragon:

«*Être ne suffit pas à l'homme / Il lui faut / Être autre*[1]»

Autre par la médiation du personnage, autre, afin de devenir moi-même et, passant par ma propre absence, ayant fait le deuil de moi-même, capable de comprendre ce qu'il en est de ma vie. C'est ce que Sartre appelait la «*générosité*»

---

1. Dans *Théâtre/Roman* (1974), Aragon fait dire à l'acteur Romain Raphaël, métaphore de l'auteur: «Voici venir le jour de feindre / Être ne suffit plus à l'homme il lui faut / Être autre Ainsi / S'exerce la souveraineté de l'esprit».

du lecteur : cette mort feinte, cette transmutation provisoire par quoi j'accède au sens, à la compréhension.

Grâce à la fiction, chacun porte une tête multiple sur ses épaules ; il se fait une âme ouverte ; un cœur régénéré.

Danièle SALLENAVE,
Le Don des morts. Sur la littérature,
© Éd. Gallimard, 1991, p. 132-134.

NOTIONS CLÉS

Catharsis – Fiction – Fonction de la littérature – Humanisme – Lecteur – *Mimèsis* – Narrateur – Personnage.

▶ Être de fiction, le personnage de roman s'offre à l'identification mais aussi à la compréhension du lecteur.

▶ Il lui permet ainsi de mieux se connaître et de se libérer de ses passions.

CHAPITRE 14

Le roman en question

Le roman a longtemps été méprisé au nom d'une double exigence d'authenticité et de qualité artistique : quel crédit accorder à un ouvrage d'imagination dans lequel l'écrivain semble ne rien mettre de lui-même et quelle valeur reconnaître à des récits qui imitent platement la réalité la plus insignifiante ? C'est en vertu d'un impératif moral que le groupe surréaliste a ainsi définitivement condamné « un genre inférieur tel que le roman » (**71. Breton**) et ceux de ses membres qui voulaient le pratiquer.

Nombreux sont donc les romanciers qui justifient leurs choix esthétiques et d'abord le recours à la fiction. Certains montrent que « la conscience du réel » est inhérente au roman et que le détour par l'imagination, le mensonge, est la condition d'une vérité supérieure (**72. Aragon**). D'autres affirment que la fiction romanesque satisfait un besoin ontologique de l'homme en proie à « la fièvre de l'unité » (**73. Camus**). Sur le plan de la forme artistique, le style a pu fournir une légitimation : défini comme un art de la prose, ce genre neuf est appelé à connaître des développements qui en feront l'égal de la poésie (**74. Flaubert**).

Les auteurs du Nouveau Roman revendiquent le droit à l'invention, qui implique un renouvellement des formes romanesques établies depuis Balzac. Le roman ne se réduit pas à l'histoire qu'il raconte, sauf à en faire un objet de consommation pour le grand public, souvent transformé en scénario de cinéma. Une certaine forme, chronologique, de récit contribue à donner au lecteur l'illusion de la réalité, à masquer l'invention romanesque. Attaché à une époque, le XIXe siècle bourgeois, à sa croyance naïve à un monde ordonné et intelligible, elle ne convient plus aux recherches des romanciers modernes (**75. Robbe-Grillet**).

71. ANDRÉ BRETON
Manifeste du surréalisme (1924)

Poète et théoricien du surréalisme, dont il attendait « la résolution des principaux problèmes de la vie » et « la récupération totale de notre force psychique », André Breton n'a pas cultivé la littérature pour elle-même. Pour lui, l'écriture est **une expérience authentique**, vitale ; autobiographique, **le récit est quête de soi** :

« Qui suis-je ? », se demande-t-il ainsi au début de *Nadja* (1928) avant de chercher une réponse dans les divers signaux que lui offre un épisode de sa vie. On comprend donc le mépris jeté sur « la littérature psychologique à affabulation romanesque », sur « tous les empiriques du roman qui prétendent mettre en scène des personnages distincts d'eux-mêmes » : « Je ne m'intéresse qu'aux livres qu'on laisse battants comme des portes, et desquels on n'a pas à chercher la clé » (*Nadja*).

Plus largement, cette condamnation radicale et définitive du roman s'inscrit dans « le procès de l'attitude matérialiste » par lequel s'ouvre le *Manifeste*. En 1924, le surréalisme naissant s'élabore en réaction **contre le positivisme*** qui, en privilégiant « la vie réelle » et le rationalisme, a amputé l'homme d'une partie de lui-même et réduit les ressources de son esprit : « la seule imagination me rend compte de ce qui peut être ».

« L'insanité » des romans

> *Le réalisme, essentiellement représenté ici par « un genre inférieur tel que le roman », est rejeté pour des raisons esthétiques et morales.*
>
> *Esthétiquement, il ne produit que **des œuvres médiocres**, adaptées au « goûts les plus bas » du public : l'observation du réel ne fournit que des « images de catalogues », des « lieux communs ».*
>
> *Moralement, il correspond à un divertissement stérile, les caractères et les aventures des personnages étant toujours préalablement définis par l'auteur selon des formes stéréotypées (qui limitent en outre la liberté du lecteur). Aussi gratuite et stérile qu'une « partie d'échecs », la fiction romanesque n'a rien à voir avec la véritable imagination, et les romanciers sont d'ailleurs sans ambition. Anatole France, qui faisait alors figure d'écrivain officiel, est ici désigné comme le symbole de ces romanciers. Les surréalistes venaient de publier un pamphlet contre lui au moment de ses funérailles nationales (*Un cadavre, 1924*).*
>
> *C'est au nom de l'excellence de la forme poétique que, de son côté, Valéry condamne le roman (« le comble de la grossièreté », « l'arbi-*

traire »), *représenté ici par la phrase type, gratuite et sans valeur esthétique :* « *La marquise sortit à cinq heures* ». *Le romancier Julien Gracq s'est employé à la justifier en montrant qu'elle serait légitime et nécessaire si elle était intégrée dans une véritable structure narrative.* « **Le mécanisme romanesque est tout aussi précis et subtil que le mécanisme d'un poème**, *seulement, à cause des dimensions de l'ouvrage, il décourage le travail critique exhaustif que l'analyse d'un sonnet parfois ne rebute pas. […] Il n'y a pas plus de "détail" dans le roman que dans aucune œuvre d'art, bien que sa masse le suggère (parce qu'on se persuade avec raison que l'artiste en effet n'a pu tout contrôler)*[1]. »

La position de Valéry (et de Breton…) suppose donc **une méconnaissance de la forme romanesque**.

L'attitude réaliste, inspirée du positivisme*, de saint Thomas à Anatole France, m'a bien l'air hostile à tout essor intellectuel et moral. Je l'ai en horreur, car elle est faite de médiocrité, de haine et de plate suffisance. C'est elle qui engendre aujourd'hui ces livres ridicules, ces pièces insultantes. Elle se fortifie sans cesse dans les journaux et fait échec à la science, à l'art, en s'appliquant à flatter l'opinion dans ses goûts les plus bas ; la clarté confinant à la sottise, la vie des chiens. L'activité des meilleurs esprits s'en ressent ; la loi du moindre effort finit par s'imposer à eux comme aux autres. Une conséquence plaisante de cet état de choses, en littérature par exemple, est l'abondance des romans. Chacun y va de sa petite « observation ». Par besoin d'épuration, M. Paul Valéry proposait dernièrement de réunir en anthologie un aussi grand nombre que possible de débuts de romans, de l'insanité desquels il attendait beaucoup. Les auteurs les plus fameux seraient mis à contribution. Une telle idée fait encore honneur à Paul Valéry qui, naguère, à propos des romans, m'assurait qu'en ce qui le concerne, il se refuserait toujours à écrire : *La marquise sortit à cinq heures.* Mais a-t-il tenu parole ?

Si le style d'information pure et simple, dont la phrase précitée offre un exemple, a cours presque seul dans les romans,

---

1. Julien GRACQ, *En lisant, en écrivant*, Paris, José Corti, 1981, p. 121.

c'est, il faut le reconnaître, que l'ambition des auteurs ne va pas très loin. Le caractère circonstanciel, inutilement particulier, de chacune de leurs notations, me donne à penser qu'ils s'amusent à mes dépens. On ne m'épargne aucune des hésitations du personnage : sera-t-il blond, comment s'appellera-t-il, irons-nous le prendre en été ? Autant de questions résolues une fois pour toutes, au petit bonheur ; il ne m'est laissé d'autre pouvoir discrétionnaire que de fermer le livre, ce dont je ne me fais pas faute aux environs de la première page. Et les descriptions ! Rien n'est comparable au néant de celles-ci ; ce n'est que superpositions d'images de catalogue, l'auteur en prend de plus en plus à son aise, il saisit l'occasion de me glisser ses cartes postales, il cherche à me faire tomber d'accord avec lui sur des lieux communs. […]

Holà, j'en suis à la psychologie, sujet sur lequel je n'aurais garde de plaisanter.

L'auteur s'en prend à un caractère, et, celui-ci étant donné, fait pérégriner son héros à travers le monde. Quoi qu'il arrive, ce héros, dont les actions et les réactions sont admirablement prévues, se doit de ne pas déjouer, tout en ayant l'air de les déjouer, les calculs dont il est l'objet. Les vagues de la vie peuvent paraître l'enlever, le rouler, le faire descendre, il relèvera toujours de ce type humain *formé*. Simple partie d'échecs dont je me désintéresse fort, l'homme, quel qu'il soit, m'étant un médiocre adversaire.

André BRETON, *Manifeste du surréalisme*, 1924,
© J.-J. Pauvert ; Gallimard, coll. « Idées », p. 14 à 18.

NOTIONS CLÉS

Description – Personnage – Psychologie – Réalisme – Style.

▶ La fiction romanesque qui prétend restituer la vie n'en donne qu'une image convenue.

▶ L'auteur ne met rien de lui-même dans ces divertissements méprisables qui ne recherchent que le succès immédiat auprès d'un public peu exigeant.

▶ Paul VALÉRY, *Mauvaises pensées et autres*, 1941 : « Le roman voit les choses et les hommes exactement comme le regard ordinaire les voit. Il les grossit, les simplifie, etc. Il ne les transperce ni ne les transcende. »

72. LOUIS ARAGON
« C'est là que tout a commencé... » (1965)

En 1932, Aragon rompt avec Breton et les surréalistes et se consacre au roman sur lequel ses anciens amis avaient jeté un véritable interdit. Il publie de 1934 à 1951 *Les Cloches de Bâle, Les Beaux Quartiers, Les Voyageurs de l'impériale, Aurélien* et *Les Communistes*. Il s'est prononcé pour le *réalisme socialiste** mais revendique une totale liberté d'invention (un « réalisme sans rivages », selon l'expression de Garaudy). Ainsi compris, le roman doit permettre d'arriver à la connaissance intuitive du réel (selon une « méthode poétique ») car « il n'a jamais suffi à l'art de montrer ce qu'on voit sans lui » (postface aux *Communistes*, 1967).

« Ce moyen de connaissance qu'est le roman »

La postface des Cloches de Bâle *s'ouvre sur un plaidoyer en quatre points en faveur du roman réaliste.*

1. Le roman postule toujours l'existence du réel (on pourrait parler de sa fonction référentielle).

2. Il satisfait un besoin essentiel de l'homme en lui permettant de comprendre les aspects les plus secrets du monde et de ses variations ; aussi son avenir n'est-il pas menacé.

3. Ceux qui comme ses « compagnons » surréalistes condamnent la fiction romanesque confondent le roman de consommation (« pour femmes de chambre » – voir p. 160) avec celui qui remplit vraiment sa fonction de dévoilement du réel. C'est une « démarche anti-philosophique ».

4. Paradoxalement, le détour par la fiction est indispensable à la révélation de la vérité qui, présentée directement, effraierait le lecteur. L'opposition habituelle entre mensonge et vérité est ici dépassée selon **une problématique du « mentir-vrai**[1] » *particulière à Aragon qui a souvent utilisé l'invention romanesque pour dire les déchirements de sa vie sentimentale et politique.*

Pourquoi la décision réaliste, la conscience du réel fondent-elles la nécessité du roman ? Tout roman n'est pas réaliste.

---

1. « Le mentir-vrai » est le titre d'une nouvelle de 1964 dans laquelle Aragon évoque sa propre enfance en imaginant la vie du petit Pierre, « pauvre gosse dans le miroir » et comme lui enfant illégitime.

Mais tout roman fait appel en la croyance au monde tel qu'il est, même pour s'y opposer. Le roman, et peut-être à le maudire y avait-il cohérence à qui n'en voulait accepter les conséquences et le bien-fondé, le roman est une machine inventée par l'homme pour l'appréhension du réel dans sa complexité. Qu'on ait ensuite perverti la machine est une autre affaire. À chaque génération, il y a des esprits qui se spécialisent dans le «désespoir du roman», si j'ose dire. Cela dure depuis le Moyen Âge, mes compagnons ne faisaient que reprendre la démarche qui, au nom de la religion ou au nom de l'art de siècle en siècle, condamna les histoires contées. Mais si Cervantès bafouait le roman de chevalerie ou Stendhal le roman pour femme de chambre, il en sortait Don Quichotte et Julien Sorel. Prétendre que c'en est fini ou que cela va en finir du roman, c'est vouloir considérer la réalité humaine comme fixée, immuable. Il y aura toujours des romans parce que la vie des hommes changera toujours, et qu'elle exigera donc des hommes à venir qu'ils s'expliquent ces changements, car c'est une nécessité impérieuse pour l'homme de faire le point dans un monde toujours variant, de comprendre la loi de cette variation : au moins, s'il veut demeurer l'être humain, dont il a, au fur et à mesure que sa condition se complique, une idée toujours plus haute et plus complexe.

L'extraordinaire du roman, c'est que pour comprendre le réel objectif, il invente d'inventer. Ce qui est *menti* dans le roman libère l'écrivain, lui permet de montrer le réel dans sa nudité. Ce qui est menti dans le roman est l'ombre sans quoi vous ne verriez pas la lumière. Ce qui est menti dans le roman sert de *substratum* à la vérité. On ne se passera jamais du roman, pour cette raison que la vérité fera toujours peur, et que le mensonge romanesque est le seul moyen de tourner l'épouvante des ignorantins dans le domaine propre au romancier. Le roman, c'est la clef des chambres interdites de notre maison. Les prophètes qui annoncent un monde sans romans pour demain ou après-demain imaginent-ils ce que cela serait, un monde sans romans ? Je les en défie bien. En tout cas, ce sont des briseurs de machines. Ils rêvent d'en revenir à l'ignorance romanesque, d'anéantir ce moyen de connaissance qu'est le roman, de faire comme s'il n'avait jamais été. Supposons un instant que cette démarche anti-philosophique soit possible, et même que par je ne sais quelle conspiration, quelle conjuration de forces, elle puisse se poursuivre un laps de temps tel qu'on oublie vraiment le roman, un siècle peut-être, que se passerait-il ensuite? On réinventerait le roman, voilà tout.

Louis ARAGON, «C'est là que tout a commencé...»
(postface de 1965 aux *Cloches de Bâle*),
dans *Œuvres romanesques complètes* I, © Éd. Gallimard,
coll. «Bibliothèque de la Pléiade», 1997, p. 691-692.

NOTIONS CLÉS

Fonction du roman – Mensonge/Vérité romanesques – Réalisme.

▶ Le roman appréhende le réel secret et mouvant dans toute sa complexité.

▶ Seule la fiction lui permet de remplir cette fonction essentielle à l'homme.

▶ Charles GRIVEL, *Production de l'intérêt romanesque*: «La vraisemblabilisation est essentielle au roman. Le roman ne peut que s'astreindre au procédé "réaliste" (programmatiquement presque toujours et narrativement nécessairement). "Réalisme" et roman ont un sort lié.»

73. ALBERT CAMUS
L'Homme révolté (1951)

On place souvent l'œuvre de Camus sous le signe de l'absurde et de la négation: à l'homme moderne qui s'interroge sur le mal et la mort, le monde ne donne pas de réponse. Or l'écrivain a lui-même signalé qu'au cycle de l'absurde (*L'Étranger*, roman, 1942; *Le Mythe de Sisyphe*, essai, 1942; *Caligula*, théâtre, 1944) il avait fait succéder le cycle de la révolte, qui implique l'action (*La Peste*, roman, 1947; *Les Justes*, théâtre, 1950; *L'Homme révolté*, essai, 1951). Pour Camus, «la contradiction est celle-ci: l'homme refuse le monde tel qu'il est, sans accepter de lui échapper» (*L'Homme révolté*, p. 326). Cette même ambivalence caractérise l'attitude de l'artiste: «L'art est aussi ce mouvement qui exalte et nie en même temps. "Aucun artiste ne tolère le réel", dit Nietzsche. Il est vrai; mais aucun artiste ne peut se passer du réel» (p. 317).

C'est particulièrement vrai du romancier qui permet à l'homme de satisfaire «**un besoin métaphysique**», celui de posséder le monde, d'en avoir une perception complète, de saisir sa vie comme un destin.

« Le roman fabrique du destin sur mesure »

*C'est là la justification profonde de la fiction romanesque, si ca-tégoriquement condamnée par Breton : à l'homme qui vit dans le déchirement de ne pouvoir donner une forme au « monde éparpillé », le roman offre des personnages qui lui ressemblent à cette différence près qu'ils « courent jusqu'au bout de leur destin » justement parce qu'ils sont imaginaires. Le roman s'enracine donc au plus profond de la condition humaine en proie à la dispersion, à l'absence de li-mites, à **la nostalgie de l'unité**.*

Qu'est-ce que le roman, en effet, sinon cet univers où l'action trouve sa forme, où les mots de la fin sont prononcés, les êtres livrés aux êtres, où toute vie prend le visage du destin[1]. Le monde romanesque n'est que la correction de ce monde-ci, suivant le désir profond de l'homme. Car il s'agit bien du même monde. La souffrance est la même, le mensonge et l'amour. Les héros ont notre langage, nos faiblesses, nos forces. Leur univers n'est ni plus beau ni plus édifiant que le nôtre. Mais eux, du moins, courent jusqu'au bout de leur destin et il n'est même jamais de si bouleversants héros que ceux qui vont jusqu'à l'extrémité de leur passion, Kirilov et Stavroguine, Mme Graslin, Julien Sorel ou le prince de Clèves[2]. C'est ici que nous perdons leur mesure, car ils finissent alors ce que nous n'achevons jamais. [...]

Voici donc un monde imaginaire, mais créé par la correction de celui-ci, un monde où la douleur peut, si elle le veut, durer jusqu'à la mort, où les passions ne sont jamais distraites, où les êtres sont livrés à l'idée fixe et toujours présents les uns aux autres. L'homme s'y donne enfin à lui-même la forme et la limite apaisante qu'il poursuit en vain dans sa condition. Le roman fabrique du destin sur mesure. C'est ainsi qu'il concur-rence la création et qu'il triomphe, provisoirement, de la mort. Une analyse détaillée des romans les plus célèbres montrerait,

---

1. « Si même le roman ne dit que la nostalgie, le désespoir, l'inachevé, il crée encore la forme et le salut. Nommer le désespoir, c'est le dépasser. La littérature désespérée est une contradiction dans les termes » [N.d.A.].

2. Camus cite ici des personnages de Dostoïevski (*Les Possédés* : Kirilov et Stavroguine), Balzac (*Le Curé de village* : Mme Graslin), Stendhal (*Le Rouge et le Noir* : Julien Sorel) et Mme de La Fayette (*La Princesse de Clèves*).

dans des perspectives chaque fois différentes, que l'essence du roman est dans cette correction perpétuelle, toujours dirigée dans le même sens, que l'artiste effectue sur son expérience. Loin d'être morale ou purement formelle, cette correction vise d'abord à l'unité et traduit par là un besoin métaphysique. Le roman, à ce niveau, est d'abord un exercice de l'intelligence au service d'une sensibilité nostalgique ou révoltée.

Albert CAMUS, *L'Homme révolté*,
© Éd. Gallimard, 1951, coll. «Folio Essais», 1990, p. 328-330.

NOTIONS CLÉS

Fonction du roman – Mensonge/Vérité romanesques – Personnage – Réalité.

▶ Le roman satisfait «un besoin métaphysique» de l'homme en lui offrant l'image d'un monde qui a la cohérence rassurante d'un destin.

▶ Milan KUNDERA, *L'Art du roman*: «Le roman n'examine pas la réalité mais l'existence. [...] Les romanciers dessinent *la carte de l'existence* en découvrant telle ou telle possibilité humaine.»

_____ 74. GUSTAVE FLAUBERT _____
Extraits de la correspondance (1852)

On connaît les ambitions de Flaubert en matière de style, sa constante recherche d'une adéquation parfaite entre l'expression et la pensée (voir le texte 31). Dans cette perspective, la prose romanesque devient un art aussi accompli – et plus difficile – que la poésie: «La prose, art plus immatériel (qui s'adresse moins aux sens, à qui tout manque de ce qui fait plaisir), a besoin d'être bourrée de choses et sans *qu'on les aperçoive*. Mais en vers les *moindres paraissent*» (lettre du 30 septembre 1853).

En matière de style, l'anti-modèle est Lamartine qui venait de publier un ouvrage autobiographique, *Graziella*. À ce romantisme qu'il juge efféminé, Flaubert oppose un idéal fait de classicisme et de modernité:

– classicisme puisque Flaubert définit **un idéal de justesse**, à la fois musicale et scientifique: la belle phrase qui allie la solidité de la composition («muscles saillants et cambrés»), la sensualité de la sonorité et la précision de la pensée doit proprement enlever – et élever – le lecteur (dans une lettre du 30 septembre 1853, Flaubert se réfère au «vieux père Boileau [...] un maître homme et un grand écrivain»);

– modernité dans la mesure où au nom de la liberté, de l'affranchissement de toute convention, l'œuvre d'art est maintenant définie par les seules contraintes que l'artiste s'est données. « S'éthérisant », se purifiant, l'art répudie aussi toute hiérarchie des sujets et réside dans le traitement qu'il leur impose. **Le roman devient ainsi poésie.**

74a. Pour une prose poétique

Je reviens à *Graziella*. Il y a un paragraphe d'une grande page tout en infinitifs : « se lever matin, etc. » L'homme qui adopte de pareilles tournures a l'oreille fausse. — Ce n'est pas un écrivain. Jamais de ces vieilles phrases à muscles saillants, cambrés, et dont le talon sonne. J'en conçois pourtant un, moi, un style : un style qui serait beau, que quelqu'un fera à quelque jour, dans dix ans, ou dans dix siècles, et qui serait rythmé comme le vers, précis comme le langage des sciences, et avec des ondulations, des ronflements de violoncelle, des aigrettes de feux, un style qui vous entrerait dans l'idée comme un coup de stylet, et où votre pensée enfin voguerait sur des surfaces lisses, comme lorsqu'on file dans un canot avec bon vent arrière. La prose est née d'hier, voilà ce qu'il faut se dire. Le vers est la forme par excellence des littératures anciennes. Toutes les combinaisons prosodiques ont été faites, mais celles de la prose, tant s'en faut.

Gustave FLAUBERT, Lettre à Louise Colet, 24 avril 1852.

74b. « Un livre sur rien »

Ce qui me semble beau, ce que je voudrais faire, c'est un livre sur rien, un livre sans attache extérieure, qui se tiendrait de lui-même par la force interne de son style, comme la terre sans être soutenue se tient en l'air, un livre qui n'aurait presque pas de sujet ou du moins où le sujet serait invisible, si cela se peut. Les œuvres les plus belles sont celles où il y a le moins de matière[1] ; plus l'expression se rapproche de la pensée, plus le mot colle dessus et disparaît, plus c'est beau. Je crois que l'avenir de l'Art est dans ces voies. Je le vois, à mesure qu'il grandit, s'éthérisant tant qu'il peut, depuis les pylônes égyptiens jusqu'aux lancettes

---

1. Cf. RACINE, Préface de *Bérénice* (1670) : « Toute l'invention consiste à faire quelque chose de rien. »

gothiques, et depuis les poèmes de vingt mille vers des Indiens jusqu'aux jets de Byron. La forme, en devenant habile, s'atténue ; elle quitte toute liturgie, toute règle, toute mesure ; elle abandonne l'épique pour le roman, le vers pour la prose ; elle ne se connaît plus d'orthodoxie et est libre comme chaque volonté qui la produit. Cet affranchissement de la matérialité se retrouve en tout et les gouvernements l'ont suivi, depuis les despotismes orientaux jusqu'aux socialismes futurs.

Gustave FLAUBERT, Lettre à Louise Colet,
16 janvier 1852.

NOTIONS CLÉS

Poésie – Roman – Style.

▶ L'avenir de la littérature est dans le développement d'une prose romanesque et poétique.

▶ Louis ARAGON, *Écrit au seuil*, préface à l'*Œuvre poétique* : « Je parlais des vers et de la prose, au fond, pour en dire que je n'y ai jamais vu différence. »

75. ALAIN ROBBE-GRILLET
Pour un nouveau roman (1963)

Pour Robbe-Grillet, théoricien du Nouveau Roman, « l'histoire » est une des « notions périmées » sur lesquelles se fonde le roman réaliste : « le fond du roman, sa raison d'être, ce qu'il y a dedans, serait simplement l'histoire qu'il raconte ». Or une telle conception du roman lui paraît inacceptable pour des raisons philosophique et esthétique.

On peut remarquer que cette **mise en question des formes narratives** suppose des lecteurs actifs et capables de s'intéresser à des romans déceptifs comme *La Jalousie* où l'on chercherait vainement une intrigue progressant d'un nœud à un dénouement.

Le refus du récit traditionnel

L'écriture, comme toute forme d'art, est [...] une intervention. Ce qui fait la force du romancier, c'est justement qu'il invente, qu'il invente en toute liberté, sans modèle. Le récit moderne a ceci de remarquable : il affirme de propos délibéré ce caractère, à tel point même que l'invention, l'imagination, deviennent à la limite le sujet du livre.

Et sans doute une pareille évolution ne constitue-t-elle qu'un des aspects du changement général des relations que l'homme entretient avec le monde dans lequel il vit. Le récit, tel que le conçoivent nos critiques académiques – et bien des lecteurs à leur suite – représente un ordre. Cet ordre, que l'on peut en effet qualifier de naturel, est lié à tout un système, rationaliste et organisateur, dont l'épanouissement correspond à la prise du pouvoir par la classe bourgeoise. En cette première moitié du XIXᵉ siècle, qui vit l'apogée – avec *La Comédie humaine* – d'une forme narrative dont on comprend qu'elle demeure pour beaucoup comme un paradis perdu du roman, quelques certitudes importantes avaient cours : la confiance en particulier dans une logique des choses juste et universelle.

Tous les éléments techniques du récit – emploi systématique du passé simple et de la troisième personne, adoption sans condition du déroulement chronologique, intrigues linéaires, courbe régulière des passions, tension de chaque épisode vers une fin, etc. –, tout visait à imposer l'image d'un univers stable, cohérent, continu, univoque, entièrement déchiffrable. Comme l'intelligibilité du monde n'était même pas mise en question, raconter ne posait pas de problème. L'écriture romanesque pouvait être innocente.

Mais voilà que, dès Flaubert, tout commence à vaciller. Cent ans plus tard, le système entier n'est plus qu'un souvenir ; et c'est à ce souvenir, à ce système mort, que l'on voudrait à toute force tenir le roman enchaîné. Pourtant, là encore, il suffit de lire les grands romans du début de notre siècle pour constater que, si la désagrégation de l'intrigue n'a fait que se préciser au cours des dernières années, elle avait déjà cessé depuis longtemps de constituer l'armature du récit. Les exigences de l'anecdote sont sans aucun doute moins contraignantes pour Proust que pour Flaubert, pour Faulkner que pour Proust, pour Beckett que pour Faulkner... Il s'agit désormais d'autre chose. Raconter est devenu proprement impossible.

Alain ROBBE-GRILLET, *Pour un nouveau roman*,
© Éd. de Minuit, 1963 ; Éd. Gallimard, coll. « Idées », p. 36-37.

NOTIONS CLÉS

Récit – Temporalité.

▶ Le récit réaliste linéaire constitue une forme narrative datée et inadaptée à la situation de l'homme dans le monde moderne.

Prolongement.– Plus radicalement encore que Robbe-Grillet, Annie Ernaux condamne le récit de fiction qui donne – illusoirement – une forme cohérente à une vie : « Il me paraît évident qu'une *vie* en narration romanesque est une imposture. Plus je pense à mon "histoire" plus elle est en "choses" extérieures (fond) et en fragments (forme). Les romans nous font croire que la vie est dicible en roman. Rien n'est plus une illusion. Fausseté absolue de "l'autofiction" (en dehors de S. Doubrovsky[1]. »

À cet artifice du récit, le roman ajoute pour elle un autre défaut majeur : la fiction. L'exigence d'objectivité, la recherche d'une vérité à la fois personnelle et générale – et aussi l'influence de Breton et de sa condamnation du roman – l'ont fait s'écarter de la fiction à partir de *La Place* : « Ce qu'on appelle roman ne fait plus partie de mon horizon. Il me semble que cette forme a moins de véritable action sur l'imaginaire et la vie des gens (il ne faut pas confondre effet médiatique et effet de lecture, même s'ils semblent se confondre dans l'instant). Les prix littéraires continuent de consacrer le roman à tour de bras – ce qui est moins une preuve de sa vitalité que de son caractère institutionnalisé – mais quelque chose d'autre est en train de s'élaborer, qui est à la fois en rupture et en continuité avec des œuvres majeures de la première moitié du XXe, celle de Proust, de Céline, les textes surréalistes. Je tiens *Nadja* pour le premier texte de notre modernité[2]. » Cette analyse témoigne aussi de l'éclatement des genres au XXe siècle (à ce sujet, voir le chapitre 4).

---

1. Annie ERNAUX, *L'Atelier noir*, Éditions des Busclats, 2011, p. 191-192.

2. Annie ERNAUX, *L'Écriture comme un couteau* (2003), Folio, 2011, p. 51. *Nadja* raconte la rencontre et les relations de l'auteur avec la jeune femme qui a donné son nom à l'ouvrage. Dans le préambule de son récit, Breton s'élève contre « tous les empiriques du roman qui prétendent mettre en scène des personnages distincts d'euxmêmes » et proclame : « Je persiste à réclamer les noms, à ne m'intéresser qu'aux livres qu'on laisse battants comme des portes, et desquels on n'a pas à chercher la clef » (éd. Folio, p. 17 et 18).

CHAPITRE 15

Poétique du roman

« Où connaissez-vous une critique qui s'inquiète de l'œuvre en *soi*, d'une façon intense ? On analyse très finement le milieu où elle s'est produite et les causes qui l'ont amenée. Mais la poétique *insciente* d'où elle résulte ? sa composition, son style ? le point de vue de l'auteur ? *jamais.* » Ce vœu de Flaubert (Lettre à George Sand du 2 février 1869) semble avoir été exaucé depuis que la linguistique structurale*, rompant avec une pratique héritée du XIXᵉ siècle, entend analyser dans l'œuvre la littérarité*. Des critiques comme Roland Barthes, Tzvetan Todorov ou Gérard Genette ont élaboré une poétique, «théorie générale des formes littéraires», qui s'est notamment attachée à l'étude du récit (narratologie). La richesse et la fécondité de leurs analyses ont profondément renouvelé la lecture critique du roman : d'où l'ampleur inhabituelle de ce chapitre, qui ne suffit pourtant pas à rendre compte de la diversité des approches narratologiques[1].

Avant même les apports de la narratologie, un philosophe assez intéressé par la littérature pour écrire des romans et des essais critiques avait montré que **le récit est entièrement orienté par son dénouement,** suscitant par là l'intérêt du lecteur, habitué à ne rien voir d'inutile dans les détails qui lui sont fournis (**76. Sartre**).

Le lecteur d'un roman lit une histoire* qui, le plus souvent, lui donne l'illusion de la réalité. Or, d'un point de vue narratologique, cette histoire n'est que le signifié* d'un récit* (le signifiant*, l'énoncé narratif), lui-même

---

1. On consultera avec profit les ouvrages de Vincent Jouve, *La Poétique du roman* (Armand Colin, coll. «Campus», 2001) et Yves Stalloni, *Dictionnaire du roman* (Armand Colin, 2006).

produit par un narrateur* qui n'a d'existence que dans le texte du roman… C'est dire qu'elle n'a rien de naturel et qu'elle pourrait être représentée autrement. L'analyse des « **modalités de la représentation narrative** » est donc indispensable : recourant à un appareil conceptuel désormais bien établi, elle s'intéresse à l'instance qui produit le discours romanesque (le narrateur), aux points de vue* narratifs et à leurs variations dans le récit (**77. Genette**). Ces choix narratifs donnent forme au récit et les romanciers contemporains, qui ne l'ignorent plus, les ont parfois mis en scène dans une sorte d'autoréflexion sur la composition et l'élaboration de leur roman (**78. Kundera** – voir aussi **43. Calvino**).

Système de signes, le roman est aussi **système de langues** : sa spécificité a été cherchée dans sa polyphonie, dans sa capacité à faire dialoguer harmonieusement divers langages sociaux (**79. Bakhtine**).

« Le récit pour s'inaugurer, se maintenir, se développer comme un monde clos, suffisant, constitué, exige à la fois local (localité) et temporalité. Il doit dire *quand*, il doit dire *où*. L'événement narratif ne se propose que muni de toutes ses coordonnées. Sans données temporelles, spatiales (conjointes à d'autres) le message narratif ne peut être délivré. » Ces constatations de Charles Grivel (*Production de l'intérêt romanesque*) signalent l'importance des **structures spatio-temporelles** au sein du fonctionnement de la narration romanesque. Le roman se fabrique un temps pour être. La temporalisation, cette activité textuelle par laquelle la narration crée l'effet temporel, repose sur un rythme narratif qui tire des effets de la combinaison de la durée de l'histoire, mesurée à l'image de la temporalité réelle, et de la durée textuelle, mesurée en lignes et en pages (**80. Genette**). Support fondamental de l'effet de réel dans la mise en œuvre romanesque traditionnelle, l'espace se voit attribuer, dans l'univers zolien, une fonction supplémentaire et déterminante puisqu'il conditionne les étapes mêmes de l'action, l'identité et le devenir des personnages : il est un espace de jeu (**81. Mitterand**).

La notion de personnage, longtemps abordée en termes psychologiques, a été entièrement redéfinie dans une perspective structurale et sémiotique. Le personnage est maintenant analysé en tant que participant à une sphère d'actions et comme un signe doté d'un signifié et d'un signifiant discontinus, disséminés dans l'énoncé romanesque (**82. Barthes** et **83. Hamon** – voir aussi le chapitre 13, « Roman et personnage ».)

Liée au personnage et comme lui à l'origine de l'illusion référentielle que produit le roman réaliste, **la description** a été aussi l'objet d'analyses sémiotiques qui la définissent comme un « système » et « un jeu d'équivalences hiérarchisées » (**84. Hamon**).

L'intérêt persistant de la *mimèsis*

Toutefois, il est apparu ensuite que cette orientation linguistique et structuraliste pouvait conduire à **une approche formaliste de la littérature** fondée sur l'autonomie, la clôture du texte : « La poétique du récit a pris pour objet le discours littéraire dans sa formalité rhétorique au détriment de sa force référentielle[1] », écrit ainsi Thomas Pavel. Antoine Compagnon développe cette critique en rappelant que pour Jakobson « la fonction poétique » est simplement *dominante* dans le langage littéraire. Il attribue l'exclusion de la fonction référentielle dans les travaux structuralistes à **un parti pris idéologique** « antibourgeois et anticapitaliste ». Si le texte littéraire ouvre moins sur le monde que sur d'autres textes (d'où l'émergence de l'inter-textualité* – voir à ce sujet le chapitre 5 – qui, dans un premier temps, s'est substituée à la question de la référence, et la réduction de la question du réalisme à celle de « l'effet de réel[2] »), il en résulte, dans la théorie française, une « crise de la *mimèsis* », qui est aussi « une crise de l'humanisme littéraire ». S'opposant à ces théoriciens, Antoine Compagnon s'appuie sur les travaux de Paul Ricœur, Northrop Frye et Carlo Ginzburg pour « réhabiliter la *mimèsis* » et la « relie[r] au monde » : « La *mimèsis* n'a donc rien de la copie. Elle constitue une forme spéciale de la connaissance du monde humain[3]. »

Dans un petit livre au titre et à la visée quelque peu alarmistes, Tzvetan Todorov, qui fut un des promoteurs de la critique structurale, rappelle lui aussi la dimension fondamentalement humaniste de la littérature : « La littérature ouvre à l'infini cette possibilité d'interaction avec les autres et nous enrichit donc infiniment. » Il affirme aussi, à juste titre, que l'enseignement du « français » doit avoir une visée humaniste : « L'analyse des œuvres à l'école ne devrait plus avoir pour but d'illustrer les concepts que vient d'introduire tel ou tel linguiste, tel ou tel théoricien de la littérature, et donc de nous présenter les texte comme une mise en œuvre de la langue et du discours ; sa tâche serait de nous faire accéder à leur sens – car nous postulons que celui-ci, à son tour, nous conduit vers une connaissance de l'humain, laquelle importe à tous[4]. »

---

1. Thomas PAVEL, *Univers de la fiction*, Paris, Éd. du Seuil, 1998, p. 7 (cité par A. COMPAGNON).

2. Roland BARTHES, « L'effet de réel », *Communications*, n° 11, 1968 ; repris dans *Littérature et réalité*, Points Seuil, 1982.

3. Antoine COMPAGNON, *Le Démon de la théorie, op. cit.*, p. 105 s. Sur Jakobson, voir le texte 1.

4. Tzvetan TODOROV, *La Littérature en péril*, Paris, Flammarion, 2007, p. 15-16 et 85. Voir aussi le texte 150.

76. JEAN-PAUL SARTRE
La Nausée (1938)

À l'articulation de la philosophie et de la littérature, Sartre a rédigé une œuvre immense comprenant des essais philosophiques sur l'existentialisme et le matérialisme dialectique (dont *L'Être et le néant*, 1943; *Critique de la raison dialectique*, 1960), des récits (*Le Mur*, nouvelles, 1939; *Les Chemins de la liberté*, 1945-1949; *Les Mots*, autobiographie, 1964), des pièces de théâtre (notamment *Les Mouches*, 1943; *Huis clos*, 1944; *Les Mains sales*, 1948; *Le Diable et le Bon Dieu*, 1951), des essais critiques et politiques (études sur Baudelaire, Genet et Flaubert; série des *Situations*, de 1947 à 1976).

Bien qu'il les ait toujours distinguées en théorie, son œuvre philosophique et son œuvre littéraire sont unies par diverses correspondances. D'une part, ses récits littéraires concernent des notions comme la liberté, l'existence, la contingence; d'autre part, comme il l'a dit lui-même à propos de la temporalité chez Faulkner, «une technique romanesque renvoie toujours à **la métaphysique du romancier**» (*Situations* I, p. 71).

La Nausée, son premier roman, se présente comme le journal intime d'un personnage qui s'englue dans une vie morne, dans un présent sans perspectives. Cette crise existentielle lui révèle la contingence fondamentale de l'existence humaine.

Le récit et la vie

> *Le narrateur de* La Nausée *souligne une particularité du récit qui l'oppose à l'incohérence et à la monotonie de la vie qu'il prétend pourtant imiter: le lecteur, même sans en avoir pleinement conscience, interprète chaque événement de l'histoire comme une annonce du développement prochain de l'action et de son dénouement. De ce point de vue, il n'y a pas d'histoire vraie, **tout récit procède à une recomposition des événements racontés**.*
>
> *C'est ce qu'observe aussi le romancier et critique Philippe Forest: «Il n'y a pas lieu de s'étonner de ce que toute vie ait l'air d'un roman puisque raconter sa vie, ou bien celle d'un autre, revient très exactement à lui donner cette allure de roman qui la fait seule exister. [...] il n'existe aucun moyen de se soustraire à une telle loi*[1].*»*

---

1. Philippe Forest, *Le Siècle des nuages*, Paris, Gallimard, 2010, p. 101.

Quand on vit, il n'arrive rien. Les décors changent, les gens entrent et sortent, voilà tout. Il n'y a jamais de commencements. Les jours s'ajoutent aux jours sans rime ni raison, c'est une addition interminable et monotone. De temps en temps, on fait un total partiel : on dit : voilà trois ans que je voyage, trois ans que je suis à Bouville. Il n'y a pas de fin non plus : on ne quitte jamais une femme, un ami, une ville en une fois. Et puis tout se ressemble : Shanghaï, Moscou, Alger, au bout d'une quinzaine, c'est tout pareil. Par moments – rarement – on fait le point, on s'aperçoit qu'on s'est collé avec une femme, engagé dans une sale histoire. Le temps d'un éclair. Après ça, le défilé recommence, on se remet à faire l'addition des heures et des jours. Lundi, mardi, mercredi. Avril, mai, juin. 1924, 1925, 1926.

Ça, c'est vivre. Mais quand on raconte la vie, tout change ; seulement c'est un changement que personne ne remarque : la preuve c'est qu'on parle d'histoires vraies. Comme s'il pouvait y avoir des histoires vraies ; les événements se produisent dans un sens et nous les racontons en sens inverse. On a l'air de débuter par le commencement : «C'était par un beau soir de l'automne de 1922. J'étais clerc de notaire à Marommes.» Et en réalité c'est par la fin qu'on a commencé. Elle est là, invisible et présente, c'est elle qui donne à ces quelques mots la pompe et la valeur d'un commencement. «Je me promenais, j'étais sorti du village sans m'en apercevoir, je pensais à mes ennuis d'argent.» Cette phrase, prise simplement pour ce qu'elle est, veut dire que le type était absorbé, morose, à cent lieues d'une aventure, précisément dans ce genre d'humeur où on laisse passer les événements sans les voir. Mais la fin est là, qui transforme tout. Pour nous, le type est déjà le héros de l'histoire. Sa morosité, ses ennuis d'argent sont bien plus précieux que les nôtres, ils sont tout dorés par la lumière des passions futures. Et le récit se poursuit à l'envers : les instants ont cessé de s'empiler au petit bonheur les uns sur les autres, ils sont happés par la fin de l'histoire qui les attire et chacun d'eux attire à son tour l'instant qui le précède : «Il faisait nuit, la rue était déserte.» La phrase est jetée négligemment, elle a l'air superflue ; mais nous ne nous y laissons pas prendre et nous la mettons de côté : c'est un renseignement dont nous comprendrons la valeur par la suite. Et nous avons le sentiment que le héros a vécu tous les détails de cette nuit comme des annonciations, comme des promesses, ou même qu'il vivait seulement ceux qui étaient des promesses, aveugle et sourd pour tout ce qui n'annonçait pas l'aventure. Nous oublions que l'avenir n'était pas encore là ; le type se promenait dans une nuit sans présages, qui lui offrait pêle-mêle ses richesses monotones et il ne choisissait pas.

Jean-Paul Sartre, *La Nausée*, © Éd. Gallimard, 1938, p. 61-62.

NOTIONS CLÉS

Récit – Temporalité.

▶ Tout récit recompose le réel pour lui donner la cohérence d'un destin.

▶ Charles Grivel, *Production de l'intérêt romanesque* : « Un roman est dès le début le mot de sa fin. » « Commencement et fin sont [...] donnés en même temps, comme parties intégrantes, indissociables, d'une cohérence perçue globalement par le lecteur à chaque endroit du texte. »

————— 77. GÉRARD GENETTE —————
Figures III (1972)

En 1972, Gérard Genette s'élève contre « la fonction essentielle de la critique, qui reste d'entretenir le dialogue d'un texte et d'une *psyché*, consciente et/ou inconsciente, individuelle et/ou collective, créatrice et/ou réceptrice ». Selon lui, la critique littéraire doit s'orienter vers une perspective autre, « une théorie générale des formes littéraires – disons **une poétique** », définie comme « une exploration des divers *possibles du discours* », centrée non sur « la littérature mais sur la littérarité*, non [sur] la poésie mais sur la fonction poétique ». « Poétique *ouverte* », « liée à la modernité de la littérature », et différente de « la poétique fermée des classiques ».

Mode et points de vue narratifs

Genette propose **une théorie du récit** ou « narratologie » élaborée à partir de *La Recherche du temps perdu*. Il fonde une « grammaire du texte » mettant en évidence **les structures organisatrices du récit** et définit « le mode narratif » du texte, c'est-à-dire « **les modalités de la représentation narrative** ». Dans le récit, « la régulation de l'information narrative » s'opère au moyen de deux modalités essentielles : la « **distance**

narrative », qui peut « fournir plus ou moins de détails » et les fournir
« de façon plus ou moins directe », et la « **perspective narrative** », qui
définit le point de vue (ou **focalisation***) à partir duquel sont données ces
informations. La typologie présentée par Genette est aujourd'hui com-
munément admise[1] :

– **la focalisation zéro** correspond à la « vision omnisciente » du narrateur balzacien qui analyse et juge sans cesse les personnages (**Narrateur >
Personnage**).

– **la focalisation interne** substitue à la représentation du narrateur
la perception subjective d'un personnage, comme dans *L'Étranger* mais
aussi dans tout récit en forme de journal ou de confession (**Narrateur =
Personnage**).

– **la focalisation externe** supprime la représentation du narrateur : les
personnages, contrairement à ceux de Mauriac, critiqués par Sartre (voir
le texte 66), sont présentés de l'extérieur selon un type de narration beha-
viouriste* utilisé par certains romanciers américains, comme Steinbeck
dans *Des souris et des hommes* (**Narrateur < Personnage**).

La plupart des romans joue sur les variations des points de vue narratifs
(par exemple, un roman où la focalisation zéro est dominante recourt à un
relais de focalisation interne pour montrer la perception qu'un personnage
a des événements) ; leur permutation est évidemment systématique dans le
roman par lettres (comme *Les Liaisons dangereuses* de Laclos).

« L'instance narrative »

*La narratologie doit envisager, elle aussi, l'«instance productrice
du discours romanesque », et donc analyser la « voix » qui rapporte
le récit. La critique littéraire a beaucoup de difficultés à reconnaître
« l'autonomie » et « la spécificité » de cette instance, constate Gérard
Genette. Il montre la nécessité de distinguer la voix qui rapporte
le récit et le personnage qui voit, le narrateur et l'auteur à travers
une série d'exemples, en particulier celui de* Manon Lescaut *qui met
en jeu de façon évidente la différence entre les deux instances ainsi
que leurs spécificités respectives. Ainsi, **le narrateur est «un rôle
fictif»**, la situation narrative «ne se ramène jamais à la situation
d'écriture ». De surcroît, l'instance narrative peut varier au cours
d'un même récit.*

1. D'autres chercheurs ont présenté des analyses très voisines en adoptant une autre
terminologie. Jean Pouillon (*Temps et roman*, 1946) parle de « vision par derrière », de
« vision avec » et de « vision du dehors ». La notion de « point de vue » a fait l'objet d'un
examen critique dans le n° 98 de la revue *Le Français aujourd'hui*, juin 1992.

Cette approche a été contestée par différents critiques qui consi-dèrent qu'il existe des récits sans narrateur. Dans un ouvrage des-tiné aux spécialistes de la narratologie et qui entend présenter l'ensemble des travaux dans ce domaine[1], Sylvie Patron expose lon-guement l'histoire et les données de ce débat théorique : aux « théo-ries communicationnelles du récit » qui voient « le narrateur dans tous les récits » (et qu'elle présente de manière critique), elle oppose les « théories poétiques du récit », pour lesquelles le narrateur est « optionnel ».

On sait que la linguistique a mis quelque temps à entre-prendre de rendre compte de ce que Benveniste a nommé la *subjectivité dans le langage*[2], c'est-à-dire de passer de l'ana-lyse des énoncés à celle des rapports entre ces énoncés et leur instance productrice – ce que l'on nomme aujourd'hui leur *énonciation**. Il semble que la poétique éprouve une dif-ficulté comparable à aborder l'instance productrice du dis-cours narratif, instance à laquelle nous avons réservé le terme, parallèle, de *narration*. Cette difficulté se marque surtout par une sorte d'hésitation, sans doute inconsciente, à reconnaître et respecter l'autonomie de cette instance, ou même sim-plement sa spécificité : d'un côté, comme nous l'avons déjà remarqué, on réduit les questions de l'énonciation narrative à celles du «point de vue»; de l'autre, on identifie l'instance nar-rative à l'instance d'«écriture», le narrateur à l'auteur et le des-tinataire du récit au lecteur de l'œuvre[3]. Confusion peut-être légitime dans le cas d'un récit historique ou d'une autobio-graphie réelle, mais non lorsqu'il s'agit d'un récit de fiction, où le narrateur est lui-même un rôle fictif, fût-il directement assumé par l'auteur, et où la situation narrative supposée peut être fort différente de l'acte d'écriture (ou de dictée) qui s'y réfère : ce n'est pas l'abbé Prévost qui raconte les amours de Manon et des Grieux, ce n'est pas même le marquis de Renoncourt, auteur supposé des *Mémoires d'un homme de*

---

1. Sylvie Patron, *Le Narrateur. Introduction à la théorie narrative*, Paris, Armand Colin, 2009.

2. *Problèmes de linguistique générale*, Paris, 1966, p. 258-266 [*N. d. A.*].

3. Ainsi Tzvetan Todorov, *Communications 8*, p. 146-147 [*N. d. A.*].

qualité; c'est des Grieux lui-même, en un récit oral où «je» ne peut désigner que lui, et où «ici» et «maintenant» renvoient aux circonstances spatio-temporelles de cette narration, et nullement à celles de la rédaction de *Manon Lescaut* par son véritable auteur. Et même les références de *Tristram Shandy* à la situation d'écriture visent l'acte (fictif) de Tristram et non celui (réel) de Sterne; mais de façon à la fois plus subtile et plus radicale, le narrateur du *Père Goriot* n'«est» pas Balzac, même s'il exprime çà ou là les opinions de celui-ci, car ce narrateur-auteur est quelqu'un qui «connaît» la pension Vauquer, sa tenancière et ses pensionnaires, alors que Balzac, lui, ne fait que les imaginer: et en ce sens, bien sûr, la situation narrative d'un récit de fiction ne se ramène *jamais* à sa situation d'écriture.

C'est donc cette instance narrative qu'il nous reste à considérer, selon les traces qu'elle a laissées – qu'elle est censée avoir laissées – dans le discours narratif qu'elle est censée avoir produit. Mais il va de soi que cette instance ne demeure pas nécessairement identique et invariable au cours d'une même œuvre narrative: l'essentiel de *Manon Lescaut* est raconté par des Grieux, mais quelques pages reviennent à M. de Renoncourt.

Gérard GENETTE, *Figures III,*
© Éd. du Seuil, 1972, p. 226-227.

NOTIONS CLÉS

Auteur – Focalisation – Lecteur – Narrateur.

▶ Le discours narratif est produit par une instance qu'on appelle *le narrateur* et qui n'est pas *l'auteur* qui écrit.

▶ De même le destinataire du discours narratif n'est pas le lecteur, l'individu qui lit.

▶ W. KAYSER, «Qui raconte le roman?» dans *Poétique du récit*: «Dans l'art du récit, le narrateur n'est jamais l'auteur, déjà connu ou encore inconnu, mais un rôle inventé et adopté par l'auteur. [...] Le narrateur est un personnage de fiction en qui s'est métamorphosé l'auteur.»

78. MILAN KUNDERA
La vie est ailleurs (1973)

« C'est dans des livres comme *La Plaisanterie* de Milan Kundera que l'on pourra comprendre, suivre, par ce chemin profond que fraye le roman dans l'époque, ce que fut au vrai la vie en notre temps », écrivait Aragon (préface de la première édition, 1968). Analyste lucide des mécanismes et des idéologies des sociétés contemporaines, de l'Est comme de l'Ouest (il vit en France depuis 1975), Kundera affirme clairement ses choix esthétiques : humour, refus du lyrisme (la poésie lyrique favorise l'embrigadement), refus de l'illusion réaliste et interventions constantes du narrateur (« Je suis en train d'écrire sur Agnès », écrit-il dans *L'Immortalité*, 1990). Ses réflexions sur le roman sont réunies dans *L'Art du roman* (« la *confession d'un praticien* »). Pour Kundera, **le roman est devenu poésie** depuis *Madame Bovary* (« roman = poésie antilyrique »). Il est « la grande forme de la prose où l'auteur, à travers des ego expérimentaux (personnages), examine jusqu'au bout quelques grands thèmes de l'existence ».

Dans ce passage de *La vie est ailleurs*, Kundera met en scène un narrateur qui réfléchit, à travers l'élaboration de son propre roman, aux conditions de la mise en forme romanesque. Analysant la façon dont sont présentés dans le roman le personnage et la vie de Jaromil et ceux qui l'entourent, le romancier permet au lecteur de prendre conscience de certaines modalités de la mise en forme romanesque : le traitement du temps et l'utilisation d'une perspective qui détermine tout le récit.

Variations sur les choix narratifs : le roman et les « virtualités irréalisées »

> *Le choix d'une attitude narrative est déterminant : en adoptant un « poste d'observation » à partir duquel est "vue" toute l'histoire (la fable), le narrateur donne une cohérence et une forme particulières à la narration.*
>
> *Ce choix influe d'abord sur **le rythme du récit**. La distorsion entre le temps de la fiction et le temps de la narration s'explique en effet par le fait que le récit est ordonné à partir du moment de la mort du héros, ce qui rejette son enfance « dans les lointains où se confondent les mois et les années ». Cette « anisochronie[1] » montre que **le narrateur est libre d'organiser le temps à sa guise**, de le concentrer ou, au contraire, de l'étirer.*

---

1. Dans la terminologie de Genette, une « anisochronie » est un effet de rythme obtenu par la distorsion entre une durée, celle de l'histoire, et une longueur, celle du texte.

*De ce choix dépendent le **mode de présentation des personnages**, leur importance relative et finalement l'histoire elle-même : le roman ne donne à voir directement « que Jaromil et sa mère ». Ce choix « irrémédiable », garant de la cohérence interne du roman, limite le champ ouvert à la fiction : Jaromil ne sera jamais le Xavier dont il rêve. Mais pour que ce roman soit « d'autres romans, ceux qu'il aurait pu être et qu'il n'a pas été », il suffirait de déplacer le « poste d'observation » : un tel changement de perspective donnerait au roman un autre contenu en actualisant d'autres possibles narratifs.*

La première partie de notre récit englobe environ quinze ans de la vie de Jaromil, mais la cinquième partie, qui est pourtant plus longue, à peine une année. Donc, dans ce livre, le temps s'écoule à un rythme inverse du rythme de la vie réelle ; il ralentit.

La raison en est que nous regardons Jaromil à partir d'un observatoire que nous avons érigé là où, dans le courant du temps, se situe sa mort. Son enfance se trouve pour nous dans les lointains où se confondent les mois et les années ; nous l'avons vu s'avancer avec sa mère, depuis ces lointains brumeux, jusqu'à l'observatoire à proximité duquel tout est visible comme au premier plan d'un tableau ancien, où l'œil distingue chaque feuille des arbres et, sur chaque feuille, le tracé délicat des nervures.

De même que votre vie est déterminée par la profession et le mariage que vous avez choisis, de même, ce roman est délimité par la perspective qui s'offre à nous depuis notre poste d'observation, d'où l'on ne voit que Jaromil et sa mère, tandis que nous n'apercevons les autres personnages que s'ils apparaissent en présence des deux protagonistes. Nous avons choisi notre observatoire comme vous avez choisi votre destinée, et notre choix est pareillement irrémédiable.

Mais chacun regrette de ne pouvoir vivre d'autres vies que sa seule et unique existence ; vous voudriez, vous aussi, vivre toutes vos virtualités irréalisées, toutes vos vies possibles (ah ! l'inaccessible Xavier !). Notre roman est comme vous. Lui aussi il voudrait être d'autres romans, ceux qu'il aurait pu être et qu'il n'a pas été.

C'est pourquoi nous rêvons constamment d'autres observatoires possibles et non construits. Supposez que nous placions notre poste d'observation, par exemple, dans la vie du peintre, dans la vie du fils du concierge, ou dans la vie de la petite rousse. En effet, que savons-nous d'eux? Guère plus que ce sot de Jaromil qui, en réalité, n'a jamais rien su de personne! Comment aurait été le roman, s'il avait suivi la carrière de cet opprimé, le fils du concierge, où son ancien camarade d'école, le poète, ne serait intervenu qu'une ou deux fois, comme un personnage épisodique! Ou bien si nous avions suivi l'histoire du peintre et si nous avions pu enfin savoir ce qu'il pensait exactement de sa maîtresse, dont il ornait le ventre de dessins à l'encre de Chine!

Si l'homme ne peut nullement sortir de sa vie, le roman est beaucoup plus libre. Supposez que nous démontions, promptement et clandestinement, notre observatoire, et que nous le transportions ailleurs, même pour peu de temps! Par exemple, bien au-delà de la mort de Jaromil! Par exemple, jusqu'à aujourd'hui où plus personne, mais personne (sa mère aussi est morte, il y a quelques années) ne se souvient du nom de Jaromil…

Milan KUNDERA, *La vie est ailleurs*, trad. fr. F. Kerel,
© Éd. Gallimard, 1973, coll. «Folio», p. 337-338.

NOTIONS CLÉS

Point de vue narratif – Roman – Rythme du récit – Temporalité.

▶ La perspective narrative (le «poste d'observation» du narrateur) détermine la temporalité, la cohérence et l'unité du roman.

▶ Ainsi le choix d'une technique romanesque règle l'invention de l'histoire en écartant d'autres développements que la fiction contenait virtuellement.

79. MIKHAÏL BAKHTINE
Esthétique et théorie du roman (1975)

Mikhaïl Bakhtine a été révélé tardivement au public français en 1970 par la traduction de deux monographies sur la *Poétique de Dostoïevski* (où il fait appel à la notion de «roman polyphonique») et *L'Œuvre de François Rabelais* (qu'il inscrit dans la culture populaire et carnavalesque). Les grands principes de cette recherche sont définis dans six études rédigées pour l'essentiel entre 1924 et 1941 et publiées sous le titre : *Esthétique et théorie du roman*.

Le critique entend dépasser «la rupture entre un «"formalisme" abstrait et un "idéologisme", qui ne l'est pas moins». Pour lui, les idéologies, comme le langage, sont des systèmes de signes inscrits dans une communauté sociale (il affirme «la prédominance du social sur l'individuel»); l'œuvre littéraire, qui est langage, ne peut donc être étudiée d'un point de vue étroitement linguistique. Mais il est aussi vain de vouloir en isoler le contenu : «**la forme et le contenu ne font qu'un** dans le discours compris comme phénomène social», «la forme artistique, c'est la forme d'un contenu, mais entièrement réalisée dans le matériau, et comme soudée à lui». Articulant ainsi linguistique et sociologie, Bakhtine définit le roman comme «un jeu proprement littéraire avec les langages sociaux».

Un système de «langues»

*Pour Bakhtine «l'objet principal du genre romanesque qui le "spécifie", qui crée son originalité stylistique, c'est l'homme qui parle et sa parole», sachant que le discours du locuteur est toujours un langage social au sein duquel s'harmonisent des éléments issus de divers langages. Ainsi, le roman est polyphonie, dialogue de langages divers qui renvoient aux différents discours définissant une culture (ce **dialogisme** peut être analysé en terme d'intertextualité*), il correspond à «un affinement de notre perception des différenciations socio-linguistiques».*

*Ces notions de polyphonie et de dialogisme ont depuis fait l'objet d'un approfondissement. Le linguiste Oswald Ducrot a esquissé «une théorie polyphonique de **l'énonciation***[1]» qui considère que «le sens d'un énoncé, [...] c'est une description de son énonciation». Ainsi «l'énoncé signale, dans son énonciation, la superposition de plusieurs voix»: celle d'un «locuteur», qui n'est pas le sujet parlant mais une fiction discursive présentée dans l'énoncé (et éventuellement désignée par je) et celle d'«énonciateurs» dont les points de vue sont exprimés à travers l'énonciation. Cette double énonciation apparaît au théâtre (voir le texte 110), dans les énoncés ironiques et plus largement dans tout énoncé. Cette théorie n'invalide pas l'analyse de Bakhtine : si tout énoncé est polyphonique, seul le roman travaille cette polyphonie à des fins esthétiques.*

---

1. *Le Dire et le dit*, Paris, Éd. de Minuit, 1984, p. 171 à 233.

Sans la mettre en cause, Daniel Delas considère que « les textes poétiques s'ouvrent à la dimension dialogique, voire polyphonique parce qu'ils recourent à un moment ou à un autre à la distanciation ironique ou argumentative ou à la narrativisation avec personnages ». En revanche, partant de l'idée que « rien n'est jamais monologique dans le langage », Henri Meschonnic refuse l'opposition que Bakhtine établit entre le roman polyphonique et la poésie monologique[1].

Le roman pris comme un tout, c'est un phénomène pluristylistique, plurilingual, plurivocal. L'analyste y rencontre certaines unités stylistiques hétérogènes, se trouvant parfois sur des plans linguistiques différents et soumises à diverses règles stylistiques.

Voici les principaux types de ces unités compositionnelles et stylistiques, formant habituellement les diverses parties de l'ensemble romanesque :

1) La narration directe, littéraire, dans ses variantes multiformes.

2) La stylisation des diverses formes de la narration orale traditionnelle, ou récit direct.

3) La stylisation des différentes formes de la narration écrite, semi-littéraire et courante : lettres, journaux intimes, etc.

4) Diverses formes littéraires, mais ne relevant pas de *l'art littéraire*, du discours d'auteur : écrits moraux, philosophiques, digressions savantes, déclamations rhétoriques, descriptions ethnographiques, comptes rendus, et ainsi de suite.

5) Les discours des personnages, stylistiquement individualisés.

Ces unités stylistiques hétérogènes s'amalgament, en pénétrant dans le roman, y forment un système littéraire harmonieux, et se soumettent à l'unité stylistique supérieure de l'ensemble, qu'on ne peut identifier avec aucune des unités qui dépendent de lui.

L'originalité stylistique du genre romanesque réside dans l'assemblage de ces unités dépendantes, mais relativement autonomes (parfois même plurilingues) dans l'unité suprême du

---

1. « Le point de vue », *Le Français aujourd'hui*, n° 98, juin 1992.

«tout»: le style du roman, c'est un assemblage de styles; le langage du roman, c'est un système de «langues». Chacun des éléments du langage du roman est défini relativement aux unités stylistiques dans lesquelles il s'intègre directement: discours stylistiquement individualisé du personnage, récit familier du narrateur, lettres, etc. […]

Le roman c'est la diversité sociale de langages, parfois de langues et de voix individuelles, diversité littérairement organisée. Ses postulats indispensables exigent que la langue nationale se stratifie en dialectes sociaux, en maniérismes d'un groupe, en jargons professionnels, langages des genres, parler des générations, des âges, des écoles, des autorités, cercles et modes passagères, en langages des journées (voire des heures) sociales, politiques (chaque jour possède sa devise, son vocabulaire, ses accents); chaque langage doit se stratifier intérieurement à tout moment de son existence historique. Grâce à ce plurilinguisme et à la plurivocalité qui en est issue, le roman orchestre tous ses thèmes, tout son univers signifiant, représenté et exprimé. Le discours de l'auteur et des narrateurs, les genres intercalaires, les paroles des personnages, ne sont que les unités compositionnelles de base, qui permettent au plurilinguisme de pénétrer dans le roman. Chacune d'elles admet les multiples résonances des voix sociales et leurs diverses liaisons et corrélations, toujours plus ou moins dialogisées. Ces liaisons, ces corrélations spéciales entre les énoncés et les langages, ce mouvement du thème qui passe à travers les langages et les discours, sa fragmentation en courants et gouttelettes, sa dialogisation, enfin, telle se présente la singularité première de la stylistique du roman.

Mikhaïl Bakhtine, «Du discours romanesque»,
dans *Esthétique et théorie du roman*, 1975,
trad. fr. D. Olivier © Éd. Gallimard, 1978, p. 88-89.

NOTIONS CLÉS

Dialogisme – Énonciation – Forme/Sens – Langage – Roman/Poésie.

▶ «Le roman c'est la diversité sociale de langages, parfois de langues et de voix individuelles, diversité littérairement organisée.»

80. GÉRARD GENETTE
Figures III (1972)

Gérard Genette envisage ici les problèmes posés par **la durée romanesque**, en confrontant durée de l'histoire (de la diégèse*) et durée du récit. Il définit ainsi la «vitesse du récit» comme «le rapport entre une durée, celle de l'histoire, mesurée en secondes, minutes, heures, jours, mois et années et une longueur, celle du texte, mesurée en lignes et en pages». Un récit dans lequel le rapport entre la durée de l'histoire et la longueur du récit serait constant, sans accélérations ni ralentissements, serait un récit isochrone. Un tel récit, «hypothétique degré zéro de référence», n'existe pas, toute narration étant fondée sur des effets de rythme, c'est-à-dire des variations de vitesse ou «anisochronies». Le critique est ainsi amené à distinguer **quatre «mouvements narratifs»** qui sont, selon lui, les «formes canoniques du tempo romanesque».

Le «tempo romanesque»

Théoriquement, en effet, il existe une gradation continue depuis cette vitesse infinie qui est celle de l'ellipse, où un segment nul de récit correspond à une durée quelconque d'histoire, jusqu'à cette lenteur absolue qui est celle de la pause descriptive, où un segment quelconque du discours narratif correspond à une durée diégétique* nulle[1]. En fait, il se trouve que la tradition narrative, et en particulier la tradition romanesque, a réduit cette liberté, ou du moins l'a ordonnée en opérant un choix entre tous les possibles, celui de quatre rapports fondamentaux qui sont devenus, au cours d'une évolution dont l'étude reviendra un jour à *l'histoire* (encore à naître) *de la littérature,* les formes canoniques du *tempo* romanesque : un peu comme la tradition musicale classique avait distingué dans

---

1. Cette formulation peut donner lieu à deux malentendus que je veux dissiper tout de suite : 1) Le fait qu'un segment de discours corresponde à une durée nulle de l'histoire ne caractérise pas en propre la description : il se retrouve aussi bien dans ces excursus commentatifs au présent que l'on nomme couramment, depuis Blin et Brombert, *intrusions* ou *interventions d'auteur,* et que nous retrouverons au dernier chapitre. Mais le propre de ces excursus est de n'être pas à proprement parler narratifs. Les descriptions en revanche sont *diégétiques,* puisque constitutives de l'univers spatio-temporel de l'histoire, et c'est donc bien avec elles le discours *narratif* qui est en cause. 2) Toute description ne fait pas nécessairement pause dans le récit, nous le constatons chez Proust lui-même : aussi n'est-il pas question ici de la description, mais de la *pause descriptive,* qui ne se confond donc ni avec toute pause, ni avec toute description [*N.d.A.*].

l'infinité des vitesses d'exécution possibles quelques mouvements canoniques, *andante, allegro, presto,* etc., dont les rapports de succession et d'alternance ont commandé pendant
quelque deux siècles des structures comme celles de la sonate,
de la symphonie ou du concerto. Ces quatre formes fondamentales du mouvement narratif, que nous appellerons désormais
les quatre *mouvements* narratifs, sont les deux extrêmes que
je viens d'évoquer *(ellipse* et *pause* descriptive), et deux intermédiaires : la *scène,* le plus souvent «dialoguée», dont nous
avons déjà vu qu'elle réalise conventionnellement l'égalité de
temps entre récit et histoire, et ce que la critique de langue
anglaise appelle le «*summary*», terme qui n'a pas d'équivalent en français et que nous traduirons par *récit sommaire*
ou, par abréviation, *sommaire* : forme à mouvement variable
(alors que les trois autres ont un mouvement déterminé, du
moins en principe), qui couvre avec une grande souplesse de
régime tout le champ compris entre la scène et l'ellipse. On
pourrait assez bien schématiser les valeurs temporelles de ces
quatre mouvements par les formules suivantes, où TH désigne
le temps d'histoire et TR le pseudo-temps, ou temps conventionnel, de récit :

pause   : TR = n, TH = 0. Donc : TR ∞ > TH
scène   : TR = TH
sommaire : TR < TH
ellipse   : TR = 0, TH = n. Donc : TR < ∞ TH.

Gérard GENETTE, *Figures III,*
© Éd. du Seuil, 1972, p. 128-129.

NOTIONS CLÉS

Rythme du récit – Temporalité.

▶ Le tempo romanesque est défini par le rapport établi entre la durée diégétique
(la durée des événements racontés) et la durée textuelle (la longueur du texte
qui les raconte).

▶ Ce mouvement narratif prend quatre formes fondamentales : la pause, la
scène, le sommaire et l'ellipse.

―――――――――――― 81. HENRI MITTERAND ――――――――――――
Zola. L'Histoire et la fiction (1990)

Éditeur scientifique des *Rougon-Macquart* («Bibliothèque de la Pléiade», 1960-1967) et des *Œuvres complètes* de Zola (Cercle du Livre précieux, 1966-1970), Henri Mitterand, spécialiste du roman du XIXᵉ (*Le Discours du roman*, 1980), récuse les idées reçues qui réduisent les œuvres de Balzac, Flaubert, Zola et leurs épigones à des documents humains : il entend étudier la «*poétique** du réalisme et du naturalisme» (*Le Regard et le signe*, 1987), produit d'une observation ethnographique, de la fiction narrative et des contraintes qui s'y attachent.

Espace et narration

La représentation de l'espace et du temps dans le roman a déjà été analysée par Mikhaïl Bakhtine dans Esthétique et théorie du roman. *Selon lui, une œuvre ou un genre sont caractérisés par leur façon de découper et d'ordonner le monde dans les catégories du temps et de l'espace. Il a désigné par la notion de* **chronotope**, *empruntée librement à la théorie de la relativité d'Einstein, «la corrélation essentielle des rapports spatio-temporels, telle qu'elle a été assimilée par la littérature» et étudié différents chronotopes dans les œuvres de Balzac et Stendhal (le salon), de Flaubert (la petite ville de province) et de Rabelais. Celui-ci établit une «proportionnalité directe» entre la qualité et la quantité : tout ce qui a de la valeur tend à occuper l'espace et le temps, instaurant un nouvel ordre du monde qui rompt avec la conception eschatologique du Moyen Âge et postule une ré-évaluation de la vie terrestre, accordée à l'optimisme de la première Renaissance.*

Henri Mitterand, lui, s'intéresse à «la manière dont Zola construit, compose et transforme son espace romanesque comme condition a priori de l'invention d'un personnel et d'une action romanesques». Il remarque d'abord que l'espace, toujours soigneusement défini dans les dossiers préparatoires de Zola, produit deux effets contradictoires : par sa valeur mimétique*, il est un ressort de ***l'illusion réaliste*** *; mais il constitue aussi une forme abstraite, «****un espace de jeu****», adapté aux personnages et au «programme narratif». La topographie n'est pas ici un simple décor, elle participe directement de la fonctionnalité romanesque.*

Faisant référence aux personnages de La Curée *(Renée et Saccard),* Le Ventre de Paris *(Florent),* La Conquête de Plassans *(Mar-*

the Mouret), L'Assommoir *(Gervaise et Lantier) et* Nana, *il montre ensuite que **les structures spatiales contribuent à définir les personnages** (qui s'y intègrent ou en sont exclus) et leurs aventures (selon qu'ils maîtrisent ou non leur évolution dans un espace social hiérarchisé). Il signale enfin que cet univers poétique si rigoureusement ordonné est souvent menacé de désorganisation brutale : c'est, par exemple, le train fou de* Nana *ou la catastrophe minière de* Germinal.

Il existe en effet une cartographie soigneusement délimitée des lieux de chaque roman. On le sait bien, les dossiers préparatoires de plusieurs des *Rougon-Macquart* contiennent de véritables plans dessinés : le plan de Plassans dans *La Fortune des Rougon,* celui de Montsou dans *Germinal,* celui du quartier de la Goutte d'Or dans *L'Assommoir.* C'est pour le romancier le moyen de repérer et de mémoriser les stations et les déplacements des personnages. C'est aussi une procédure au service de l'illusion réaliste. Mais c'est encore, contradictoirement, un moyen de déréaliser l'œuvre, en tirant son espace de représentation du côté d'une forme close, épurée, abstraite (elle est quasi circulaire dans le cas de Plassans), coupée du monde, regardant vers son centre plus que vers l'extérieur : telle qu'un espace de jeu, ou bien un espace de manœuvre, au sens guerrier du terme. [...]

Terrain de jeu, terrain de lutte. Zola circonscrit et segmente toujours, ou en tout cas souvent, un terrain pour l'action, pour le *drama.* Et c'est bien la raison pour laquelle on ne saurait analyser et interpréter la structure dramatique des *Rougon-Macquart* sans prendre en compte la relation du programme narratif et de sa topographie. Le paysage n'y est pas une icône réaliste, impressionniste, symbolique, etc., mais plutôt un cadre régulateur, consubstantiel au système des personnages et à la logique des actions, comme l'échiquier aux pièces du jeu. La rigueur de cette fonctionnalité me semble sans exemples équivalents en dehors de l'œuvre de Zola. Espace de jeu, espace d'enjeu. Espace, en allemand, du *Kriegspiel.* [...]

Les romans de Zola résultent ainsi d'une triple attention de l'écrivain aux structures spatiales : d'abord celle qu'il porte à l'être là, à l'habitus du sujet et en particulier aux situations de déracinement, de dépaysement, de déstabilisation, d'inadaptation, bref aux accidents et aux malaises d'espace qui peuvent frapper un sujet et le rendre étrange, ou étranger, à son milieu ou à lui-même : ainsi de Lantier, Florent, Renée, Marthe Mouret. Libre aux psychobiographes de s'interroger là aussi sur ce que cette curiosité peut puiser dans les souvenirs personnels.

En second lieu, l'intuition attentive des compartimentages de l'espace social, et notamment de l'espace urbain. Les acteurs du jeu social sont installés, malgré eux ou délibérément, dans un système d'espaces, avec deux possibilités : ou bien se laisser porter d'une halte à l'autre, selon la dégringolade hasardeuse d'une bille de flipper – c'est un peu l'image de Renée, de Gervaise ou de Nana – ou bien, si j'ose dire, exploiter le terrain (c'est ce qu'a fait Aristide Saccard, en tous les sens du terme), faire de l'espace assigné par le destin le champ clos d'une aventure qui prévoit et organise ses voies et ses points d'appui. Cette vision systématisée et dynamique de l'espace social contemporain s'accompagne bien entendu d'une intuition lucide du rôle qu'y jouent la propriété et le pouvoir, comme forces régulatrices mais aussi comme objets du désir de l'aventurier.

En troisième et dernier lieu, et non la moindre, une attention plus proprement poétique, et plus ironique, au désordre, à la négation ou à la dénégation subite de l'ordre institué, à la catastrophe, minime ou grandiose, qui anéantit le dispositif.

Henri MITTERAND, *Zola. L'Histoire et la fiction*,
© PUF, 1990, p. 206-212.

NOTIONS CLÉS

Espace romanesque – Forme – Illusion référentielle – Personnage – Réalisme.

▶ L'espace apparaît comme une structure fondamentale de l'imaginaire zolien.

▶ Il n'a pas pour seule fonction de représenter la réalité et d'y inscrire la fiction ; sa disposition conditionne les formes et les étapes de l'action.

▶ Charles GRIVEL, *Production de l'intérêt romanesque* : « La situation narrative de base comprend un lieu d'existence. [...] La localisation produit la véracité du texte. »

82. ROLAND BARTHES
Poétique du récit (1977)

Dans cet article extrait d'un ouvrage collectif, Barthes se propose de « donner comme modèle fondateur à l'analyse structurale du récit, la linguistique elle-même ». Partant du constat selon lequel « la linguistique s'arrête à la phrase », il propose une linguistique du discours, en postulant que « le récit est une grande phrase » où l'on retrouve, « agrandies et transformées à sa mesure, les principales catégories du verbe : les temps, les aspects, les modes, les personnes ». Le langage va donc tendre au discours « le miroir de sa propre structure ». Barthes distingue ainsi, dans l'œuvre narrative, trois niveaux de description : celui des fonctions (ou unités de contenu), celui des actions (niveau où interviennent les personnages conçus comme « actants ») et celui de la narration.

Le personnage comme participant

La critique structuraliste, depuis les analyses de Propp, considère le personnage « non comme un être mais comme un participant ». On abandonne le personnage-personne, le type humain, pour ne plus envisager que la fonction de « l'actant* » dans le récit, conçu comme « sphère d'actions ». Greimas décrit ainsi les personnages, non plus en fonction de « ce qu'ils sont », c'est-à-dire de caractéristiques psychologiques, mais en fonction de « ce qu'ils font », de leur rôle au sein de l'action. Ce recentrement sur le personnage envisagé comme agent permet d'établir un système typologique, une syntaxe des personnages, fondée sur le modèle des catégories grammaticales que Barthes utilise comme structures organisatrices. Le système ainsi conçu fait intervenir trois couples d'actants distribués sur « trois grands axes sémantiques » que nous représenterons ainsi :

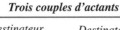

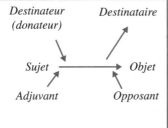

Trois couples d'actants   Trois grands axes sémantiques

Destinateur   Destinataire = *axe de la communication*
(donateur)   *(équivalent narratif*
                                  du complément d'attribution)

Sujet ⟶ Objet = *axe du désir*

Adjuvant   Opposant = *axe de l'épreuve*
                                (équivalent narratif
                                du complément circonstantiel)

Dans la poétique aristotélicienne, la notion de personnage est secondaire, entièrement soumise à celle d'action : il peut y avoir des fables sans «caractères», dit Aristote, il ne saurait y avoir de caractères sans fable. Cette vue a été reprise par les théoriciens classiques (Vossius). Plus tard, le personnage, qui jusque-là n'était qu'un nom, l'agent d'une action, a pris une consistance psychologique, il est devenu un individu, une «personne», bref un «être» pleinement constitué, alors même qu'il ne ferait rien, et bien entendu, avant même d'agir, le personnage a cessé d'être subordonné à l'action, il a incarné d'emblée une essence psychologique ; ces essences pouvaient être soumises à un inventaire, dont la forme la plus pure a été la liste des «emplois» du théâtre bourgeois (la coquette, le père noble, etc.). Dès son apparition, l'analyse structurale a eu la plus grande répugnance à traiter le personnage comme une essence, fût-ce pour la classer ; comme le rappelle T. Todorov, Tomachevski alla jusqu'à dénier au personnage toute importance narrative, point de vue qu'il atténua par la suite. Sans aller jusqu'à retirer les personnages de l'analyse, Propp les réduisit à une typologie simple, fondée, non sur la psychologie, mais sur l'unité des actions que le récit leur impartit (Donateur d'objet magique, Aide, Méchant, etc.).

Depuis Propp, le personnage ne cesse d'imposer à l'analyse structurale du récit le même problème : d'une part les personnages (de quelque nom qu'on les appelle : *dramatis personae* ou *actants)* forment un plan de description nécessaire, hors duquel les menues «actions» rapportées cessent d'être intelligibles, en sorte qu'on peut bien dire qu'il n'existe pas un seul récit au monde sans «personnages», ou du moins sans «agents» ; mais d'autre part ces «agents», fort nombreux, ne peuvent être ni décrits ni classés en termes de «personnes», soit que l'on considère la «personne» comme une forme purement historique, restreinte à certains genres (il est vrai les mieux connus de nous) et que par conséquent il faille réserver le cas, fort vaste, de tous les récits (contes populaires, textes contemporains) qui comportent des agents, mais non des personnes ; soit que l'on professe que la «personne» n'est jamais qu'une rationalisation critique imposée par notre époque à de purs agents narratifs. L'analyse structurale, très soucieuse de ne point définir le personnage en termes d'essences psychologiques, s'est efforcée jusqu'à présent, à travers des hypothèses diverses, de définir le personnage non comme un « être », mais comme un « participant ». Pour Cl. Bremond, chaque personnage peut être l'agent de séquences d'actions qui lui sont propres *(Fraude, Séduction)* ; lorsqu'une même séquence implique deux personnages (c'est le cas normal), la séquence comporte deux perspectives, ou, si l'on préfère, deux noms (ce qui est *Fraude* pour l'un est *Duperie* pour l'autre) ; en somme, chaque personnage, même secondaire, est le héros de sa propre séquence. T. Todorov, analysant un roman « psychologique » *(Les Liaisons dangereuses)*, part, non des personnages-personnes, mais des trois grands rapports dans lesquels ils peuvent s'engager et qu'il appelle prédicats de base (amour, communication, aide) ; ces rapports sont soumis par l'analyse à deux sortes de règles : de *dérivation* lorsqu'il s'agit de rendre compte d'autres rapports et *d'action* lorsqu'il s'agit de décrire la transformation de ces rapports au cours de l'histoire : il y a beaucoup de personnages dans *Les Liaisons dangereuses*, mais « ce qu'on en dit » (leurs prédicats) se laisse classer. Enfin, A. J. Greimas a proposé de décrire et de classer les personnages du récit, non selon ce qu'ils sont, mais selon ce qu'ils font (d'où leur nom *d'actants)*, pour autant qu'ils participent à trois grands axes sémantiques, que l'on retrouve d'ailleurs dans la phrase (sujet, objet, complément d'attribution, complément circonstanciel) et qui sont la communication, le désir (ou la quête) et l'épreuve ; comme cette participation s'ordonne par couples, le monde infini des personnages est lui aussi soumis à une structure paradigmatique *(Sujet/Objet, Donateur/ Destinataire, Adjuvant/Opposant)*, projetée le long du récit ; et comme l'actant définit une classe, il peut se remplir d'acteurs différents, mobilisés selon des règles de multiplication, de substitution ou de carence.

Ces trois conceptions ont beaucoup de points communs. Le principal, il faut le répéter, est de définir le personnage par sa participation à une sphère d'actions, ces sphères étant peu nombreuses, typiques, classables ; c'est pourquoi l'on a appelé ici le second niveau de description, quoique étant celui des personnages, niveau des Actions : ce mot ne doit donc pas s'entendre ici au sens des menus actes qui forment le tissu du premier niveau, mais au sens des grandes articulations de la *praxis* (désirer, communiquer, lutter).

Roland BARTHES, « Analyse structurale des récits »,
dans *Poétique du récit*,
© Éd. du Seuil, 1977, p. 32-35.

NOTIONS CLÉS

Actant – Personnage

▶ Le personnage est un actant, une force agissante au sein d'une sphère d'actions.

▶ On distingue trois couples d'actants : sujet/objet ; destinateur/destinataire ; adjuvant/opposant.

83. PHILIPPE HAMON
Poétique du récit (1977)

L'analyse critique de Philippe Hamon a la particularité de porter sur des aspects spécifiques du roman : le personnage, dans sa thèse sur Zola, la description dans *Introduction à l'analyse du descriptif*, ou encore l'idéologie dans *Texte et idéologie*. Ce chapitre, extrait de *Poétique du récit*, renouvelle l'analyse du personnage littéraire en la coupant de toute référence psychologique et en utilisant les données de la linguistique. Dans l'analyse structuraliste, le personnage est actant*, « unité de signification », il devient donc un « concept sémiologique* » analysable selon les données de la linguistique. Signe*, il se définit comme « un morphème* doublement articulé » par « un signifiant* discontinu renvoyant à un signifié* discontinu ».

Le signifié* du personnage

*Le signifié du personnage, c'est-à-dire « son sens, sa valeur », est « discontinu » car il est **l'aboutissement d'un certain nombre d'informations**, disséminées tout au long du récit, et rassemblées par l'activité de mémorisation du lecteur. Ces indices de signification, facilement repérables dans le récit traditionnel (portrait, définition* *du rôle social, identité), aboutissent à sa constitution psychologique et sociale.*

*Mais le personnage n'est pas seulement un caractère, une « qualification », il est aussi **un actant, « une fonction »**, définis par son rôle dans la sphère d'actions qui constitue le récit. Dépendant donc étroitement de ce rôle, son signifié « sera défini par un faisceau de relations » formé par les rapports que le personnage entretient avec d'autres actants, rapports de « ressemblance, d'opposition, de hiérarchie et d'ordonnancement » qui constituent sa « distribution », terme à prendre ici dans son sens linguistique de variantes combinatoires au sein du récit.*

*« Le personnage est donc, toujours, la collaboration d'**un effet de contexte** (soulignement de rapports sémantiques intra-textuels) et d'**une activité de mémorisation et de reconstruction** opérée par le lecteur. »*

Le signifiant du personnage

*Le personnage est « pris en charge et désigné sur la scène du texte par [...] **un ensemble dispersé de marques**, que l'on pourrait appeler **son étiquette** », et qui constituent progressivement son signifiant. Ces marques sont variables en fonction des choix littéraires et esthétiques de l'écrivain : « paradigme* grammaticalement homogène et limité (je/me/moi) » dans l'autobiographie, emploi du passé, de la troisième personne et d'un nom propre dans le récit traditionnel.*

***La récurrence de l'étiquette** et sa stabilité sont des éléments essentiels « de la cohérence et de la lisibilité du texte ». Cette stabilité est remise en cause par le roman moderne dans son entreprise de déconstruction du personnage traditionnel. **La richesse de l'étiquette** dépend de l'extension de son champ d'équivalences. Elle varie du déictique* ou de l'initiale au portrait, en passant par le nom propre, les périphrases, voire les illustrations ou les diagrammes. **La motivation de l'étiquett**e, rapport plus ou moins étroit que le signifiant entretient avec le contenu sémantique du personnage qu'il désigne est construite sur plusieurs types de procédés : visuels, acoustiques ou morphologiques (les jeux onomastiques comme Bovary / bœuf, Gobseck / gobe sec).*

Le personnage est représenté, pris en charge et désigné sur la scène du texte par un signifiant discontinu, un ensemble dispersé de marques que l'on pourrait appeler son «étiquette». Les caractéristiques générales de cette étiquette sont en grande partie déterminées par les choix esthétiques de l'auteur. Le monologue lyrique, ou l'autobiographie, peut se contenter d'une étiquette constituée d'un paradigme grammaticalement homogène et limité (je/me/moi par exemple). Dans un récit au passé et à la 3e personne, l'étiquette est en général centrée sur le nom propre, pourvu de sa marque typographique distinctive, la Majuscule, et se caractérisera par sa *récurrence* (marques plus ou moins fréquentes), par sa *stabilité* (marques plus ou moins stables), par sa *richesse* (étiquette plus ou moins étendue), par son degré de *motivation* [...].

Une étiquette peut être plus ou moins riche, plus ou moins homogène. Je/me/moi est une étiquette homogène grammaticalement, et pauvre. Il/Julien Sorel/notre héros/le jeune homme, etc. est une étiquette homogène (linguistiquement) et hétérogène (grammaticalement et lexicalement); le personnage de bande dessinée, de roman illustré, de film, ou d'opéra, a une étiquette hétérogène linguistiquement (Don Juan/lui/monsieur, etc.) et sémiologiquement (elle est prise en charge par du texte, mais aussi par des couleurs, des leitmotive musicaux ou graphiques, une gestualité, etc.). L'étiquette intègre donc un paradigme *d'équivalences* qui peut balayer un champ étendu de marques allant de la plus économique (le *déictique**: lui, ça, eux; la simple lettre: K. chez Kafka, le comte P., Madame N., dans certains textes du xviiie siècle) à la plus coûteuse (le «portrait», la description) en passant par le nom propre (nom, prénom, surnom) et toutes les variétés de la périphrase («l'homme aux rubans verts»), de la titrologie officielle, des illustrations, ou des diagrammes (les arbres généalogiques que Zola joignait à certains de ses romans). Ces substituts divers intègrent en une même étiquette des segments textuels (ou iconiques) de longueur et de complexité phonétique variable. On pourrait donc définir le personnage comme *un système d'équivalences réglées destiné à assurer la lisibilité du texte*. On peut donc prévoir qu'un romancier «réaliste» (lisible) fera porter un effort particulier à la fois sur la *spécificité* et sur la *diversité* des étiquettes signifiantes de ses divers personnages en évitant, par exemple, les noms propres qui se ressembleraient trop phonétiquement. S'il s'agit de plusieurs membres d'une même famille, on diversifiera soigneusement les prénoms (le nom est alors le *radical* qui assure une permanence sémantique, le prénom ou le surnom apportant une flexion et une variation), et on s'efforcera d'éviter de puiser dans un matériel phonétique trop étroit.

Philippe HAMON, «Pour un statut sémiologique du personnage»,
dans *Poétique du récit*, © Éd. du Seuil, 1977, p. 142-145.

NOTIONS CLÉS

Actant – Lecteur – Personnage – Sémiologie – Signe – Signifiant – Signifié.

▶ Le signifiant du personnage est formé par une série de marques récurrentes qui constituent son étiquette.

▶ Celle-ci doit être stable, elle peut être plus ou moins riche et motivée.

▶ Le personnage est donc «un système d'équivalences réglées qui assure la lisibilité du texte».

_____ 84. PHILIPPE HAMON _____
Introduction à l'analyse du descriptif (1981)

Lieu formel très codé, exprimant un savoir-faire rhétorique, exploitant un certain nombre de topoï*, semblant **non indispensable à l'économie du récit,** la description a suscité la méfiance, voire le refus, des théoriciens qui, de La Harpe à Valéry, l'ont perçue comme un ornement du discours, un procédé dont l'abus, monotone et contraire au bon goût, menace l'unité harmonieuse de l'œuvre par l'accumulation de détails.

Les auteurs réalistes, au contraire, ont proclamé la légitimité du descriptif en insistant sur sa fonction : il ne faut pas décrire «pour décrire» mais concevoir la description comme le **lieu où se noue un sens,** celui des personnages et/ou celui du monde, objectif premier de l'œuvre. Elle acquiert ainsi une valeur et une fonction didactiques qui en font le support fondamental de «l'étude exacte du milieu» (Zola). Toutefois, plus qu'à la

« consciencieuse » description naturaliste, c'est au récit épique du réalisme balzacien que la critique marxiste attribue un pouvoir d'élucidation du réel (voir 60. Lukács). Plus radicalement, le Nouveau Roman a récusé cette conception de la description assignant un sens aux choses et au monde.

De nos jours, la description voit changer non seulement son statut et ses finalités romanesques mais également son statut critique et ses modalités d'analyse. Des critiques contemporains s'attachent à définir sa spécificité et **les particularités de son fonctionnement textuel** en la détachant de son objet, du « piège référentiel ».

« Un jeu d'équivalences hiérarchisées »

Partant du constat selon lequel le texte descriptif, toujours plus ou moins inféodé au narratif, n'a pas de statut théorique défini, Philippe Hamon s'interroge sur ce qui constitue la spécificité de la description en cherchant à « circonscrire un certain effet de texte ».

*Dans l'introduction de son ouvrage, il souligne la particularité du descriptif, lieu textuel où « se manifeste une utopie linguistique, celle de **la langue comme nomenclature**, celle d'une langue dont les fonctions se limiteraient à dénommer ou à désigner terme à terme le monde, d'une langue monopolisée par sa fonction référentielle d'étiquetage [du] monde ». Le texte descriptif est alors défini comme un « système d'équivalences » entre un terme générique, le « panto-nyme », et une « expansion » constituée d'une nomenclature et d'un certain nombre de prédicats, il exige du lecteur une certaine compé-tence linguistique.*

*Il est également « **un lieu rhétorique particulièrement surdétermi-né** », riche en figures de style (synecdoque, métonymie, métaphore). Ainsi, il ressortit à l'énoncé poétique tel que le définit Jakobson, un énoncé qui, « systématisant le principe de l'équivalence et du paral-lélisme, tend à disposer dans des positions équivalentes des unités équivalentes » (voir le texte 1).*

Un système descriptif (S.D.) est un jeu d'équivalences hié-rarchisées : équivalence entre une *dénomination* (un mot) et une *expansion* (un stock de mots juxtaposés en liste, ou coor-donnés et subordonnés en un texte) ; la dénomination, qui peut être simplement implicite, non actualisée dans la mani-festation textuelle, assure la permanence et la continuité de l'ensemble, servant de terme à la fois régisseur, syncrétique, mis en facteur commun mémoriel à l'ensemble du système, de *pantonyme* (P.) à la description, et pouvant entrer dans des énoncés métalinguistiques du type : «Ce texte est la description de P»; c'est «l'objet décrit», et le pantonyme peut entrer ensuite comme centre de référence, dans un réseau d'anaphoriques, et par sa simple répétition, économiser le rappel de la somme de ses parties dénombrables (P *est composée de :* NI, N2, N3, N4... Nn...), de la somme de ses qualité (P *est* Prl, Pr2, Pr3, Pr4... Prn...), ou des deux à la fois, N jouant le rôle d'une structure-relai entre P et Pr (P est composé de NI qui est Prl, de N2 qui est Pr2, de N3 qui est Pr3... de Nn qui est Prn...); en tant que mot, le pantonyme est dénomination commune au système ; en tant que sens, il en est le dénominateur commun ; il est foyer (focalisé et focalisant) du système :

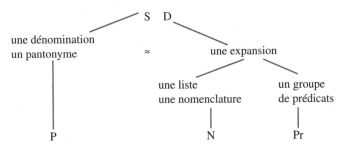

Chacune de ces unités (le pantonyme, la nomenclature, les prédicats) est facultative, l'ensemble constituant ce que l'on pourrait appeler la norme (construite) de tout système descriptif [...].

Toute description est donc la construction, sous forme d'un texte, d'un réseau sémantique à forte densité défini par une hiérarchie de relations (désignées dans le tableau ci-dessous par des flèches, ⟺ pour les relations principales, ↔ pour les relations secondaires) qui proposent autant de lignes de frayage pour les stratégies d'anticipation ou de rétroaction de l'activité de lecture :

$$
\begin{array}{ccc}
P \Longrightarrow & N & \Longleftrightarrow \quad Pr \\
& n1 & \leftrightarrow \quad pr1 \\
& n2 & \leftrightarrow \quad pr2 \\
& n3 & \leftrightarrow \quad pr3 \\
& n4 & \leftrightarrow \quad pr4 \\
& nn & \quad\quad prn \\
& \ldots & \quad\quad \ldots
\end{array}
$$

Ces stratégies peuvent être plus ou moins facilitées, pour chacune de ces relations, par la présence d'opérateurs de lisibilité, pantonymes, termes métalinguistiques, connotateurs de tonalité, termes syncrétiques, embrayeurs d'isotopies*, mots-légendes, indicateurs de dominante synonymique, etc., qui, à intervalles plus ou moins rapprochés, en des places plus ou moins stratégiques, refocalisent, concentrent, synthétisent et polarisent l'information. Une description est donc, d'une part, un ensemble de «lignes», de paradigmes* lexicaux en dérive associative centrifuge, plus ou moins saturés et expansés, et d'autre part de «nœuds», termes privilégiés, lieux de recentrement, lieux centripètes où se recompose l'information. D'autre part, elle est un lieu rhétorique particulièrement surdéterminé dans la mesure où tendent à s'y concentrer un certain nombre d'opérations fondamentales que l'on peut regrouper sous l'égide des principales figures de rhétorique : la synecdoque (N est le dénombrement des parties de P), la métonymie (N est le dénombrement d'objets juxtaposés), et la métaphore (Pr tend souvent à l'analogie : n1 est «comme» Pr1, n2 est «comme» Pr2, etc.). D'où «l'effet» rhétorique, l'effet de «poésie», que provoquent souvent chez le lecteur une description, et, formellement, nous l'avons déjà noté, ses liens privilégiés avec l'énoncé poétique au sens jakobsonien de ce dernier terme : énoncé qui, systématisant le principe de l'équivalence et du parallélisme, tend à disposer dans des positions équivalentes des unités équivalentes.

Philippe HAMON, *Introduction à l'analyse du descriptif*,
© Éd. Hachette, 1981, p. 140-141 et 167-168.

NOTIONS CLÉS

Description – Métaphore/Métonymie – Poésie – Style.

▶ Un système descriptif est la mise en équivalence d'un *pantonyme* et d'une *expansion* constituée d'une liste d'éléments auxquels sont associés des qualités (de *prédicats*).

▶ La description établit une série de relations qui permettent la circulation de l'information nécessaire à la constitution du sens par le lecteur.

▶ Le texte descriptif est riche en figures de rhétorique.

PARTIE 5

La poésie

La poésie est toujours apparue comme un genre noble, un mode d'expression doté de caractéristiques et de pouvoirs spécifiques conférant d'emblée à son auteur le statut d'artiste promis à la postérité. À la facilité supposée du roman, prose informe et multiforme, histoire divertissante oscillant entre les deux pôles de la fantaisie débridée et de la simple imitation du réel, la poésie opposait en effet une forme socialement reconnue, codifiée, définie comme le produit d'une élaboration artistique et l'expression authentique de la sensibilité ou de la sagesse d'un homme. Son succès se mesure à l'importance des mythes illustrant et expliquant les mystères de la création (les Muses et l'inspiration), les pouvoirs et la fonction du poète (Orphée, le mage hugolien, Rimbaud et le poète maudit). À ces questions anciennes, que les poètes modernes se sont eux aussi posées, s'ajoute aujourd'hui une réflexion plus étroitement linguistique sur la spécificité du langage poétique et de sa réception.

Le langage poétique (chapitre 16) revêt un caractère de nécessité parce qu'il prend en compte le signifiant*. Ainsi, selon Valéry, « l'apparence de couler librement d'une source est donnée à un discours plus riche, plus réglé, plus relié et composé que la nature immédiate n'en peut offrir à personne. C'est à un tel discours que se donne le nom *d'inspiré* » (*Rhumbs*).

Une telle conception de la poésie va à l'encontre du lyrisme romantique, construit autour de l'image du poète exprimant directement et sincèrement ses sentiments. Elle encourage le formalisme, auquel s'oppose un lyrisme élargi mettant en relation **le poète et le monde** (chapitre 17). Toutefois la voix qui dit *je* dans le poème, le « sujet lyrique », n'est plus confondue avec la personne de l'écrivain.

De même, la figure et le rôle du poète changent selon la conception que l'on se fait de **la création poétique** (chapitre 18), fruit d'une inspiration, d'un travail conscient ou d'une forme de dédoublement du sujet.

La spécificité du langage poétique amène à se poser la question de sa réception. La conception que l'on peut se faire de **la lecture du poème** (chapitre 19) varie selon qu'on le considère comme un texte autonome, une « écriture fatale » où ne demeure « nul hasard », ou un texte polysémique qui sollicite l'activité herméneutique* du lecteur.

Les fonctions attribuées au poète (chapitre 20) découlent directement des réponses qui ont été données aux questions concernant le langage et la création poétiques, le rapport au monde et au lecteur. Elles mobilisent des valeurs diverses – la beauté, le progrès, la fraternité, la connaissance –, mais qui concernent ce qu'il y a de meilleur en l'homme : la poésie a partie liée avec l'idéal.

Le langage poétique

Il ne semble pas possible de définir la poésie indépendamment d'une réflexion sur le langage. Ainsi, sa spécificité est le plus souvent définie, au plan de ses modes de fonctionnement, par comparaison avec la prose.

La poésie (la littérature en général) constitue un autre état de la parole que le discours ordinaire : le vers, par sa forme parfaite qui associe le son et le sens, suggère « l'Idée » de l'objet évoqué (**85. Mallarmé**)

Selon Valéry, la prose est subordonnée à l'idée, au sens, dont elle a pour fonction d'assurer la formulation et la transmission. Elle n'est qu'un vecteur de concrétisation variable et aléatoire, elle « expire à peine entendue », puisque le sens « est l'objet, la loi, la limite d'existence de la prose pure ». Au contraire, « c'est [...] la forme unique qui ordonne et survit » dans le langage poétique. Fondé sur le son, le rythme, les « rapprochements physiques des mots », il ne se réduit pas au sens à transmettre. C'est donc la forme, « unique et nécessaire expression de l'état ou de la pensée, [...] qui est le ressort de la puissance poétique » (**86. Valéry**).

Sartre part du même constat : la poésie n'utilise pas les mots « de la même manière » que la prose. « Les poètes sont des hommes qui refusent d'utiliser le langage » comme « instrument », qui considèrent « les mots comme des choses et non comme des signes », ou des « conventions utiles, des outils ». Si le mot, pour le poète, est toujours signification, il est signification « naturelle », « coulée dans le mot, absorbée par sa sonorité ou par son aspect visuel » ; le mot n'est plus le « signe » d'un aspect du monde mais son « image », une image qui « représente la signification plutôt qu'[elle] ne l'exprime ». Le langage poétique établit ainsi « entre le mot et la chose signifiée un double rapport réciproque de ressemblance magique et de signification » (**87. Sartre**). Cette « remotivation du signifiant » constitue une spécificité du langage poétique (**88. Aquien**).

Le langage poétique, on le voit, n'est pas réductible à la versification. Le poème en prose, en apparence anarchique, élabore une forme aboutie en travaillant le langage et en lui donnant des lois. Le poème devient ainsi «un appareil» formel, et les mots des objets esthétiques. Ponge entend leur donner «une condition plus noble que celle de simples désignations», d'où l'attention portée à leur matérialité graphique et sonore; d'où aussi le désir de leur restituer, par la recherche de l'*impropriété*, une chaleur et une sensualité dont les prive, dans la communication courante, leur réduction à une signification abstraite (**89. Ponge**).

La question se pose de savoir quelle est la visée du discours poétique dans la poésie moderne: la connaissance ou la transgression (**90. Bonnefoy**); l'expression d'un contenu ontologique ou le jeu sur le langage (**91. Leuwers**).

──────── 85. STÉPHANE MALLARMÉ ────────
Crise de vers (1896)

Mallarmé a défini sa poétique symboliste dans plusieurs écrits. Interrogé par le journaliste Jules Huret, il s'est opposé aux Parnassiens qui, «en présentant les objets directement», ont traité leurs sujets en «vieux rhéteurs»: «il faut au contraire, qu'il n'y ait qu'allusion». **La poésie a partie liée avec l'«énigme»**: «*Nommer* un objet, c'est supprimer les trois quarts de la jouissance du poème qui est faite de deviner peu à peu: le *suggérer*, voilà le rêve. C'est le parfait usage de ce mystère qui constitue le symbole: évoquer petit à petit un objet pour montrer un état d'âme, ou, inversement, choisir un objet et en dégager un état d'âme, par une série de déchiffrements[1].» Le poète a développé sa réflexion sur l'usage de la langue dans *Crise de vers*, synthèse de plusieurs articles antérieurs.

«Séparer [...] le double état de la parole»

Mallarmé s'y réclame d'«un Idéalisme qui (pareillement aux fugues, aux sonates) refuse les matériaux naturels et, comme brutale, une pensée exacte les ordonnant». Le discours ordinaire a «une fonction de numéraire»: comparé à un échange monétaire, il est donc totalement dévalorisée par rapport à la littérature. «Parler n'a trait à la réalité des choses que commercialement: en littérature, cela se contente d'y faire une allusion ou de distraire leur qualité qu'incorporera quelque idée.»

---

1. Stéphane Mallarmé, Entretien avec Jules Huret dans le cadre de son *Enquête sur l'évolution littéraire*, *L'Écho de Paris*, 14 mars 1891 (http://fr.wikisource.org/wiki/Enquête_sur_l'évolution_littéraire).

La poésie est rapprochée de «la Musique» dans le rêve de la création d'un langage motivé[1] qui accorderait le son et le sens et porterait « l'intellectuelle parole à son apogée ». Tel n'est pas le cas des langues naturelles, « imparfaites », et de « l'emploi élémentaire du discours ». Mallarmé rappelle que l'acte de nomination ne livre pas l'objet ; la parole poétique, produit d'un travail qui élimine tout hasard et donne au vers sa cohérence et sa musicalité, peut exprimer « la notion pure » sous une forme sensible. L'inspiration platonicienne est visible dans cette valorisation de « l'Idée » et dans une conception qu'on pourrait dire cratylienne du langage poétique (voir 89. Ponge).

Les langues imparfaites en cela que plusieurs, manque la suprême : penser étant écrire sans accessoires, ni chuchotement mais tacite encore l'immortelle parole, la diversité, sur terre, des idiomes empêche personne de proférer les mots qui, sinon se trouveraient, par une frappe unique, elle-même matériellement la vérité. Cette prohibition sévit expresse, dans la nature (on s'y bute avec un sourire) que ne vaille de raison pour se considérer Dieu ; mais, sur l'heure, tourné à de l'esthétique, mon sens regrette que le discours défaille à exprimer les objets par des touches y répondant en coloris ou en allure, lesquelles existent dans l'instrument de la voix, parmi les langages et quelquefois chez un. À côté d'*ombre*, opaque, *ténèbres* se fonce peu ; quelle déception, devant la perversité conférant à jour *comme* à nuit, contradictoirement, des timbres obscur ici, là clair. Le souhait d'un terme de splendeur brillant, ou qu'il s'éteigne, inverse ; quant à des alternatives lumineuses simples – *Seulement*, sachons *n'existerait pas le vers* : lui, philosophiquement rémunère le défaut des langues, complément supérieur. [...]

L'œuvre pure implique la disparition élocutoire du poëte, qui cède l'initiative aux mots, par le heurt de leur inégalité mobilisés ; ils s'allument de reflets réciproques comme une virtuelle traînée de feux sur des pierreries, remplaçant la respiration perceptible en l'ancien souffle lyrique ou la direction personnelle enthousiaste de la phrase. [...]

1. Sartre développe plus explicitement cette analyse dans le texte 87.

Certainement, je ne m'assieds jamais aux gradins des concerts, sans percevoir parmi l'obscure sublimité telle ébauche de quelqu'un des poèmes immanents à l'humanité ou leur originel état, d'autant plus compréhensible que tu et que pour en déterminer la vaste ligne le compositeur éprouva cette facilité de suspendre jusqu'à la tentation de s'expliquer. Je me figure par un indéracinable sans doute préjugé d'écrivain, que rien ne demeurera sans être proféré ; que nous en sommes là, précisément, à rechercher, devant une brisure des grands rythmes littéraires (il en a été question plus haut) et leur éparpillement en frissons articulés proches de l'instrumentation, un art d'achever la transposition, au Livre, de la symphonie ou uniment de reprendre notre bien car, ce n'est pas de sonorités élémentaires par les cuivres, les cordes, les bois, indéniablement mais de l'intellectuelle parole à son apogée que doit avec plénitude et évidence, résulter, en tant que l'ensemble des rapports existant dans tout, la Musique.

Un désir indéniable à mon temps est de séparer comme en vue d'attributions différentes le double état de la parole, brut ou immédiat ici, là essentiel.

Narrer, enseigner, même décrire, cela va et encore qu'à chacun suffirait peut-être pour échanger la pensée humaine, de prendre ou de mettre dans la main d'autrui en silence une pièce de monnaie, l'emploi élémentaire du discours dessert[1] l'universel *reportage* dont, la littérature exceptée, participe tout entre les genres d'écrits contemporains.

À quoi bon la merveille de transposer un fait de nature en sa presque disparition vibratoire selon le jeu de la parole, cependant ; si ce n'est pour qu'en émane, sans la gêne d'un proche ou concret rappel, la notion pure.

Je dis : une fleur ! et, hors de l'oubli où ma voix relègue aucun contour, en tant que quelque chose d'autre que les calices sus, musicalement se lève, idée même et suave, l'absente de tous bouquets.

Au contraire d'une fonction de numéraire facile et représentatif, comme le traite d'abord la foule, le dire, avant tout, rêve et chant, retrouve chez le Poète, par nécessité constitutive d'un art consacré aux fictions, sa virtualité.

---

1. *dessert* : est destiné à (latinisme).

Le vers qui de plusieurs vocables refait un mot total, neuf, étranger à la langue et comme incantatoire, achève cet isolement de la parole : niant, d'un trait souverain, le hasard demeuré aux termes malgré l'artifice de leur retrempe alternée en le sens et la sonorité, et vous cause cette surprise de n'avoir ouï jamais tel fragment ordinaire d'élocution, en même temps que la réminiscence de l'objet nommé baigne dans une neuve atmosphère.

Stéphane MALLARMÉ, *Crise de vers*, 1896, dans *Œuvres complètes* II, Éd. Gallimard, coll. « Bibliothèque de la Pléiade », p. 208 à 213.

NOTIONS CLÉS

Forme/Sens – Langage – Vers.

▶ La poésie remédie au « défaut des langues » qui ne peuvent exprimer l'objet par des « touches » sensibles (la consonance des mots n'y est pas porteuse de sens).

▶ Son pouvoir, né de sa capacité à traiter musicalement la phrase en lui donnant une cohérence fondée sur le rythme et les sonorités, lui permet de surprendre le lecteur en évoquant dans son esprit la « notion pure » de l'objet.

86. PAUL VALÉRY
« Commentaires de *Charmes* » (1936)

Valéry a élaboré une véritable théorie des fonctions du langage en rapport avec ses recherches poétiques. Il oppose la prose et la poésie, en tant qu'utilisations radicalement différentes du langage, tant au plan de leurs modes de fonctionnement que de leurs finalités. La « forme unique » de la poésie ne se laisse jamais oublier au profit de son seul sens. On retrouve ici la spécificité de **la fonction poétique du langage** telle que la définit Jakobson dans ses *Essais de linguistique générale* : « L'accent mis sur le message pour son propre compte. » (voir le texte 1) Valéry semble considérer que cette fonction poétique est radicalement étrangère à la prose, ce qui explique son mépris pour le roman (voir le texte 71).

« C'est ici la forme unique qui ordonne et survit »

La poésie n'a pas le moins du monde pour objet de communiquer à quelqu'un quelque notion déterminée, – à quoi la prose doit suffire. Observez seulement le destin de la prose, comme elle expire à peine entendue, et expire de l'être, – c'est-à-dire d'être toute remplacée dans l'esprit attentif par une idée ou figure finie. Cette idée, dont la prose vient d'exciter les conditions nécessaires et suffisantes, s'étant produite, aussitôt les moyens sont dissous, le langage s'évanouit devant elle. C'est un phénomène constant dont voici un double contrôle ; notre mémoire nous répète le discours que nous n'avons pas compris. La répétition répond à l'incompréhension. *Elle nous signifie que l'acte du langage n'a pu s'accomplir.* Mais au contraire, et comme par symétrie, si nous avons compris, nous sommes en possession d'exprimer sous d'autres formes l'idée que le discours avait composée en nous. L'acte du langage accompli nous a rendus maîtres du point central qui commande la multiplicité des expressions possibles d'une idée acquise. En somme, le sens, qui est la tendance à une substitution mentale uniforme, unique, résolutoire, est l'objet, la loi, la limite d'existence de la prose pure.

Tout autre est la fonction de la poésie. Tandis que le fond unique est exigible de la prose, c'est ici la forme unique qui ordonne et survit. C'est le son, c'est le rythme, ce sont les rapprochements physiques des mots, leurs effets d'induction ou leurs influences mutuelles qui dominent, aux dépens de leur propriété de se consommer en un sens défini et certain. Il faut donc que dans un poème le sens ne puisse l'emporter sur la forme et la détruire sans retour ; c'est au contraire le retour, la forme conservée, ou plutôt exactement reproduite comme unique et nécessaire expression de l'état ou de la pensée qu'elle vient d'engendrer au lecteur, qui est le ressort de la puissance poétique. *Un beau vers renaît indéfiniment de ses cendres*, il redevient, – comme l'effet de son effet, – cause harmonique de soi-même.

Paul VALÉRY, « Commentaires de *Charmes* », 1936,
© Éd. Gallimard, *Œuvres* I,
coll. « Bibliothèque de la Pléiade »,
p. 1509-1510.

NOTIONS CLÉS

Forme/Sens – Langage – Polysémie – Survie de l'œuvre – Vers.

▶ Le langage poétique accorde une place prépondérante au signifiant qui détermine le discours.

▶ La forme constitue donc le ressort de la puissance et de la beauté poétiques.

	Prose	Poésie
	«Est prose l'écrit qui a un but exprimable par un autre écrit» (*Tel quel*).	«POÈTE. Ton espèce de matérialisme verbal» (*Calepin d'un poète*).
Forme (Signifiant)	«multiplicité des expressions possibles» fonction utilitaire (référentielle): absence de valeur esthétique → le message compris, la forme s'évanouit.	«unique et nécessaire expression» fonction poétique: valeur esthétique → la forme se conserve, se répète, charme.
Sens (Signifié)	«fond unique»: «un sens défini et certain»	polysémie

▶ Claude Roy, *Défense de la littérature*: «Poète est celui-là qui d'abord a foi dans les mots, croit avoir tout perdu quand le mot lui échappe, et la respiration des mots, et tout conquis quand le mot juste et plein vient couronner sa quête et combler son attente.»

87. JEAN-PAUL SARTRE
Qu'est-ce que la littérature? (1948)

L'activité critique de Sartre est centrée sur la recherche de l'intentionnalité consciente ou inconsciente de l'auteur, sur l'analyse des rapports que le lecteur entretient avec le texte. Il s'agit de définir la spécificité de l'acte d'écrire et de lire. Ses études sur Baudelaire, Flaubert ou Genet mettent en jeu des éléments d'interprétation très divers, aussi bien de type marxiste que psychanalytique, qui contribuent à dépasser l'interrogation biographique traditionnelle.

Au lendemain de la Seconde Guerre mondiale, Sartre affirme la nécessité de **l'engagement** (voir le texte 140). Peu après, il précise que cette notion n'a pas de sens en poésie compte tenu de la **spécificité du langage poétique**.

L'usage poétique des mots

La poésie ne se sert pas des mots, « elle les sert ». Alors que « le parleur » les utilise pour nommer et modifier le monde, qu'il perçoit à travers les structures conventionnelles du langage (il est « investi par les mots »), le poète « voit les mots à l'envers », il est sensible à leur forme sonore et visuelle et les considère comme des images du monde : il établit entre signifiant* et signifié* une relation motivée (et non plus arbitraire – sur ce point, voir l'introduction du texte 88), « un double rapport de **ressemblance magique** *et de signification ». Jouant sur les consonances du mot (« Florence est ville et fleur et femme », « fleuve », « or » et « décence »), le poète invente* **un langage polysémique*** *à travers lequel il se révèle.*

La conception sartrienne du langage poétique est critiquée par le philosophe Jacques Rancière qui, plus généralement, récuse l'opposition que le « paradigme moderniste » a établie entre l'« usage communicatif » et l'« usage intransitif du langage » propre à la littérature. « La fonction communicationnelle et la fonction poétique du langage ne cessent en effet de s'enlacer[1]. »

Les poètes sont des hommes qui refusent *d'utiliser* le langage. Or, comme c'est dans et par le langage conçu comme une certaine espèce d'instrument que s'opère la recherche de la vérité, il ne faut pas s'imaginer qu'ils visent à discerner le vrai ni à l'exposer. Ils ne songent pas non plus à *nommer* le monde et, par le fait, ils ne nomment rien du tout, car la nomination implique un perpétuel sacrifice du nom à l'objet nommé ou pour parler comme Hegel, le nom s'y révèle l'inessentiel, en face de la chose qui est essentielle. Ils ne parlent pas ; ils ne se taisent pas non plus : c'est autre chose. On a dit qu'ils voulaient détruire le verbe par des accouplements monstrueux, mais c'est faux ; car il faudrait alors qu'ils fussent déjà jetés au milieu du langage utilitaire et qu'ils cherchassent à en retirer les mots par petits groupes singuliers, comme par exemple «cheval» et «beurre» en écrivant «cheval de beurre». Outre qu'une telle entreprise réclamerait un temps infini, il n'est pas concevable

---

1. Jacques RANCIÈRE, *Politique de la littérature*, Paris, Éditions Galilée, 2007, p. 13 et 14 (voir aussi le texte 145).

qu'on puisse se tenir sur le plan à la fois du projet utilitaire, considérer les mots comme des ustensiles et méditer de leur ôter leur ustensilité. En fait, le poète s'est retiré d'un seul coup du langage-instrument; il a choisi une fois pour toutes l'attitude poétique qui considère les mots comme des choses et non comme des signes. Car l'ambiguïté du signe implique qu'on puisse à son gré le traverser comme une vitre et poursuivre à travers lui la chose signifiée ou tourner son regard vers sa *réalité* et le considérer comme objet. L'homme qui parle est au-delà des mots, près de l'objet; le poète est en deçà. Pour le premier, ils sont domestiques; pour le second, ils restent à l'état sauvage. Pour celui-là, ce sont des conventions utiles, des outils qui s'usent peu à peu et qu'on jette quand ils ne peuvent plus servir; pour le second, ce sont des choses naturelles qui croissent naturellement sur la terre comme l'herbe et les arbres.

Mais s'il s'arrête aux mots, comme le peintre fait aux couleurs et le musicien aux sons, cela ne veut pas dire qu'ils aient perdu toute signification à ses yeux; c'est en effet la signification seule qui peut donner aux mots leur unité verbale; sans elle ils s'éparpilleraient en sons ou en traits de plume. Seulement elle devient naturelle, elle aussi; ce n'est plus le but toujours hors d'atteinte et toujours visé par la transcendance humaine; c'est une propriété de chaque terme, analogue à l'expression d'un visage, au petit sens triste ou gai des sons et des couleurs. Coulée dans le mot, absorbée par sa sonorité ou par son aspect visuel, épaissie, dégradée, elle est chose, elle aussi, incréée, éternelle; pour le poète, le langage est une structure du monde extérieur. Le parleur est *en situation* dans la langage, investi par les mots; ce sont les prolongements de ses sens, ses pinces, ses antennes, ses lunettes; il les manœuvre du dedans, il les sent comme son corps, il est entouré d'un corps verbal dont il prend à peine conscience et qui étend son action sur le monde. Le poète est hors du langage, il voit les mots à l'envers, comme s'il n'appartenait pas à la condition humaine et que, venant vers les hommes, il rencontrât d'abord la parole comme une barrière. Au lieu de connaître d'abord les choses par leur nom, il semble qu'il ait d'abord un contact silencieux avec elles puis que, se retournant vers cette autre espèce de choses que sont pour lui les mots, les touchant, les tâtant, les palpant, il découvre en eux une petite luminosité propre et des affinités particulières avec la terre, le ciel et l'eau et toutes les choses créées. Faute de savoir s'en servir comme *signe* d'un aspect du monde, il voit dans le mot *l'image* d'un de ces aspects. Et l'image verbale qu'il choisit pour sa ressemblance avec le saule ou le frêne n'est pas nécessairement le mot que nous utilisons pour désigner ces objets. Comme il est déjà dehors, au lieu que les mots lui soient des indicateurs qui le jettent hors de lui, au milieu des choses, il les considère comme un piège pour attraper une réalité fuyante ; bref, le langage tout entier est pour lui le Miroir du monde. Du coup, d'importants changements s'opèrent dans l'économie interne du mot. Sa sonorité, sa longueur, ses désinences masculines ou féminines, son aspect visuel lui composent un visage de chair qui *représente* la signification plutôt qu'il ne l'exprime. Inversement, comme la signification est *réalisée*, l'aspect physique du mot se reflète en elle et elle fonctionne à son tour comme image du corps verbal. Comme son signe aussi, car elle a perdu sa prééminence et, puisque les mots sont incréés, comme les choses, le poète ne décide pas si ceux-là existent pour celles-ci ou celles-ci pour ceux-là. Ainsi s'établit entre le mot et la chose signifiée un double rapport réciproque de ressemblance magique et de signification. Et comme le poète *n'utilise* pas le mot, il ne choisit pas entre des acceptions diverses et chacune d'elles, au lieu de lui paraître une fonction autonome, se donne à lui comme une qualité matérielle qui se fond sous ses yeux avec les autres acceptions.

Jean-Paul SARTRE, *Qu'est-ce que la littérature ?*,
© Éd. Gallimard, 1948, coll. « Idées », p. 17-21.

NOTIONS CLÉS

Engagement – Langage poétique – Signe linguistique.

▶ Le langage poétique n'utilise pas les mots comme outils mais comme objets.

▶ Contrairement au langage ordinaire, il fonde des rapports entre le signifié et le signifiant et établit entre le mot et la chose un rapport de ressemblance et de signification.

▶ Paul VALÉRY, *Rhumbs*: « Le poème – cette hésitation prolongée entre le son et le sens. »

_____ 88. MICHÈLE AQUIEN _____
« Langage poétique » (2001)

Dans le *Cratyle* de Platon, le personnage éponyme soutient que les noms
sont justes par nature dans la mesure où ils imitent les objets qu'ils
désignent (Socrate, au contraire, montre la part de convention qu'il y a
dans le langage). L'approche scientifique du langage va à l'encontre de ce
cratylisme en analysant **l'arbitraire du signe linguistique**: il n'y a qu'un
rapport conventionnel entre le signifiant (par exemple, la suite de lettres
/b a t e a u/ correspondant à la suite de phonèmes [bato]) et le signifié (dans
ce cas, la notion abstraite de *bateau*).

Les textes précédents montrent que certains critiques et poètes ont défini
la spécificité de la poésie par l'importance qu'elle accorde au signifiant, qui
se trouve valorisé et parfois « remotivé », donnant ainsi au langage poétique
une cohérence dont est dépourvu le discours ordinaire.

« La remotivation du signifiant »

> *Michèle Aquien donne d'autres exemples du « **rôle actif du signi-
> fiant** » dans la poésie moderne tout en rappelant que ce phénomène
> se manifestait déjà, sous d'autres formes, dans la poésie versifiée.
> Ce qui compte dans « la poésie, ce n'est pas tel thème ou tel senti-
> ment, c'est le signifiant vivant », conclut-elle à la fin de son article.*

Dans le discours courant, le signifiant n'est que le support
du signifié et c'est sur le signifié que se règlent la logique du
sens et l'avancée des idées, alors que, dans la poésie moderne,
il joue à plein dans la dynamique d'ensemble, aussi bien par
ses capacités associatives que par le jeu des ambiguïtés, par son
aspect visuel que par son aspect acoustique, enfin et surtout
par la structuration signifiante qu'est le poème en son entier.

De manière rétrospective, on s'aperçoit que la poésie s'est
toujours distinguée du discours en ayant recours à une structuration signifiante manifeste. Ainsi la versification, qui est une des
spécificités majeures du langage poétique – même si une partie
de la production poétique moderne s'en écarte –, est fondée
sur des données qui concernent purement le signifiant, c'est-à-
dire les phonèmes, éventuellement les graphèmes, le nombre
des syllabes, la répartition des accents, la ligne d'écriture, etc.

Quelles qu'en aient été la forme et la condition, le statut qui est donné au signifiant a, dès les premiers temps de la poésie, été différent de celui qu'il a dans le discours : si l'on pense ne serait-ce qu'à la rime, on voit bien que l'association des mots de fin de vers est guidée par une analogie de signifiants, qui précède et organise la pensée dans la création. La poésie moderne, en mettant encore plus en avant ce rôle actif du signifiant, ne fait en définitive que rendre évident ce qui était à l'œuvre depuis toujours. [...]

[...] La remotivation du signifiant est un phénomène subjectif que Pierre Guiraud, puis Gérard Genette[1] ont mis en évidence, soit dans le rapprochement qu'un sujet peut faire entre un signifiant et d'autres signifiants par analogie phonique ou graphique, soit par l'investissement de l'imagination poétique sur la forme même du mot écrit, comme en témoigne par exemple l'écriture du mot *Locomotive*[2] pour Paul Claudel. Nombre de poètes modernes se rattachent à la pensée cratylienne pour laquelle le génie du nom est de contenir la profondeur de la relation qui existe entre le nom et ce qu'il nomme, tel Saint-John Perse qui écrit dans *Amers* (1957) :

Et mots pour nous ils ne sont plus, n'étant plus signes ni parures,

Mais la chose même qu'ils figurent et la chose même qu'ils paraient [...]

Dans *Une autre époque de l'écriture* (1993), Yves Bonnefoy évoque également, comme un mythe fondateur, un monde où les mots sont des choses. Michel Leiris, dans *Biffures* (1948), évoque la manière dont son imagination d'enfant a investi la lettre même, cristallisant ce qui serait par la suite son rapport au langage poétique. La recherche du poète est, dans cette perspective, qu'il s'en réclame ou non, celle des propriétés du mot. Elle passe par l'exploitation de toutes ses composantes – son histoire (étymologie, archéologie des sens), son signifié

---

1. Gérard GENETTE, *Mimologiques*, Paris, Éd. du Seuil, 1976.

2. Paul CLAUDEL se plaisait à considérer certains mots comme des « idéogrammes occidentaux ». Ainsi pour *Locomotive* : « Nous avons le portrait de l'engin avec sa cheminée, ses roues, ses pistons au travail, l'abri du chauffeur, le sifflet, le levier de commande et enfin l'attache avec le train. Sans parler du rail en dessous » (« L'Harmonie imitative », 1933, dans *Œuvres en prose*, Paris, Gallimard, coll. « Bibliothèque de la Pléiade », 1965, p. 102).

(polysémie*, étagement des significations), sa lettre (parono-mase*, anagramme, ambiguïtés diverses) –, et en assure la poly-valence. Il ne s'agit pas d'un usage savant, mais de concentrer au maximum la puissance évocatrice du mot. […]

La remotivation du signifiant rend attentif à sa lettre, et non, à l'instar du discours ordinaire, d'abord à ce qu'il renvoie de signification ; il est à prendre en lui-même et dans tous ses éléments, et c'est dans cette lecture (ou écoute) complète que peut s'entendre ce qu'il dit. Elle nécessite donc que le lecteur (ou auditeur) s'y arrête, la compréhension ne vient qu'après. C'est ainsi qu'est privilégiée également la création verbale ; loin d'être figé dans un état plus ou moins fixe de la langue, le signi-fiant est en constante invention. […] On a beaucoup reproché à la poésie contemporaine de ne pas être compréhensible. Elle n'a pas à l'être, elle doit être appréhendée, saisie d'abord par tout ce qu'elle met en œuvre de structuration prête à signifier. Le reste vient ensuite, une fois que la marque signifiante a fait son travail : l'unité du sens ne peut prétendre s'établir que sur cette lecture préalable.

Michèle Aquien, «Langage poétique», dans Michel Jarrety (dir.),
Dictionnaire de poésie de Baudelaire à nos jours,
© PUF, 2001, p. 409.

NOTIONS CLÉS

Langage – Signe linguistique.

▶ La poésie versifiée se distinguait déjà de l'usage ordinaire du langage par l'at-tention qu'elle accordait au signifiant.

▶ La poésie moderne exploite toutes les propriétés des mots.

89. FRANCIS PONGE
«La promenade dans nos serres» (1919)

Poète, essayiste, critique d'art, Ponge a acquis la célébrité avec un petit recueil de poèmes en prose, *Le Parti pris des choses* (1942), dans lequel Sartre voyait «les bases d'une Phénoménologie* de la Nature». Il est l'inventeur d'une langue poétique qui entend ***prendre le parti des choses*** dans leur matérialité, leur mystère et leur évidence, les amener à l'expression **en explorant toutes**

les ressources du langage. « En somme voici le point important : PARTI PRIS DES CHOSES *égale* COMPTE TENU DES MOTS. » Le poème ainsi conçu doit « donn[er] à jouir à ce sens qui se place dans l'arrière-gorge : à égale distance de la bouche (de la langue) et des oreilles. Et qui est **le sens de la formulation**, du Verbe » *(My Creative Method)*. Dans *Proêmes* (1948), *La Rage de l'expression* (1952), *Méthodes* (dans *le Grand Recueil*, 1961), *La Fabrique du Pré* (1971), Ponge n'a pas cessé de réfléchir sur sa pratique poétique.

« Caractères, objets mystérieux »

Dans les poèmes, « assemblages de l'art littéraire », les mots sont des « objets mystérieux perceptibles par deux sens seulement », la vue et l'ouïe.

Avant tout traitement poétique, le poète apprécie leur réalité graphique, « parterres de voyelles colorées », « boucles superbes des consonnes », « fioritures des points et des signes brefs ». L'aspect phonique des mots (ces « quelques profonds mouvements de l'air au passage des sons ») est aussi source de plaisir émotionnel et esthétique. Des poèmes comme « 14 Juillet » (dans Pièces) ou « Le cageot » (dans Le Parti pris des choses) illustrent cette appréhension sensible et subtile du mot.

Ainsi par sa volonté de les « rapprocher de la substance et [de] les éloigner de la qualité », de prendre en compte leur forme autant que leur signification, le poète leur donne une « condition plus noble » : rompant avec leur emploi strictement utilitaire et définitionnel, il entend « [les] faire aimer pour [eux]-mêmes ».

Jeu sur le signifiant*, la poésie est aussi **jeu sur le signifié*** : réactivant des sens oubliés, « l'impropriété des termes » redonne la chaleur de la mémoire à ces signes que l'usage ordinaire du langage réduit à des abstractions et permet une « nouvelle induction de l'humain ».

Ô draperies des mots, assemblages de l'art littéraire, ô massifs, ô pluriels, parterres de voyelles colorées, décors des lignes, ombres de la muette, boucles superbes des consonnes, architectures, fioritures des points et des signes brefs, à mon secours ! au secours de l'homme qui ne sait plus danser, qui ne connaît plus le secret des gestes, et qui n'a plus le courage ni la science de l'expression directe par les mouvements.

Cependant, grâce à vous, réserves immobiles d'élans sentimentaux, réserves de passions communes sans doute à tous les civilisés de notre Âge, je veux le croire, on peut me comprendre, je suis compris. Concentrez, détendez vos puissances, – et que l'éloquence à la lecture imprime autant de troubles et de désirs, de mouvements commençants, d'impulsions, que le microphone le plus sensible à l'oreille de l'écouteur. Un appareil, mais profondément sensible.

Divine nécessité de l'imperfection, divine présence de l'imparfait, du vice et de la mort dans les écrits, apportez-moi aussi votre secours. Que *l'impropriété* des termes permette une nouvelle induction de l'humain parmi des signes déjà trop détachés de lui et trop desséchés, trop prétentieux, trop plastronnants. Que toutes les abstractions soient intérieurement minées et comme fondues par cette secrète chaleur du vice, causée par le temps, par la mort, et par les défauts du génie. Enfin qu'on ne puisse croire sûrement à nulle existence, à nulle réalité, mais seulement à quelques profonds mouvements de l'air au passage des sons, à quelque merveilleuse décoration du papier ou du marbre par la trace du stylet.

Ô traces humaines à bout de bras, ô sons originaux, monuments de l'enfance de l'art, quasi imperceptibles modifications physiques, CARACTÈRES, objets mystérieux perceptibles par deux sens seulement et cependant plus réels, plus sympathiques que des signes, – je veux vous rapprocher de la substance et vous éloigner de la qualité. Je veux vous faire aimer pour vous-mêmes plutôt que pour votre signification. Enfin vous élever à une condition plus noble que celle de simples désignations.

Francis PONGE,
«La promenade dans nos serres» (1919), dans *Proêmes*,
© Éd. Gallimard, 1948, coll. «Bibliothèque de la Pléiade», t. 1, p. 176.

NOTIONS CLÉS

Fonction de la poésie – Langage – Signe linguistique.

▶ Le langage poétique exploite la réalité phonique et graphique des mots.

▶ Visant un autre but que la simple communication, il cultive une forme d'imperfection et se charge d'une riche expérience humaine.

▶ Roman JAKOBSON, *Questions de poétique* : «La poésie ne consiste pas à ajouter au discours des ornements rhétoriques : elle implique une réévaluation totale du discours et de ses composantes.»

90. YVES BONNEFOY
Entretiens sur la poésie (1992)

Yves Bonnefoy a développé parallèlement à son œuvre poétique une réflexion sur la poésie conduite notamment dans les cours donnés au Collège de France et dont témoignent les textes réunis dans ses *Entretiens sur la poésie*. Le poète dit s'être très tôt «détach[é] du surréalisme, dont l'erreur fut au total de ne pas avoir foi dans les formes simples de la vie, préférant le déploiement de l'imaginaire au resserrement de l'évidence, la roue du paon aux pierres du seuil» («Entretien avec John E. Jackson sur le surréalisme», 1976). L'image surréaliste (voir le texte 99), dans sa gratuité, risque de clore le poème sur lui-même, or **le sujet humain est au monde**, il participe de l'unité de cet Univers qui lui est alors immanent et lui assure d'emblée son épaisseur d'être, sa substance». C'est pourquoi, «l'invention poétique […] remont[e] d'une absence – car toute signification, toute écriture, c'est de l'absence – à une présence, celle de telle chose ou tel être, peu importe, soudain dressée devant nous, en nous, dans l'ici et le maintenant d'un instant de notre existence» («Lettre à John E. Jackson», 1980).

La poésie, le langage et le monde

> Dans «*Poésie et Liberté*» (1989), s'opposant aux conceptions de la poésie qui postulent son autonomie par rapport au monde ou l'enfermement dans une visée transgressive, Bonnefoy affirme qu'elle doit dénoncer la clôture inhérente à toute écriture et ouvrir au monde : «*le langage fragmente l'Un*», «*la poésie est la mémoire de l'Un*». Elle ne saurait se réduire sans s'appauvrir à l'écriture automatique et à l'image surréalistes: «*Un poème a les caractères d'une langue en somme fixée, précise, créant et disant un monde, et au premier rang de ces caractères il y a certes la cohérence, la primauté de formes durables sinon constantes sur le flux d'imaginations plus marginales ou fugitives.*» C'est ce qui explique «*le charme qu'exercent certains poèmes, et souvent de cette façon on dirait magique que suggère le titre fameux de Valéry*[1]».
>
> «*Poésie et Vérité*» en appelle au «*témoignage des poètes*» contre les «*critiques, sémiologues ou psychologues*» qui ne conçoivent plus la vérité comme «*l'adéquation du système des signifiés à des référents qui existeraient dans le monde, adéquation qui naguère*

---

1. Le titre du recueil de Valéry, *Charmes*, joue sur la polysémie que ce mot tire de son étymologie latine (à la fois «poème» – sens disparu en français – et «formule magique») et de son sens le plus courant en français («attrait»).

*encore lui assurait une valeur absolue autant que son unité[1] ». C'est la question de **la relation de la poésie avec la connaissance** qui est posée et, au-delà, celle de sa valeur, de sa fonction.*

Poésie et connaissance

Et quant au mot *poésie,* s'il trouve grâce pour sa part auprès de nombre d'esprits dans ces circonstances nouvelles, ce n'est certainement pas sous un angle où il pourrait apparaître le complément ou le proche de cette *vérité* dont le prestige se perd. «Poésie», on n'accepte ce mot, depuis quelque trente ans sinon plus, que pour autant qu'il désigne une activité d'écriture qui, reconnaissant l'arbitraire fondamental du signe* par rapport aux choses du monde, va dans le sens de cet arbitraire, faisant craquer dans la phrase ce qui prétendrait représenter authentiquement un objet du dehors des mots ou à formuler une vérité indépendante du texte. Que le poème sache, avec des moyens qui lui seraient propres, élaborer une connaissance, voilà qui est démenti, et si on demande avec insistance à l'emploi non scientifique du mot écrit, qui demeure un fait, de briser dans le texte qui s'élabore le réseau des pensées en place dans la conscience commune, c'est pour relativiser ces notions sur un plan qui devra rester le leur, strictement, puisqu'on ne veut que passer par cette voie négative d'un état présent du langage à un autre, qui se dessine, sans rien remettre en question de l'idée moderne de la parole. On fait bouger les signifiants, autrement dit, mais ce n'est pas par respect pour des signifiés qui seraient cette fois du côté des choses, disons, ou pour une expérience de l'Être que l'on saurait irréductible aux formules – non, c'est pour éviter, simplement, que ces signifiants ne se fixent, ce qui finirait par faire penser qu'ils sont d'authentiques reflets de réalités hors langage. Le seul lieu de réalité généralement reconnu, c'est ce dernier, comme d'habitude aujourd'hui. On veut le trouver dans le poème comme on le perçoit dans les sciences, c'est-à-dire comme le producteur, et

---

1. Sur cette critique de la conception formaliste de la littérature, voir aussi p. 279 (Todorov), et, pour la poésie, les textes 93. Aragon, 94. Collot, 107. Starobinski.

le consommateur, des structures qu'on cherchait autrefois hors de son champ, bien que par ses voies.

Mais se pose alors la question de la *valeur* de cette poésie dissociée de toute vérité essentielle, fondamentale ; et même celle – conséquemment – de ce qui va, du coup, importer vraiment, dans notre vie. La poésie est-elle mouvement pur qui, déconstruisant l'illusoire, brisant ses codes, libérerait les forces tout de même réelles et bénéfiques qu'une culture aliénée refoule dans l'inconscient ? Et sa vertu serait-elle ainsi de délivrer le sujet des empiégements du moi narcissique, ce qui donnerait à nos existences la possibilité de davantage de jouissance (comme l'on dit), au prix pour nous d'accepter de ne plus coïncider avec une image déterminée de nous-mêmes – au prix, en somme, de n'être plus la « personne » de l'ontologie récusée ? Mais que deviennent alors les responsabilités que nous avons en tant que quelqu'un, justement, en tant que cet être bien défini que nous restons malgré tout, et demeurerons, dans le *hic et nunc* de notre existence sociale, où il nous faut faire des choix ? La poésie qui ne se veut qu'une transgression ne se voue-t-elle pas à n'être que l'utopie que la société néglige au moment de ses décisions, toujours urgentes ?

Ou bien ce mouvement de supposée subversion des valeurs en place et des opinions acceptées n'est-il, d'emblée, affirmé, pratiqué, que comme une activité plus simplement et insouciamment ludique, ce qui a du sens, certainement, et du prix, mais dans d'évidentes limites ? Cette poétique du jeu, c'est ce qu'a suggéré, au moins un moment, Roland Barthes qui, constatant – dans sa leçon inaugurale, au Collège de France – que le « discours », c'est-à-dire notre parole en général, dans les situations de l'action, « est pris dans la fatalité de son pouvoir », demandait que l'on trouve « les moyens propres à déjouer, à déprendre, ou tout au moins à alléger ce pouvoir (...) » par fragmentations, digressions ou, « pour le dire d'un mot précieusement ambigu », ajoutait-il, *excursion*. « J'aimerais donc », concluait Barthes non sans tristesse, « que la parole et l'écoute qui se tresseront ici soient semblables aux allées et venues d'un enfant autour de sa mère, qui s'en éloigne puis retourne vers elle pour lui rapporter un caillou, un brin de laine, dessinant de la sorte autour d'un centre paisible toute une aire de jeu (…)» En fait, dans ce jeu selon Roland Barthes, on voit se trahir beaucoup d'émotions, d'aspirations du cœur et de la mémoire, et c'est déjà reconnaître que l'écriture a beau se refuser, dans ce cas, à la prétention de dire le vrai, elle n'en est pas moins l'émergence de quelque chose de bien réel, qui peut donc être exprimé avec plus ou moins de transparence, et en somme de vérité.

Et d'ailleurs, renoncer à la connaissance, n'est-ce pas encore une forme de témoignage, dans le débat d'une époque sur ce qu'il faut être et vouloir : et pourquoi faudrait-il, du coup, laisser aux seuls critiques, sémiologues ou psychologues, qui ne l'auront perçu que par le dehors des textes, la responsabilité d'élaborer plus avant le sens de ce témoignage des poètes, au cœur de ces sentiments que même l'esprit de jeu, on vient de le voir, révèle ? Parce qu'il aurait encore en soi la spontanéité de l'enfance, le poète doit-il être tenu à l'écart, comme les enfants, de la réflexion sur la valeur propre – et sur l'apport éventuel – de sa façon d'être ?

Yves Bonnefoy, «Poésie et Vérité» (1986),
dans *Entretiens sur la poésie (1972-1990)*,
© Mercure de France, 1992, p. 254-257.

NOTIONS CLÉS

Critique – Fonction de la poésie – Forme – Langage – Réalité et littérature – Valeur – Vérité.

▶ Dans les années 1960-1980, le discours critique a imposé une conception de la poésie coupée de toute référence à la réalité. Enfermée dans sa condition linguistique, elle serait une activité subversive ou ludique.

▶ Cette attitude marginalise le poète en refusant de le considérer comme une «personne» dotée d'une «existence sociale» et dénie à la poésie la capacité d'exprimer une vérité et d'intervenir dans la société.

▶ Yves Bonnefoy, «Poésie et Liberté»: «Les poèmes plaisent, et non pas parce qu'ils bousculent des codes, mais parce qu'ils proposent des univers de rechange, beaux d'être dégagés de la nécessité par le rêve – "vastes portiques", dit Baudelaire, que les soleils marins teintent de "mille feux". C'est dans tel ou tel de ces mondes, selon tel ou tel de nos vœux, que se calme notre désir, que se désamorce notre impatience, nous touchons ici à la *catharsis**.»

91. DANIEL LEUWERS
Introduction à la poésie moderne et contemporaine (1998)

Analysant les fondements et les fonctions du langage poétique, Daniel Leuwers s'appuie sur la réflexion de Ricœur qui, après Aristote, établit un lien entre la métaphore et la *mimèsis*, également prises dans une double tension : loin de se réduire à un simple écart formel, à un ornement, la métaphore est en effet « soumission à la réalité *et* invention fabuleuse, restitution *et* surélévation », de même que « l'imitation est à la fois un tableau de l'humain *et* une composition originale », « une restitution *et* un déplacement vers le haut[1] ». Selon le critique, ce mouvement dialectique est propre à la poésie : « Apparemment, le poème semble restituer quelque chose qui est déjà là, mais à ce déjà-là (qui, sous le couvert d'une réalité tangible, cache les revendications secrètes d'un fantasme), il fait subir un déplacement vers le haut (et le mot "déplacement" est, pour les psychanalystes, essentiel dans le décryptage des mouvements de l'inconscient et des mécanismes du rêve). »

Métaphore et poésie

Il est en tout cas bien certain que le poème opère une transmutation dialectique. Il accepte la déperdition d'un sens premier au profit d'un sens second. Derrière le contenu manifeste – et qui semble en appeler à une référentialité tout extérieure –, se cache un contenu latent, essentiel. Les énoncés métaphoriques disent et ne disent pas ; ils sont voués à s'auto-détruire pour faire place à d'autres messages.

Paul Ricœur, prenant un peu de liberté avec la *Poétique* d'Aristote tout en se rapprochant du discours poétique contemporain, en arrive à cette définition :

« Toute la stratégie du discours poétique se joue en ce point : elle vise à obtenir l'abolition de la référence par l'auto-destruction du sens des énoncés métaphoriques, auto-destruction rendue manifeste par une interprétation littérale impossible » (*La Métaphore vive* [...]).

On prête à Arthur Rimbaud cette formule destinée à répondre à ceux qui trouvaient sa poésie difficile à comprendre :

---

1. Paul RICŒUR, *La Métaphore vive*, Paris, Éd. du Seuil, 1975.

«J'ai voulu dire ce que ça dit, littéralement et dans tous les sens[1].»

Oui, tous les grands poèmes peuvent être entendus littéralement, mais leur sens littéral est le plus souvent insuffisant, frustrant. Car le poème a le don d'ouvrir tout un champ de lectures possibles – lectures potentielles et comme suspendues. Le langage métaphorique a certes un sens, mais sa fonction inattendue est de préparer à l'auto-destruction de ce sens. Celle-ci n'est nullement gratuite, s'il faut en croire. à nouveau, Paul Ricœur :

«L'auto-destruction du sens, sous le coup de l'impertinence sémantique, est seulement l'envers d'une innovation obtenue par la "torsion" du sens littéral des mots. C'est cette innovation de sens qui constitue la métaphore vive.» *(op. cit.)*

Ricœur se place là franchement sur le terrain de la poésie d'aujourd'hui qui n'a souvent même plus le souci de proposer un premier niveau de lecture viable (comme Rimbaud semble encore l'accepter), mais qui fait du passage par le filtre métaphorique le lieu même de la subversion du sens, de sa «torsion». Une façon de tordre le cou au discours trop littéral pour le faire accéder à un niveau second de sens, inattendu, inenvisageable, inouï.

En parlant de «métaphore vive», Ricœur, philosophe chrétien, retire le mot «métaphore» du seul circuit linguistique et le fait vivre d'une existence autonome mais qui s'inscrit peut-être dans une nébuleuse ontologique… Il est d'autres lectures de la poésie moderne et contemporaine qui répudient tout point de fuite et n'en appellent qu'à des constats linguistiques, sans aucun au-delà. Ces prises de position sont essentielles car elles symbolisent le débat majeur de la poésie d'aujourd'hui, son partage entre l'ontologique et le ludique, même si les deux peuvent parfois se recouper.

Daniel LEUWERS,
Introduction à la poésie moderne et contemporaine,
© Dunod, 1998, 2ᵉ éd. Armand Colin, coll. «Lettres sup»,
2005, p. 15 à 18.

---

1. C'est ce que Rimbaud aurait déclaré à propos d'*Une saison en enfer*.

NOTIONS CLÉS

Fonction de la poésie – Lecture du poème – Métaphore – *Mimèsis*.

▶ Grâce à la métaphore, la poésie est porteuse d'un sens second, latent, ontologique qui va au-delà du sens littéral, référentiel.

▶ Mais il existe une autre attitude qui n'envisage pas la poésie moderne en dehors de sa condition linguistique.

CHAPITRE 17

Le poète, le *moi*
et le monde

L'inspiration personnelle n'est pas valorisée par Aristote qui, privilégiant la *mimèsis**, sait gré à Homère d'avoir imité les hommes en mettant en scène des personnages (*Poétique*, 1460a). Ainsi la poésie a pu être narrative, discursive, didactique, prenant la forme de l'épopée, de la tragédie, de la fable, de la satire, de la poésie historique, morale ou philosophique. Avec le romantisme, elle tend à se réduire au lyrisme, compris comme l'expression de sentiments personnels et réalisant l'identification du *je* poétique à l'auteur, confondus dans le mot ambigu de *poète*. Elle pouvait alors se targuer d'une authenticité bien supérieure à celle de la poésie classique et néo-classique, sans pour autant que cette évocation d'un *moi* singulier rebute le lecteur, censé reconnaître dans la figure du poète des traits universels (**92. Lamartine et Hugo**).

Ce lyrisme romantique est rejeté par les Parnassiens (Leconte de Lisle affirme dans «Les Montreurs» qu'il «ne livrer[a] pas [sa] vie» aux «huées» de la «plèbe carnassière») et moqué par le jeune Rimbaud qui vante «la poésie objective» (lettre à Izambard du 13 mai 1871) et proclame que «Je est un autre» (voir le texte 98). Mallarmé assure de son côté que «l'œuvre pure implique la disparition élocutoire du poète, qui cède l'initiative aux mots» (voir le texte 85).

Admirateur de Mallarmé, Valéry caractérise le poète par son attention à la forme (voir le texte 86), «[son] espèce de matérialisme verbal» qui, au moyen du langage ordinaire, vise à créer un ordre artificiel et idéal associant la forme et le sens pour produire une émotion poétique, un «*enchantement*», une «sensation de ravissement sans référence…[1]». Contre cette

---

1. «Mémoires du poète», dans *Œuvres* I, Paris, Gallimard, «Bibliothèque de la Pléiade», successivement p. 1456, 1453, 1463, 1485.

«poésie pure», les poètes de la Résistance réhabilitent la poésie de circonstance et lient la poésie au réel (**93. Aragon**). L'évolution poétique de la fin du XXᵉ siècle témoigne par ailleurs d'une réaction à l'excès de formalisme et associe dans la relation lyrique «le moi, le monde et les mots» (**94. Collot**).

Cela conduit à remettre en cause l'opposition habituelle entre l'autobiographie, expression de la vérité d'un auteur, et la fiction, qui délivre une vision du monde. La question se pose ainsi de savoir comment définir le «sujet lyrique», «à la fois tourné vers lui-même et vers le monde, tendu à la fois vers le singulier et vers l'universel» (**95. Combe**).

——— 92. ALPHONSE DE LAMARTINE ET VICTOR HUGO ——
Le lyrisme romantique

«La poésie lyrique s'exprime au nom de l'auteur même», affirme Mme de Staël dans son manifeste en faveur du romantisme (*De l'Allemagne*, 1813). Loin des exercices et des artifices de la poésie néo-classique, la parole poétique se prétend authentique, voix d'une personne singulière mais qui s'offre à l'identification des lecteurs («Hypocrite lecteur – mon semblable, – mon frère!», dit Baudelaire). Si le «jeune homme» des *Méditations* sollicite l'adhésion d'un public aristocratique qui ne se reconnaît pas dans la France née de la Révolution, le poète consacré qui publie *Les Contemplations* croit pouvoir rencontrer la sympathie de tous les hommes. Dans les deux cas, la figure du poète ainsi exaltée se constitue aussi en personnage.

92a. «Avertissement de l'éditeur» des *Méditations poétiques* (1820)

> *La première édition des* Méditations poétiques *était précédée d'un «Avertissement de l'éditeur» (Eugène Genoude, par ailleurs traducteur de la Bible) qui exprimait sans doute les idées de Lamartine lui-même. L'inspiration religieuse soulignée ici est caractéristique du premier romantisme tel que Mme de Staël venait de le définir: «Le nom de romantique a été introduit nouvellement en Allemagne pour désigner la poésie dont les chants des troubadours ont été l'origine, celle qui est née de la chevalerie et du christianisme.» (De l'Allemagne) Elle était aussi adaptée au public des salons que le jeune poète cherchait à conquérir.*

«Des soupirs de l'âme»

Les morceaux dont se compose le recueil que nous offrons au public sont les premiers essais d'un jeune homme qui n'avait point, en les composant, le projet de les publier. Vivement frappés du sentiment poétique qui y domine et de la teinte originale et religieuse de cette poésie, nous avons pensé que le public les accueillerait avec intérêt ; et sans nous dissimuler ce que le travail et le temps pourraient ajouter au mérite de ces ouvrages, nous avons demandé à l'auteur la permission d'en imprimer un certain nombre. Le nom de *Méditations* qu'il a donné à ces différents morceaux en indique assez la nature et le caractère ; ce sont en effet les épanchements tendres et mélancoliques des sentiments et des pensées d'une âme qui s'abandonne à ses vagues inspirations. Quelques-uns s'élèvent à des sujets d'une grande hauteur ; d'autres ne sont, pour ainsi dire, que des soupirs de l'âme. Nous n'en présentons qu'un très petit nombre à la fois, nous réservant, d'après l'effet qu'elles auront pu produire, d'en donner incessamment un second livre, ou de nous borner à cette épreuve.

Nous sentons que le moment de cette publication n'est pas très heureusement choisi, et que ce n'est pas au milieu des grands intérêts politiques qui les agitent, que les esprits conservent assez de calme et de liberté pour s'abandonner aux inspirations d'une poésie rêveuse et entièrement détachée des intérêts actifs de ce monde ; mais nous savons aussi qu'il y a au fond de l'âme humaine un besoin imprescriptible d'échapper aux tristes réalités de ce monde, et de s'élancer dans les régions supérieures de la poésie et de la religion !

Non de solo pane vivit homo[1].

E. G.
Eugène GENOUDE,
« Avertissement de l'éditeur »,
dans Alphonse de LAMARTINE,
Méditations poétiques (1820),
Éd. Gustave Lanson, Hachette, 1922, p. 3-4.

92b. Victor Hugo, préface des *Contemplations* (1856)

Dans une lettre à Jules Janin, Hugo souligne la visée autobiographique des Contemplations *: « C'est toute ma vie, vingt-cinq ans, grande mortalis ævi spatium, comme dit Tacite, racontés et exprimés*

---

1. Luc, IV, 4. [*N.d.A.*] (« L'homme ne vit pas que de pain ».)

par le côté intime et avec l'espèce de réalité qu'admet le vers[1]. » La préface du recueil mêle pourtant la première et la troisième personne et offre le recueil au lecteur comme un « miroir ». Le poète de l'intime s'y donne en outre une stature exceptionnelle en faisant entendre une voix d'outre-tombe, porteuse de la vérité humaine profonde que donne l'expérience d'une vie, de « la vie » : il est aussi un personnage.

« Quand je vous parle de moi, je vous parle de vous »

Si un auteur pouvait avoir quelque droit d'influer sur la disposition d'esprit des lecteurs qui ouvrent son livre, l'auteur des *Contemplations* se bornerait à dire ceci : Ce livre doit être lu comme on lirait le livre d'un mort.

Vingt-cinq années sont dans ces deux volumes. *Grande mortalis œvi spatium.* L'auteur a laissé, pour ainsi dire, ce livre se faire en lui. La vie, en filtrant goutte à goutte à travers les événements et les souffrances, l'a déposé dans son cœur. Ceux qui s'y pencheront retrouveront leur propre image dans cette eau profonde et triste, qui s'est lentement amassée là, au fond d'une âme.

Qu'est-ce que les *Contemplations* ? C'est ce qu'on pourrait appeler, si le mot n'avait quelque prétention, *les Mémoires d'une âme*.

Ce sont, en effet, toutes les impressions, tous les souvenirs, toutes les réalités, tous les fantômes vagues, riants ou funèbres, que peut contenir une conscience, revenus et rappelés, rayon à rayon, soupir à soupir, et mêlés dans la même nuée sombre. C'est l'existence humaine sortant de l'énigme du berceau et aboutissant à l'énigme du cercueil ; c'est un esprit qui marche de lueur en lueur en laissant derrière lui la jeunesse, l'amour, l'illusion, le combat, le désespoir, et qui s'arrête éperdu « au bord de l'infini ». Cela commence par un sourire, continue par un sanglot, et finit par un bruit du clairon de l'abîme.

Une destinée est écrite là jour à jour.

---

1. Cité par Pierre Albouy (Victor Hugo, *Œuvres poétiques* II, Paris, Gallimard, coll. « Bibliothèque de la Pléiade », p. 1371), qui traduit ainsi la citation de Tacite (*Vie d'Agricola*) : « Grand espace de temps dans une vie de mortel. »

Est-ce donc la vie d'un homme? Oui, et la vie des autres hommes aussi. Nul de nous n'a l'honneur d'avoir une vie qui soit à lui. Ma vie est la vôtre, votre vie est la mienne, vous vivez ce que je vis; la destinée est une. Prenez donc ce miroir, et regardez-vous-y. On se plaint quelquefois des écrivains qui disent moi. Parlez-nous de nous, leur crie-t-on. Hélas! Quand je vous parle de moi, je vous parle de vous. Comment ne le sentez-vous pas? Ah! Insensé, qui crois que je ne suis pas toi!

Ce livre contient, nous le répétons, autant l'individualité du lecteur que celle de l'auteur. *Homo sum*[1]. Traverser le tumulte, la rumeur, le rêve, la lutte, le plaisir, le travail, la douleur, le silence; se reposer dans le sacrifice, et, là, contempler Dieu; commencer à Foule et finir à Solitude, n'est-ce pas, les proportions individuelles réservées, l'histoire de tous?

On ne s'étonnera donc pas de voir, nuance à nuance, ces deux volumes s'assombrir pour arriver, cependant, à l'azur d'une vie meilleure. La joie, cette fleur rapide de la jeunesse, s'effeuille page à page dans le tome premier, qui est l'espérance, et disparaît dans le tome second, qui est le deuil. Quel deuil? Le vrai, l'unique: la mort; la perte des êtres chers.

Nous venons de le dire, c'est une âme qui se raconte dans ces deux volumes: *Autrefois*, *Aujourd'hui*. Un abîme les sépare, le tombeau.

V. H.

Guernesey, mars 1856.

Victor HUGO, préface des *Contemplations* (1856).

NOTIONS CLÉS

Autobiographie – Lyrisme.

▶ Le lyrisme romantique prétend exprimer les sentiments mêmes du poète, sans lasser le lecteur qui le reconnaît comme son semblable.

▶ Cette prétention, qui ignore la médiation que constitue l'écriture poétique, incite le lecteur d'aujourd'hui à considérer le «poète» comme une figure produite par le texte plus que comme une personne.

---

1. Allusion à un vers fameux de Térence (*l'Héautontimoroumenos*, I, 1): *Homo sum, et humani nihil a me alienum puto* (Je suis homme et rien de ce qui est humain ne m'est étranger).

——————— 93. LOUIS ARAGON ———————
Chroniques du bel canto (1947)

Dans le contexte de l'Occupation et de la Résistance, Aragon s'élève « contre la poésie pure » de Paul Valéry, comparée à une « Fontaine froide ainsi que les eaux sans amour[1] ». En 1946, il donne au *Musée Grévin* une postface intitulée significativement « De la réalité en poésie[2] » où il réhabilite, en se réclamant de Goethe, la poésie de circonstance, ouvrant ainsi le domaine de la poésie à tout ce « qui est de son temps, qui marque le fait, la date, la réalité ». Affirmer qu'« il n'y a de poésie que du réel » conduit Aragon à rejeter le « fameux mystère poétique » entretenu par « les amants de la beauté académique » et les surréalistes, auxquels il oppose une conception de la poésie (et de sa lecture) qui associe compréhension et émotion.

C'est faire entrer dans le champ du réalisme un genre qui semble lui être étranger, mais – on l'oublie souvent – c'est aussi se situer dans la lignée de **la *modernité* poétique** définie par Baudelaire qui écrivait déjà, au moment de la querelle du réalisme ouverte par Courbet, Champfleury et Duranty : « Tout bon poète fut toujours *réaliste*. Équation entre l'impression et l'expression. Sincérité[3]. » C'est enfin réaffirmer une exigence d'authenticité qui fait de la poésie un mode particulier de connaissance du réel.

Poésie et circonstances

Pour ma part, je pense que c'est précisément, lorsque nous comprenons, par des voies qui ne sont pas nécessairement celles de la compréhension vulgaire, que commence la poésie. La poésie me fait atteindre plus directement la réalité, par une sorte de raccourci où surprend la clairière découverte. L'émotion poétique est le signe de la connaissance atteinte, de la conscience qui brûle les étapes. Et non pas le contraire. Le chant, qui est toujours nécessairement à la fois de l'oreille et du cœur, s'éveille précisément quand la musique et la voix se marient, quand il y a parfaite adéquation du fond et de la forme, quand cette prétendue subjectivité du poète fait écho à quelque chose en moi qui le lit, et donc devient une *objectivité* au sens propre du mot. Il y a chant quand le son émis éveille des harmoniques dans ce

---

1. « Contre la poésie pure », dans *Les Yeux d'Elsa* (1942), Paris, Seghers, 1995, p. 79.

2. « Les Poissons noirs ou De la réalité en poésie » (1946), dans *Œuvres poétiques complètes*, Paris, Gallimard, coll. « Bibliothèque de la Pléiade », t. I, 2007, p. 926-930.

3. « Puisque réalisme il y a » (1855), dans *Œuvres complètes*, Paris, Gallimard, coll. « Bibliothèque de la Pléiade », t. II, p. 58.

cristal à l'autre bout de la pièce, et qui *comprend* si bien, à qui ce son est si vraiment *musique,* qu'il s'en brise.

C'est pourquoi je réclame à la poésie, claire ou non, des notes, des précisions historiques, qui loin de m'empêcher de rêver donnent à mon rêve l'immense champ de la réalité. C'est pourquoi je défends contre les amateurs d'ombres entretenues les éditions critiques des poètes contemporains. C'est pourquoi j'affirme que toute poésie, qu'on le veuille ou non, étant (comme dit Goethe), de circonstances[1], il faut pour la comprendre lui rendre ses circonstances, et que si cette épreuve est favorable à telle poésie et défavorable à telle autre, la première est la bonne, la seconde la détestable. Que ceci soit la fin du valérisme, possible : ni Racine, ni Hugo, ni Rimbaud n'y perdent. Au contraire.

Louis ARAGON, *Chroniques du bel canto*,
© Skira, 1947, p. 246-247.

NOTIONS CLÉS

Forme /Sens – Lecture du poème – Lyrisme – Réalité et littérature.

▶ La poésie est « parfaite adéquation du fond et de la forme », alliance de la subjectivité du poète et d'une « *objectivité* » ressentie par le lecteur.

▶ La poésie gagne à être éclairée par la connaissance des circonstances de son élaboration.

---

94. MICHEL COLLOT
Paysage et poésie du romantisme à nos jours (2005)

La conception formaliste de la poésie a pu trouver une caution dans une approche linguistique et structuraliste qui caractérise la fonction poétique du langage par son autoréférence : elle met l'accent sur le message « pour son propre compte » (voir 1. Jakobson). Critiquant cette « théorie réductrice », Michel Collot rappelle que, selon le témoignage de poètes, « toute expérience poétique engage au moins trois termes : **un sujet, un monde, un langage** » et propose de l'analyser en recourant à la notion philosophique de « structure d'horizon ». Croisant phénoménologie, psychanalyse et linguistique, il propose d'appréhender le poème comme un ensemble à

---

1. « Mes poèmes sont tous des poèmes de circonstance » (déclaration de Goethe à Eckermann, le 18 septembre 1823).

la fois cohérent (structuré par le langage et l'expérience du poète) et ouvert à d'autres significations[1]. Ce renouveau du lyrisme se manifeste dans la faveur dont jouit le thème du paysage chez certains poètes contemporains.

« Un nouveau lyrisme »

À privilégier trop exclusivement l'expérimentation formelle, certains poètes ont oublié que leur art engage aussi toute l'expérience humaine. Leur démarche a contribué au renouvellement des formes et des significations poétiques, mais elle a favorisé en France une certaine désaffection du public à l'égard de la poésie. En accentuant l'écart entre le langage poétique et la langue commune, ils cultivent désormais un hermétisme de commande, qui risque de détourner beaucoup de lecteurs de la production poétique contemporaine.

La stérilité de cette attitude a été aggravée par la remise en cause des idéologies qui lui apportaient une justification politique. Ce qu'on a appelé la «fin de l'Histoire» a privé les avant-gardes autoproclamées du «peuple futur» qu'elles pouvaient espérer construire ou conquérir au prix d'une révolution sociale et/ou culturelle. Dépouillées de leur mission historique, leurs provocations apparaissent de plus en plus gratuites, et purement ludiques. Obligés de se retourner vers leur public actuel, les poètes ont dû constater qu'il était en voie de disparition. Il ne leur restait plus qu'à se lire entre eux, ce qu'ils font à peine, et ce qui aboutit à un rétrécissement et à un éclatement du paysage poétique français contemporain, qui apparaît de plus en plus brouillé aux yeux des lecteurs les mieux informés et les mieux intentionnés.

Pour remédier à cette endogamie, qui produit ses effets habituels d'imitation réciproque et d'occultation de l'étrange et de l'étranger, il paraît de plus en plus nécessaire pour la poésie française de retrouver avec son public virtuel un terrain d'entente. Toute une génération de poètes a ressenti, à partir des années 1980, le besoin de repartir de la langue et de l'expérience communes, pour fonder un «nouveau lyrisme[2]», qui soit à la fois per-

---

1. Michel COLLOT, *La Poésie moderne et la structure d'horizon*, Paris, PUF, 1989, p. 5-9.

2. L'expression désigne le renouveau du lyrisme opéré à partir de 1980 par des poètes comme Jean-Michel Maulpoix, Yves Peyré, Philippe Delaveau, Marie-Claire Bancquart, Hédi Kaddour, Guy Goffette. Voir à ce sujet l'« Introduction » de Michel Collot dans l'*Anthologie de la poésie française du XVIIIe au XXe siècle*, Paris, Gallimard, coll. « Bibliothèque de la Pléiade », 2000, p. 856-859.

sonnel et partageable. Si le paysage a pu devenir pour certains d'entre eux un thème privilégié, c'est que, défini par un point de vue individuel, il ouvre en même temps une perspective sur l'univers. Il permet donc au poète d'exprimer à la fois le plus intime de lui-même et le plus commun. L'écriture du paysage réunit les trois composantes de la «relation lyrique[1]» au sein de laquelle le moi, le monde et les mots, sans jamais se fondre ni se confondre, échangent leurs différences et une, «réciprocité de preuves».

En exprimant face au monde sa sensibilité particulière, selon le vœu de Francis Ponge[2], et en inscrivant cette singularité dans la langue de tous, le poète peut instaurer une relation féconde avec ses lecteurs. Car le paysage n'est pas un lieu commun, mais un lieu d'échange où se rencontrent et se confrontent différents points de vue. Lieu public, il peut devenir une agora, où l'individu prend sa place au sein d'une communauté retrouvée. Et comme le paysage est devenu aujourd'hui un enjeu politique, social et culturel majeur, c'est aussi l'occasion pour les poètes de renouer à leur manière avec la vie de la cité, et de faire entendre dans ce débat une voix différente, pour ouvrir une autre voie à ceux qui auront à bâtir les espaces de notre avenir.

À ceux qui ont le désir de sortir de leur tour d'ivoire, et d'être ensemble sans s'assimiler ni se perdre dans les lieux communs, le paysage offre un espace où *se retrouver.*

Michel COLLOT,
Paysage et poésie du romantisme à nos jours,
© Éd. José Corti, 2005, p. 440-441.

1. Jean-Michel MAULPOIX, *La Poésie comme l'amour. Essai sur la relation lyrique,* Paris, Mercure de France, 1998.

2. C'est dans son rapport au monde, aux *choses* que Ponge dit exprimer sa personnalité : «Il nous est arrivé de constater que pour nous satisfaire, ce n'était pas tant notre idée de nous-même ou de l'homme que nous devions tâcher d'exprimer, mais en venir au monde extérieur, au parti pris des choses. Et qu'enfin l'homme – son chant le plus particulier il ait des chances de le produire au moment où il s'occupe beaucoup moins de lui-même que d'autre chose, où il s'occupe plus du monde que de lui-même. [...] Disons qu'il arrive à l'homme de s'oublier, pour considérer le monde et croire y découvrir quelque chose. Et jamais plus qu'alors il ne se montre homme, jamais il ne répond mieux à sa définition, ou destination. Jamais il ne rend mieux compte de lui-même» («Braque le Réconciliateur», dans *Œuvres complètes*, Paris, Gallimard, coll. «Bibliothèque de la Pléiade», t. I, p. 130). Michel COLLOT analyse ce paradoxe pongien dans «Le sujet lyrique hors de soi» (*Figures du sujet lyrique*, Paris, PUF, 1996, p. 119-125).

NOTIONS CLÉS

Forme – Lyrisme – Réalité et littérature.

▶ Après avoir privilégié la recherche formelle, la poésie française contemporaine, depuis 1980, s'est ouverte au lyrisme et à une relation élargie avec le monde et le public.

▶ Le paysage, qui présente une vision personnelle du monde, est ainsi devenu pour certains poètes un thème privilégié.

▶ Yves BONNEFOY, *L'Alliance de la poésie et de la musique* : « La poésie ? Nullement la fascination du mystique pour le gouffre de la non-signification, mais le désir de rapatrier le bien de l'outre-conceptuel dans le lieu social, où l'intimité retrouvée de l'être parlant à sa finitude pourrait régénérer les rapports interhumains appauvris par la pensée qui abstrait, qui généralise. »

—————— 95. DOMINIQUE COMBE ——————
« La Référence dédoublée. Le sujet lyrique
entre fiction et autobiographie » (1996)

Alors que, depuis l'émergence de la narratologie, le commentateur peut distinguer le narrateur* de la personne du romancier (voir le texte 77), il ne dispose pour analyser le discours poétique que de la notion ambiguë de « poète ». Or il n'est plus possible d'accepter naïvement l'affirmation romantique selon laquelle la poésie lyrique fait entendre directement la voix, la vérité d'un auteur, le seul problème étant celui de sa sincérité, indépendamment de la médiation que constitue l'écriture. On est donc en droit de s'interroger sur les **rapports de la poésie et de la fiction** : « Le poète est-il un rôle ou renvoie-t-il exactement à la personne de celui qui tient la plume ? » Cela conduit la critique contemporaine à recourir au concept de *sujet lyrique* et à « repérer ce qui pourrait constituer un type d'énonciation* [qui lui serait] spécifique[1] » puisqu'il ne se constitue que dans le poème.

La question de l'unité du sujet lyrique

> *Dominique Combe retrace l'histoire de ce concept, habituellement opposé au lyrisme autobiographique ou à la poésie de circonstance, et rappelle qu'en réalité dans cette dernière, telle que Goethe la définit, la vérité et la fiction ne s'excluent pas : «Ainsi, le sujet lyrique apparaîtrait comme un sujet autobiographique "fictionnalisé", ou du moins en voie de "fictionnalisation"». Une approche rhétorique du*

—————————

1. Dominique RABATÉ, *Figures du sujet lyrique*, PUF, 1996, p. 5 et 8.

sujet lyrique montre aussi que le « Je » acquiert une valeur allégorique qui lui permet de prendre la valeur d'un « Nous » : il rend compte d'une expérience vécue en exprimant des sentiments universels et ce travestissement ouvre ainsi un espace de fiction dans la poésie lyrique. Enfin une approche phénoménologique analyse le sujet lyrique comme une réduction du sujet empirique individuel à une forme qui transcende son histoire personnelle, ses caractéristiques psychologiques et sociales.

L'approche rhétorique comme l'approche phénoménologique soulèvent le problème de l'unité du sujet lyrique. La question, en effet, est bien de savoir comment «Je est un autre[1]», comment le sujet qui s'énonce dans *Les Chimères* et dans *Les Fleurs du mal* peut référer à Nerval ou à Baudelaire comme individus et, simultanément, s'ouvrir à l'universel par le détour de la fiction – et pas seulement parce que Nerval et Baudelaire participent, en tant qu'hommes, de l'universel. Au plan rhétorique, la métaphore comme vision «stéréoscopique» de la réalité et surtout l'allégorie engagent précisément ce qu'on pourrait appeler une «double référence» – ou encore une «référence dédoublée». Dans l'allégorie, en effet, et plus généralement dans toute figure de *l'elocutio,* la signification littérale ne disparaît jamais derrière la signification figurée, mais coexiste avec elle: dans l'allégorie médiévale, les différents niveaux de sens – anagogique[2], moral, spirituel, etc. – autorisent des lectures multiples. Si bien que la conscience – de l'auditeur, du lecteur du poème lyrique – va sans cesse de l'une à l'autre dans un mouvement de va-et-vient. Au plan phénoménologique, cette double référence paraît correspondre à une double intentionnalité de la part du sujet, à la fois tourné vers lui-même et vers le monde, tendu à la fois vers le singulier et vers l'universel. De sorte que le rapport entre la référentialité autobiographique et la fiction passe par cette double intentionnalité. On pourrait être tenté de penser cette dualité – selon un terme qui revient souvent dans la critique allemande: *die Zweiheit des lyrischen Ich* – du sujet lyrique en termes dialectiques, le sujet lyrique en quelque sorte «dépassant»

---

1. Rimbaud (voir le texte 98).
2. *anagogique*: qui recherche dans le sens littéral un sens mystique.

le sujet empirique en l'intemporalisant et en l'universalisant. Mais dans la communication lyrique, il s'agit bien plutôt d'une tension jamais résolue, qui ne produit aucune synthèse supérieure – une «double postulation simultanée», pour employer une expression baudelairienne. En termes phénoménologiques, le jeu du biographique et du fictif, du singulier et de l'universel, est une double visée intentionnelle, de sorte que le domaine du sujet lyrique est celui de l'«entredeux[1]», du *Zwischenreich* dont parle K. Stierle[2].

C'est probablement en raison de son caractère tensionnel, et non pas dialectique, que le sujet lyrique, ainsi que l'affirme la critique, semble hautement problématique, pour ne pas dire hypothétique, et insaisissable. Car il n'y a pas, à la lettre, d'identité du sujet lyrique. Le sujet lyrique ne saurait être catégorisé de manière stable puisqu'il consiste précisément dans un incessant double mouvement de l'empirique vers le transcendantal. Autant dire que le sujet lyrique, emporté par le dynamisme de la fictionnalisation, n'est jamais achevé, et même qu'il *n'est* pas. Le sujet lyrique, loin de s'exprimer comme un sujet déjà constitué que le poème représenterait ou exprimerait, est en perpétuelle constitution dans une genèse constamment renouvelée par le poème, et hors duquel il n'existe pas. Le sujet lyrique se crée dans et par le poème, qui a valeur performative*.

Dominique COMBE, «La Référence dédoublée. Le sujet lyrique entre fiction et autobiographie», dans Dominique RABATÉ (dir.), *Figures du sujet lyrique*, © PUF, 1996, p. 62-63.

NOTIONS CLÉS

Autobiographie – Fiction – Lyrisme – Sujet.

▶ Le sujet lyrique s'énonce dans une double référence, au moi et au monde.

▶ La tension entre ces deux visées intentionnelles n'est jamais résolue : « Le "sujet lyrique" n'existe pas, il se crée. »

---

1. Cf. D. SIBONY, *Entre-deux ou l'origine en partage*, Seuil, 1991 [*N. d. A.*].

2. D. Combe a rappelé plus haut les analyses de Karlheinz Stierle (professeur de romanistique et de théorie littéraire à l'université de Constance) montrant que les faits biographiques dont Nerval s'est inspiré pour composer ses *Chimères* sont élevés, «grâce à des allusions mythologiques et un système complexe de références historiques et intertextuelles […], à une dimension mythique».

CHAPITRE 18

La création poétique

96 PIERRE DE RONSARD	**98** ARTHUR RIMBAUD
97 PAUL VALÉRY	**99** ANDRÉ BRETON

Sujet souvent controversé que celui de la création poétique… Inspiration ou travail? Génie ou labeur?

Pour Platon, « ce n'est pas grâce à un art que les poètes profèrent leurs poèmes, mais grâce à une puissance divine » : ces « chanteurs d'oracles » ne sont que des intermédiaires entre les hommes et les Dieux. Ronsard, poète de la Pléiade et homme de la Renaissance, reprend la thèse platonicienne: le poète est « prophète », il est « touché » par le « don de Poésie ». Cependant, Ronsard voit dans cette « fureur d'esprit » octroyée par les Dieux l'origine d'un clivage entre le poète et les hommes qui ne comprennent pas le génie poétique. Ainsi, le poète est appelé « insensé, furieux, farouche ». On voit s'élaborer ici le mythe littéraire du poète maudit qui trouvera son plein épanouissement au XIXe siècle (**96. Ronsard**).

Valéry défend la thèse adverse. L'inspiration, sans être totalement niée, voit son rôle restreint puisqu'elle n'est plus qu'« une sorte d'énergie individuelle propre au poète » qui n'apparaît que par « instants », par « brèves et fortuites manifestations ». Les poèmes sont « des chefs-d'œuvre de labeur », des « monuments d'intelligence et de travail », des « produits de la volonté et de l'analyse ». Cette remise en question n'est pas, pour autant, une désacralisation du poète. Au contraire, pour Valéry, ce sont les tenants de l'inspiration divine qui le « réduisent à un rôle misérablement passif », celui d'un « médium momentané » (**97. Valéry**).

Rimbaud, dans sa lettre à Paul Demeny, affirme la possibilité, pour le poète, de « cultiver » sa nature spécifique « par un long, immense et raisonné dérèglement de tous les sens ». « La première étude de l'homme qui veut être poète est sa propre connaissance » ; « il cherche son âme, il l'inspecte, il la tente, il l'apprend ». Ainsi, s'il « assiste à l'éclosion de [sa] pensée », si « le cuivre s'éveille clairon » sans qu'il y ait « rien de sa faute », le poète garde néanmoins un pouvoir sur sa création puisqu'il « se fait voyant », puisqu'il « cherche lui-même », qu'il « épuise en lui tous les poisons » et qu'il « a cultivé son âme, déjà riche, plus qu'aucun » (**98. Rimbaud**).

Breton, quant à lui, analyse le processus de création poétique au travers du surgissement des images dans la conscience du poète. Elles « s'offrent à lui », « il ne peut les congédier », « c'est du rapprochement [...] fortuit des deux termes [que] jaillit une lumière particulière, [la] lumière de l'image ». Ainsi, les deux termes qui la constituent ne sont pas « déduits l'un de l'autre par l'esprit en vue de l'étincelle à produire », ils sont, au contraire, la résultante inattendue de « l'activité surréaliste » dont « la raison se born[e] à constater et à apprécier le phénomène » (**99. Breton**).

————— 96. PIERRE DE RONSARD —————
« Hymne de l'automne » (1564)

Dans *La République*, Platon fait **le procès de la poésie** : accusée d'être une imitation (*mimèsis**) très éloignée de la vérité, de flatter les passions de l'âme et par là de ruiner la cité, qui devrait être soumise à la raison et à la loi, elle est bannie de l'État idéal (voir le texte 10). Cette critique apparaît aussi, sous une forme plus ambiguë, dans l'*Ion* : le poète ne crée que quand il est possédé par le dieu et « dépossédé de l'intelligence qui est en lui », la création poétique est donc l'effet d'« une faveur divine » dont tout homme peut bénéficier.

La doctrine platonicienne a été ensuite soit développée par ceux qui ont considéré les poètes comme des « prophètes » apportant la vérité aux hommes (comme Ronsard), soit récusée par ceux qui, ne voulant pas « rougir d'être la Pythie », ont vu dans les poèmes « des monuments d'intelligence et de travail soutenu » (comme Valéry).

À partir de la théorie platonicienne, Marsile Ficin, traducteur et commentateur des dialogues de Platon, avait élaborée **la doctrine des « quatre fureurs »**, exposée dans son *Commentaire*. La « fureur divine » est l'affection par laquelle Dieu enlève l'âme à sa condition déchue pour l'élever progressivement jusqu'à lui. La première fureur est **la fureur poétique ou don des Muses** ; la seconde l'intelligence des mystères et des secrets des religions ; la troisième est le prophétisme, la quatrième, l'amour. Les quatre fureurs s'enchaînent l'une à l'autre dans une sorte de gradation, la fonction de la poésie étant d'apaiser les contradictions de l'âme humaine. Les poètes français, tel Ronsard ici, feront prévaloir la fureur poétique, **l'enthousiasme** (délire d'inspiration divine, comme l'indique l'étymologie).

«Un don de poésie»

Les Hymnes, *poèmes d'inspiration mythique et cosmique, célèbrent le monde dans sa variété et sa diversité. L'« Hymne de l'Automne » s'ouvre sur un prélude dans lequel Ronsard, alternant considérations générales et confidence biographique, retrace sa destinée poétique. Poète de la Pléiade, humaniste, Ronsard reprend implicitement les idées de Marsile Ficin : le « démon qui préside aux Muses » lui « donna pour partage une fureur d'esprit » ainsi que « l'art de bien coucher [s]a verve par écrit ».*

Le jour que je fus né, le Démon[1] qui préside
Aux Muses me servit en ce Monde de guide,
M'anima d'un esprit gaillard et vigoureux,
Et me fit de science et d'honneur amoureux.
En lieu des grands trésors et de richesses vaines,
Qui aveuglent les yeux des personnes humaines,
Me donna pour partage une fureur d'esprit,
Et l'art de bien coucher ma verve par écrit.
Il me haussa le cœur, haussa la fantaisie[2],
M'inspirant dedans l'âme un don de Poésie,
Que Dieu n'a concédé qu'à l'esprit agité
Des poignants aiguillons de sa divinité.
Quand l'homme en est touché, il devient un prophète,
Il prédit toute chose avant qu'elle soit faite,
Il connaît la nature, et les secrets des cieux,
Et d'un esprit bouillant s'élève entre les Dieux.
Il connaît la vertu des herbes et des pierres,
Il enferme les vents, il charme les tonnerres,
Sciences que le peuple admire, et ne sait pas
Que Dieu les va donnant aux hommes d'ici-bas,
Quand ils ont de l'humain les âmes séparées,
Et qu'à telle fureur elles sont préparées,
Par oraison, par jeûne, et pénitence aussi,
Dont aujourd'hui le monde a bien peu de souci.
Car Dieu ne communique aux hommes ses mystères

1. Divinité.
2. L'imagination.

S'ils ne sont vertueux, dévots et solitaires,
Éloignés des tyrans, et des peuples qui ont
La malice[1] en la main, et l'impudence au front,
Brûlés d'ambition, et tourmentés d'envie,
Qui leur sert de bourreau tout le temps de leur vie.

*[Ronsard raconte ensuite son initiation à la poésie par Euterpe,
Muse de la musique.]*

[...] la gentille[2] Euterpe ayant ma dextre prise,
Pour m'ôter le mortel par neuf fois me lava,
De l'eau d'une fontaine où peu de monde va[3],
Me charma[4] par neuf fois, puis d'une bouche enflée
(Ayant dessus mon chef son haleine soufflée)
Me hérissa le poil de crainte et de fureur,
Et me remplit le cœur d'ingénieuse erreur,
En me disant ainsi : Puisque tu veux nous suivre,
Heureux après la mort nous te ferons revivre,
Par longue renommée, et ton los[5] ennobli
Accablé du tombeau n'ira point en obli.
   Tu seras du vulgaire[6] appelé frénétique,
Insensé, furieux, farouche, fantastique,
Maussade, mal plaisant, car le peuple médit
De celui qui de mœurs aux siennes contredit.
   Mais courage, Ronsard, les plus doctes poètes,
Les Sibylles, Devins, Augures et Prophètes,
Hués, sifflés, moqués des peuples ont été :
Et toutefois, Ronsard, ils disaient vérité.

Pierre de RONSARD, «Hymne de l'automne»,
vers 1 à 76, *Nouvelles Poésies*, 1564.

---

1. La méchanceté.
2. Noble ; Euterpe est la Muse de la musique.
3. La fontaine Hippocrène, consacrée aux Muses, sur le mont Hélicon.
4. Me dota d'un pouvoir magique.
5. Ta gloire.
6. De l'homme commun, de la foule.

NOTIONS CLÉS

Fonction du poète – Inspiration.

▶ Le talent poétique est un don.

▶ Il implique de celui qui le possède un devoir de type moral, la poésie se conçoit comme une mission, un sacerdoce.

▶ Le poète est rejeté par ses semblables irrités par cette différence qu'ils ne comprennent pas.

_____ 97. PAUL VALÉRY _____

«Propos sur la poésie» (1957)

« Quelle honte d'écrire, sans savoir ce que sont langage, verbe, métaphore, changements d'idées, de ton ; ni concevoir la structure de la durée de l'ouvrage, ni les conditions de sa fin ; à peine le pourquoi, et pas du tout le comment ! Rougir d'être la Pythie !… » Comme ici dans *Tel quel*, Valéry a souvent condamné les théories qui font de l'inspiration le principe même de la création poétique et insisté, au contraire, sur **le rôle et la valeur du travail**, de la recherche, de la volonté et de l'analyse. Ne pas prendre en compte ces données, c'est être, en quelque sorte, dupe de la perfection artistique, c'est oublier que « l'objet même de l'art et le principe de ses artifices, est précisément de communiquer l'impression d'un état idéal dans lequel l'homme qui l'obtiendrait serait capable de produire spontanément, sans effort, sans faiblesse, une expression magnifique et merveilleusement ordonnée de sa nature et de nos destins ».

«Des chefs-d'œuvre de labeur»

Effleurons cependant cette difficile question :

Faire des vers…

Mais vous savez tous qu'il existe un moyen fort simple de faire des vers.

Il suffit d'être *inspiré*, et les choses vont toutes seules. Je voudrais bien qu'il en fût ainsi. La vie serait supportable. Accueillons, toutefois, cette réponse naïve, mais examinons-en les conséquences.

Celui qui s'en contente, il lui faut consentir ou bien que la production poétique est un pur effet du hasard, ou bien qu'elle procède d'une sorte de communication surnaturelle ; l'une et l'autre hypothèse réduisent le poète à un rôle misérablement passif. Elles font de lui ou une sorte *d'urne* en laquelle des millions de billes sont agitées, ou une *table parlante* dans laquelle un *esprit* se loge. Table ou cuvette, en somme, mais point un dieu, – le contraire d'un dieu, le contraire d'un *Moi*.

Et le malheureux auteur, qui n'est donc plus auteur, mais signataire, et responsable comme un gérant de journal, le voici contraint de se dire :

«Dans tes ouvrages, cher poète, ce qui est bon n'est pas de toi, ce qui est mauvais t'appartient sans conteste.»

Il est étrange que plus d'un poète se soit contenté, – à moins qu'il ne se soit enorgueilli, – de n'être qu'un instrument, un *médium* momentané.

Or l'expérience comme la réflexion nous montrent, au contraire, que les poèmes dont la perfection complexe et l'heureux développement imposeraient le plus fortement à leurs lecteurs émerveillés l'idée de miracle, de coup de fortune, d'accomplissement surhumain (à cause d'un assemblage extraordinaire des vertus que l'on peut désirer mais non espérer trouver réunies dans un ouvrage), sont aussi des chefs-d'œuvre de labeur, sont, d'autre part, des monuments d'intelligence et de travail soutenu, des produits de la volonté et de l'analyse, exigeant des qualités trop multiples pour pouvoir se réduire à celles d'un appareil enregistreur d'enthousiasmes ou d'extases. On sent bien devant un beau poème de quelque longueur, qu'il y a des chances infimes pour qu'un homme ait pu improviser sans retours, sans autre fatigue que celle d'écrire ou d'émettre ce qui lui vient à l'esprit, un discours singulièrement sûr de soi, pourvu de ressources continuelles, d'une harmonie constante et d'idées toujours heureuses, un discours qui ne cesse de charmer, où ne se trouvent point d'accidents, de marques de faiblesse et d'impuissance, où manquent ces fâcheux incidents qui rompent l'enchantement et ruinent l'univers poétique dont je vous parlais tout à l'heure.

Ce n'est pas qu'il ne faille, pour faire un poète, quelque chose d'autre, quelque *vertu* qui ne se décompose pas, qui ne s'analyse pas en actes définissables et en heures de travail. Le *Pégase-Vapeur*, le *Pégase-Heure* ne sont pas encore des unités légales de puissance poétique.

Il y a une qualité spéciale, une sorte *d'énergie* individuelle propre au poète. Elle paraît en lui et le révèle à soi-même dans certains instants d'un prix infini.

Mais ce ne sont que des instants, et cette énergie supérieure (c'est-à-dire telle que toutes les autres énergies de l'homme ne la peuvent composer et remplacer) *n'existe ou ne peut agir que par brèves et fortuites manifestations.*

Paul VALÉRY, «Propos sur la poésie», dans *Variété*, 1957, © Éd. Gallimard, coll. «Bibliothèque de la Pléiade», I, p. 1375-1377.

NOTIONS CLÉS

Inspiration – Langage poétique.

▶ Le poète n'est pas un médium qui parlerait sous l'emprise de l'inspiration.

▶ La perfection artistique est la preuve même du travail, de la volonté consciente du poète.

▶ Paul ÉLUARD, *Avenir de la poésie*, 1937 : «Le poète est celui qui inspire bien plus que celui qui est inspiré.»

98. ARTHUR RIMBAUD
Lettre à Paul Demeny (15 mai 1871)

L'ambition poétique de Rimbaud apparaît clairement dans sa correspondance. Le 13 mai 1871, il écrit à son professeur Izambard : «Je veux être poète, et je travaille à me rendre *Voyant*», programme qu'il détaille deux jours plus tard dans la lettre dite «du Voyant» (au jeune poète Paul Demeny). Il y développe ses idées sur la création poétique et «l'avenir de la poésie», après avoir condamné toute la poésie classique («prose rimée», «jeu» de «versificateurs») à l'exception de la poésie grecque, de Racine («le Divin Sot») et du romantisme.

Selon Rimbaud, la poésie ne rythme plus l'action comme dans la Grèce antique, elle est devenue un divertissement gratuit, artificiel, coupé de la vie, produit par «des fonctionnaires, des écrivains». C'est pourquoi il a choisi de se faire véritablement «auteur, créateur, poète» et d'engager **une réflexion sur l'exercice et la fonction de la poésie.**

«Je est un autre»

Il redéfinit d'abord la notion d'auteur en affirmant que la création poétique échappe à la conscience claire du poète : «Je est un autre», le moi qui vit n'est pas le moi qui crée, il «assiste à l'éclosion de [sa] pensée». Cette **dualité du poète,** *présentée ici comme une vérité d'évidence,* a été ignorée par les romantiques qui se sont crus égoïstement les maîtres de leur création alors que leur poésie (que Rimbaud distingue de la médiocrité générale) prouve que « la chanson » est rarement « la pensée chantée et comprise du chanteur ». Cette prise de conscience de la puissance et du **mystère de la création poétique** est un préalable absolu (« je me suis reconnu poète », déclare Rimbaud à Izambard), mais l'inspiration seule ne suffit pas à définir le génie poétique.

Le poète doit cultiver ce don « par un long, immense et raisonné dérèglement de tous les sens ». **Cette démarche méthodique, organisée, et finalisée** consiste à expérimenter des sentiments comme « l'amour », ou la « souffrance », à en épuiser « tous les poisons pour n'en garder que les quintessences », matière même de sa création : « il s'agit de faire l'âme monstrueuse » et, par cette ascèse qui peut conduire à la folie et à la mort, de « se faire voyant ».

Le poète se met ainsi au ban de la société, devient le « le grand malade, le grand criminel, **le grand maudit** ». Mais il se définit comme un « travailleur », « **le suprême Savant** » chargé de révéler aux hommes « l'inconnu ».

On n'a jamais bien jugé le romantisme ; qui l'aurait jugé ? Les critiques !! Les romantiques, qui prouvent si bien que la chanson est si peu souvent l'œuvre, c'est-à-dire la pensée chantée *et comprise* du chanteur ?

Car Je est un autre. Si le cuivre s'éveille clairon, il n'y a rien de sa faute. Cela m'est évident : j'assiste à l'éclosion de ma pensée : je la regarde, je l'écoute : je lance un coup d'archet : la symphonie fait son remuement dans les profondeurs, ou vient d'un bond sur la scène.

Si les vieux imbéciles n'avaient pas trouvé du Moi que la signification fausse, nous n'aurions pas à balayer ces millions de squelettes qui, depuis un temps infini, ont accumulé les produits de leur intelligence borgnesse, en s'en clamant les auteurs !

En Grèce, ai-je dit, vers et lyres *rythment l'Action*. Après, musique et rimes sont jeux, délassements. L'étude de ce passé charme les curieux : plusieurs s'éjouissent à renouveler ces antiquités : – c'est pour eux. L'intelligence universelle a toujours jeté ses idées, naturellement ; les hommes ramassaient une partie de ces fruits du cerveau : on agissait par, on en écrivait des livres : telle allait la marche, l'homme ne se travaillant pas, n'étant pas encore éveillé, ou pas encore dans la plénitude du grand songe. Des fonctionnaires, des écrivains : auteur, créateur, poète, cet homme n'a jamais existé !

La première étude de l'homme qui veut être poète est sa propre connaissance, entière ; il cherche son âme, il l'inspecte, il la tente, l'apprend. Dès qu'il la sait, il doit la cultiver ; cela semble simple : en tout cerveau s'accomplit un développement naturel ; tant *d'égoïstes* se proclament auteurs ; il en est bien d'autres qui s'attribuent leur progrès intellectuel ! – Mais il s'agit de faire l'âme monstrueuse : à l'instar des comprachicos[1], quoi ! Imaginez un homme s'implantant et se cultivant des verrues sur le visage.

Je dis qu'il faut être *voyant*, se faire *voyant*.

Le Poète se fait *voyant* par un long, immense et raisonné *dérèglement* de *tous les sens*. Toutes les formes d'amour, de souffrance, de folie ; il cherche lui-même, il épuise en lui tous les poisons, pour n'en garder que les quintessences. Ineffable torture où il a besoin de toute la foi, de toute la force surhumaine, où il devient entre tous le grand malade, le grand criminel, le grand maudit, – et le suprême Savant ! – Car il arrive à *l'inconnu !* Puisqu'il a cultivé son âme, déjà riche, plus qu'aucun ! Il arrive à *l'inconnu*, et quand, affolé, il finirait par perdre l'intelligence de ses visions, il les a vues ! Qu'il crève dans son bondissement par les choses inouïes et innommables : viendront d'autres horribles travailleurs ; ils commenceront par les horizons où l'autre s'est affaissé !

Arthur RIMBAUD,
Lettre à Paul Demeny, 15 mai 1871.

NOTIONS CLÉS

Auteur – Fonction du poète – Inspiration – Personnalité de l'artiste – Romantisme.

▶ L'acte poétique échappe à la volonté du poète, qui « assiste à l'éclosion de [sa] pensée ».

▶ Mais, après s'être découvert poète, il doit cultiver son pouvoir par « un long, immense et raisonné dérèglement de tous les sens ».

▶ Cette ascèse qui le mène à « *l'inconnu* » le met au ban de la société.

---

1. « Acheteurs d'enfants » qui exhibaient dans des foires des créatures monstrueusement défigurées, comme le héros de *L'Homme qui rit* de Victor Hugo (1869).

99. ANDRÉ BRETON
Manifeste du surréalisme (1924)

La création poétique, les rapports qu'elle entretient avec le langage, le rôle qu'y joue l'inconscient, constituent une des préoccupations majeures d'André Breton. Dans ces pages du *Manifeste*, il cherche à définir le surréalisme poétique au travers des «effets mystérieux et [des] jouissances particulières qu'il peut engendrer». Il en vient ainsi à analyser l'image surréaliste et son processus de surgissement.

L'image poétique, fortuite et arbitraire

Breton place son analyse sous le signe d'une référence baudelairienne, rapprochant les images surréalistes des images, provoquées par l'opium, que «l'homme n'évoque plus» mais qui «s'offrent à lui spontanément», sans intervention de sa volonté. L'image poétique relèverait donc uniquement de processus inconscients, de surgissements fortuits.

*Breton utilise ici un article de Reverdy, publié dans la revue Nord-Sud, définissant l'image poétique comme une «création pure de l'esprit», le «rapprochement de deux réalités plus ou moins éloignées», non assimilable à la comparaison. L'affirmation de Reverdy est, selon lui, la preuve même de **l'aspect inconscient de la création poétique** puisqu'il ne semble pas possible de rapprocher volontairement ce qu'il appelle «deux réalités distantes». **L'image surgit donc de façon fortuite et arbitraire**, «le rapprochement se fait ou ne se fait pas, voilà tout», il n'y a pas «le moindre degré de préméditation».*

La valeur poétique de l'image *dépend de la déflagration produite par ce rapprochement, «la plus forte [étant] celle qui présente le degré d'arbitraire le plus élevé». On note ici une sorte de radicalisation de la pensée de Reverdy puisque ce dernier affirme, quant à lui, que «deux réalités qui n'ont aucun rapport ne peuvent se rapprocher utilement», que ces rapports doivent être «lointains et justes». Breton insiste bien moins sur la justesse des rapports que sur leur arbitraire, garant de l'aspect inconscient de la création. «Les deux termes de l'image ne sont pas déduits l'un de l'autre par l'esprit en vue de l'étincelle à produire», la raison «se borne» à les enregistrer, à les «subir» avant de s'apercevoir «qu'elles flattent sa raison, augmentent d'autant sa connaissance». Ainsi, **l'arbitraire devient source de révélation**, et permet, comme le souhaitait Breton,*

*de « découvrir les moyens de mettre en application [le] mot d'ordre
de Rimbaud ».*

Il en va des images surréalistes comme de ces images de
l'opium que l'homme n'évoque plus, mais qui «s'offrent à
lui, spontanément, despotiquement. Il ne peut pas les congédier; car la volonté n'a plus de force et ne gouverne plus les
facultés[1]». Reste à savoir si l'on a jamais «évoqué» les images.
Si l'on s'en tient, comme je le fais, à la définition de Reverdy, il
ne semble pas possible de rapprocher volontairement ce qu'il
appelle «deux réalités distantes». Le rapprochement se fait ou
ne se fait pas, voilà tout. Je nie, pour ma part, de la façon la
plus formelle, que chez Reverdy des images telles que :

Dans le ruisseau il y a une chanson qui coule

ou :

Le jour s'est déplié comme une nappe blanche

ou :

Le monde rentre dans un sac.

offrent le moindre degré de préméditation. Il est faux,
selon moi, de prétendre que «l'esprit a saisi les rapports» des
deux réalités en présence. Il n'a, pour commencer, rien saisi
consciemment. C'est du rapprochement en quelque sorte
fortuit des deux termes qu'a jailli une lumière particulière,
lumière de l'image, à laquelle nous nous montrons infiniment sensibles. La valeur de l'image dépend de la beauté de
l'étincelle obtenue; elle est, par conséquent, fonction de la
différence de potentiel entre les deux conducteurs. Lorsque
cette différence existe à peine comme dans la comparaison[2],
l'étincelle ne se produit pas. Or, il n'est pas, à mon sens, au
pouvoir de l'homme de concerter le rapprochement de deux
réalités si distantes. Le principe d'association des idées, tel
qu'il nous apparaît, s'y oppose. Ou bien faudrait-il en revenir
à un art elliptique, que Reverdy condamne comme moi. Force
est donc bien d'admettre que les deux termes de l'image ne
sont pas déduits l'un de l'autre par l'esprit en vue de l'étincelle

---

1. Baudelaire [*N.d.A.*]. (Plus précisément, Breton cite ici «Un mangeur d'opium»
dans *Les Paradis artificiels*, 1860.)

2. Cf. l'image chez Jules Renard [*N.d.A.*].

à produire, qu'ils sont les produits simultanés de l'activité que j'appelle surréaliste, la raison se bornant à constater, et à apprécier le phénomène lumineux.

Et de même que la longueur de l'étincelle gagne à ce que celle-ci se produise à travers des gaz raréfiés, l'atmosphère surréaliste créée par l'écriture mécanique, que j'ai tenu à mettre à la portée de tous, se prête particulièrement à la production des plus belles images. On peut même dire que les images apparaissent, dans cette course vertigineuse, comme les seuls guidons de l'esprit. L'esprit se convainc peu à peu de la réalité suprême de ces images. Se bornant d'abord à les subir, il s'aperçoit bientôt qu'elles flattent sa raison, augmentent d'autant sa connaissance. Il prend conscience des étendues illimitées où se manifestent ses désirs, où le pour et le contre se réduisent sans cesse, où son obscurité ne le trahit pas. Il va, porté par ces images qui le ravissent, qui lui laissent à peine le temps de souffler sur le feu de ses doigts. C'est la plus belle des nuits, *la nuit des éclairs* : le jour auprès d'elle, est la nuit.

Les types innombrables d'images surréalistes appelleraient une classification que, pour aujourd'hui, je ne me propose pas de tenter. Les grouper selon leurs affinités particulières m'entraînerait trop loin ; je veux tenir compte, essentiellement, de leur commune vertu. Pour moi, la plus forte est celle qui présente le degré d'arbitraire le plus élevé, je ne le cache pas ; celle qu'on met le plus longtemps à traduire en langage pratique, soit qu'elle recèle une dose énorme de contradiction apparente, soit que l'un de ses termes en soit curieusement dérobé, soit que s'annonçant sensationnelle, elle ait l'air de se dénouer faiblement (qu'elle ferme brusquement l'angle de son compas), soit qu'elle tire d'elle-même une justification *formelle* dérisoire, soit qu'elle soit d'ordre hallucinatoire, soit qu'elle prête très naturellement à l'abstrait, le masque du concret, ou inversement, soit qu'elle implique la négation de quelque propriété physique élémentaire, soit qu'elle déchaîne le rire.

André Breton, *Manifeste du surréalisme*, 1924,
© J.-J. Pauvert ; Gallimard, coll. « Idées », p. 50-53.

NOTIONS CLÉS

Image – Inspiration – Surréalisme.

▶ L'image poétique jaillit spontanément de l'inconscient, de façon fortuite, sans « le moindre degré de préméditation ».

▶ Sa valeur est proportionnelle à son « degré d'arbitraire ».

▶ Pierre REVERDY, *Nord-Sud*, mars 1918 : « Une image n'est pas forte parce qu'elle est *brutale* ou *fantastique* – mais parce que l'association des idées est lointaine et juste. »

Prolongement. – L'ambiguïté de la « déconstruction » que constitue l'image surréaliste a été signalée par Yves Bonnefoy : « L'image surréaliste est une déconstruction, sauf qu'on ne sait pas si c'est la simple désarticulation de la structure du monde comme l'imaginent nos langues, avec plus ou moins de raison, ou le rêve d'un monde qui, en sa nature même, en l'objectivité de ses phénomènes, serait tout autre que la réalité habituellement perçue[1]. »

---

1. « Le carrefour dans l'image », dans *L'Alliance de la poésie et de la musique*, p. 73. Sur Yves Bonnefoy, voir le texte 90.

CHAPITRE 19

Lire le poème

S i l'analyse romanesque a, ces dernières décennies, fortement évolué, on constate également un changement certain dans les méthodes d'approche du texte poétique. Sous l'influence de la linguistique et du structuralisme notamment, s'est établie une nouvelle manière de lire le poème.

Valéry apparaît, ici encore, comme un précurseur. En insistant sur **le rôle du lecteur**, sur **l'autonomie du texte élaboré**, il a permis d'envisager la lecture d'un poème comme la résultante de leur interaction. «L'amateur de poèmes», conscient de la nature spécifique du texte poétique, «donne [son] souffle et les machines de [sa] voix» à cet «être nécessaire» où se joue une «loi qui fut préparée» (**100. Valéry**).

Daniel Delas, par une question apparemment banale, «qu'est-ce que cela veut dire?», souligne un certain nombre de points fondamentaux. **Le texte poétique est polysémique**, «il n'y a pas qu'un sens […] dont serait dépositaire agréé l'auteur ou son représentant patenté», mais «*du* sens» qui «se cristallise à partir de certaines configurations du texte». La réception et l'analyse de ces configurations amènent la mise en place de directions de lecture qui «n'épuisent jamais le texte» et peuvent être complétées par des points de vue autres, historiques, sociologiques ou psychanalytiques. «Un poème peut [donc] toujours être relu, mieux, il est fait pour cela» (**101. Delas**).

Michaël Riffaterre analyse le processus de lecture du texte poétique. Il distingue deux «phases de la lecture», la première, «heuristique*», consiste à lire le poème «du début à la fin» afin d'en découvrir le sens; la deuxième, «herméneutique*», sert à former **une seconde interprétation** en analysant les éléments par «un décodage structural» dans lequel «le lecteur se souvient de ce qu'il vient de lire et modifie la compréhension qu'il en a eue en fonction de ce qu'il est en train de décoder». Cette seconde lecture l'amène à percevoir que «des éléments du discours successifs et distincts, d'abord notés comme simples agrammaticalités sont en fait des équivalents, [...] les variants d'une même matrice structurale». «Le texte est donc une variation ou une modulation d'une seule structure [...] et cette relation continue à une seule structure constitue la signifiance» (**102. Riffaterre**).

100. PAUL VALÉRY
Album de vers anciens (1929)

Album de vers anciens reprend, en leur donnant une forme nouvelle, certains poèmes publiés par Valéry dans diverses revues symbolistes au cours de la décennie précédente. Dans «L'amateur de poèmes», il analyse la spécificité du rapport qui s'établit entre le lecteur et le texte poétique. Il oppose la pensée à la parole poétique, caractérisée par son absolue nécessité (voir le texte 86). Le langage poétique, «écriture fatale», oriente le lecteur vers un décodage préétabli par le fonctionnement textuel lui-même.

Un décodage préétabli

SI je regarde tout à coup ma véritable pensée, je ne me console pas de devoir subir cette parole intérieure sans personne et sans origine ; ces figures éphémères ; et cette infinité d'entreprises interrompues par leur propre facilité, qui se transforment l'une dans l'autre, sans que rien ne change avec elles. Incohérente sans le paraître, nulle instantanément comme elle est spontanée, la pensée, par sa nature, manque de style.

MAIS je n'ai pas tous les jours la puissance de proposer à mon attention quelques êtres nécessaires, ni de feindre les obstacles spirituels qui formeraient une apparence de commencement, de plénitude et de fin, au lieu de mon insupportable fuite.

UN poème est une durée, pendant laquelle, lecteur, je respire une loi qui fut préparée ; je donne mon souffle et les machines de ma voix ; ou seulement leur pouvoir, qui se concilie avec le silence.

JE m'abandonne à l'adorable allure : lire, vivre où mènent les mots. Leur apparition est écrite. Leurs sonorités concertées. Leur ébranlement se compose, d'après une méditation antérieure, et ils se précipiteront en groupes magnifiques ou purs, dans la résonance. Même mes étonnements sont assurés : ils sont cachés d'avance, et font partie du nombre.

MU par l'écriture fatale, et si le mètre toujours futur enchaîne sans retour ma mémoire, je ressens chaque parole dans toute sa force, pour l'avoir indéfiniment attendue. Cette mesure qui me transporte et que je colore, me garde du vrai et du faux. Ni le doute ne me divise, ni la raison ne me travaille. Nul hasard, mais une chance extraordinaire se fortifie. Je trouve sans effort le langage de ce bonheur ; et je pense par artifice, une pensée toute certaine, merveilleusement prévoyante, – aux lacunes calculées, sans ténèbres involontaires, dont le mouvement me commande et la quantité me comble : une pensée singulièrement achevée.

Paul VALÉRY, *Album de vers anciens* (1929),
© Éd. Gallimard, coll. « Poésie », p. 38.

NOTIONS CLÉS

Langage poétique – Lecture du poème – Plaisir.

▶ Le poème, « pensée merveilleusement prévoyante » est organisé en vue d'amener le lecteur à un décodage préétabli par le fonctionnement textuel lui-même.

▶ Le texte impose à la lecture un rythme, des mots, des sonorités concertées auxquels le lecteur prête sa voix.

101. DANIEL DELAS
« Lire la poésie / Lire Supervielle » (1980)

Daniel Delas et Jacques Filliolet définissent le texte poétique comme « une unité auto-fonctionnante » : « *il n'a pas de référent** (ce qui n'implique nullement qu'il soit coupé de la réalité extérieure) ». Le discours poétique est un langage de connotation* : « soumis aux lois de la langue naturelle, il constitue lui-même un nouveau langage dans la mesure où il crée des objets et établit entre eux des relations » (*Linguistique et poétique*, Larousse, 1973, p. 56-57). Son décodage se fait en deux temps :

– l'analyse des divers plans du texte (syntaxique, sémantique, sonore et prosodique) ;

– la mise en relation de ces plans, qui réunit ces « unités étudiées séparément » et met au jour les rapports que « la connotation entretient avec la dénotation ».

Daniel Delas applique cette méthode à l'étude du texte de Supervielle, *Les Amis inconnus*. Il récuse la lecture linéaire du texte qui « ne s'impose pas pour un poème » puisque celui-ci est « un tout, une totalité en fonctionnement ». Il faudra donc **décrypter les « mises en relation qui parcourent le texte en tous sens »**.

Lecteur/auteur

*Le texte poétique n'est pas réductible à l'émergence d'un seul sens. Sa **polysémie*** s'explique par un certain nombre de facteurs que Daniel Delas met en évidence dans les pages précédentes.*

Le langage poétique emprunte ses termes au langage ordinaire qui a recours au contexte pour en définir les acceptions. Or le texte poétique dont le contexte n'explicite pas une relation univoque est sémantiquement ambigu.

Il recourt à la figure de façon à briser les automatismes d'écriture, à « ouvrir sur une autre représentation des choses ».

*Il accorde **un rôle privilégié au signifiant*** selon « la loi du langage poétique [...] l'appel des mots par les mots ».*

Comment le texte poétique produit-il cette polysémie ?

« Qu'est-ce que cela veut dire ? »

Sur ce problème du sens du poème, il importe d'avoir quelques idées simples.

Et d'abord qu'il n'y a pas qu'*un* sens, *le* sens dont serait dépositaire agréé l'auteur ou son représentant patenté, le professeur ou le spécialiste. L'auteur a écrit un texte mais ce texte ne lui appartient plus ; en lisant son texte, je me substitue à lui, pour refaire un cheminement qui a intrinsèquement autant de valeur – même s'il n'est pas aussi difficile à faire que celui de l'homme qui le premier a frayé une trace. Il n'y a de sens ni au bout du texte, ni derrière le texte, ni *a priori*, en fonction de considérations historiques.

Il y a *du* sens qui se cristallise à partir de certaines configurations du texte, incontournables et, chaque fois, spécifiques. Ces configurations (telle figure, tel dispositif spatial, tel type de symétrie, de reprise, tel procédé de déconstruction d'un stéréotype), inscrites dans la matérialité du texte, sont aussi présentes qu'une maison ou un lac ou un arbre dans un paysage ; le texte, comme le paysage, se construit à partir et autour d'elles. En un mot, elles sont significatives et structurent le processus sémantique en déclenchant des *effets de sens*. C'est de leur réception et de leur mise en relation que s'instaurent des directions de lecture, convergentes (texte clos) ou divergentes (œuvre ouverte); ces directions de lecture n'épuisent jamais le texte, sur lequel d'autres points de vue (historique, sociologique, psychanalytique, etc.) sont possibles. Un poème peut toujours être relu, mieux il est fait pour cela, pour recommencer et pour être recommencé.

Pour reprendre un mot célèbre, ça veut dire ce que ça dit, «littéralement et dans tous les sens[1]» (Rimbaud). Ce n'est pas une question d'intention, mais de structure et de nature.

[…] ce qui distingue le poétique du non-poétique, c'est l'acceptation du pouvoir du signifiant* de dire à lui seul; dans cette mesure, tous les jeux (symétries-dissymétries-reprises-transformations d'un motif*) «veulent dire» quelque chose. C'est pourquoi aussi le début et la fin d'un poème sont, par nécessité, des lieux où s'inscrit fortement la signification, l'un étant en quelque sorte nécessairement programmatique, l'autre étant non moins nécessairement reprise et sommation. Ce n'est pas une question d'intention de l'auteur: l'auteur, le premier, a travaillé le matériau verbal pour dire quelque chose que l'usage ordinaire du langage ne lui aurait pas permis de dire. Mais ensuite le texte n'est plus à lui et c'est moi lecteur qui suis l'auteur; j'ai désormais toute liberté pour reproduire ce travail, à condition bien entendu de respecter la lettre du texte autant sinon plus que son esprit supposé.

Daniel DELAS, «Lire la poésie / Lire Supervielle»,
dans *Lectures des* Amis inconnus,
© Éd. Belin, 1980, coll. «Dia», p. 24 et 29.

NOTIONS CLÉS

Langage poétique – Lecture du poème – Polysémie.

▶ Le langage poétique produit, par les configurations mêmes du texte, la polysémie* du poème.

▶ La lecture du poème implique une méthode herméneutique* qui prenne en compte les «mises en relation qui parcourent le texte en tous sens» et qui ait conscience de sa propre relativité.

---

1. Voir p. 331.

─────────── 102. MICHAEL RIFFATERRE ───────────
Sémiotique de la poésie (1978)

Renonçant à une approche stylistique et linguistique, qui ne donne accès qu'aux «structures de surface du discours poétique», Michael Riffaterre définit le texte poétique comme «la transformation [d'une] matrice», phrase «minimale et littérale», en «une périphrase plus étendue, complexe et non littérale». Le poème est donc variation sur un motif, «transformation d'un mot ou d'une phrase en texte». La forme est perçue comme «un détour autour de ce qu'il signifie», son contenu étant le «contenu originel avant le détour, avant la transformation». Mais avant d'atteindre à cette *signifiance*, «**le lecteur doit passer par la *mimèsis****».

Lecture heuristique, lecture herméneutique

La première phase de la lecture est heuristique, elle saisit le sens du poème : «en suivant le déploiement syntagmatique*» du texte, le lecteur exerce sa compétence linguistique et perçoit **l'aspect référentiel* du langage** ; il «pass[e] par la mimèsis» puisque, «dans cette phase, les mots semblent bien tout d'abord établir des relations avec les choses».*

La seconde phase est herméneutique, elle élabore la signifiance du poème : une seconde lecture, rétroactive, permet «**un décodage structural**» fondé sur la mise en rapport d'éléments textuels qui, au cours de la première lecture, avaient pu lui paraître dissociés ou autonomes. La fin du poème est ainsi le lieu où se noue le maximum d'effets de sens puisqu'elle permet une lecture rétroactive totale.*

Si nous voulons comprendre la sémiotique de la poésie, il convient de distinguer soigneusement *deux niveaux* (ou *phases) de la lecture*, puisque, avant d'en arriver à la signifiance, le lecteur doit passer par la *mimèsis*. Le décodage du poème commence par une première phase qui consiste à lire le texte du début à la fin, la page de haut en bas, en suivant le déploiement syntagmatique. C'est à l'occasion de cette première lecture, *heuristique**, que la première interprétation prend place, puisque c'est durant cette lecture que le *sens* est saisi. Le lecteur contribue au procès par sa compétence linguistique et celle-ci inclut l'hypothèse selon laquelle la langue est référentielle* – dans cette phase, les mots semblent bien tout d'abord établir des relations avec les choses. Cette compétence linguistique inclut également l'aptitude du lecteur à percevoir des incompatibilités entre les mots ; ainsi peut-il identifier les tropes et les figures, c'est-à-dire reconnaître qu'un mot (ou un groupe de mots) n'est pas pris dans son sens littéral et qu'il lui revient, et à lui seul, de réaliser un transfert sémantique pour qu'une signification apparaisse – il peut, par exemple, lire ce mot (ou ce syntagme) comme une métaphore ou une métonymie. De même, ce que le lecteur perçoit (ou plus exactement produit) comme ironie ou humour tient à un déchiffrage double ou bilinéaire d'un texte unique et unilinéaire. Mais c'est l'agrammaticalité du texte qui rend cet apport du lecteur nécessaire. Autrement dit, sa compétence linguistique lui permet de percevoir les agrammatricalités, mais il y a plus ; il ne lui est pas loisible de les ignorer, puisque c'est précisément sur cette perception que le texte possède un contrôle absolu. [...]

La seconde phase est celle de la *lecture rétroactive ;* lors de celle-ci se forme une seconde interprétation que l'on peut définir comme la lecture *herméneutique**. Au fur et à mesure de son avancée au fil du texte, le lecteur se souvient de ce qu'il vient de lire et modifie la compréhension qu'il en a eue en fonction de ce qu'il est en train de décoder. Tout au long de sa lecture, il réexamine et révise, par comparaison avec ce qui précède. En fait, il pratique un décodage structural : sa lecture du texte l'amène à reconnaître, à force de comparer, ou simplement parce qu'il a maintenant les moyens de les assembler, que les éléments du discours successifs et distincts, d'abord notés comme de simples agrammaticalités, sont en fait équivalents puisqu'ils apparaissent comme les variants de la même matrice structurale. *Le texte est donc une variation ou une modulation d'une seule structure – thématique, symbolique, qu'importe – et cette relation continue à une seule structure constitue la signifiance.* L'effet maximal de la lecture rétroactive, l'apogée de sa fonction de générateur de la signifiance, intervient bien entendu à la fin du poème ; la poéticité est donc une fonction co-extensive au texte, liée à une réalisation limitée du discours et enfermée dans les limites assignées par l'incipit *et* la clausule (qu'en rétrospective nous percevons comme apparentés). D'où cette différence capitale : alors que les unités de sens peuvent être des mots, des syntagmes ou des phrases, *c'est le texte entier qui constitue l'unité de signifiance.* Afin d'en arriver à la signifiance, le lecteur doit s'astreindre à passer l'obstacle de la *mimèsis* : en fait, cette épreuve joue un rôle essentiel dans le changement qui affecte sa façon de penser. En acceptant la *mimèsis*, le lecteur introduit la grammaire comme base de référence et, sur cet arrière-plan, les agrammaticalités se découvrent comme autant d'écueils à surmonter, susceptibles, le cas échéant, d'être comprises à un autre niveau.

Je ne saurais assez insister sur le fait que ces mêmes obstacles qui menacent le sens, lorsqu'ils sont envisagés hors contexte lors de la première phase de lecture, se révèlent être le fil indicateur de la sémiosis*, la clé de la signifiance dans le système situé hiérarchiquement plus haut, là où le lecteur les perçoit comme faisant partie intégrante d'un réseau complexe.

Michael RIFFATERRE, *Sémiotique de la poésie* (1978),
© Éd. du Seuil, 1983, p. 15 à 18.

NOTIONS CLÉS

Interprétation – Langage poétique – Lecture du poème – *Mimèsis* – Plaisir – Structuralisme.

▶ La lecture du poème passe par une étape heuristique suivie d'une phase herméneutique*.

▶ Celle-ci opère par un décodage structural qui met en rapport des éléments apparemment dissociés du texte qui sont, en fait, des variants de la même matrice structurale.

▶ La signifiance du texte est constituée par le rapport des éléments à cette structure.

▶ Georges JEAN, *La Poésie* : « Le plaisir poétique n'est pas un plaisir facile... »

CHAPITRE 20

Fonctions de la poésie

Les figures du poète sont nombreuses et parfois antagoniques : poète mage, poète combattant, poète épris de beauté pure, isolé dans le monde de sa création... Autant de façons de concevoir la fonction poétique et la mission qui s'y attache.

La poésie « n'a pas la Vérité pour objet, elle n'a qu'Elle-même », affirme Baudelaire qui voit dans les finalités morales ou didactiques une diminution de la force poétique. Son unique fonction est « l'aspiration humaine vers une beauté supérieure » dont elle peut seule indiquer la voie et qui n'amoindrit en rien son effet proprement poétique (**103. Baudelaire**).

Dans sa lettre dite « du Voyant », Rimbaud définit ce que doit être le rôle du poète. « Voleur de feu », « il est chargé de l'humanité », il doit trouver une langue nouvelle qui permette d'exprimer « la quantité d'inconnu s'éveillant en son temps dans l'âme universelle » ; ainsi conçue, sa poésie fera de lui « un multiplicateur de progrès ». Impliqués dans l'histoire de l'humanité, « les poètes sont citoyens », ils doivent élaborer une poésie qui « ne rythmera plus l'action » mais qui « sera en avant » (**104. Rimbaud**).

Définissant le rôle de la poésie au cours de son allocution au Banquet Nobel en 1960, Saint-John Perse affirme qu'elle est « mode de vie et de vie intégrale », qu'elle est « une part irréductible de l'homme ». Elle ne se limite pas à son aspect esthétique, elle n'est pas non plus une simple « fête musicale », « elle est action, elle est passion, elle est puissance ». « Libre de toute idéologie », elle s'affirme comme le moyen, pour l'homme, de rompre l'inertie car « poète est celui-là qui rompt pour nous l'accoutumance » (**105. Saint-John Perse**).

« La poésie est dans la vie », « la poésie est un combat », elle n'est pas « langage poétisé », « mots trop jolis », mais « nudités crues » car elle est partie prenante de tout ce qui constitue la vie de l'homme : « Les mots disent le monde et les mots disent l'homme. » (**106. Éluard**)

L'exigence de l'ouverture de la poésie au monde est aujourd'hui d'autant plus sensible qu'au XXe siècle le surréalisme et la critique inspirée par la linguistique et le structuralisme ont paru la réduire à un langage, subversif ou ludique (**107. Starobinski**).

———— 103. CHARLES BAUDELAIRE ————
Notes nouvelles sur Edgar Poe (1857)

L'œuvre poétique de Baudelaire se double d'une entreprise critique dans laquelle il s'interroge sur les moyens et la spécificité de l'art et élabore **une esthétique de la modernité**, lieu où s'exprime « le transitoire, le fugitif, le contingent, la moitié de l'art, dont l'autre côté est l'éternel et l'immuable ». Dans cette perspective, la beauté est définie d'une façon radicalement neuve, comme une synthèse permettant de « tirer l'éternel du transitoire ». Il a consacré des études à Delacroix, Ingres, Vernet, Gautier, Hugo, Banville, Leconte de Lisle et surtout à Edgar Poe dont il a le premier traduit les *Histoires extraordinaires*.

Créer « une beauté supérieure »

> *Baudelaire affirme ici **l'autonomie et la suprématie de la poésie** par rapport à d'autres domaines de l'activité humaine : définie comme « l'aspiration humaine vers une beauté supérieure », elle est étrangère, dans son principe et dans son inspiration, et à la morale (domaine du « Devoir ») et à la science (domaine de « l'Intellect pur »).*
>
> *Si « la poésie […] n'a pas d'autre but qu'elle-même », elle n'est pas pour autant un discours autarcique, dans la mesure où le langage poétique oriente l'homme vers la perception du Beau, vers **une transcendance** que sa nature humaine imparfaite ne lui permet plus de contempler autrement qu'au moyen de l'émotion esthétique. La poésie retrouve alors **une fonction morale indirecte**, elle peut ennoblir les mœurs à condition de ne pas poursuivre expressément ce but : par l'intermédiaire du sens esthétique, la négativité du vice est ressentie « comme outrage à l'harmonie, comme dissonance », « toute infraction à la morale » devenant « une espèce de faute contre le rythme et la prosodie universels ».*

Je ne veux pas dire que la poésie n'ennoblisse pas les mœurs, – qu'on me comprenne bien, – que son résultat final ne soit pas d'élever l'homme au-dessus du niveau des intérêts vulgaires; ce serait évidemment une absurdité. Je dis que si le poète a poursuivi un but moral, il a diminué sa force poétique; et il n'est pas imprudent de parier que son œuvre sera mauvaise. La poésie ne peut pas, sous peine de mort ou de défaillance, s'assimiler à la science ou à la morale; elle n'a pas la Vérité pour objet, elle n'a qu'Elle-même. Les modes de démonstration de vérité sont autres et sont ailleurs. La Vérité n'a rien à faire avec les chansons. Tout ce qui fait le charme, la grâce, l'irrésistible d'une chanson enlèverait à la Vérité son autorité et son pouvoir. Froide, calme, impassible, l'humeur démonstrative repousse les diamants et les fleurs de la muse; elle est donc absolument l'inverse de l'humeur poétique.

L'Intellect pur vise à la Vérité, le Goût nous montre la Beauté, et le Sens moral nous enseigne le Devoir. Il est vrai que le sens du milieu a d'intimes connexions avec les deux extrêmes, et il n'est séparé du Sens moral que par une si légère différence qu'Aristote n'a pas hésité à ranger parmi les vertus quelques-unes de ses délicates opérations. Aussi, ce qui exaspère surtout l'homme de goût dans le spectacle du vice, c'est sa difformité, sa disproportion. Le vice porte atteinte au juste et au vrai, révolte l'intellect et la conscience; mais, comme outrage à l'harmonie, comme dissonance, il blessera plus particulièrement certains esprits poétiques; et je ne crois pas qu'il soit scandalisant de considérer toute infraction à la morale, au beau moral, comme une espèce de faute contre le rythme et la prosodie universels.

C'est cet admirable, cet immortel instinct du Beau qui nous fait considérer la terre et ses spectacles comme un aperçu, comme une correspondance du Ciel. La soif insatiable de tout ce qui est au-delà, et que révèle la vie, est la preuve la plus vivante de notre immortalité. C'est à la fois par la poésie et *à travers* la poésie, par et *à travers* la musique que l'âme entrevoit les splendeurs situées derrière le tombeau; et quand un poème exquis amène les larmes au bord des yeux, ces larmes ne sont pas la preuve d'un excès de jouissance, elles sont bien plutôt le témoignage d'une mélancolie irritée, d'une postulation des nerfs, d'une nature exilée dans l'imparfait et qui voudrait s'emparer immédiatement, sur cette terre même, d'un paradis révélé.

Ainsi le principe de la poésie est, strictement et simplement, l'aspiration humaine vers une beauté supérieure, et la manifestation de ce principe est dans un enthousiasme, une excitation de l'âme, – enthousiasme tout à fait indépendant de la passion qui est l'ivresse du cœur, et de la vérité qui est la pâture de la raison. Car la passion est *naturelle*, trop naturelle pour ne pas introduire un ton blessant, discordant, dans le domaine de la beauté pure, trop familière et trop violente pour ne pas scandaliser les purs Désirs, les gracieuses Mélancolies et les nobles Désespoirs qui habitent les régions surnaturelles de la poésie.

Charles BAUDELAIRE, *Notes nouvelles sur Edgar Poe*, 1857, dans *Œuvres complètes II*, Gallimard, coll. « Bibliothèque de la Pléiade », p. 333-334.

NOTIONS CLÉS

Beauté – Engagement – Fonctions de la poésie – Morale – Science.

▶ La poésie ne saurait avoir de finalités didactiques ou morales directes sous peine de n'être plus poésie.

▶ Elle a néanmoins une fonction spirituelle : elle élève l'homme en l'orientant, par la perception du Beau, vers une transcendance que sa nature imparfaite ne lui permet pas d'atteindre autrement.

▶ Francis PONGE, *Méthode* : « Selon moi la fonction de la poésie, c'est de nourrir l'esprit de l'homme en l'abouchant au cosmos. Il suffit d'abaisser notre prétention à dominer la nature et d'élever notre prétention à en faire physiquement partie, pour que la réconciliation ait lieu. »

———— 104. ARTHUR RIMBAUD ————
Lettre à Paul Demeny (15 mai 1871)

Après avoir précisé sa méthode de *Voyance* (texte 98), Rimbaud s'attache à définir le rôle de la poésie et celui du poète. Cette tentative est à inscrire dans une perspective poétique – la définition même de la démarche rimbaldienne et de ses finalités – mais également comme réponse à une interrogation de type historique, comme il le rappelle dans sa lettre à

Georges Izambard datée du 13 mai en faisant allusion à la Commune de Paris : « Tant de travailleurs meurent encore tandis que je vous écris. » Si Rimbaud, qui reproche à son professeur de « regagner le râtelier universitaire », refuse de devenir un travailleur et un fonctionnaire de la poésie, c'est qu'il lui assigne une finalité supérieure.

« Le poète est vraiment voleur de feu »

*Le poète, pareil à Prométhée dérobant l'étincelle sacrée aux Dieux pour la donner aux hommes, « est voleur de feu » ; ainsi, comme le héros mythologique, il leur apporte un affranchissement et une dignité supérieure. Cette étincelle dérobée, image de tout ce que le poète découvrira lorsqu'il aura atteint « l'inconnu » par la Voyance, se concrétisera par un langage poétique radicalement nouveau puisque, Rimbaud l'affirme, « **les inventions d'inconnu réclament des formes nouvelles** ». La fonction du poète consiste alors à « trouver une langue », pour formuler « ce qu'il rapporte de là-bas ». Cette langue nouvelle, sera synesthésique ; elle « résum[era] tout, parfums, sons, couleurs », elle sera « de la pensée accrochant la pensée et tirant ».*

*Le poète a donc **un rôle métaphysique** dynamique, essentiel pour les autres hommes. En définissant, par sa poésie, « la quantité d'inconnu s'éveillant dans l'âme universelle », il est « **un multiplicateur de progrès** ». Rimbaud reprend ici, de toute évidence, les thèses de certains écrivains comme Lamartine ou Hugo, quant au rôle social du poète. La poésie ouvrira ainsi la voie à **une démarche de rédemption métaphysique et sociale de l'être humain**.*

Donc le poète est vraiment voleur de feu.

Il est chargé de l'humanité, des *animaux* même ; il devra faire sentir, palper, écouter ses inventions ; si ce qu'il rapporte *de là-bas* a forme, il donne forme ; si c'est informe, il donne de l'informe. Trouver une langue ;

– Du reste, toute parole étant idée, le temps d'un langage universel viendra ! Il faut être académicien, – plus mort qu'un fossile, – pour parfaire un dictionnaire, de quelque langue que ce soit. Des faibles se mettraient *à penser* sur la première lettre de l'alphabet, qui pourraient vite ruer dans la folie ! –

Cette langue sera de l'âme pour l'âme, résumant tout, parfums, sons, couleurs, de la pensée accrochant la pensée et tirant. Le poète définirait la quantité d'inconnu s'éveillant en son temps dans l'âme universelle : il donnerait plus – que la formule de sa pensée, que la notation *de sa marche* au Progrès. Énormité devenant norme, absorbée par tous, il serait vraiment *un multiplicateur de progrès* !

Cet avenir sera matérialiste, vous le voyez. – Toujours pleins du *Nombre* et de l'*Harmonie*, ces poèmes seront faits pour rester. – Au fond, ce serait encore un peu la Poésie grecque.

L'art éternel aurait ses fonctions ; comme les poètes sont citoyens. La Poésie ne rythmera plus l'action ; elle *sera en avant*.

Ces poètes seront ! Quand sera brisé l'infini servage de la femme, quand elle vivra pour elle et par elle, l'homme, – jusqu'ici abominable, – lui ayant donné son renvoi, elle sera poète, elle aussi ! La femme trouvera de l'inconnu ! Ses mondes d'idées différeront-ils des nôtres ? – Elle trouvera des choses étranges, insondables, repoussantes, délicieuses ; nous les prendrons, nous les comprendrons.

En attendant, demandons aux *poètes* du *nouveau*, – idées et formes. Tous les habiles croiraient bientôt avoir satisfait à cette demande. – Ce n'est pas cela !

Arthur RIMBAUD,
Lettre à Paul Demeny, 15 mai 1871.

NOTIONS CLÉS

Fonctions du poète – Forme.

▶ Le poète a une triple fonction :

▶ « Voleur de feu », il doit trouver des formes poétiques nouvelles pour rendre compte de ses « inventions d'inconnu ».

▶ « Multiplicateur de progrès », il a un rôle social, sa poésie « sera en avant » dans la marche au progrès de l'âme universelle.

▶ Définissant « la quantité d'inconnu [...] s'éveillant dans l'âme humaine », il a un rôle métaphysique.

_____ 105. SAINT-JOHN PERSE _____
«Allocution au Banquet Nobel» (1960)

Alexis Saint-Léger Léger naît à la Guadeloupe. Le souvenir indéfectible de cette enfance émerveillée par la luxuriance de la nature est la matrice poétique des vers laudatifs et lyriques de *Pour fêter une enfance* et *Éloges*. Sa poésie s'oriente ensuite vers l'expression du mythe dans un récit poétique épique, *Anabase*. *Exil* et *Amers* conservent le ton caractéristique de la poésie persienne, une poésie cosmique, inventaire fasciné des richesses du monde mais aussi de la richesse onomastique d'une langue qui devient proprement incantatoire. L'œuvre a semblé hermétique (Proust parle dans *Sodome et Gomorrhe*, «des poèmes admirables mais obscurs de Saint-Léger Léger»), mais reste l'une des plus personnelles de la poésie contemporaine.

C'est au cours du banquet suivant la remise du Prix Nobel que Perse prononce ce discours, commentaire sur la nature et la fonction de la poésie, qui s'épanouit en formules fulgurantes. Il amorce sa réflexion par une interrogation sur les rapports qu'entretiennent la poésie et la science : le poète et le savant ne doivent plus être considérés comme «des frères ennemis» car «l'interrogation est la même qu'ils tiennent sur un même abîme», «seuls leurs modes d'interrogation diffèrent».

«Poète est celui-là qui rompt pour nous l'accoutumance»

*La poésie est «**mode de connaissance**». Avec ses moyens spécifiques («pensée analogique», «image médiatrice», expression «exigeante», elle atteint une «surréalité» interdite à la science et pousse la réflexion métaphysique plus loin que la philosophie.*

*Elle est plus encore un «**mode de vie – et de vie intégrale**». Aspiration éternelle et irréductible de l'homme, besoin de sacré, quête d'une transcendance qu'expriment également les religions, la poésie devient le relais, le refuge de la spiritualité dans un monde de plus en plus soumis au matériel. Ainsi, par «la grâce poétique, l'étincelle du divin vit à jamais dans le silex humain». La poésie est «fierté de l'homme en marche sous son fardeau d'humanité», gage d'«un humanisme nouveau». Sa **dimension ontologique** est essentielle puisqu'elle «tient liaison avec la permanence et l'unité de l'Être» dont elle explore «la nuit».*

La portée de son entreprise, qui «intéresse la pleine intégration de l'homme», interdit qu'on fasse d'elle un objet «purement esthétique» ou une simple «fête musicale». Si elle «s'allie la beauté», elle ne la prend pas pour fin mais, « refusant de dissocier l'art de la vie », « elle est action, elle est passion, elle est puissance ». Bien qu'inscrite dans le monde, elle est « libre de toute idéologie » et, transcendante à l'Histoire, elle l'éclaire et lui donne sens. Ferment contre « l'inertie menaçante », elle fait du poète « celui-là qui rompt pour nous l'accoutumance ».

Par la pensée analogique et symbolique, par l'illumination lointaine de l'image médiatrice, et par le jeu de ses correspondances, sur mille chaînes de réactions et d'associations étrangères, par la grâce enfin d'un langage où se transmet le mouvement même de l'Être, le poète s'investit d'une surréalité qui ne peut être celle de la science. Est-il chez l'homme plus saisissante dialectique et qui de l'homme engage plus ? Lorsque les philosophes eux-mêmes désertent le seuil métaphysique, il advient au poète de relever là le métaphysicien ; et c'est la poésie alors, non la philosophie, qui se révèle la vraie «fille de l'étonnement», selon l'expression du philosophe antique à qui elle fut le plus suspecte[1].

Mais plus que mode de connaissance, la poésie est d'abord mode de vie – et de vie intégrale. Le poète existait dans l'homme des cavernes, il existera dans l'homme des âges atomiques : parce qu'il est part irréductible de l'homme. De l'exigence poétique, exigence spirituelle, sont nées les religions elles-mêmes, et par la grâce poétique, l'étincelle du divin vit à jamais dans le silex humain. Quand les mythologies s'effondrent, c'est dans la poésie que trouve refuge le divin ; peut-être même son relais. Et jusque dans l'ordre social et l'immédiat humain, quand les Porteuses de pain de l'antique cortège cèdent le pas aux Porteuses de flambeaux, c'est à l'imagination poétique que s'allume encore la haute passion des peuples en quête de clarté.

Fierté de l'homme en marche sous sa charge d'éternité !
Fierté de l'homme en marche sous son fardeau d'humanité,

---

1. Dans le *Théétète* (155d), Platon fait dire à Socrate : « C'est la vraie marque d'un philosophe que le sentiment d'étonnement que tu éprouves. La philosophie, en effet, n'a pas d'autre origine » (trad. fr. d'E. Chambry, Paris, GF-Flammarion, p. 80). Sur l'hostilité de ce « philosophe antique » à la poésie, voir le texte 10.

quand pour lui s'ouvre un humanisme nouveau, d'universalité réelle et d'intégralité psychique... Fidèle à son office,
qui est l'approfondissement même du mystère de l'homme,
la poésie moderne s'engage dans une entreprise dont la
poursuite intéresse la pleine intégration de l'homme. Il n'est
rien de pythique dans une telle poésie. Rien non plus de
purement esthétique. Elle n'est point art d'embaumeur ni
de décorateur. Elle n'élève point des perles de culture, ne
trafique point de simulacres ni d'emblèmes, et d'aucune fête
musicale elle ne saurait se contenter. Elle s'allie, dans ses
voies, la beauté, suprême alliance, mais n'en fait point sa fin
ni sa seule pâture. Se refusant à dissocier l'art de la vie, ni de
l'amour la connaissance, elle est action, elle est passion, elle
est puissance, et novation toujours qui déplace les bornes.
L'amour est son foyer, l'insoumission sa loi, et son lieu est
partout, dans l'anticipation. Elle ne se veut jamais absence
ni refus.

Elle n'attend rien pourtant des avantages du siècle.
Attachée à son propre destin, et libre de toute idéologie,
elle se connaît égale à la vie même, qui n'a d'elle-même
à justifier. Et c'est d'une même étreinte, comme une seule
grande strophe vivante, qu'elle embrasse au présent tout le
passé et l'avenir, l'humain avec le surhumain, et tout l'espace planétaire avec l'espace universel. L'obscurité qu'on lui
reproche ne tient pas à sa nature propre, qui est d'éclairer,
mais à la nuit même qu'elle explore, et qu'elle se doit d'explorer : celle de l'âme elle-même et du mystère où baigne
l'être humain. Son expression toujours s'est interdit l'obscur,
et cette expression n'est pas moins exigeante que celle de
la science.

Ainsi, par son adhésion totale à ce qui est, le poète tient
pour nous liaison avec la permanence et l'unité de l'Être. Et sa
leçon est d'optimisme. Une même loi d'harmonie régit pour
lui le monde entier des choses. Rien n'y peut advenir qui par
nature excède la mesure de l'homme. Les pires bouleverse-
ments de l'histoire ne sont que rythmes saisonniers dans un
plus vaste cycle d'enchaînements et de renouvellements. Et
les Furies qui traversent la scène, torche haute, n'éclairent
qu'un instant du très long thème en cours. Les civilisations

mûrissantes ne meurent point des affres d'un automne, elles ne font que muer. L'inertie seule est menaçante. Poète est celui-là qui rompt pour nous l'accoutumance.

SAINT-JOHN PERSE,
« Allocution au banquet Nobel » (10 novembre 1960),
dans *Œuvres complètes*, © Éd. Gallimard,
coll. « Bibliothèque de la Pléiade », 1972, p. 444-446.

NOTIONS CLÉS

Fonctions de la poésie – Image.

▶ La poésie est mode de connaissance, « mode de vie intégrale » ; elle a une valeur ontologique et métaphysique. Elle n'est pas réductible à sa valeur esthétique.

▶ Action, elle fait du poète celui qui rompt l'accoutumance à l'inertie menaçante.

106. PAUL ÉLUARD
Les Sentiers et les routes de la poésie (1952)

Deux axes essentiels structurent la poésie d'Éluard : l'amour et l'engagement.

La poésie de l'évidence amoureuse, mais aussi de la douleur d'aimer, construite autour de trois figures féminines, Gala, Nusch et Dominique, s'exprime dans des recueils comme *Capitale de la douleur, L'Amour, la poésie* ou *Le Phénix* .

L'engagement du poète est à la fois esthétique, littéraire et politique. Aux côtés d'Aragon et Breton, il est de toutes les manifestations dadaïstes puis surréalistes et vit avec acuité les conflits idéologiques et politiques qui agitent le groupe, engagé dans le combat révolutionnaire mais opposé à la subordination de l'art au politique : en 1932, Éluard rompt avec Aragon, accusé de soumission devant Moscou, mais s'oriente dès 1938 vers une poésie engagée au moment de la guerre d'Espagne (rupture de Breton). Dès lors sa conscience politique devient inséparable de sa conscience poétique. Il participe activement à la Résistance, fait de sa poésie une arme de combat, avec *Poésie et Vérité*. Cette expérience sera concentrée dans *Au rendez-vous allemand,* en 1944. Après la mort de Nusch qui bouleverse sa vie (*Le temps déborde*, 1947), Éluard dépasse sa douleur par **une poésie fraternelle**, passant « de l'horizon d'un homme à l'horizon de tous » comme l'attestent les

Poèmes politiques (1948). La rencontre avec Dominique oriente de nouveau sa poésie vers le lyrisme amoureux dans *Le Phénix*, en 1951.

L'extrait qui suit est tiré d'une causerie à plusieurs voix radiodiffusée en 1949, «La poésie est contagieuse», qui fait dialoguer plusieurs hommes et femmes et «l'auteur», Éluard lui-même, dont nous présentons ici deux longues répliques. Cette polyphonie est significative: Éluard parle pour «les poètes qui disent "nous", […] ceux qui luttent, qui se mêlent à leurs semblables, même et surtout s'ils sont amoureux, courageux. La poésie est un combat. »

La poésie est fraternité

*Elle doit ouvrir son espace à tous, aussi bien au monde de la « boue » qu'à celui « des parquets cirés ». Il n'y a ni domaine ni objet intrinsèquement poétiques. « **La poésie est dans la vie** » et doit donc rendre compte de tout ce qui fait la vie, sans exclusive ni préjugés esthétiques. Elle est partie intégrante de la vie des mots et partage leur pouvoir.*

[…] Les véritables poètes n'ont jamais cru que la poésie leur appartînt en propre. Sur les lèvres des hommes, la parole n'a jamais tari; les mots, les chants, les cris se succèdent sans fin, se croisent, se heurtent, se confondent. L'impulsion de la fonction langage a été portée jusqu'à l'exagération, jusqu'à l'exubérance, jusqu'à l'incohérence. Les mots disent le monde et les mots disent l'homme, ce que l'homme voit et ressent, ce qui existe, ce qui a existé, l'antiquité du temps et le passé et le futur de l'âge et du moment, la volonté, l'involontaire, la crainte et le désir de ce qui n'existe pas, de ce qui va exister. Les mots détruisent, les mots prédisent, enchaînés ou sans suite, rien ne sert de les nier. Ils participent tous à l'élaboration de la vérité. Les objets, les faits, les idées qu'ils décrivent peuvent s'éteindre faute de vigueur, on est sûr qu'ils seront aussitôt remplacés par d'autres qu'ils auront accidentellement suscités et qui, eux, accompliront leur entière évolution.

Il nous faut peu de mots pour exprimer l'essentiel, il nous faut tous les mots pour le rendre réel. Contradictions, difficultés contribuent à la marche de notre univers. Les hommes ont dévoré un dictionnaire et ce qu'ils nomment existe. L'innommable, la fin de tout ne commence qu'aux frontières de la mort impensable. [...]

Peu importe celui qui parle et peu importe même ce qu'il dit. Le langage est commun à tous les hommes et ce ne sont pas les différences de langues, si nuisibles qu'elles nous apparaissent, qui risquent de compromettre gravement l'unité humaine, mais bien plutôt cet interdit toujours formulé contre la faculté de parole. Passent pour fous ceux qui enseigneront qu'il y a mille façons de voir un objet, de le décrire, mille façons de dire son amour et sa joie et sa peine, mille façons de s'entendre sans briser un rameau de l'arbre de la vie. Fous, inutiles, maudits, ceux qui décèlent, interprètent, traduisent l'humble voix qui se plaint ou qui chante dans la foule, sans savoir qu'elle est sublime. Hélas non, la poésie personnelle n'a pas encore fait son temps. Mais, au moins, nous avons bien compris que rien encore n'a pu rompre le mince fil de la poésie impersonnelle. Nous avons, sans douter un instant de cette vérité qui triomphera, compris que tant de choses peuvent être «tout un poème». Cette expression ironique, péjorative, des poètes et des peintres de bonne foi lui ont rendu son sens littéral. Ils ont utilisé des éléments involontaires, objectifs, tout ce qui gît sous l'apparente imperméabilité de la vie courante et dans les plus innocentes productions de l'homme. «Tout un poème», ce n'est plus seulement un objet biscornu ou l'excentricité d'une élégante à bout de souffle, mais ce qu'il est donné au poète de simuler, de reproduire, d'inventer, s'il croit que du monde qui lui est imposé naîtra l'univers qu'il rêve. Rien de rare, rien de divin dans son travail banal. Le poète, à l'affût, tout comme un autre, des obscures nouvelles du monde et de l'invraisemblable problème d'herbes, de cailloux, de saletés, de splendeurs, qui s'étend sous ses pas, nous rendra les délices du langage le plus pur aussi bien celui de l'homme de la rue ou du sage, que celui de la femme, de l'enfant ou du fou. Si l'on voulait, il n'y aurait que des merveilles. [...]

Paul ÉLUARD, *Les Sentiers et les routes de la poésie*,
© Éd. Gallimard, coll. «Bibliothèque de la Pléiade»,
t. II, 1952, p. 528-530.

NOTIONS CLÉS

Engagement – Langage poétique.

▶ La poésie est fraternité, elle n'a ni préjugés ni exclusives esthétiques mais dit le monde et l'homme.

▶ Le langage poétique n'est pas « poétisé », il doit « s'accommoder des vérités crues ».

▶ LAUTRÉAMONT, *Poésies*, « La poésie doit être faite par tous. Non par un. »

107. JEAN STAROBINSKI
« La Poésie entre deux mondes » (1982)

Auteur d'études justement célèbres sur Rousseau (*J.-J. Rousseau, la transparence et l'obstacle*, 1971) et Montaigne (*Montaigne en mouvement*, 1982), Jean Starobinski s'est aussi intéressé à la poésie, notamment en écrivant pour les *Poèmes* d'Yves Bonnefoy une importante préface où il évoque les enjeux de la poésie contemporaine.

La « vocation moderne de la poésie »

Yves Bonnefoy s'est placé sous le signe de Shakespeare (dont il a été le traducteur), mettant en épigraphe à son recueil Dans le leurre du seuil *(1975) une citation du* Conte d'hiver *: « They look'd as they had heard of a world ransom'd, or one destroyed (On eût dit qu'ils venaient d'apprendre la nouvelle d'un monde rédimé ou d'un monde mort). » Jean Starobinski y voit indiquée « la double question qui prédomine dans [sa] poésie » : la « question du monde » comme totalité cohérente et celle de son existence en suspens. Reprenant « les thèmes néo-platoniciens de l'Un, de la division et de la réintégration », le poète nous invite à « penser la situation présente du langage comme un moment où doit renaître la relation humaine, à partir d'un état de dispersion »[1]. Cette analyse s'inscrit dans une réflexion plus générale sur « la condition paradoxale de la poésie » moderne qui seule peut* **rendre compte de la réalité sensible** *délaissée par la science alors que celle-ci prétend être la seule à pouvoir atteindre la vérité.*

---

1. Voir aussi la réflexion d'Yves Bonnefoy lui-même (texte 90) et celle de Michel Collot (texte 94).

Retenons l'indication : il y va du *monde*. Et sans doute importe-t-il de rappeler que le mot *monde* a pris, depuis deux siècles, surtout en poésie, une valeur qu'il n'avait pas auparavant. Dans ses acceptions anciennes, il signifiait d'abord l'ensemble des choses créées régies par l'ordre naturel ; ensuite, dans l'acception religieuse, l'ici-bas dans son opposition à «l'autre monde» ; enfin, de façon plus libre, un large espace terrestre, un continent, «nouveau» ou «ancien». Quand Shakespeare parle de monde «rédimé» ou «mort», c'est dans le sens religieux qu'il prend le terme, et, accessoirement, dans le dernier sens évoqué ici, celui de continent. Mais, on le sait, Shakespeare, aussi bien que Montaigne, est le témoin d'une crise de la représentation du cosmos. Bientôt vont triompher l'image copernicienne du soleil central, la physique mathématique, l'abstraction calculatrice, doublée par l'expérience disciplinée. Cette nouvelle figure du monde physique a été construite et décrite au prix du refus des apparences sensibles. Le témoignage des sens accréditait un univers de qualités substantielles ; le voici révoqué en doute : c'est désormais à la seule «inspection de l'esprit» (Descartes) que se révéleront les secrets de la nature. Les corps célestes, les forces *utilisables* sur cette terre suivent des lois conformes aux règles des nombres, et se laissent ainsi prévoir et dominer. Et si le témoignage des sens est requis dans le dispositif expérimental, c'est au prix de l'abandon de la région première de la vie sensible. L'essor de la physique mathématique, prolongé par celui de la technique, a tout ensemble accru la sécurité matérielle des hommes, et déplacé le lieu du savoir : elles mettent les *forces* de la nature au service des hommes (des désirs humains, en ce «bas monde»), mais ils ont dû, pour cela, renoncer à contempler les objets naturels, les choses singulières – laissant ainsi en déshérence tout le territoire où ce qui nous environne est perçu dans sa couleur, sa musique, sa consistance palpable. Joachim Ritter a montré que l'attention esthétique au paysage, en Occident tout au moins, a pris naissance au moment où certains hommes ont senti ce qu'ils risquaient de perdre en renonçant aux richesses de la perception spontanée[1]. Mais il a également insisté sur le fait que le

---

1. Joachim Ritter, *Subjektivität*, Francfort, 1974, p. 141-190. L'essai sur le paysage a paru en français dans *Argile*, XVI, Paris, été 1978, trad. Gérard Raulet [N. d. A.].

paysage ne pouvait être aperçu comme objet de jouissance désintéressée qu'à partir du moment où les techniques scientifiques ont permis aux hommes de se sentir moins menacés par la nature, moins asservis aux tâches de simple subsistance. L'art, la poésie, reçoivent ainsi en partage ce domaine déserté par la raison calculatrice, disqualifié au regard de la science, qui construit des systèmes de rapports algébriques : l'art a désormais pour tâche de le repeupler, d'en dégager les virtualités de bonheur, d'y poursuivre même une sorte de connaissance, fondée sur d'autres preuves, et relevant d'une autre légitimité. Le savoir scientifique «s'instruit sur des systèmes isolés» (je cite Bachelard), et ne reste scientifique que dans la mesure où il se reconnaît tributaire du choix de ses paramètres ; en revanche, l'activité esthétique reprend l'antique fonction de la *theoria tou cosmou*, de la contemplation du monde comme totalité et comme sens. La poésie, prenant en charge le monde des apparences, ne se borne pas à recueillir l'héritage du monde sensible dont se détourne la pensée scientifique. Le triomphe de la physique et de la cosmologie mathématique a entraîné la disparition des représentations religieuses liées à l'ancienne image du cosmos : il n'y a plus, par-delà les orbites planétaires, d'empyrée, d'habitacle des anges ou de Dieu. Rien, dans l'univers, ne diffère de l'ici-bas : c'est le monde profane qui est le seul bénéficiaire de la mise en application de la rationalité scientifique. Le sacré, s'il ne doit pas disparaître, se réfugie dans l'expérience «intérieure», se lie à l'acte de vivre, à la communication, à l'amour partagé – et prend ainsi pour demeure le sensible, le langage, l'art.

Telle est, me semble-t-il, la condition paradoxale où se trouve la poésie, depuis moins de deux siècles : condition précaire, puisqu'elle ne dispose pas du système de preuves qui assure l'autorité du discours scientifique, mais en même temps condition privilégiée où la poésie assume consciemment une fonction ontologique – je veux dire, tout ensemble, une expérience de l'être et une réflexion sur l'être – dont elle n'avait pas eu à porter la charge et le souci dans les siècles antérieurs. Elle a, derrière elle, un monde perdu, un ordre dans lequel elle était incluse, et dont elle sait qu'il ne peut revivre. Elle porte en elle l'espoir d'un nouvel ordre, d'un nouveau sens, dont elle doit imaginer l'instauration. Elle met tout en œuvre pour hâter la venue du monde encore inexprimé, qui est l'ensemble des rapports vivants dans lesquels nous trouverions la plénitude d'une nouvelle présence. Le monde ainsi pris en charge par la poésie est pensé au futur, comme la récompense du travail poétique. Rimbaud – l'un de ceux qui ont le plus contribué à imposer cette nouvelle acception du mot monde – constate : «Nous ne sommes pas au monde», et invoque : « Ô monde! et le chant clair des malheurs *nouveaux*[1] ».

Jean STAROBINSKI, «La Poésie entre deux mondes»,
préface à l'édition des *Poèmes* d'Yves Bonnefoy,
© Éd. Gallimard, coll. «Poésie», 1982, p. 9-11.

NOTIONS CLÉS

Fonctions de l'art, de la poésie – Science.

▶ Depuis le XIXᵉ siècle, seule l'activité esthétique prend en charge le monde sensible, délaissé par la rationalité scientifique.

▶ La poésie assume ainsi une «fonction ontologique» en recherchant ce monde ouvert à «l'ensemble des rapports vivants» où l'homme retrouverait le sentiment de l'unité perdue.

1. Voir le commentaire de « Génie » que propose Bonnefoy dans son *Rimbaud*, Paris, 1961, p. 147-148 *[N.d.A.]*.

PARTIE 6

Le théâtre

Davantage que le roman et même que la poésie, le théâtre a souffert de la tradition scolaire : limité à quelques textes étudiés en classe pour leur valeur littéraire et comme représentants – modèles – d'une période qui marquait l'accomplissement de notre littérature nationale, le théâtre était largement amputé de sa dimension spectaculaire, réduite à quelques illustrations dans les « petits classiques ». Le renouvellement conjoint de la critique et de la mise en scène a permis, à partir des années 1960, de nouvelles *interprétations* de ces œuvres canoniques et une meilleure compréhension de la communication théâtrale. Celle-ci réunit plusieurs éléments : le texte de théâtre – aux caractéristiques bien particulières –, les praticiens – notamment le metteur en scène – et le public, la fonction attribuée au théâtre dépendant largement des relations que l'on établit entre eux.

La communication théâtrale (chapitre 21) se caractérise d'abord par la densité et la diversité des signes transmis au cours de la représentation, véritable système polyphonique. Le spectacle de théâtre peut susciter dans le public des réactions *a priori* opposées : il y a les pièces qui font pleurer (et réfléchir) et celles qui font rire (et se moquer). Cette distinction entre **tragédie et comédie** (chapitre 22) héritée de la tradition classique qui assignait des visées différentes à ces deux « genres » a été remise en cause par certains écrivains dès le XVIIIe siècle et par les metteurs en scène au XXe siècle.

⠂⠂⠂➡

➠

De **la mise en scène** (chapitre 23), on exige souvent une fidélité impossible : le voudrait-elle, la représentation ne pourrait transmettre exactement les mêmes signes que le texte, qui, d'ailleurs, ne parvient au spectateur et aux praticiens qu'encombré des interprétations antérieures. L'existence d'un destinataire collectif conduit à analyser **la relation entre théâtre et public** (chapitre 24), largement déterminée par les choix du metteur en scène, et à définir **les fonctions du théâtre** (chapitre 25).

La communication théâtrale

L e théâtre, art total, n'utilise pas le seul langage comme vecteur des effets produits sur le destinataire. Il met en jeu, non seulement un texte, mais également des conditions de réalisation spécifiques : concrétisé le temps d'une mise en scène, d'une vie momentanée, particulière et constamment renouvelée, il est, de plus, médiatisé par le comédien qui, avec son physique, son jeu, incarne le personnage et lui donne vie. Ainsi, il ne dépend pas uniquement des effets voulus par l'auteur, mais également des données supplémentaires que la réalisation scénique lui aura apportées.

Le théâtre est donc «une machine cybernétique», faisant intervenir simultanément, mais à des rythmes différents, des informations multiples à travers le texte, le décor, les costumes, les éclairages, les jeux de scène… Le spectateur, l'espace d'une représentation, est confronté à une véritable «polyphonie informationnelle» qui constitue l'essence même de la théâtralité, cette «épaisseur de signes et de sensations qui s'édifie sur la scène à partir de l'argument écrit» (**108. Barthes**).

Le texte théâtral est donc marqué, dans sa facture même, par ses conditions de réalisation. Comme le souligne encore Barthes, «la théâtralité doit être présente dès le premier germe écrit d'une œuvre, elle est une donnée de création et non de réalisation». La prise en compte de cette spécificité, sa définition, apparaissent, dès lors, comme les données fondamentales de toute analyse du texte théâtral.

«Langage représenté», «langage surpris», «langage total» (**109. Larthomas**), extrêmement dépendant de ses conditions d'énonciation*, il fonctionne selon le principe d'une «double énonciation». Par son «incomplétude», il permet la représentation et oblige le metteur en scène à prendre parti (**110. Ubersfeld**).

108. ROLAND BARTHES
Essais critiques (1964)

En 1963, la revue *Tel quel*, interrogeant Barthes sur les «problèmes de la signification» au théâtre, rappelle qu'il a entrepris «une recherche systématique inspirée de la linguistique structurale*, recherche [qu'il a] appelée, après Saussure et avec d'autres, sémiologie*». Dans sa réponse, recueillie ensuite dans les *Essais critiques*, Barthes tente de définir le «statut sémantique» du théâtre.

Une «polyphonie informationnelle»

> *Le théâtre – et c'est ce qui constitue sa spécificité –, est le lieu où s'opère la transmission de messages multiples, différents par nature, simultanés mais transmis selon des rythmes spécifiques. Le spectateur est donc confronté à la combinaison de plusieurs canaux d'informations qui lui parviennent simultanément, formant cette «**épaisseur de signes**» qui constitue l'essence même de la théâtralité, par opposition à la «monodie littéraire» qui, elle, n'utilise que le code de la langue écrite. «**Toute représentation est donc un acte sémantique extrêmement dense**».*
>
> *Barthes pose ensuite un certain nombre de questions qui anticipent sur les analyses de critiques comme Pierre Larthomas ou Anne Ubersfeld dans la décennie suivante: «Comment est formé le signifiant* théâtral?», ces signifiants hétérogènes «concourent-ils à un sens unique?»*

Qu'est-ce que le théâtre? Une espèce de machine cybernétique[1]. Au repos, cette machine est cachée derrière un rideau. Mais dès qu'on la découvre, elle se met à envoyer à votre adresse un certain nombre de messages. Ces messages ont ceci de particulier, qu'ils sont simultanés et cependant de rythme différent; en tel point du spectacle, vous recevez *en même temps* six ou sept informations (venues du décor, du costume, de l'éclairage, de la place des acteurs, de leurs gestes, de leur mimique, de leur parole), mais certaines de ces informations *tiennent* (c'est le cas du décor), pendant que d'autres *tournent* (la parole, les gestes); on a donc affaire à une véritable polyphonie informationnelle, et

---

1. «Cybernétique» désigne ici la faculté du jeu théâtral de communiquer et de réguler plusieurs informations en même temps.

c'est cela, la théâtralité: *une épaisseur de signes* (je parle ici par rapport à la monodie[1] littéraire, et en laissant de côté le problème du cinéma). Quels rapports ces signes disposés en contre-point (c'est-à-dire à la fois épais et étendus, simultanés et successifs), quels rapports ces signes ont-ils entre eux? Ils n'ont pas même signifiants (par définition); mais ont-ils toujours même signifié? *Concourent-ils* à un sens unique? Quel est le rapport qui les unit à travers un temps souvent fort long à ce sens final, qui est, si l'on peut dire, un sens rétrospectif, puisqu'il n'est pas dans la dernière réplique et n'est cependant clair que la pièce une fois finie? D'autre part, comment est formé le signifiant théâtral? Quels sont ses modèles? Nous le savons, le signe linguistique n'est pas «analogique» (le mot «bœuf» ne ressemble pas à un bœuf), il est formé par référence à un code digital[2], mais les autres signifiants, disons pour simplifier, les signifiants visuels, qui règnent en maîtres sur la scène? Toute représentation est un acte sémantique extrêmement dense: rapport du code et du jeu (c'est-à-dire de la langue et de la parole), nature (analogique, symbolique, conventionnelle?) du signe théâtral, variations signifiantes de ce signe, contraintes d'enchaînement, dénotation et connotation du message, tous ces problèmes fondamentaux de la sémiologie sont présents dans le théâtre; on peut même dire que le théâtre constitue un objet sémiologique privilégié puisque son système est apparemment original (polyphonique) par rapport à celui de la langue (qui est linéaire).

Roland BARTHES, *Essais critiques*,
© Éd. du Seuil, 1964, p. 258-259.

NOTIONS CLÉS

Sémiologie – Signe – Spectacle théâtral.

▶ Le spectateur est confronté, au théâtre, à une «polyphonie informationnelle».

▶ Cette «épaisseur de signes» constitue l'essence de la théâtralité.

---

1. La monodie désigne un chant à une seule voix, sans accompagnement. Barthes l'oppose ainsi à la polyphonie théâtrale.

2. «Digital» s'oppose ici à «analogique». Barthes s'interroge sur le rapport qui, dans le signe théâtral, unit le signifiant au signifié: est-il arbitraire et conventionnel, comme dans le signe linguistique, ou bien est-il analogique?

109. PIERRE LARTHOMAS
Le Langage dramatique (1972)

Partant, dans sa préface, de la remarque selon laquelle, « toutes les grandes œuvres dramatiques ont au moins une qualité commune qui est ce que l'on pourrait appeler leur efficacité », constatant qu'« elles agissent sur le specta-teur », qu'« elles passent la rampe », P. Larthomas est amené à définir ainsi son postulat et son projet : « Il faut bien qu'il y ait dans toutes ces œuvres […] malgré leur diversité des éléments communs qui assurent à leur style son efficacité. Ce sont ces éléments que l'on peut essayer de définir ».

Un « langage total »

Sa démarche, stylistique, volontairement non historique, ne prend pas en compte les critères de distinction traditionnels entre tragédie et comédie, mais repose, au contraire, sur une « définition du langage dramatique assez large pour qu'elle puisse s'appliquer aux styles de toutes les œuvres de toutes les époques ». Il s'agit de cerner la spécificité du langage théâtral, « langage en représen-tation », « langage total », en l'opposant, notamment, au langage spontané.

Langage surpris, avons-nous dit du langage dramatique ; il eût été plus exact de dire, *langage comme surpris.* Mis à part les rares exemples que l'on peut donner où un personnage apostrophe le public, tout se passe comme si le spectateur surprenait une série de dialogues, de la même façon appa-remment que nous pouvons surprendre et écouter des propos échangés sans qu'on s'aperçoive de notre présence. Mais juste-ment, *tout se passe comme si…* et en réalité, ce langage comme surpris, est, si nous osons employer cette expression, un lan-gage *représenté ;* qui n'a rien de spontané, cela va sans dire ; qui ne cherche pas seulement à provoquer une réaction des interlocuteurs ; qui n'est pas simplement inséré dans la vie ; qui ne s'inscrit pas simplement dans le temps que vivent ceux qui l'utilisent ; mais un langage *en représentation*, ce qui suffit à le différencier absolument du langage, même si apparemment, comme il arrive souvent, les propos échangés ne se distinguent en rien des propos quotidiens.

Ce qui implique, au-delà des similitudes trompeuses, des différences fondamentales. Du fait qu'il est représenté, le langage dramatique est un langage *total :* non seulement les éléments proprement verbaux prennent un relief extraordinaire, mais encore tout ce qui les accompagne, gestes, contexte, action, situation, etc., ont plus d'importance que dans la vie où très souvent, préoccupés avant tout de comprendre et d'être compris, nous ne témoignons d'intérêt qu'aux seules paroles et à leur seule signification. Contentons-nous de rappeler la parole si profonde d'Ionesco : «Tout est langage au théâtre… Tout n'est que langage…[1]» La belle œuvre dramatique établit entre ces différents éléments un équilibre fragile et précieux tout à la fois, constitue à partir d'eux un ensemble complexe qui varie à chaque seconde mais, et le fait est essentiel, où le texte, disons plutôt les éléments verbaux, restent, dans l'ensemble, fondamentaux. Si tout au théâtre est langage, une œuvre dramatique est avant tout *parole.*

Et si maintenant nous nous demandons quelle est la fonction de ce langage particulier déjà si différent de nos propos quotidiens, nous découvrons un autre caractère, à nos yeux essentiel. Ce langage représenté, parce que représenté a une fonction double, ce qui suffit à le différencier radicalement du langage ordinaire, en dépit, là encore, de similitudes trompeuses.

La réplique la plus banale est destinée à la fois au personnage auquel elle s'adresse et au public. L'auteur la crée à la fois pour les personnages (comme si successivement il était l'un d'eux et s'adressait à chacun d'eux) et pour ces gens curieusement assemblés et qui écoutent ; et définir la nature et la qualité d'une réplique ou d'un dialogue, c'est définir avant tout le rapport qui s'établit entre deux effets : l'effet sur l'interlocuteur (comme dans la vie) et l'effet sur ce juge (au sens très large du terme) qu'est le public. […]

Un autre caractère enfin a retenu longuement, trop longuement peut-être, notre attention. Dans l'élaboration de l'œuvre, l'écrit précède le dit et le langage dramatique procède des deux, sans se confondre ni avec l'un ni avec l'autre. Nous croyons l'avoir montré et nous nous sommes efforcé,

---

1. *Notes et Contre-notes*, p. 116 *[N.d.A]*.

tout au long de ces pages, de préciser cette singularité. Ce qui nous amenait tout d'abord à marquer, plus qu'on ne l'avait fait jusqu'ici, les différences entre l'écrit et le dit, au-delà de toutes les ressemblances. Il est bien vrai que parler et écrire, c'est «manier les signes que nous fournit la langue», mais c'est les manier, dans l'un et l'autre cas, de manières différentes, puisque les conditions mêmes d'élaboration et de réception du message sont, elles aussi, différentes, voire souvent opposées. D'où vient l'originalité du langage dramatique qui, dans une certaine mesure, concilie les contraires : très proche de la parole, imitant même ses imperfections qui prennent alors une valeur esthétique ; mais aussi très éloigné d'elle, plus enchaîné, plus rythmé, plus soucieux d'effets. Très proche parfois de la langue écrite, sans jamais pourtant se confondre avec elle, perdant, s'il le faut, toutes ses qualités dramatiques. «C'est Giraudoux qui m'a appris», déclare Jean Anouilh, «qu'on pouvait avoir au théâtre une langue poétique et artificielle qui demeure plus vraie que la conversation sténographique[1]». On ne saurait mieux dire. Mais qu'on y prenne garde : langue poétique ne veut pas dire ici langue de la poésie et langue artificielle ne veut pas dire langue savamment écrite. La poésie trouve en elle-même sa propre fin ; au théâtre comme dans la vie le langage ne trouve jamais en lui-même sa propre fin.

Pierre LARTHOMAS, *Le Langage dramatique*,
© Éd. Armand Colin, 1972, p. 436-438.

NOTIONS CLÉS

Énonciation (double) – Langage – Langage théâtral.

▶ Le langage théâtral semble spontané et surpris alors qu'il est représenté, fait pour être joué.

▶ La parole théâtrale fonctionne selon le principe de la double énonciation.

---

1. Cité par Pol Vandromme, *Jean Anouilh, un auteur et ses personnages*, Paris, Éd. de La Table ronde, p. 41 [*N.d.A.*].

110. ANNE UBERSFELD
Le Théâtre (1980)

Auteur de *Lire le théâtre* et de *L'École du spectateur* (1981), professeur de théâtrologie à l'université Paris III, Anne Ubersfeld précise, dans la préface du premier ouvrage, son propos et sa méthode : il s'agit de **définir la spécificité du texte théâtral à partir d'une démarche sémiotique***, visant à « établir le ou les systèmes de signes textuels qui peuvent permettre au metteur en scène, aux comédiens, de construire un système signifiant où le spectateur concret trouve sa place ». Elle propose ainsi une analyse qui intègre aussi bien le texte théâtral en tant que texte, que sa représentation scénique, qui s'interroge sur leurs rapports, sur le rôle du metteur en scène et sur celui du spectateur.

La double énonciation

En s'appuyant sur la distinction linguistique entre énoncé (parole non située) et énonciation* (parole située à l'intérieur d'un processus de communication), Anne Ubersfeld montre que **le dialogue de théâtre n'a de signification que dans un « contexte énonciatif »**. La réplique célèbre : « Le pauvre homme ! » (Le Tartuffe, I, 4) ne prend sens que pour qui connaît ses conditions concrètes d'énonciation. Le discours théâtral, en effet, est composé de deux strates textuelles. Dans le « **dialogue** », les paroles d'un personnage (produites par le scripteur) s'adressent à un double destinataire, les autres personnages et le public. **Les « didascalies* »**, émises par le scripteur, fournissent des informations au metteur en scène et aux comédiens qui les transmettent ensuite au public sous la forme de signifiants non verbaux : jeux de scène, expressions, sons, éléments du décor (Lire le théâtre, p. 248-249).*

*On peut figurer ainsi cette « **double situation de communication** » :*

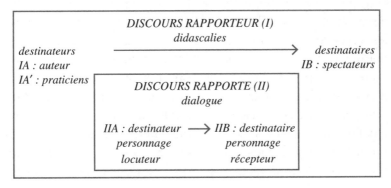

*Selon Umberto Eco, le texte romanesque est une « machine pares-seuse » qui présente des « blancs » destinées à mettre en jeu l'activité du lecteur, activité productrice de sens. Ces manques informatifs sont encore plus importants dans **le texte théâtral, texte «troué»** par nature, qui donne au metteur en scène une indispensable liberté d'interprétation. La communication théâtrale ne se réduit donc pas au seul texte.*

L'une des caractéristiques les plus étonnantes du texte théâ-tral, la moins visible mais peut-être la plus importante, c'est son caractère incomplet. Les autres textes de fiction doivent, dans une certaine mesure, combler l'imagination du lecteur : la man-sarde de Lucien de Rubempré, le jardin enchanté de *La Faute de l'abbé Mouret*, le champ de bataille de *Guerre et paix* sont des lieux sur lesquels le lecteur reçoit assez de renseignements pour se les figurer à loisir, même si ces figurations sont indivi-duellement assez différentes. De même, les personnages sont décrits assez fidèlement pour que le lecteur puisse vivre ima-ginairement avec eux. Ce travail de détermination irait contre les possibilités de la scène : il faut que la représentation puisse avoir lieu n'importe où et que n'importe qui puisse jouer le personnage.

Un exemple frappant, le début du *Misanthrope*, qui ne souffle mot des rapports entre les personnages, ni entre les person-nages et les lieux. Comment ces personnages arrivent-ils ? En courant, au pas ? Lequel va devant ? Ou sont-ils déjà là, debout, assis ? Le texte n'en dit rien. Rien non plus sur l'âge des per-sonnages. Est-ce le même ? Y en a-t-il un qui paraisse l'aîné ? Lequel ? Autant d'éléments sur lesquels le texte reste résolu-ment muet. Ce sera le travail du metteur en scène de donner les réponses. Réponses absolument nécessaires : il faut bien que les personnages se présentent de telle ou telle façon. En outre, ni l'aspect ni la présentation ne sont neutres : le rapport Alceste-Philinte et, par là, le sens même du personnage d'Al-ceste et de toute la pièce seront fixés dans le premier instant. Quelles que soient les modifications ultérieures apportées à ces premières images, elles devront s'inscrire en différence par rap-port à elles. Ainsi dans la mise en scène de Jean-Pierre Vincent

(Théâtre national de Strasbourg, 1977), Alceste est assis dans une sorte de certitude boudeuse, côté cour, et Philinte, debout auprès de lui, a l'air de s'excuser comme un jeune garçon pris en faute. Tout le développement ultérieur est déterminé par ce départ ; or il est une pure création du metteur en scène : l'incomplétude du texte oblige le metteur en scène à prendre un parti. […]

La communication théâtrale est d'une autre nature que la communication littéraire, avec quelques caractéristiques remarquables : tout d'abord, l'émetteur est double, la responsabilité du message partagée entre l'auteur et le praticien (metteur en scène, scénographe, comédien) ; en deuxième lieu, le récepteur n'est jamais isolé comme le lecteur, le spectateur de télévision ou même de cinéma : il forme un corps où les regards de chacun réagissent sur les regards de tous. De plus, il est illusoire de penser que la réception est sans effet sur le message. Le public réagit : applaudissements, silences, toux ou actions physiques presque imperceptibles. Enfin, le public vient ou ne vient pas, il sanctionne, renvoyant une réponse qui est aussi économique, donc vitale ; il apporte l'acquiescement ou la modification subtile, il apporte aussi l'argent.

Anne UBERSFELD, « Le texte dramatique »,
dans D. COUTY et A. REY (dir.),
Le Théâtre, © Éd. Bordas, 1980, p. 93-94.

NOTIONS CLÉS

Dialogue – Didascalies – Énoncé/Énonciation – Langage théâtral – Personnage de théâtre – Spectacle théâtral.

▶ Composé de deux strates textuelles, le dialogue et les didascalies, le texte théâtral est régi par une double énonciation.

▶ Son « incomplétude » est la condition même de la représentation.

▶ Celle-ci, nécessairement collective, sanctionne immédiatement la réussite ou l'échec.

▶ MOLIÈRE, *L'Amour médecin*, « Au lecteur » : « On sait bien que les comédies ne sont faites que pour être jouées, et je ne conseille de lire celle-ci qu'aux personnes qui ont des yeux pour découvrir dans la lecture tout le jeu du théâtre. »

▶ DIDEROT, *Le Fils naturel*, « Épilogue » : « Une pièce est moins faite pour être lue que pour être représentée. »

Tragédie et comédie

S i la spécificité du texte de théâtre comme genre est peu contestable (voir le chapitre précédent), la classification des œuvres drama-tiques en genres (ou «sous-genres») est problématique. Un genre est en effet défini par des caractéristiques propres à certaines œuvres (qui relèvent d'une rhétorique et d'une poétique) et par des classements opérés par l'histoire littéraire (voir à ce sujet la chapitre 4). Or ceux-ci se fondent sur les valeurs (esthétiques, morales, idéologiques) d'une époque ou d'un milieu qu'une autre époque, un autre milieu peuvent rejeter. Ainsi, en est-il de la distinction entre tragédie et comédie, étroitement accordée à la période et à l'esthétique classiques et qui s'est trouvée contestée dès le xviiie siècle. La place qu'occupent les pièces de Molière, Racine et Corneille dans l'histoire littéraire rend pourtant nécessaire une réflexion sur ces deux "genres".

Le philosophe Henri Gouhier définit les catégories du tragique, du dra-matique et du comique comme des «façons de penser l'historique» fondées sur une perception anthropocentrique de l'univers: elles mettent l'homme au centre d'un monde qu'il interroge en quête d'un sens. À travers elles, la représentation théâtrale se fait «jugement d'existence» et y intègre le spectateur[1].

Dans la tragédie, celui-ci est confronté à une vision de l'homme dont la liberté se heurte à une transcendance et il est incité à tirer de l'ex-pression du sentiment tragique de l'existence une leçon ou du moins une réflexion (**111. Biet**). C'est là une lecture moderne de la tragédie classique: les contemporains la définissaient comme un spectacle qui donnait un plaisir paradoxal en faisant éprouver par procuration les

---

1. Henri Gouhier, *Le Théâtre et l'Existence* (1952), rééd. Vrin, 1973, p. 16.

sentiments a priori désagréables de terreur et de pitié. Le tragique, d'ailleurs, s'est dissocié de la tragédie en tant que genre codifié à partir du XIXᵉ siècle (**112. Biet**). Mais il résulte aussi d'une mise en forme particulière de la pièce, construite à partir de son dénouement (**113. Forestier**). Il relève enfin du *sublime*, défini comme « la perfection esthétique de la violence » (**114. Forestier**). Dans la comédie, le spectateur garde, par rapport aux personnages et à la fable représentés, une position de détachement qui autorise la naissance du comique, caractéristique essentielle de ce « genre » (**115. Corvin**).

La distinction entre tragédie et comédie a été remise en cause par les auteurs dramatiques, les critiques et les metteurs en scène (**116. Hubert**). Pierre Larthomas[1] considère ainsi que « l'erreur fondamentale [...] a consisté surtout à distinguer au cours des siècles, tout au moins en France, la comédie et la tragédie, ou, de façon plus large, les pièces qui font rire et celles qui font pleurer » alors que cette distinction n'est « pas *essentielle* » : « la comédie et la tragédie ne sont pas des *genres*, au sens où nous l'entendons. » Il observe d'ailleurs que « les notions de tragique et surtout de comique sont des plus difficiles à définir », au point qu'« il arrive assez souvent que l'auteur se trompe » : « Tchekhov, avec *Les Trois Sœurs*, croyait avoir écrit un vaudeville[2] ; et Ionesco jugea d'abord tragique les répliques de *La Cantatrice chauve* et fut surpris par les réactions du public[3]. » Un auteur dramatique contemporain a proposé de situer les pièces de théâtre entre deux pôles : la « pièce-machine », construite sur une intrigue assurant la progression logique de l'action, et la « pièce-paysage », où les thèmes priment l'action. (**117. Vinaver**).

—————————————— **111. CHRISTIAN BIET** ——————————————
La Tragédie (1997)

Paradoxalement, alors que nous ne pouvons aborder la tragédie classique sans envisager la question du « tragique », cette notion est « souvent étrangère aux théoriciens et aux auteurs de tragédies », comme le rappelle Alain Couprie[4] : dans leurs textes théoriques, Corneille et Racine se soucient de montrer que leurs pièces respectent les règles, les conventions, la morale liées au genre (voir le texte 135b). La définition qu'Aristote donne de la tragédie ne se réfère pas non plus au tragique (voir le texte 11). C'est depuis

---

1. *Le Langage dramatique, op. cit.*, p. 433-434.
2. Cf. les commentaires d'Elsa TRIOLET sur la pièce (TCHEKHOV, *Théâtre*, Les Éditeurs français réunis, p. 221) *[N.d.A.].*
3. IONESCO, *Notes et contre-notes, La Tragédie du langage*, pp. 155-160 *[N.d.A.].*
4. Alain COUPRIE, *Lire la tragédie*, Paris, Dunod, 1998, p. XIII.

le XIXᵉ siècle que les auteurs de théâtre, les critiques et les philosophes se sont interrogés sur les rapports entre tragédie et tragique, l'évolution des formes théâtrales ayant clairement montré que le tragique avait survécu à la tragédie classique, définie comme **une forme contraignante,** un genre daté.

Tragédie, destin, transcendance

Revendiquant une liberté qui, depuis le drame romantique et les prises de position de Victor Hugo dans la Préface de *Cromwell* (voir le texte 12), autorise le mélange des genres, les auteurs tragiques de la première moitié du XXᵉ siècle n'ont pas appelé leurs pièces « tragédies ». Revisitant les mythes et les tragédies antiques, ils ont pourtant réfléchi à la notion de « tragique », expression d'**une vision du monde dominé par l'urgence et un destin implacable**, celui-ci pouvant s'inscrire dans un arrière-plan historique inspiré des événements dramatiques de cette époque. Cocteau rend sensible la situation tragique par la métaphore du piège, de la *machine infernale* : « Regarde spectateur, remontée à bloc, de telle sorte que le ressort se déroule avec lenteur tout au long d'une vie humaine, une des plus parfaites machines construites par les dieux infernaux pour l'anéantissement d'un mortel[1]. » Giraudoux met l'accent sur l'urgence tragique : le destin, « c'est simplement la forme accélérée du temps. C'est épouvantable[2]. » Anouilh reprend la métaphore du piège : dans la tragédie, « on sait qu'il n'y a plus d'espoir, le sale espoir ; qu'on est pris, qu'on est enfin pris comme un rat, avec tout le ciel sur son dos, et qu'on n'a plus qu'à crier – pas à gémir, non pas à se plaindre –, à gueuler à pleine voix, ce qu'on avait à dire, qu'on n'avait jamais dit et qu'on ne savait peut-être même pas encore[3]. »

De son côté, le philosophe Henri Gouhier a montré, en prenant l'exemple de l'*Œdipe roi* de Sophocle, que **tragédie et transcendance sont liées** : « Le tragique surgit du destin par lequel parricide et inceste sont les signes d'une conspiration divine. […] Ce destin funeste d'Œdipe monté par les dieux, cette *Moïra*[4], qui se joue des précautions humaines, voilà la transcendance. Elle introduit dans l'action un nouveau terme situé au-delà du monde sensible où elle se déroule et des volontés de "l'animal raisonnable". Le mot "transcendance" désigne cet au-delà. Il y a tragédie par la présence d'une transcendance, quelle que soit cette transcendance[5]. »

---

1. Jean COCTEAU, *La Machine infernale*, 1934.
2. Jean GIRAUDOUX, *La guerre de Troie n'aura pas lieu*, 1935.
3. Jean ANOUILH, *Antigone*, 1944.
4. *Moïra* : dans la Grèce antique, la part de vie de chacun, mais aussi le destin en général.
5. Henri GOUHIER, *Le Théâtre et l'Existence* (1952), rééd. Vrin, 1973, p. 35.

Tragédie et liberté

Mais cette transcendance implique le maintien de la liberté de l'homme. C'est pourquoi la fatalité, souvent invoquée pour caractériser la tragédie, est en elle-même « anti-tragique dans la mesure où elle est nécessité. Elle ne conserve une valeur tragique qu'en se posant comme une transcendance ». Et Henri Gouhier conclut : « Il n'y a donc **pas de tragédie sans liberté**, puisque le rayonnement tragique de la fatalité tient à sa transcendance et que cette transcendance transcende une liberté[1]. »

Philosophe et homme de théâtre, Camus note que le héros tragique exerce sa liberté et se révolte contre un ordre qui le dépasse : « les forces qui s'affrontent dans la tragédie sont également légitimes, également armées en raison », c'est pourquoi, contrairement au « drame simpliste », « la tragédie est ambiguë ». La tension tragique naît précisément de cet équilibre : « Il y a tragédie lorsque l'homme par orgueil[2] (ou même par bêtise comme Ajax) entre en contestation avec l'ordre divin, personnifié dans un dieu ou incarné dans la société. Et la tragédie sera d'autant plus grande que cette révolte sera plus légitime et cet ordre plus nécessaire[3]. »

Du désordre à la norme

> *Dans la tragédie française, observe Christian Biet, le conflit entre l'homme et le monde est **l'occasion d'une interrogation** « sur Dieu, sur la loi et sur l'homme » qui se termine par un retour à l'ordre, un rappel des lois essentielles : c'est là, plus que dans une hypothétique catharsis[4], que réside sa valeur morale. Dans les tragédies de Corneille, dont le dénouement n'est pas nécessairement tragique, la leçon est claire mais elle est contestée par le plaisir qu'a pu éprouver le spectateur en épousant les sentiments et les calculs des héros tragiques. Dans celles de Racine, qui se concluent généralement aussi par la résolution de la crise, le spectateur est davantage exposé à la « fascination de l'interdit ».*

---

1. *Ibid.*

2. Cet orgueil, dans la tragédie grecque, c'est l'*hybris*, la démesure arrogante de l'homme (notamment quand il croit pouvoir s'opposer au destin que lui ont fixé les dieux), condamnée par le Chœur dans l'*Œdipe roi* de Sophocle : « Démesure fait germer tyrannie ! Démesure qui, amplement gavée d'incartades et de chimères, ne prend pied en haut du pinacle que pour culbuter dans l'abîme d'un inévitable désastre » (traduction de V.-H. Debidour, Le Livre de poche, 1994, p. 57).

3. Albert Camus, « Sur l'avenir de la tragédie », conférence prononcée à Athènes en 1955, dans *Théâtre, récits, nouvelles*, Paris, Gallimard, coll. « Bibliothèque de la Pléiade », 1962, p. 1705-1706.

4. Sur la *catharsis*, voir notamment 11. Aristote, 132. Touchard et 135b. Racine.

[…] le théâtre tragique programme le désordre et tâche de résoudre, *in extremis,* ce désordre de l'homme et du monde par le retour difficile et parfois impossible à une/la norme. Mais entre-temps, il y a eu une remise en cause des notions majeures sur lesquelles repose la société, ce qui déstabilise le système. Le théâtre pose les questions essentielles. Et ce qui compte finalement, c'est la représentation du déchirement de l'homme par ces paroles théâtrales qui mettent en cause la norme établie par l'intrigue elle-même. Car la littérature aime toujours à rendre compte des scénarios catastrophiques. C'est donc d'un grand spectacle social qu'il s'agit ici, d'une cérémonie qui transcrit théâtralement les passions, les tabous, les questions politiques, qui transforment en formes agissantes l'inquiétude des questions sur Dieu, sur la loi et sur l'homme. Cette cérémonie, fondée sur la représentation d'une dynamique donne à voir celui qui, déchiré entre son désir individuel et sa place sociale, sombre, en même temps qu'il accède à la connaissance de soi. La représentation a donc bouleversé le monde, parce qu'elle est art, et parce que l'art a pour charge d'interroger ce dont il parle, quitte à battre en retraite lorsque l'acuité des questions est trop sensible.

Cependant, il est nécessaire, dans la problématique tragique classique, de ne pas laisser le spectateur en état de doute, en suspens, abandonné à une *catharsis* dont on n'est pas sûr qu'elle agisse, ou dans laquelle il risque de se perdre. Il faut donc à la fois répéter l'ordre, rappeler les lois essentielles, transmettre les interdits, fonder à nouveau la société et refonder le sujet dans un tableau final comptable de l'univers institutionnel. La fin d'une tragédie française suppose que les places soient réattribuées, que le père soit le père, que le fils soit le fils et que l'État fonctionne.

La tragédie n'est donc pas nécessairement tragique. Corneille, zélateur de la volonté, installant une structure dynamique pour ses pièces et persuadé qu'une Providence existe, termine généralement ses pièces – en tout cas celles des deux premiers tiers de sa carrière – par une fin sinon optimiste, du moins résolutive pour l'État. On a d'ailleurs pu lui reprocher d'écrire des tragédies «qui finissent bien». Cependant, comme on l'a dit, cette résolution finale est contestée par l'effectuation même de la tragédie, par le plaisir donné au spectateur de constater les méandres des actions humaines, les joies du calcul, l'ironie des jugements et leur relativité. Le théâtre de Corneille oscille ainsi entre ces deux pôles : plaisir de saisir une claire résolution et plaisir du doute et de la complexité. Mais rien pour autant ne disqualifie ces pièces comme tragédies puisque la tragédie est d'abord un code et non une vision tragique du monde.

La tragédie racinienne, en revanche, a deux objets contradictoires : le premier est de montrer toute l'horreur qu'il y a à s'affranchir du monde, à franchir l'interdit, à laisser les passions gouverner l'homme, le second est de représenter cette lutte, quitte à ne plus en voir les leçons. Construction et déconstruction dans une poétique particulière, historiquement datée, le théâtre tragique de Racine permet de représenter le principe de résolution et de clôture en n'abandonnant aucune des questions qui fondent le tragique. Racine sait qu'il est difficile de laisser l'intrigue dans le suspens ou l'horreur. Rarement, comme dans *Bajazet,* Racine laisse le spectateur sans l'espoir d'une résolution de la crise. L'auteur de tragédie, en France, doit répéter ce qui doit être répété : qu'il est nécessaire de conserver les principes sociaux pour vivre, et qu'il faut donner au spectateur des raisons d'espérer. Pourtant, même lorsqu'il donne une conclusion possible, Racine montre aussi l'envers de ce discours d'espoir : que ceux qui ne peuvent souscrire au monde sombrent dans la mort et les passions. Et cet envers fascine. Fascination de l'interdit. Fascination pour celui qui se voit tomber dans les passions. Le spectateur doit donc apprendre, en assistant aux tragédies, ce que sont les passions : une terrible épreuve, fascinante et difficile à repousser. Mais entre-temps, par l'exposé même de ces passions, par le fait qu'elles ont guidé le héros ou l'héroïne, le spectateur a vacillé parce qu'il a été fasciné par le feu des passions, la vision de l'horreur et la mise en cause de la hiérarchie du monde.

Christian BIET, *La Tragédie,*
© Éd. Armand Colin, 2010 (1re édition 1997), p. 85-86.

NOTIONS CLÉS

Catharsis – Morale – Tragédie – Tragique.

▶ En offrant le spectacle des passions en conflit avec la norme, la représentation tragique bouleverse le monde mais, ce faisant, l'interroge, ce qui est la fonction de l'art.

▶ Le spectateur des tragédies de Racine, plus que celui des tragédies de Corneille, est partagé entre la leçon dont est porteur le retour à la norme et la « fascination de l'interdit ».

112. CHRISTIAN BIET
La Tragédie (1997)

La tragédie classique n'est pas fondée sur la conscience tragique de l'homme déchiré entre sa liberté (ses passions) et des lois qui le dépassent, comme le remarque Georges Forestier : « Pour Corneille, comme pour Aristote, l'essence de la tragédie réside [...] dans le plaisir paradoxal qu'elle procure. Le fait que la tragédie puisse apparaître aussi – ce qu'elle paraît avant tout à nos consciences modernes – comme le lieu d'expression privilégié du sentiment du tragique de l'existence sur lequel se sont interrogés écrivains et philosophes depuis le début du XIXe siècle, n'est pris en compte ni par le philosophe grec, ni par le poète français, ni par aucun des autres poètes (Racine inclus) et théoriciens classiques[1]. » Ainsi, précise Christian Biet, « la tragédie [...] est d'abord définie par sa forme, par le haut registre de langue qu'elle emploie, par le fait que ses personnages ne sont ni populaires ni communs, par le péril de mort inscrit dans l'intrigue et/ou par la possibilité d'une ou plusieurs issues sanglantes, et donc [...] **la tragédie française des XVIe et XVIIe siècles n'est pas nécessairement "tragique"** au sens philosophique du terme » (p. 7). C'est donc rétrospectivement, après la disparition de la tragédie comme genre codifié (défini par des règles, des conventions, des modèles), qu'est apparu le sentiment tragique.

« Le tragique sans la tragédie »

*Le « sentiment du tragique de l'existence » naît chez l'homme de la conscience des limites qu'un destin (« un fatum ») impose à sa liberté ; il s'accompagne d'un sentiment de culpabilité devant ce qui est ressenti comme **une transcendance**. Celle-ci s'est laïcisée, suscitant des questions philosophiques ou ontologiques diverses et*

---

1. Georges FORESTIER, *Essai de génétique théâtrale : Corneille à l'œuvre*, Droz, p. 274.

donnant ainsi au tragique une grande extension dans le théâtre du
XXᵉ siècle.

[...] l'idée de tragique, telle que nous la connaissons, cette notion impliquant la fatalité et le conflit de l'homme devant Dieu, le destin ou l'irrémédiable, apparaît lorsque la tragédie est morte. Toute pièce peut être tragique, et tout auteur peut chercher, par les moyens qu'il pense efficaces, à rendre l'idée du tragique qui lui semble juste. À ceci près que le tragique n'est plus seulement comptable de l'affrontement des hommes et des dieux, mais aussi du conflit de l'homme avec lui-même et avec la société. Le tragique peut être donc métaphysique, ontologique ou social. Autrement dit, tout auteur peut parler comme il le souhaite de *l'homme,* selon l'idée qu'il en a.

Ce n'est en effet qu'au XIXᵉ siècle que les philosophes, les mythologues et les historiens nomment le tragique. Cette notion induit en principe qu'un *fatum* s'accomplisse inexorablement et mène le héros vers une fin terrible. Mais elle suppose aussi qu'une faute existe au préalable et que la culpabilité fasse partie intégrante du héros tragique. La faute et la culpabilité peuvent prendre racine dans une décision des dieux ou de Dieu, dans l'existence d'une transcendance, dans les passions de l'homme, ou dans son statut social, l'important est que ceux qui y sont soumis ne peuvent qu'y céder. Malgré parfois la volonté qu'ils ont de s'y soustraire, les hommes, au mieux, ont une liberté limitée au choix de leur propre mort.

Le tragique est donc d'abord historiquement de l'ordre de la tension entre l'homme et une transcendance et représente la vaine lutte de l'homme contre des forces qui l'accablent. Cependant, il peut être laïcisé et venir de l'homme lui-même, de sa condition propre, de ses passions auxquelles il ne peut que céder, des situations qu'il a créées collectivement, de la guerre par exemple, de son statut ontologique enfin. Dès lors, cette notion devient plastique et peut être définie de diverses manières selon l'attitude philosophique qui la sous-tend.

Qu'est-ce que la volonté humaine devant l'horreur du monde tel qu'il est? Qu'est-ce que la liberté quand l'homme n'est pas, dans son essence, libre par lui-même? Enfin, le tragique n'est-il pas dans l'impossibilité de communiquer, dans l'emploi d'un langage qui ne veut rien dire[1]? Voilà bien des questions en vrac et qui finalement sont l'objet d'un autre livre, déjà maintes fois écrit par d'autres.

Cependant, toutes ces questions parcourent le théâtre, et plus particulièrement le théâtre du vingtième siècle, si bien qu'on a pu qualifier quelques-unes de ces pièces de *tragédies* ou *de farces tragiques*. Il y a sûrement un sens du tragique chez Beckett, chez Ionesco, comme il y en eut un chez Sartre et chez Camus, tous différents. Il faudrait dès lors étendre la définition de la tragédie à toutes sortes de formes en la refondant sur chacune des options prises sur le tragique par chacun des auteurs.

Le xxe siècle, ainsi, s'est lancé à la quête du tragique en revenant d'abord aux sources, en réécrivant les tragédies d'Eschyle et de Sophocle (Claudel, Hofmannsthal, T. S. Eliot), et en le rendant actuel, léger, contemporain (Anouilh, Giraudoux), sans pouvoir dépasser l'expression d'une certaine nostalgie. Le destin que certains espéraient retrouver en exhumant les fables grecques, d'autres ont souhaité le retrouver dans les profondeurs de l'homme moderne : Ibsen remplace la nécessité divine par l'hérédité, O'Neill par la *libido* freudienne. Camus et Sartre tentent de substituer à la tragédie de la fatalité métaphysique celle de la liberté humaine pour enfin déboucher sur l'absurde (Camus) ou sur l'idée que l'homme, en proie à sa propre liberté, doit choisir l'engagement dans l'Histoire (Sartre). Enfin, pour des auteurs plus contemporains (Ionesco, Beckett), le tragique est d'abord dans l'impossibilité pour l'homme de communiquer avec autrui. Le langage est alors lui-même pris dans le tragique, et la représentation, et en particulier le théâtre, devient l'illustration de l'incommunicabilité et de l'absurde.

Christian BIET, *La Tragédie*,
© Éd. Armand Colin, 2010 (1re édition 1997),
p. 170-171.

---

1. Comme l'indique Ch. Biet plus loin, pour Ionesco et Beckett «le tragique est d'abord dans l'impossibilité pour l'homme de communiquer avec autrui».

NOTIONS CLÉS

Tragédie – Tragique.

▶ Le sentiment du tragique de l'existence humaine s'exprime au XXe siècle dans de nombreuses pièces qui ne sont plus, formellement, des tragédies.

▶ Ces pièces suscitent des questionnements philosophiques en confrontant l'homme à diverses formes de fatalité comme l'hérédité, l'absurde, l'Histoire, l'incommunicabilité.

———— 113. GEORGES FORESTIER ————
Essai de génétique théâtrale (1996)

Si la poétique et la dramaturgie cornéliennes ont fait l'objet de nombreuses études, la perspective envisagée par Georges Forestier s'avère originale : il s'agit d'analyser *« Corneille à l'œuvre »*, c'est-à-dire le processus par lequel le dramaturge construit une tragédie et, par là même, **une poétique du tragique**. Choix du sujet, construction de l'action, mise en œuvre d'une esthétique du sublime : autant d'étapes par lesquelles Corneille passe de la forme au sens. Dans son avant-propos, G. Forestier s'interroge, plus largement, sur la mise en forme de la tragédie classique française qu'il définit comme « un genre fondé sur le principe de la cause finale ».

Une « composition régressive »

> **Les tragédies de Corneille et de Racine sont composées à partir du dénouement**, *« qui est en même temps le sujet de l'œuvre ». De ce fait, c'est l'enchaînement des actions qui rend sensible le rôle de la fatalité, particulièrement chez Racine qui suscite par là le pathétique (essentiel au XVIIe siècle) alors que Corneille le fait naître en plaçant ses personnages dans des situations bloquées.*

Pour Corneille il s'agit de bien autre chose que d'organiser un ensemble d'événements donnés par une source historique en fonction d'une fin qualifiante. Son travail créateur consiste à dégager de l'histoire non pas un ensemble mais *un seul* élément fondamental – le dénouement, qui est en même temps le sujet de l'œuvre – à partir duquel est reconstruit à rebours un enchaînement de causes et d'effets qui donne l'illusion de conduire l'histoire à sa fin selon les modalités de la logique et du probable (qui peuvent être transgressés pour produire un effet de surprise). Si les tragédies de Corneille (ou de Racine) prennent le plus souvent d'extraordinaires libertés avec leurs sources historiques, c'est à cause de ce principe de composition régressive : en ne retenant (indépendamment du cadre historique et d'un certain nombre de détails référentiels) que le seul dénouement, elles reconstruisent à rebours à partir de lui une intrigue qui obéit à ses lois propres de cohérence et qui, partant, peut être parfaitement imaginaire.

[...] Une réflexion ultérieure sur le jeu de la conformité ou des écarts permettrait d'apprécier le travail créateur des prédécesseurs et des successeurs de Corneille. Ainsi, l'indifférence de la tragédie de la Renaissance envers ce principe génétique explique qu'elle apparaisse plus comme la juxtaposition d'un ensemble de discours préparant, accompagnant, déplorant un dénouement annoncé, que comme la construction dynamique d'une action mimétique où le dénouement constitue la cause cachée des actions et des discours qui conduisent à lui ; inversement, l'utilisation de ce principe par un Racine, qui construit généralement des intrigues plus linéaires que celles de Corneille, n'a pas peu contribué à donner l'impression que ses tragédies se rapprochent plus du rôle de la fatalité antique que celles de Corneille et qu'elles sont plus *tragiques* ; le tragique n'est pas seulement l'expression littéraire d'une «vision du monde», il est aussi – et peut-être d'abord, c'est l'une des hypothèses que nous ouvrons à la discussion – dans la manière dont un auteur construit l'enchaînement des actions qui découle de la cause finale.

En second lieu, comme nous l'avons dit, il nous a semblé possible d'examiner le travail d'élaboration d'une œuvre littéraire comme la tragédie en dehors de toute détermination extérieure à l'œuvre, c'est-à-dire indépendamment de tout contexte autre que les postulations du genre auquel elle se rattache. Car dans un genre aussi codifié que la tragédie (par ses modèles et ses règles) chaque pièce particulière est le résultat d'un jeu d'interaction entre l'histoire choisie et le code du genre. Avant d'être déterminé par les attentes qu'il prête à son public – et même plus largement par tous les effets contextuels qui déterminent ses choix –, l'auteur de tragédie est contraint d'une part par les effets que requiert le genre même de la tragédie, en l'occurrence susciter chez le spectateur (et le lecteur) les deux émotions canoniques définies par Aristote que sont la crainte et la pitié, d'autre part par le type de personnage que le genre autorise. La tragédie au XVIIe siècle consiste à se demander comment susciter le pathétique (et nullement communiquer le sentiment du tragique). L'élargissement de ce second front permettrait de retrouver la différence entre Corneille et Racine : le premier a cru qu'on pouvait éveiller ces sentiments pathétiques en inventant des situations bloquées ; le second l'a fait en jouant sur des enchaînements. Dans les deux cas, il s'agissait de répondre aux exigences de pathétique du genre de la tragédie ; une mise en œuvre différente de la structure narrative, dont nous avons parlé plus haut, a donné le sentiment à certains lecteurs que s'opposaient un théâtre pathétique et un théâtre tragique – ce qui aurait surpris nos deux poètes si on leur avait dit que la postérité les opposerait sur ce plan.

Georges FORESTIER,
Essai de génétique théâtrale :
Corneille à l'œuvre, © Droz, 2004 (1re édition 1996), p. 15-16.

NOTIONS CLÉS

Forme / Sens – Genre – Pathétique – Tragédie – Tragique.

▶ La tragédie classique se construit selon un principe de composition régressive.

▶ Le tragique n'est pas seulement l'expression d'une « vision du monde », il est aussi le produit de cette composition régressive.

▶ ARISTOTE, *Poétique* : « La crainte et la pitié peuvent bien sûr naître du spectacle, mais elles peuvent naître aussi de l'agencement même des faits accomplis, ce qui est préférable et d'un meilleur poète. Il faut en effet agencer l'histoire de telle sorte que, même sans les voir, celui qui entend raconter les faits qui s'accomplissent, frissonne et soit pris de pitié devant les événements qui surviennent – ce que l'on ressentirait en écoutant raconter l'histoire d'Œdipe. Produire cet effet au moyen du spectacle ne relève guère de l'art et ne demande que des moyens de mise en scène » (1453b, éd. Le Livre de Poche, 1990, p. 124).

114. GEORGES FORESTIER
Essai de génétique théâtrale (1996)

La tragédie classique est liée au sublime, notion complexe, relevant autant de l'esthétique que de l'éthique, et diffusée par *Le Traité du sublime ou Du merveilleux dans le discours*[1] du pseudo-Longin dont Boileau publie une traduction en 1674. Le chapitre premier le caractérise ainsi : « Le sublime est [...] ce qui forme l'excellence et la souveraine perfection du discours [...]. Car il ne persuade pas proprement, mais il ravit, il transporte, et produit en nous une certaine admiration mêlée d'étonnement et de surprise, qui est tout autre chose que de plaire seulement, ou de persuader. [...] il donne au discours une certaine vigueur noble, une force invincible, qui enlève l'âme de quiconque nous écoute. [...] quand le sublime vient à paraître où il faut, il renverse tout comme un foudre, et présente d'abord toutes les forces de l'Orateur ramassées ensemble. » Le chapitre six définit « cinq sources principales du sublime » ayant pour fondement commun « *une faculté de bien parler* ». Les deux premières « doivent presque tout à la nature » : ce sont « *une certaine élévation d'esprit qui nous fait penser heureusement les choses* » et le « pathétique, cet enthousiasme, et cette véhémence naturelle qui touche et qui émeut. » Les trois autres « dépendent de l'art en partie » : ce sont les figures de rhétorique, « *la noblesse de l'expression* » et « celle, à proprement parler, qui produit le grand et qui renferme en soi toutes les autres, c'est *la composition et l'arrangement des paroles dans toute leur magnificence et leur dignité.* » **Le style est donc déterminant,** ce que confirme la définition de La Bruyère : « Le sublime ne peint que la vérité, mais en un sujet noble ; il la peint tout entière, dans sa cause et dans son effet ; il est l'expression ou l'image la plus digne de cette vérité. Les esprits médiocres ne trouvent point l'unique expression [...]. Pour le sublime, il n'y a, même entre les grands génies, que les plus élevés qui en soient capables[2]. »

Tragédie et sublime

Georges Forestier observe que le sublime constitue déjà la visée du théâtre cornélien : il « apparaît au cœur d'un violent conflit entre proches qui suscite la pitié et la crainte » (p. 273). Le critique interroge donc, dans la tragédie, **le lien – a priori paradoxal – de la violence et du sublime.**

---

1. Ce traité de critique littéraire, œuvre d'un auteur grec inconnu du 1er s. ap. J.-C., a été longtemps attribué par erreur au philosophe grec Longin (3e s.).
2. LA BRUYÈRE, *Les Caractères*, 1688, I, 55.

Pour Corneille, comme pour Aristote, l'essence de la tragédie réside donc dans le plaisir paradoxal qu'elle procure. Le fait que la tragédie puisse apparaître aussi – ce qu'elle paraît avant tout à nos consciences modernes – comme le lieu d'expression privilégié du sentiment du tragique de l'existence sur lequel se sont interrogés écrivains et philosophes depuis le début du xixe siècle, n'est pris en compte ni par le philosophe grec, ni par le poète français, ni par aucun des autres poètes (Racine inclus) et théoriciens classiques. Pour eux, la tragédie n'est pas la forme artistique qui véhicule le mieux le sentiment du tragique, elle est dans le champ des formes littéraires celle qui doit donner un plaisir particulier par l'élaboration artistique – donc la mise distance – des émotions qui accompagnent le sentiment tragique, la crainte et la pitié. L'enjeu est de produire de la beauté et de réaliser la perfection de cette beauté propre à la tragédie afin d'accomplir le but de l'art qui est de plaire à son destinataire. Idée de perfection qui revient constamment chez Aristote comme chez Corneille.

La tragédie consiste donc à créer de la beauté en représentant de la violence qui suscite les émotions tragiques. Mais pas n'importe quelle violence. De la violence représentée selon les règles bien spécifiques d'organisation des faits afin que cela donne lieu à une histoire crédible et belle ; et surtout de la violence résultant d'un conflit issu d'une configuration particulière des rapports humains, les rapports humains les plus proches, ce qui rend cette violence la plus inattendue et la plus inadmissible à la fois, la plus scandaleuse en somme, bref, la plus susceptible de produire la pitié et la crainte :

> Le malheur d'Antiochus *toucherait* beaucoup moins, si un autre que sa mère lui demandait le sang de sa maîtresse, ou qu'un autre que sa maîtresse lui demandât celui de sa mère, ou si après la mort de son frère qui lui donne sujet de craindre un pareil attentat sur sa personne, il avait à se défier d'autres que de sa mère et de sa maîtresse.

> (*Discours de la tragédie*, OC III, p. 151.)

En somme, c'est ce qui rend la violence encore plus violente. À l'extrême proximité des individus en conflit correspond une extrême sensation de violence qui provoque les émotions. Là encore, c'est affaire de perfection : la perfection de la tragédie repose sur la perfection (esthétique) de la violence.

Or, en termes rhétoriques, la perfection esthétique de la violence se traduit par le mot *sublime*, qui renvoie à une esthétique et à une éthique de la *grandeur* : le sublime est le ravissement vers la grandeur par la violence de la beauté. Il suffit de lire le traité *Du Sublime* de Longin pour s'en convaincre. Certes Longin ne traite que du sublime dans le discours (oratoire ou poétique). Mais ne dit-il pas que s'il préfère l'*Iliade* à l'*Odyssée*, c'est parce que l'une est du côté du *pathos* et l'autre de l'*éthos**, l'une du côté de l'action violente, traduction de la grandeur du souffle du poète en harmonie avec la grandeur guerrière de ses héros, l'autre du côté de la description des caractères et de la comédie de mœurs (IX, 10-14) ? Où l'on retrouve la prépondérance accordée par Aristote, Corneille, Saint-Évremond, à l'action sur les caractères, mais là n'est pas la question. La question, c'est qu'il confirme plus loin, à propos des figures de rhétorique qui «font les discours à la fois les plus pathétiques et les plus soulevés d'émotion», que «le *pathos* participe au sublime dans la même mesure que l'*éthos* participe au plaisant» (XXIX, 2).

[...] La poétique de Corneille est une poétique de la grandeur, c'est-à-dire du sublime, qu'elle recherche d'abord dans l'exaspération des passions tragiques. Et le seul moyen de parvenir à ce sublime tragique consiste à construire un conflit qui repose sur le surgissement des violences au sein des alliances.

Georges FORESTIER,
Essai de génétique théâtrale : Corneille à l'œuvre,
© Droz, 2004 (1ʳᵉ édition 1996), p. 274-277.

NOTIONS CLÉS

Beauté – Sublime – Tragédie – Tragique.

▶ La tragédie n'est pas seulement expression du sentiment tragique, elle est la forme esthétique permettant le plaisir pris aux émotions qui l'accompagnent, la crainte et la pitié.

▶ Le sublime est le ravissement provoqué par la perfection esthétique de la violence.

115. MICHEL CORVIN
Lire la comédie (1994)

Comédie et comique ont partie liée, du moins dans la comédie moliéresque qui se propose de « corriger les vices des hommes » par le rire (voir le texte 135a). Mais qu'est-ce qui produit le comique au théâtre ?

S'inspirant de l'ouvrage de Freud sur *Le Mot d'esprit et ses rapports avec l'inconscient* (1905, trad. fr. 1930), Charles Mauron considère que « le rire naît, comme une sorte de réflexe psychique, d'une différence de potentiel entre deux représentations. » Nous prévoyons « l'instant à venir » et cette représentation « est chargée d'affects divers mais s'accompagne aussi d'une certaine estimation de l'effort à fournir pour s'adapter à la réalité naissante. » Le rire jaillit avec « la représentation de l'événement réel. Une situation nouvelle surgit, dont l'image se charge d'autres affects et s'accompagne d'une estimation corrigée. » Le théâtre comique, comme le trait d'esprit analysé par Freud, « suscite cette différence et en joue ». Dans la perspective psychanalytique de Ch. Mauron, « le genre comique s'apparente au jeu » : il représente **un « rêve d'angoisse » renversé en « une fantaisie de triomphe »**, cette représentation se faisant « avec cette incohérence affective, cette insouciance des causes et des effets qui, d'une part, assurent le spectateur contre l'anxiété, le pathétique et la réflexion (tous facteurs défavorables au rire), et, d'autre part, accordent à l'auteur la liberté de jouer, comme l'homme d'esprit, avec un mélange de sens et de non-sens ». C'est cette « fantaisie, essentiellement enfantine », que le spectateur juge comique en la comparant avec la réalité qu'il connaît[1].

La notion d'écart est souvent invoquée pour expliquer l'origine du comique. Selon Bergson, « il n'y a pas de comique en dehors de ce qui est proprement *humain* » : il naît quand apparaît dans l'homme un « automatisme installé dans la vie et imitant la vie » et peut donc être défini comme « du mécanique plaqué sur du vivant[2] ».

Pour qu'il y ait comique, selon un autre philosophe, Henri Gouhier, il faut qu'il y ait distance, que le rieur ne soit pas engagé dans l'aventure qui le fait rire, que la sympathie qui fait sentir l'autre comme un semblable n'opère pas ou plus : « que la personne perce sous le personnage et c'en est fait de la comédie ». C'est pourquoi le comique a recours au type et non à la personne, sachant que « le type se définit non par l'absence d'individualité mais par **la disparition de la personnalité** engagée dans une histoire », il devient « une essence[3] ».

1. Charles MAURON, *Psychocritique du genre comique*, Paris, José Corti, 1964, p. 17-33.
2. Henri BERGSON, *Le Rire. Essai sur la signification du comique* (1900), rééd. PUF, 1967, successivement p. 2, 25 et 29.
3. Henri GOUHIER, *Le Théâtre et l'Existence* (1952), rééd. Vrin, 1973, p. 138-142.

« C'est le lecteur-spectateur qui fait la comédie »

*En affirmant que « la comédie se définit par **une distorsion entre la fiction et le réel** » (p. 192), Michel Corvin rappelle qu'elle maintient une distance entre le spectateur et les personnages. Une même situation peut être tragique ou comique selon que la pièce conduit le spectateur à y adhérer ou non. La comédie, par ses «ficelles dramatiques» et ses «habitudes d'écriture» et «de composition», place le lecteur-spectateur dans la position d'un Dieu qui domine totalement les personnages et lui fait juger déraisonnables et comiques des situations qui ne sont cohérentes et angoissantes que pour eux.*

La fable comme «système de faits» selon la fameuse traduction de la définition d'Aristote, qu'apprend-elle sur la comédie, sinon qu'il faut attendre la fin de la pièce pour qu'on la reconnaisse pour telle: l'organisation du tout, non le détail des événements, fait la pièce. Mais ce point de vue structurel, valable tout autant pour la tragédie, ne nous renseigne guère: la comédie est un contenu tout autant qu'une forme. Contenu de quoi? De situations. Nouvelle question: y a-t-il une situation propre à la comédie? Non, répond P.-A. Touchard, cela dépend

> «du climat où elle se développe; elle peut être tragique pour qui la vit, comique pour qui la regarde [...]. Ceci montre bien que le comique n'existe pas en soi mais seulement chez le spectateur et que l'on a tort de vouloir le chercher ailleurs.»

Dionysos

Remarque qui met le doigt sur l'essentiel: la comédie, et finalement le comique n'existent pas ailleurs que dans l'esprit du lecteur-spectateur. Un total renversement de perspective s'impose donc: la comédie n'est pas une œuvre homogène où situations, personnages, langage et tonalité du tout s'harmonisent, entre eux et avec le lecteur, comme le fait la tragédie, à laquelle il faut bien se référer comme repoussoir; c'est le lecteur-spectateur qui fait la comédie; c'est de lui qu'il faut partir pour remonter à l'œuvre.

Il est assez remarquable qu'un divorce s'établisse entre le sérieux, voire l'angoisse que vit le personnage de comédie (qu'il s'appelle Orgon ou Fadinard[1]) et la réaction du lecteur : le rire justement sanctionne cet écart. Qu'on ne dise donc plus que les mêmes situations se rencontrent en tragédie et en comédie ; la situation, même semblable, est différente car elle n'est qu'un moment du tout et le tout seul importe. Quand Néron[2] se cache derrière un rideau pour laisser Junie et Britannicus s'enferrer dans un quiproquo insoutenable, nul ne songe à une situation de comédie car la tonalité reste la même avant, pendant et après la scène : de menace et de violence, pour le personnage comme pour le lecteur. En comédie, la situation est également donnée, à l'intérieur de la pièce et pour ceux qui la vivent, comme cohérente mais pour le lecteur elle ne l'est pas. Pour la raison qu'il a sur la fable le point de vue de Sirius : il voit et sait tout parce qu'il est à distance[3].

Distance psychique comme on l'a beaucoup dit depuis Hobbes et Stendhal, le premier écrivant que le rire est l'effet de la

« vue imprévue et bien claire de notre supériorité sur un autre homme »

De la nature humaine

et le second :

« Une pièce qui fait rire constamment est une pièce qui nous montre sans cesse notre excellence. Nous sommes distraits de notre excellence dès que nous apercevons le

---

1. Personnage de Labiche (*Un chapeau de paille d'Italie*, 1850).
2. Dans la tragédie de Racine (*Britannicus*, acte II, scènes 3 à 6), l'empereur Néron exerce un chantage cruel sur Junie en l'obligeant à rompre, devant lui qui assiste à la scène « caché près de ces lieux », avec Britannicus qu'elle aime : « Sa perte sera l'infaillible salaire / D'un geste ou d'un soupir échappé pour lui plaire ».
3. C'est le cas, par exemple, dans *Le Tartuffe* (acte IV, sc. 5) où Orgon, caché sous la table pour vérifier les accusations que son épouse porte à l'encontre du faux dévot, assiste à une scène dans laquelle celui-ci agit en vrai libertin et met en demeure la jeune femme qui prétend l'aimer de se donner immédiatement à lui. Quoique très cruelle pour Elmire mais aussi pour Orgon (qui se dit *assommé* par la révélation de l'hypocrisie et de la trahison de Tartuffe), la scène est très comique pour le spectateur qui domine la situation (contrairement à Orgon) et sait bien (contrairement à Elmire) qu'il ne saurait y avoir de viol dans la comédie de Molière.

moindre danger, voilà pourquoi, dès que l'odieux apparaît le rire se retire [...].»

Molière, Shakespeare, la comédie et le rire

avec dans la dernière phrase cette idée que la distance doit être de surplomb moral mais aussi d'indifférence, de désengagement, comme l'a fortement souligné J. Émelina :

«La première notion indispensable à l'intelligence du rire est la notion de distance [...]. La catharsis* est étrangère à l'univers de la comédie. Puisqu'on n'entend pas y émouvoir les passions du public, susciter la pitié, la terreur ou l'admiration, il ne saurait y avoir trouble de l'âme ni d'apaisement final. Ni "douleur ni dommage" [pour reprendre les termes d'Aristote] pour le public. La comédie est désert du cœur [...]. Qu'il s'agisse du vécu ou de la fiction, le rire exige donc une position de spectateur et un non-engagement.»

Le Comique[1]

Exige une position de spectateur? N'est-ce pas reconnaître que la comédie est la forme théâtrale par excellence qui permet au spectateur de l'être pleinement! Et il l'est par la distance proprement physique qui, l'éloignant du *hic et nunc* de la situation et de ses accidents immédiats, lui donne la perception de la totalité au moment même où la partie se déroule : il a, lui seul, le don d'ubiquité ; il pénètre les reins et les cœurs. Il est le Spectateur, Dieu en somme.

Mais un Dieu qui doit son omniscience à des ficelles dramatiques éprouvées : à des apartés, à des confidences de personnages qui révèlent le dessous des cartes, à des allusions diverses, à des habitudes d'écriture comme l'exposition qui dit tout à mots couverts, à des habitudes de composition fondées sur la succession de scènes qui découpent l'espace et le temps. Seul le spectateur y assiste dans leur totalité alors que les personnages sont toujours en retard d'un savoir. À partir de quoi toute situation en acte apparaît comme la partie émergée de l'iceberg : le tout est ailleurs, dans la tête du lecteur-spectateur.

---

1. Jean ÉMELINA, *Le Comique. Essai d'interprétation générale*, Paris, SEDES, 1991.

> La situation de comédie est donc parcellaire et «insensée» à la fois, parce que déraisonnable et dépourvue de sens en elle-même.
>
> Michel CORVIN, *Lire la comédie*, © Dunod, 1994, p. 147-150.

NOTIONS CLÉS

Catharsis – Comédie/Comique – Spectacle théâtral – Tragédie.

▶ Dans la comédie, les sentiments des personnages ne sont pas éprouvés par le lecteur-spectateur.

▶ Celui-ci, placé en position de supériorité par rapport aux personnages, renonce à son esprit de sérieux et s'abandonne au comique devant des situations qui n'entrent pas en cohérence avec le monde qu'il connaît.

▶ Michel VINAVER, *Écritures dramatiques*: «le comique, c'est ce qui se déclenche lorsqu'un décalage brusque se produit entre ce qu'on attend d'une action (d'une parole) et ce qui, arrivant à la place, vous met dans une posture inconvenante ou ridicule, aux yeux du monde ou à vos propres yeux.»

116. MARIE-CLAUDE HUBERT
Le Théâtre (1988)

Michel Corvin, qui fonde la distinction entre tragédie et comédie sur la place réservée au spectateur par ces deux «genres», a lui-même reformulé son analyse ainsi: «il n'y a de comédie que par et pour un spectateur: un héros tragique peut bien mourir devant un fauteuil vide; un personnage de comédie, lui, ne peut pas *se* faire rire: il n'est drôle que pour autrui, que pour nous, dans la salle[1].» Pourtant, le fait même que cette caractérisation de la comédie ne s'appuie pas sur des éléments structurels, qu'une même situation dramatique puisse être tragique ou comique, incite à relativiser la distinction entre ces deux «genres». D'abord, comme le remarque Henri Gouhier, «un genre n'est rien de plus qu'une définition de mot. Le fait, c'est la diversité des catégories dans l'unité de l'action: le genre, c'est l'unification de la pièce à partir d'une des catégories qui imprègnent son action. [...] **Les genres ne sont donc ni des essences ni des valeurs**[2].» En outre, l'opposition entre tragédie et comédie vaut dans le cadre d'une rhétorique datée, élaborée par le classicisme français à partir des réflexions d'Aristote:

---

1. Michel CORVIN, *op. cit.* p. XV.
2. Henri GOUHIER, *op. cit.*, p. 194-195.

le XVIIIe siècle a vu apparaître une comédie sérieuse (avec le «drame bourgeois» de Diderot) et même «larmoyante» (Nivelle de la Chaussée); au XIXe siècle, Hugo a mêlé les genres, uni le sublime et le grotesque dans le drame romantique (voir le texte 12).

Dans le théâtre du XXe siècle, la distinction entre tragédie et comédie, et même entre tragique et comique, est souvent impossible. Analysant une pièce de Beckett, Joseph Danan écrit ainsi: «Tragédie et comédie […] sont les deux faces d'une même pièce. S'il y a un tragique de l'inéluctable, Beckett l'escamote en nous immergeant dans le cours des choses: dans le présent. Or, le présent dans *Fin de partie* est d'une presque incessante drôlerie. Ramenée aux micro-actions d'un quotidien insolite, la tragédie peut être comique et n'apparaît qu'en creux[1].»

La disparition des genres au XXe siècle

Dans la conclusion de son ouvrage sur le théâtre, Marie-Claude Hubert décrit l'effacement des frontières entre les genres dramatiques, particulièrement sensible dans les pièces et les réflexions de Ionesco. Le rire n'est plus absent de la tragédie, autrefois « genre corseté dans des règles strictes ». Parallèlement, les interprétations que les metteurs en scène ont faites des œuvres du passé ont contribué à ce mélange des tons.

Plus généralement, c'est la spécificité du texte théâtral qui se trouve mise en cause dans des œuvres récentes dont l'écriture se rapproche de celle du roman. Le théâtre, toutefois, conserve sa singularité en tant que spectacle.

La notion de genre, fortement ébranlée dès le drame bourgeois, a perdu toute pertinence au théâtre depuis la fin du XIXe siècle. Ionesco s'amuse, dans sa façon de désigner ses premières pièces, à montrer le peu de cas qu'il en fait. *La Cantatrice chauve* est une «anti-pièce», *La Leçon* un «drame comique», *Jacques* une «comédie naturaliste», *Les Chaises* une «farce tragique», *Victimes du devoir* un «pseudo-drame». La disparition de ces catégories, qui établissaient un mode de classification entre les œuvre dramatiques, a entraîné, depuis quelques décennies, une transformation dans la mise en scène

---

1. Joseph DANAN, dans Michel VINAVER, *Écritures dramatiques*, Actes Sud, 1993, p. 483.

des œuvres du passé, dans l'écriture dramatique et dans la critique théâtrale.

Les œuvres dramatiques des années cinquante, celles de Beckett et de Ionesco surtout, ont sensibilisé le public à un passage constant du comique au tragique. Ionesco déclare, dans *Notes et contre-notes,* qu'il a tenté «d'opposer le comique au tragique pour les réunir dans une synthèse [...] théâtrale nouvelle. Mais [...] ces deux éléments ne se fondent pas l'un dans l'autre, ils coexistent, se repoussent l'un l'autre en permanence ; se mettent en relief l'un par l'autre ; se critiquent, se nient.» Lui qui a longuement réfléchi sur les rapports étroits qu'entretiennent comique et tragique, il donne parfois aux comédiens le conseil de jouer à contre-texte. Pour la mise en scène de *La Leçon,* il demande, dans *Notes et contre-notes :*

> Sur un texte burlesque, un jeu dramatique,
> Sur un texte dramatique, un jeu burlesque[1].

Un rire nouveau est apparu, qui n'est pas le rire salubre et bienfaisant, mais qui résonne sur des gouffres d'angoisse. C'est ce qui fait écrire à Genêt, dans son dixième tableau des *Paravents* : «Je crois que la tragédie peut être décrite comme ceci : un rire énorme que brise un sanglot qui renvoie au rire originel, c'est-à-dire à la pensée de la mort.»

Notre époque, qui juxtapose sans cesse des tons contrastés, jette *un regard nouveau sur les œuvres du passé.* Actuellement, le traitement de la comédie, où il est possible de privilégier des éléments farcesques, mais où le ton peut aussi frôler le tragique, dépend de la lecture du metteur en scène. «Chaque siècle a eu sa marotte», comme le dit Marivaux dans *La Première Surprise de l'amour* (I, II) ; le nôtre en a de multiples. Alceste, avec son «noir chagrin», est-il un personnage comique? Rousseau, dans sa *Lettre à d'Alembert sur les spectacles,* répondait résolument non à une telle question. L'idéologie dominante d'une époque et la subjectivité personnelle dictent bon nombre de partis pris de mise en scène. La tragédie, genre corseté dans des règles strictes, ne permet pas la même souplesse d'interprétation que

---

1. Georges IONESCO, *Notes et contre-notes,* 1962, Paris, Éd. Gallimard, coll. «Idées», 1970, respectivement p. 61 et 256.

la comédie ou le drame. Aussi sa représentation soulève-t-elle un certain nombre de problèmes, actuellement, pour les metteurs en scène, tributaires, malgré eux, du goût de notre temps. [...]

Après cet effacement des genres dramatiques, ne sommes-nous pas en train de vivre la disparition de la notion même de texte théâtral, dans les œuvres les plus récentes? [...] La frontière entre théâtre et roman s'amenuise actuellement. *L'écriture dramatique contemporaine se rapproche parfois de l'écriture romanesque.* L'hypertrophie du discours didascalique y a introduit bon nombre d'éléments narratifs. Le système des répliques n'apparaît plus nécessairement comme le trait pertinent susceptible de définir le texte de théâtre, puisque le dialogue tend parfois à disparaître. Les metteurs en scène, aujourd'hui, «mettent en voix» des textes romanesques, les découpant en répliques et faisant disparaître les termes introducteurs du discours afin d'obtenir un dialogue, voire leur laissant leur forme. Ce qui confère toujours au théâtre sa spécificité, c'est la scène, grâce à laquelle le texte, quel qu'il soit, est mis en espace.

Marie-Claude HUBERT, *Le Théâtre*,
© Éd. Armand Colin, 1988, p. 173-174.

NOTIONS CLÉS

Comédie/Comique – Didascalies – Genre – Mise en scène – Tragique.

▶ Dans les pièces de théâtre du XXᵉ siècle, la distinction des genres traditionnels (tragédie, comédie, drame, etc.) n'est plus pertinente: comique et tragique, rire et angoisse sont liés.

▶ Les metteurs en scène contemporains pratiquent aussi ce mélange des tons dans leur interprétation des œuvres plus anciennes.

▶ Dans l'écriture même, le théâtre se rapproche du roman mais il garde sa spécificité comme art de la scène.

▶ Georges IONESCO, *Notes et contre-notes*: «Je n'ai jamais compris, pour ma part, la différence que l'on fait entre comique et tragique. Le comique étant intuition de l'absurde, il me semble plus désespérant que le tragique. Le comique n'offre pas d'issue. Je dis: "désespérant", mais, en réalité, il est au-delà ou en deçà du désespoir ou de l'espoir.»

—————— 117. MICHEL VINAVER ——————
Écritures dramatiques (1993)

Écrivain et auteur dramatique, Michel Vinaver a aussi enseigné à l'université où il a notamment animé un séminaire consacré aux études théâtrales. C'est dans ce cadre qu'il a élaboré une « méthode d'approche du texte théâtral » fondée sur « l'évidence qu'il existe une spécificité du texte de théâtre, constitué comme il est, pour le principal, de paroles émises par des personnages de fiction ; et cette parole *agit* » (p. 9). Cette méthode « correspond à la **double nature du texte de théâtre** : objet de lecture, objet de spectacle » (p. 9). Elle « permet de saisir comment le texte fonctionne en tant qu'objet théâtral », « dramaturgiquement » (p. 895), par « une exploration de la surface de la parole » observée dans « un petit échantillon de texte », en fonction d'un « postulat » selon lequel « l'œuvre est tout entière dans son écriture même », qui est elle-même considérée comme une constante.

Sans prétention scientifique, « utilisée [...] dans un esprit de bricolage », cette méthode soumet un fragment de l'œuvre (« cinq à dix pour cent du volume de l'œuvre ») à des observations portant sur l'avancement de l'action (« *la micro-action* » au niveau des répliques, « *l'action de détail* » au niveau du fragment et « *l'action d'ensemble* » au niveau de l'œuvre) mais aussi sur « la densité des informations et/ou des événements », la « fonction des thèmes » et le « statut des idées », les personnages et le « statut du spectateur » par rapport à ces personnages, le « statut du présent », l'importance et le rôle du piège et de la surprise, le « déficit » (« en postulant que tout texte dramatique est à base d'un déficit, d'un manque à remplir »), le rythme et l'importance de la fiction (p. 893-895).

« Pièces-machines » et « pièces-paysages »

L'analyse conduit ainsi à situer le texte de théâtre sur quinze « axes dramaturgiques » afin de « pointer sa situation dans l'univers entier des œuvres dramatiques » (p. 904). Si l'on prend en compte essentiellement la progression de l'action, les œuvres se disposent entre deux pôles, celui des « pièces-machines » et celui des « pièces-paysages », que, pour plus de clarté, nous présentons ci-dessous dans deux colonnes.

Pôle de la « pièce-machine »	Pôle de la « pièce-paysage »
1. La parole sert l'action (elle transmet les informations nécessaires à sa progression).	1. « La parole est action », elle change la situation.
2. « L'action d'ensemble est unitaire, centrée. »	2. « L'action d'ensemble est plurielle, acentrée. »

3. « *Pièce-machine : progression par enchaînement causal (nécessité).* »

3. « *Pièce-paysage : progression par juxtaposition contingente.* »

4. « *Fort intérêt de la situation* » *de départ.*

4. *Pas d'exposition préalable.*

5. « *Forte densité d'événements, d'informations.* »

5. « *Faible densité d'événements, d'informations.* »

6. « *Statut accessoire des thèmes.* »

6. « *Statut éminent des thèmes.* »

7. « *Les idées sont motrices, leur opposition fonde l'action.* »

7. « *Les idées sont des éléments du paysage.* »

8. *Les personnages intéressent comme individus.*

8. « *L'espace inter-personnage […] intéresse plus que les personnages pris individuellement.* »

9. *Le spectateur en sait plus que les personnages.*

9. « *Égalité de statut spectateur-personnage.* »

10. « *Le présent est le point de jonction du passé et de l'avenir.* »

10. « *Le présent est la seule réalité.* »

11. *Un* « *dispositif de méprise ou de piège* » *structure l'intrigue.*

11. « *Ni pièges ni méprises, sinon au niveau microtextuel.* »

12. « *La surprise […] engendre la tension dramatique* », *crée un effet d'attente.*

12. *La surprise et la tension se renouvellent sans cesse dans la succession des répliques.*

13. « *Le déficit est identifié, exposé, en tant qu'élément de la fable.* »

13. *Le déficit est* « *diffus.* »

14. « *Le rythme est accessoire, ou absent.* »

14. « *Le rythme entre de façon essentielle dans le pouvoir d'action de la parole.* »

15. *La fiction représentée est bien distinguée de la réalité de la représentation théâtrale.*

15. *Le plan de l'imaginaire et celui du réel sont brouillés.*

Sont ainsi analysées comme des pièces-machines : Le Barbier de Séville *ou* Phèdre *; comme des pièces-paysages :* La Danse de mort *de Strindberg,* Les Trois Sœurs *de Tchekhov,* Fin de partie *de Beckett,* Pour un oui pour un non *de Nathalie Sarraute.*

La plupart des œuvres dramatiques peuvent se situer sur un axe dont un des pôles serait la pièce-machine, et l'autre la pièce-paysage. La pièce-machine est celle dont le système de tension repose sur une intrigue centrée, unitaire, ou sur un problème à résoudre, mettant en conflit des personnages aux oppositions marquées, habités par des passions, des sentiments, des vices ou des défauts, des idées, cernées ou du moins cernables. Dans la pièce-machine, la parole est parfois action mais elle est avant tout *instrument* d'une action et au service de celle-ci. L'instant présent de la parole y est le point où se croisent un passé (la situation d'origine dont l'action découle) et un futur (le dénouement). L'action progresse par un engrenage de causes et d'effets.

À l'autre pôle, la pièce-paysage est celle où l'action tend à être plurielle, acentrée – une juxtaposition d'instants se reliant de façon contingente –, où les personnages sont faits chacun d'une diversité de facettes dont la jointure n'est pas donnée à l'avance. Dans la pièce-paysage, il n'y a pas d'exposition préalable d'une situation, celle-ci émerge peu à peu comme on découvre un paysage avec tous les composants du relief : notamment les thèmes, mais aussi les idées, les sentiments, les traits de caractère, les bribes d'histoires, les fragments du passé qui se font jour. La parole n'est pas véhiculaire de l'action, elle est l'action même.

Pour un oui ou pour un non comporte une quantité de «micro-machines» (des pièges, des méprises au fil de la parole) qui font qu'il y a «action» et que la pièce progresse. Mais toutes ces «micro-machines» prennent place dans un «paysage» où le lecteur/spectateur jouit d'une large liberté de découverte, de perception, de mise en relation des différents composants de l'œuvre. Il s'y promène, en quelque sorte, et, s'y promenant, participe à sa création. Historiquement, cette famille d'œuvres – les pièces-paysages – est d'émergence relativement récente. On peut dater celle-ci de la charnière entre le xixe et le xxe siècle, avec la dramaturgie d'auteurs tels que Strindberg, Tchekhov, Gorki, et cette évolution est à mettre en rapport avec une «crise» plus générale : mise en question de l'ordre du monde régi par la causalité ; en peinture, mise en question de la perspective et de la figuration canoniques ; en musique, mise en question de la tonalité, etc[1]. Il n'en reste pas

---

1. Michel Vinaver dit aussi : «Mise en crise – sur tous les plans : philosophique, scientifique, artistique – de la représentation du temps linéaire en tant qu'assise du réel.» (p. 268)

moins que ce serait une erreur de tracer une ligne de partage historique entre les pièces-machines et les pièces-paysages. Une bonne part des pièces qui s'écrivent aujourd'hui sont à dominante «machinique», et c'est le propre des grandes œuvres dramatiques du passé de participer à la fois de la machine et du paysage.

Les pièces-paysages tendent à échapper aux genres traditionnels: comédie, tragédie, drame. C'est en raison de leur système générateur de tension, dont on a vu qu'il ne vise aucun effet final en particulier, ni même aucun effet global (comme par exemple: la terreur et la pitié, le rire, le sublime et le grotesque[1]...).

Michel VINAVER, *Écritures dramatiques*
Essais d'analyse de textes de théâtre,
© Actes Sud, 1993, p. 43-45.

NOTIONS CLÉS

Dramaturgie – Genre.

▶ Dans la plupart des pièces de théâtre anciennes, une intrigue unique assure la progression logique de l'action, de l'exposition au dénouement: ce sont des «pièces-machines».

▶ Depuis la fin du XIXᵉ siècle, est apparu un autre type de pièces dans lesquelles la parole, les idées, les thèmes priment l'action; ces «pièces-paysages» ne relèvent pas des genres traditionnels: tragédie, comédie, drame.

▶ De nombreuses pièces, contemporaines ou anciennes, mêlent ces deux caractéristiques.

Prolongement. – Michel Vinaver précise toutefois qu'un texte correspondant exactement à un de ces deux pôles serait «un cas limite» (p. 909) et qu'«on observe, dans certaines œuvres, la coexistence des deux modes de progression» (p. 901). *Les Caprices de Marianne* (Musset) et *Le Soulier de satin* (Claudel) sont des exemples de ces pièces «mixtes». «Aucune pièce, sans doute, n'est dénuée de tout aspect machinique. Dans *[Les Trois] Sœurs*, il y a la trace d'une machine, d'un problème à résoudre: comment faire pour revenir à Moscou? Mais l'engrenage ne fonctionne pas, il n'y a

---

1. Comme, respectivement, dans la tragédie, la comédie et le drame romantique (tel que l'a théorisé Victor Hugo dans la Préface de *Cromwell*).

pas d'opérateur» (p. 325). De même pour *Combat de nègres et de chiens* de Bernard-Marie Koltès : «La pièce est "machine", pour autant qu'il y a avancement de l'action par l'engrenage de causes et d'effets. Mais la pièce est aussi "paysage" en ce sens que l'intrigue, aussi prenante soit-elle, n'est pas l'élément dominant d'intérêt. Tout autant que par elle, le spectateur est captivé par l'aventure de la parole au tournant de chaque réplique. Il est opérateur et en même temps promeneur» (p. 82). Même un pièce ancienne comme *Hamlet* «particip[e] [...] des deux espèces» (p. 325) : «l'action progresse moins par enchaînement causal que par juxtaposition, par un mouvement de reptation qui a un caractère aléatoire. C'est le signe d'un monde privé d'ordonnance, dérangé par rapport à toute idée préétablie de ce qu'il est et d'où il va, irréductible à toute conception qu'on puisse s'en faire, donc fondamentalement imprévisible. La pièce-machine tend à s'estomper derrière la pièce-paysage» (p. 305-306).

CHAPITRE 23

Théâtre et mise en scène

118 ANTONIN ARTAUD	**121** DANIEL MESGUICH
119 CATHERINE NAUGRETTE	**122** MICHEL CORVIN
120 ANNE UBERSFELD	**123** DIDIER PLASSARD

Constatant que, dans le théâtre occidental, la mise en scène laisse à l'arrière-plan « tout ce qui n'obéit pas à l'expression par la parole, par les mots », Antonin Artaud a proposé un théâtre qui s'adresserait « d'abord aux sens au lieu de s'adresser d'abord à l'esprit » (**118. Artaud**). La part que la représentation fait aux sens et à l'esprit découle des choix du metteur en scène – et, dans cette création collective qu'est le spectacle, des acteurs et des autres intervenants qui décident des décors, des costumes, des éclairages, de la musique, de tout ce qui concourt à la « polyphonie informationnelle » du théâtre (voir 108. Barthes). Écrit pour être dit, pour être joué, le texte théâtral vit par sa réalisation scénique. Celle-ci peut être guidée par les indications de l'auteur, les didascalies*, mais le texte théâtral offre au metteur en scène une marge de liberté qui lui permet de concrétiser sa lecture, son *interprétation* du texte. Depuis la fin du xixᵉ siècle, en effet, à l'écriture dramatique (le texte de l'écrivain) s'ajoute la création du metteur en scène, qui réalise un travail d'artiste et non de simple régisseur (**119. Naugrette**).

Est apparue ainsi la notion, d'inspiration brechtienne, de *dramaturgie*, qui définit les règles d'une « écriture scénique » : « la mise en scène comme œuvre à part entière, entraîne la nécessité de reconstruire à chaque fois la logique interne du spectacle, ce dernier n'étant plus conçu comme simple transposition ou réalisation naturelle d'une pièce, mais comme une lecture, et plus largement encore une re-création. Il n'y aura donc plus un seul *Tartuffe,* mais celui de Planchon après celui de Jouvet[1] ». Se pose alors la question du respect du texte littéraire puisque la mise en scène peut le privilégier ou en faire seulement « un des éléments de la représentation » (**120. Ubersfeld**). La représentation théâtrale doit-elle être fidèle à « l'esprit de l'œuvre » ? Celui-ci, selon un metteur en scène contemporain, n'est

---

1. Christian BIET, Christophe TRIAU, *Qu'est ce que le théâtre ?*, Paris, Gallimard, coll. « Folio », 2006, p. 663-664.

jamais que «l'opinion majoritaire» sur le texte, voire «les idéologies qui l'encrassent», aussi la mise en scène doit-elle parvenir à combiner «l'absolu de la littéralité» et «la relativité de l'interprétation» (**121. Mesguich**). La liberté d'interprétation du metteur en scène est limitée, de fait, par sa relation à la collectivité à laquelle il s'adresse mais aussi au nom de laquelle il s'exprime (**122. Corvin**). Il remplit ainsi des fonctions essentielles dans la cité en interrogeant à la fois sa mémoire du passé, son présent et son avenir possible (**123. Plassard**).

118. ANTONIN ARTAUD
Le Théâtre et son double (1938)

On sait qu'Artaud a dénoncé le culte des chefs-d'œuvre, coupable de transformer la culture à un «inconcevable Panthéon» coupé de la vie (voir le texte 57). Cette fétichisation de l'art conduit l'Occident à réduire le théâtre au livre, alors que «le dialogue – chose écrite et parlée – n'appartient pas spécifiquement à la scène».

Le théâtre doit s'adresser d'abord aux sens

Antonin Artaud s'interroge sur l'assimilation du théâtre à la seule forme dialoguée. Voulant libérer le théâtre de « cet assujettissement à la parole », il oppose le dialogue à la scène, « lieu physique et concret » qui appelle un langage lui-même physique et concret, indépendant de la parole, tourné vers la satisfaction des sens et non plus seulement de l'esprit. Ce langage concret peut intégrer tout ce qui est apte à se manifester sur scène : formes, bruits, gestes.

Anne Ubersfeld a noté que ces thèses ont été bien souvent comprises comme le « refus radical du théâtre à texte » (voir le texte 120). Or Artaud dit explicitement que « ce langage fait pour les sens » doit d'abord les satisfaire et « développer ensuite toutes ses conséquences intellectuelles ».

Dans ses réalisations scéniques, Artaud n'a pu imposer de son vivant « cette utopie d'un théâtre à l'état brut, affranchi de toute forme contraignante, qui mêle l'expérience immédiate du spectateur et la vie, l'aventure de l'acteur et l'aventure individuelle, et fait du créateur un thaumaturge ou un gourou[1] ». Ses écrits ont toutefois inspiré de nombreux hommes de théâtre dans les années 1960.

---

1. Daniel Couty et Jean-Pierre Ryngaert, *Le Théâtre*, Paris, Bordas, 1980, p. 76.

[...] comment se fait-il que le théâtre Occidental ne voie pas le théâtre sous un autre aspect que celui du théâtre dialogué?

Le dialogue – chose écrite et parlée – n'appartient pas spécifiquement à la scène, il appartient au livre; et la preuve, c'est que l'on réserve dans les manuels d'histoire littéraire une place au théâtre considéré comme une branche accessoire de l'histoire du langage articulé.

Je dis que la scène est un lieu physique et concret qui demande qu'on le remplisse, et qu'on lui fasse parler son langage concret.

Je dis que ce langage concret, destiné aux sens et indépendant de la parole, doit satisfaire d'abord les sens, qu'il y a une poésie pour les sens comme il y en a une pour le langage, et que ce langage physique et concret auquel je fait allusion n'est vraiment théâtral que dans la mesure où les pensées qu'il exprime échappent au langage articulé. [...]

Le plus urgent me paraît être de déterminer en quoi consiste ce langage physique, ce langage matériel et solide par lequel le théâtre peut se différencier de la parole.

Il consiste dans tout ce qui occupe la scène, dans tout ce qui peut se manifester et s'exprimer matériellement sur une scène, et qui s'adresse d'abord aux sens au lieu de s'adresser d'abord à l'esprit comme le langage de la parole. (Je sais bien que les mots eux aussi ont des possibilités de sonorisation, des façons diverses de se projeter dans l'espace, que l'on appelle les *intonations*. Et il y aurait d'ailleurs beaucoup à dire sur la valeur concrète de l'intonation au théâtre, sur cette faculté qu'ont les mots de créer eux aussi une musique suivant la façon dont ils sont prononcés, indépendamment de leur sens concret, et qui peut même aller contre ce sens, – de créer sous le langage un courant souterrain d'impressions, de correspondances, d'analogies; mais cette façon théâtrale de considérer le langage est déjà *un côté* du langage accessoire pour l'auteur dramatique, et dont, surtout actuellement, il ne tient plus du tout compte dans l'établissement de ses pièces. Donc passons.)

Ce langage fait pour les sens doit au préalable s'occuper de les satisfaire. Cela ne l'empêche pas de développer ensuite toutes ses conséquences intellectuelles sur tous les plans

> possibles et dans toutes les directions. Et cela permet la substitution à la poésie du langage, d'une poésie dans l'espace qui se résoudra justement dans le domaine de ce qui n'appartient pas strictement aux mots.

Antonin ARTAUD, *Le Théâtre et son double*,
© Éd. Gallimard, 1938, coll. « Idées », 1964, p. 53 à 55.

NOTIONS CLÉS

Mise en scène – Spectacle théâtral.

▶ Le théâtre occidental restreint la théâtralité au texte.
▶ Il faut inventer un langage théâtral indépendant du dialogue, concret, physique fondant une poésie dans l'espace.

119. CATHERINE NAUGRETTE
L'Esthétique théâtrale (2000)

Le passage, à la fin du XIXᵉ siècle, de la mise en scène conçue comme une activité de régisseur à l'activité créatrice et artistique que désigne désormais cette expression est décrit dans le texte ci-dessous par Catherine Naugrette. Nous prolongeons ces analyses en nous inspirant des réflexions de Christian Biet et Christophe Triau[1].

« Le siècle de la mise en scène »

> *Le XXᵉ siècle a vu « l'avènement du metteur en scène comme auteur ». Stanislavski, Jouvet, Vilar, Vitez, Strehler[2] et bien d'autres ont*

---

1. Les citations qui suivent sont tirées des pages 656-664 et 777 de leur livre *Qu'est ce que le théâtre ?*, Paris, Gallimard, coll. « Folio », 2006.
2. Constantin STALINAVSKI (1863-1938), acteur et metteur en scène de théâtre russe, partisan d'un théâtre réaliste et artistique, fondateur du Théâtre d'Art de Moscou où il monta les grandes pièces de Tchekhov (*La Mouette, La Cerisaie*). – Louis JOUVET (1887-1951), acteur et metteur en scène, hostile au théâtre commercial, directeur de l'Athénée, créateur des pièces de Giraudoux ; ses mises en scènes audacieuses de Molière ont fait date. – Jean VILAR (1912-1971), acteur et metteur en scène, promoteur d'un théâtre populaire au Théâtre national populaire (T.N.P.) et au festival d'Avignon. – Antoine VITEZ (1930-1990), acteur et metteur en scène, partisan d'un théâtre « élitaire pour tous », dirigea le Théâtre de Chaillot puis la Comédie-Française. – Giorgio STREHLER (1921-1997), metteur en scène italien, fondateur du Piccolo Teatro de Milan ; ses mises en scène spectaculaires et raffinées (Goldoni, Tchekhov, Brecht) ont conquis un vaste public.

accédé à une notoriété jusque-là réservée aux écrivains (la frontière entre « l'écriture scénique » et l'écriture du texte de théâtre s'effaçant encore davantage chez ceux qui étaient à la fois auteurs et metteurs en scène, comme Bertolt Brecht ou Roger Planchon[1]). Avec ces créateurs, l'activité de mise en scène n'est plus « transparente », « la scène devient [...] une fabrique du sens : une écriture à part entière ».

Dans la première moitié du XXe siècle, de Stanislavski à Jouvet, la mise en scène a été reconnue comme « pratique créatrice singulière sous les espèces de ce que l'on a coutume d'appeler le "théâtre d'art" ». Le « théâtre critique », d'inspiration brechtienne, s'est ensuite imposé « dans le contexte intellectuel et politique, marxiste tout particulièrement, des années 1950-1960, puis, d'une autre manière, dans celui de l'après 1968 ». Ce « théâtre populaire », impulsé notamment par Vilar et Planchon, s'est voulu « un instrument d'éveil du public, [...] la manifestation du lieu d'un discours sur le monde, enfin [...] un outil politique et social essentiel ». S'il a mis en place « des grilles de lecture conditionnant la mise en œuvre du spectacle » et « propos[é] au spectateur un texte pré-interprété », il a aussi conduit à une relecture critique des classiques (qui, peut-on ajouter, en a enrichi la lecture).

Dans les années 1980-1990, les pratiques scéniques évoluent en même temps que le contexte idéologique. « La représentation ne semble plus fortement vectorisée en direction du spectateur, qui était censé retrouver dans le spectacle ce que ses auteurs avaient voulu y mettre, mais postuler que le sens doit se faire, librement et in fine, dans l'esprit de chaque spectateur. » Celui-ci est devenu de nos jours le « véritable constructeur du sens », que le metteur en scène et le dramaturge ont pourtant balisé. Ce rôle laissé au spectateur s'accompagne d'une « plus grande autonomie des éléments » du spectacle théâtral que, dans les années 1960-1980, l'avènement du metteur avait unifiés pour les mettre au service de sa lecture de la pièce.

---

1. Roger PLANCHON (1931-2009), acteur, metteur en scène et auteur dramatique, partisan, comme Vilar et Brecht, d'un théâtre populaire, a renouvelé l'interprétation des classiques (comme *Georges Dandin*, *Le Tartuffe*, *Bérénice*) . – Sur Bertolt BRECHT, voir les textes 128, 130 et 133.

Du texte au spectacle

Dans les années 1880, la naissance de la mise en scène moderne provoque ce que Bernard Dort qualifie de «révolution copernicienne[1]», à savoir la remise en question du théâtre comme texte et la réhabilitation concomitante de la représentation dans le fait théâtral. À l'aube du xxe siècle apparaît en effet une nouvelle instance au sein de la création théâtrale qui va bouleverser les données traditionnelles de la réflexion sur l'art dramatique. En 1887, André Antoine (1858-1943) ouvre le Théâtre-Libre au sein duquel, pour la première fois, il exerce la fonction de metteur en scène, c'est-à-dire de second créateur: après l'écrivain, le metteur en scène vient prendre en charge l'œuvre dramatique pour lui donner sens et vie à travers la représentation théâtrale. Certes, le mot de mise en scène existe bien avant Antoine et la création du Théâtre-Libre, mais il est alors entendu dans un sens purement matériel, pratique. La mise en scène, comme la définit Arthur Pougin dans son *Dictionnaire du théâtre* de 1885, c'est «l'art de régler l'action scénique considérée sous toutes ses faces et sous tous ses aspects, non seulement en ce qui concerne les mouvements isolés ou combinés de chacun des personnages qui concourent à l'exécution des masses: groupements, marches, cortèges, combats, etc., mais encore en ce qui est d'harmoniser ces mouvements, ces évolutions avec l'ensemble et les détails de la décoration, de l'ameublement, du costume, des accessoires[2].» Avant le Théâtre-Libre et depuis l'origine du théâtre, il y a donc une activité de mise en scène, qui consiste à prendre en charge ce qui concerne la réalisation scénique du texte: ce qu'Aristote appelle «l'exécution technique du spectacle» et Hegel «l'exécution extérieure de l'œuvre d'art dramatique». La responsabilité de cette «exécution» n'incombe pas à un exécutant précis mais peut revenir à un acteur, au régisseur ou au directeur du théâtre, à l'auteur ou au chef de troupe. Il s'agit d'un travail qui, en aucun cas, ne regarde l'art du théâtre.

---

1. B. Dort, «Le texte et la scène: pour une nouvelle alliance», [dans *Le Spectateur en dialogue*, P.O.L., 1995], p. 270 *[N.d.A.]*.

2. A. Pougin, *Dictionnaire historique et pittoresque du théâtre et des arts qui s'y rattachent*, Firmin-Didot, 1885; réimpression Éd. d'Aujourd'hui, «Les Introuvables», 1985, t. 2, p. 522 *[N.d.A.]*.

Avec Antoine, la mise en scène devient artistique. Elle ne concerne plus seulement la prise en charge matérielle du spectacle mais aussi l'interprétation et le sens même de la pièce représentée. À partir du travail théâtral accompli par Antoine à la fin du siècle dernier, mettre en scène, ce n'est plus seulement gérer et agencer, mais penser, imprimer une pensée au texte : créer par la représentation scénique une nouvelle œuvre théâtrale. D'où le décentrement du texte. La parole poétique n'est plus l'élément déterminant et dominant de l'art dramatique. Elle s'insère désormais dans un ensemble où les autres éléments ne lui sont plus soumis et ne sont plus réduits au rôle d'accessoires. L'art du décor, le jeu de l'acteur ne sont plus seulement des arts d'accompagnement, au service du texte, mais ils entretiennent, par l'entremise de la mise en scène, un dialogue nouveau, artistique et créateur entre eux et avec le texte. Le théâtre n'est plus seulement textuel, il est également scénique, et cette dimension scénique est partie prenante de l'art dramatique.

Cette nouvelle donne de la création théâtrale, qui se met en place à l'orée du siècle, en France d'abord puis dans les autres pays occidentaux, constitue une mutation sans précédent de l'art dramatique, qui caractérise le théâtre contemporain. L'art théâtral du xxᵉ siècle se définit comme l'ère de la mise en scène, ou encore le règne des metteurs en scène. À travers cet élargissement du paysage théâtral, on conçoit que la réflexion sur le théâtre s'étende elle aussi du texte à la scène et qu'il lui faille désormais prendre en compte ce qu'elle avait négligé si longtemps : le spectacle. Le champ esthétique qui s'ouvre alors dans le domaine du théâtre est immense. Les théories et autres poétiques du texte ne suffisent plus à rendre compte de l'art du théâtre, tel qu'il est redéfini à partir d'Antoine. Il faut désormais y adjoindre les théories de la scène et autres esthétiques de la représentation. Dès lors, l'esthétique théâtrale ne peut plus être contenue dans l'esthétique de l'art poétique. S'affranchissant de la littérature, le théâtre devient un art indépendant, qui réclame une esthétique spécifique. La naissance de la mise en scène fonde l'autonomie de l'esthétique théâtrale moderne. Significativement, le premier traité esthétique consacré à la mise en scène, publié par Becq de Fouquières en

1884, est intitulé *L'Art de la mise en scène,* et sous-titré : «Essai d'esthétique théâtrale».

Catherine NAUGRETTE, *L'Esthétique théâtrale,*
© Éd. Armand Colin, 2005, p. 24-25.

NOTIONS CLÉS

Mise en scène – Spectacle théâtral.

▶ La mise en scène, auparavant simple réalisation technique, est devenue une activité artistique ; le metteur en scène est un créateur qui impose sa marque à la représentation.

▶ Le spectacle théâtral a acquis ainsi son autonomie par rapport au texte littéraire.

120. ANNE UBERSFELD
Lire le théâtre (1977)

Le texte théâtral, par «ses fissures», contraint le metteur en scène à faire des choix interprétatifs. Dans la communication théâtrale, «l'émetteur est double» (voir le texte 110) deux systèmes signifiants sont mis en relation, l'ensemble des signes représentés et l'ensemble des signes textuels. Selon Anne Ubersfeld, le refus de cette nécessaire distinction «détermin[e] des attitudes réductrices en face du fait théâtral».

Sacralisation ou refus du texte ?

La première attitude possible est l'attitude classique «intellectuelle» ou pseudo-intellectuelle : elle privilégie le texte et ne voit dans la représentation que l'expression et la traduction du texte littéraire. La tâche du metteur en scène serait donc de «traduire dans une autre langue» un texte auquel son premier devoir serait de rester «fidèle». Attitude qui suppose une idée de base, celle de *l'équivalence sémantique* entre le texte écrit et sa représentation. [...] Or, cette équivalence risque fort d'être une illusion : l'ensemble des signes visuels, auditifs, musicaux, créés par le metteur en scène, le décorateur, les musiciens, les acteurs constitue un sens (ou une pluralité de sens) au-delà de l'ensemble textuel. Et réciproquement dans l'infinité des structures virtuelles et réelles du message (poétique) du texte littéraire, beaucoup disparaissent ou ne peuvent être perçues, effacées qu'elles sont par le système même de la représentation. Bien plus, même si par impossible la représentation «disait» tout le texte, le spectateur, lui, n'entendrait pas tout le texte; une bonne part des informations est gommée; l'art du metteur en scène et du comédien réside pour une bonne part dans le choix de ce qu'il *ne faut pas faire entendre*. On ne peut donc parler d'équivalence sémantique: si T est l'ensemble des signes textuels, et P celui des signes représentés, ces deux ensembles ont une intersection mobile pour chaque représentation:

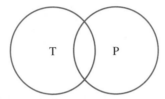

Selon le mode d'écriture et de représentation, la coïncidence des deux ensembles sera plus ou moins étroite; et c'est un moyen intéressant de distinguer entre les différents types de rapports texte-représentation. L'attitude qui consiste à privilégier le texte littéraire comme premier s'identifie à l'illusion d'une coïncidence (en fait jamais réalisée) entre l'ensemble des signes du texte et celui des signes représentés. Et cette coïncidence, fût-elle impossible à accomplir, laisserait encore intacte la question de savoir si la représentation ne fonctionne que comme système de signes.

Le danger principal de cette attitude réside certes dans la tentation de figer le texte, de le sacraliser au point de bloquer tout le système de la représentation, et l'imagination des «interprètes» (metteurs en scène et comédiens); il réside plus encore dans la tentation (inconsciente) de boucher les fissures du texte, de le lire comme un bloc compact qui ne peut être que *reproduit* à l'aide d'autres outils, interdisant toute *production* d'un objet artistique. Le plus grand danger est de privilégier non *le* texte, mais *une* lecture particulière du texte, historique, codée, idéologiquement déterminée, et que le fétichisme textuel permettrait d'éterniser; vu les rapports (inconscients mais puissants) qui se nouent entre tel texte de théâtre et ses conditions historiques de représentation, ce privilège accordé au texte conduirait, par une voie étrange, à privilégier les habitudes codées de représentation, autrement dit à interdire toute avance de l'art scénique.

L'autre attitude, beaucoup plus courante dans la pratique moderne ou l'«avant-garde» du théâtre (une avant-garde un peu décolorée ces derniers temps) c'est le refus, parfois radical, du texte : le théâtre est tout entier dans la cérémonie qui se réalise en face ou au milieu des spectateurs. Le texte n'est qu'un des éléments de la représentation, et peut-être le moindre. On aurait alors quelque chose comme :

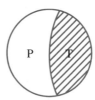

la part de T pouvant être aussi réduite que possible et même tomber à rien. C'est la thèse d'Artaud, non sans doute telle qu'il l'a énoncée, mais telle qu'elle a été trop souvent mal comprise comme refus radical du théâtre à texte[1].

Anne UBERSFELD, *Lire le Théâtre*, © Éd. Sociales, 1977, p. 16-19.

NOTIONS CLÉS

Mise en scène – Spectacle théâtral.

▶ Par nature, la représentation théâtrale n'est jamais l'équivalent sémantique du texte dramatique.

▶ La mise en scène doit éviter deux attitudes réductrices : sacraliser le texte, ce qui le fige dans une lecture datée et interdit toute interprétation artistique, et valoriser la représentation, dont le texte n'est plus qu'un élément négligeable.

121. DANIEL MESGUICH
L'Éternel Éphémère (1991)

Comme Anne Ubersfeld, Daniel Mesguich, praticien du théâtre, part du constat «qu'à la différence des autres écritures, l'écriture dramatique,

---

1. Voir le texte 118.

lettre en souffrance, glacée dans l'encre et sur la page, n'est pas finie; que ces textes sont incomplets, qu'il leur manque, littéralement, leur destin: le théâtre». La transmission du texte se fait donc par la mise en scène, qui «donn[e] à lire les blancs imprimés, les lettres invisibles» et qui est aussi nécessaire au texte que les voyelles le sont aux consonnes dans le langage.

C'est dans ce cadre qu'il pose le problème de la «fidélité au texte».

Littéralité et interprétation

L'homme de théâtre rejoint le critique en soulignant que le metteur en scène doit dépasser les lectures autrefois vivantes mais que l'évolution sociale, idéologique ou littéraire rend obsolètes, pour découvrir dans l'œuvre ce qui est ouvert sur «les fluidités infinies des sens». Publiée, l'œuvre est désormais ouverte, offerte aux lectures relatives et multiples qui la concrétisent sur scène.

La vieille querelle faite à l'art de la mise en scène comme art de la lecture, à l'art du théâtre comme art de *l'interprétation*, ne repose en fait que sur une confusion plus ou moins volontaire.

Ceux qui se font les défenseurs du «texte» contre les «lectures abusives» (mais pour eux toute lecture est abusive) des metteurs en scène, se font en fait les défenseurs, non de *la lettre* du texte (cette querelle serait sans objet puisque la lettre, elle, reste) mais de ce qu'ils nomment aussi eux-mêmes très souvent, l'«esprit» de l'œuvre.

Mais qu'est-ce, à la fin, que cet «esprit de l'œuvre» dont on nous rebat les oreilles, si ce n'est la seule *opinion majoritaire*, si ce n'est, non pas «le texte», mais les idéologies qui l'encrassent: pensées qui ont été vivantes jadis, et actives sans doute, mais qui, aujourd'hui mortes, encombrent de leurs dépouilles les ouvertures de la lettre, empêchent de leur rigidité les fluidités infinies du sens?

La lettre, *en soi*, ne pense pas, elle est accueil de pensées; elle ne renferme pas d'«esprit», mais – s'il faut continuer d'employer ce mot – elle lui est ouverte, elle l'attend *chaque fois*.

Et le «vouloir dire» *conscient* de l'auteur – toutes les pratiques interprétatives, du Talmud à la psychanalyse, nous le rappellent – ne change rien à l'affaire: ce que pense l'individu Claudel de *Partage de midi*, œuvre désormais publiée, publique, donnée, n'est jamais que l'opinion d'un de ses lecteurs. Il peut être intéressant de savoir ce que Wagner dit du *Ring*, mais ce qu'il en dit ne peut en aucun cas faire effet de loi sur l'interprétation de cette œuvre.

Il s'agit, au théâtre, de donner la lettre dans toute sa matérialité, sa minéralité, son éloignement, il s'agit de faire entendre, oui, *l'inhumanité* de la lettre, l'écriture, la crissure encore du stylet sur la pierre – et puis, *dans le même temps*, un commentaire, humain, provisoire, dans toute son oralité, sa chaleur, sa proximité.

Il s'agit de donner l'absolu de la littéralité, la sécheresse de la consonne – et puis la relativité de l'interprétation, la soif de la voyelle.

Daniel MESGUICH, *L'Éternel Éphémère*,
© Éd. du Seuil, 1991, p. 75-76.

NOTIONS CLÉS

Interprétation – Langage théâtral – Mise en scène.

▶ Le metteur en scène doit chercher à traduire ce qui, dans le texte même, est ouvert sur une pluralité de sens.

▶ Sa mise en scène doit combiner la «littéralité» du texte et la relativité de l'interprétation.

---

122. MICHEL CORVIN
«Qui parle au théâtre?» (2005)

Le texte de théâtre donne la parole aux seuls personnages, qui sont des êtres de fiction, «nul n'est le délégué d'une parole de vérité émanant de l'auteur». Or, selon Michel Corvin, le public vient chercher au théâtre «des directives ou du moins des jugements de valeur» concernant la société dans laquelle il vit. Le public de Molière les trouvait chez Chrysalde dans *L'École des femmes* ou Philinte dans *Le Misanthrope*, c'est son propre discours qu'il se plaisait à entendre dans la bouche de ces «personnages-commentaires», détachés de l'action. Au XIXᵉ siècle, avec la constitution d'un répertoire, la distance s'est accrue entre le texte des œuvres classiques et le public: d'où la nécessité du metteur en scène, capable de «parler le shakespeare-1900 ou le marivaux-1950». «Médiateur et intercesseur», il parle une première langue qui est «celle de son public et pas du tout celle de la pièce qu'il monte»; mais il en parle aussi une deuxième qui lui est propre («le vitez», «le mesguich»).

Mise en scène et «mise en sens»

> *Le metteur en scène exerce une «fonction auctoriale»: il se charge de «donner aux textes un sens que le public attende et perçoive». En outre, «l'écriture scénique» recourt aussi au spectacle (c'est «une fabrique d'images»). La part du jeu y est majeure: «des acteurs qui épousent intimement leur temps par leur diction et leur gestuelle [...] interprètent la pièce et tendent au public le miroir d'une image de lui qu'il ne se connaît pas encore».*

[...] le metteur en scène consacre l'essentiel de son talent à se faire le délégué du présent. Il est chargé de l'adéquation de deux temps: celui de l'œuvre et celui du public; plus exactement, de l'absorption du temps de l'œuvre dans celui du public. Plus encore qu'à la présence – charnelle, fragile et magique autant qu'on voudra – du comédien, la réussite d'une mise en scène tient à la présence du public à la scène, au fait qu'il y est mis en présence de lui-même.

En présence de lui-même, sans doute, mais en tant qu'être collectif. La fonction pédagogique qu'assumaient les personnages-commentaires, couchés sur le papier de l'œuvre dramatique, la mise en scène désormais s'en charge: elle enseigne à voir, à lire, à comprendre, alors que le théâtre, par affirmation de sa spécificité artistique, sinon autistique, ne peut que se refuser à tout enseignement. Ce n'est pas un hasard si la mise en scène s'est imposée en même temps que l'école publique obligatoire, c'est-à-dire avec l'avènement d'une culture de masse à laquelle il fallait fournir une nourriture prédigérée et socialisée. Ce n'est pas un hasard si les metteurs en scène les plus directifs, esthétiquement parlant, sont ceux donc les convictions politiques fortes ne laissent planer aucun doute sur le sens (conçu comme orientation et comme signification) de leur intervention. Le théâtre, sous la houlette du metteur en scène-instituteur, se met à jouer sa partie dans la cité avec le sentiment d'être une conscience privilégiée puisque publique. Vilar, Piscator[1], Planchon, Brecht:

---

1. Erwin PISCATOR (1893-1966), metteur en scène allemand, promoteur d'un théâtre politique prolétarien à Berlin de 1920 à 1933. – Sur Vilar, Vitez, Planchon et Brecht, voir p. 428; sur Daniel Mesguich, voir les textes 121 et 126.

même dessein bien que leurs objectifs finals divergent; c'est le combat de ceux qui en tant que porte-voix, ne se prennent pas pour des porte-parole, mais qui le sont, réellement investis d'une mission collective, humaniste ou marxiste, qu'importe.

L'œuvre théâtrale n'est plus une réalisation particulière destinée à la consommation privée d'individus, réunis, sans doute, mais par le seul effet collectif du phénomène théâtral; elle est perçue d'entrée comme une production orientée et projetée vers une interprétation de portée générale pour laquelle le truchement du metteur en scène s'avère indispensable, seul capable de parler au nom de la collectivité et d'unifier les contraires. Son écriture scénique ne doit donc pas être considérée comme l'émanation d'une pensée personnelle qui, pour une œuvre donnée, prendrait les risques d'une proposition inédite de signification, mais comme l'orchestration – habile car souvent masquée – du point de vue le plus anonyme. La principale qualité d'un metteur en scène (qui réussit) est d'avoir du flair et de sentir, par exemple dans les années soixante, que le monde politique et social repose sur une vaste supercherie dont désormais personne n'est dupe. Ce qui va déteindre sur notre perception des œuvres dramatiques: Titus ment quand il dit qu'il aime Bérénice, les personnages de Marivaux mentent quand ils parlent d'amour avec leur bouche alors que c'est leur sexe qui s'exprime, le Prince de Hombourg ment quand il se drape dans un habit de grandeur militaire alors que, sous sa raideur de robot, il n'y a que lâcheté et inconstance. C'est aux metteurs en scène, par leur écriture du spectacle, de donner alors au public de quoi alimenter son désir de dénonciation généralisé des faux-semblants.

Qui parle, dès lors, au théâtre? Le metteur en scène, bien évidemment, dont la voix couvre toute autre voix. Sans lui l'œuvre ne prendrait pas de sens; elle stagnerait, insensée, flottante, inutilisable, asociale, livrée aux caprices incontrôlables d'une «lecture» libre. Promu Grand Déchiffreur, le metteur en scène, pour dire ce que le spectateur/public doit (au double sens d'éventualité et d'obligation) voir et entendre, n'a pas besoin d'emboucher une trompette professorale; il lui suffit de jouer des effets (lumières, gestes, costumes, décors) que la scène lui offre à profusion, de supprimer ici une scène qui le gêne, d'ajouter là un personnage muet qui devient le pivot de la pièce. Cristallisateur de l'air du temps, il inscrit dans le concret des sensations immédiates ce que le public, plus qu'à demi aphasique, vit obscurément. Mais le metteur en scène ne lui en renvoie pas moins son image et son discours : «Je rends au public ce qu'il m'a prêté[1]», disait l'autre...

Michel CORVIN, «Qui parle au théâtre?»,
dans Jean-Marie THOMASSEAU (dir.),
Le Théâtre au plus près, © PUV, Saint-Denis, 2005, p. 20-22.

NOTIONS CLÉS

Mise en scène – Public – Réception.

▶ Dans la représentation théâtrale, l'œuvre est reçue par un «être collectif»; sa «lecture» est donc socialisée et non individuelle.

▶ Le metteur en scène rencontre le succès quand il propose une interprétation de l'œuvre conforme à ce que le public «vit obscurément» : il est le «cristallisateur de l'air du temps».

▶ Roger PLANCHON : «Ce n'est pas moi qui lis *Le Tartuffe* mais une époque qui le lit à travers moi[2].»

_____ 123. DIDIER PLASSARD _____
« Le metteur en scène » (2004)

Loin d'être un simple ordonnateur de spectacle, le metteur en scène exerce des fonctions multiples. Didier Plassard montre ici que, du fait de la nature fondamentalement collective de la représentation théâtrale, le théâtre vivant joue un rôle essentiel dans la cité, ce qui est bien conforme à la fonction qu'il avait dans la Grèce antique (sur les fonctions du théâtre, voir le chapitre 25).

Un commentaire de l'œuvre et du monde

Une première fonction du metteur en scène moderne pourrait être comparée à celle que la société grecque archaïque déléguait à l'«homme-mémoire», le *mnemon* : un magistrat, un prêtre ou un citoyen chargé de conserver le souvenir d'une décision juridique, d'un contrat, d'une généalogie, avant que

_____

1. «Je rends au public ce qu'il m'a prêté; j'ai emprunté de lui la matière de cet ouvrage» (La Bruyère, *Les Caractères ou Les Mœurs de ce siècle*, Préface, 1688).

2. Cité par Christian BIET et Christophe TRIAU, *Qu'est-ce que le théâtre?*, *op. cit.*, p. 666.

soient instituées des archives écrites. Comme le *mnemon,* en effet, le metteur en scène nous permet d'examiner le présent à la lumière du passé : il vient témoigner, aujourd'hui, de ce que fut hier, et construire une relation entre ces deux temps. Le retour du passé dans le présent peut prendre bien des formes : par exemple celle du questionnement historique, comme le faisait Roger Planchon montrant les rapports de classes à l'époque de *George Dandin* ; celle de la confrontation née de l'effet d'actualisation, comme lorsque Matthias Langhoff situe *Femmes de Troie*[1] dans le contexte des guerres contemporaines, ou que Thomas Ostermeier installe Nora, l'héroïne de la *Maison de poupée* d'Ibsen, dans la société d'aujourd'hui ; celle d'une reconstitution imaginaire, comme dans les mises en scène du répertoire classique par Antoine Vitez ; voire celle de la revendication radicale d'une inactualité, comme dans les spectacles de Tadeusz Kantor ou de François Tanguy. Dans tous les cas, cependant, la construction de la relation aux différentes profondeurs du temps apparaît plus riche et plus complexe que dans les autres régimes de la représentation théâtrale. Le travail de mémoire opéré par la mise en scène ne fait pas seulement ressurgir le passé, il commente la relation que nous entretenons avec lui, interroge ses leçons, mesure l'écart qui nous en sépare – toutes opérations indispensables dans une société soumise à l'accélération de l'Histoire, où l'expansion de l'archive et du musée ne suffit pas à régler notre rapport à ce qui a été.

Une deuxième fonction serait celle du commentaire, c'est-à-dire de la relation à la culture. Comme le critique, le metteur en scène est un interprète, producteur d'une lecture du texte qu'il matérialise sur le plateau. Cette interprétation peut prendre la forme d'un approfondissement de notre compréhension de l'œuvre dramatique ; elle peut aussi, selon la formule de Gaston Baty, «déplacer le projecteur» en revendiquant des contresens productifs : ainsi Louis Jouvet a-t-il choisi de montrer un Tartuffe sincère, déchiré entre les appels de la foi et les sollicitations de la chair, ou Jacques Lassalle de présenter Charlotte et Mathurine, les deux paysannes de *Dom Juan,* non comme de naïves victimes du

---

1. Pièce de l'écrivain israélien Hanokh LEVIN (1984), adaptée des *Troyennes* d'Euripide.

séducteur, mais comme deux jeunes femmes prêtes à tous les plaisirs de l'amour. Réintroduire du jeu dans notre connaissance des œuvres, «indéfinir» le sens et sa représentation, c'est ouvrir le texte à l'infinie variété de ses lectures, contribuer à faire de la mémoire culturelle non plus le lieu d'une transmission autoritaire des savoirs, mais un espace de libre réinterprétation.

Ce commentaire de l'œuvre est aussi, à bien des égards, commentaire du monde, sans qu'il soit toujours possible ni souhaitable de distinguer ces deux plans. Si, depuis l'origine, la représentation théâtrale permet de rejouer, sur le mode de la fiction, les débats qui traversent la société, la mise en scène moderne, en s'obligeant, pour chaque nouvelle production, à démontrer la pertinence de ses choix, se place sur le terrain de l'articulation la plus fine entre la proposition artistique et le public auquel elle s'adresse. Je ne veux pas dire, ici, que les séductions de la routine ou de la facilité lui sont inconnues, ni que les autres régimes de la création théâtrale n'ont pas eux-mêmes à faire la démonstration de leur actualité. Il me semble seulement que la contrainte d'inventer chaque fois un nouveau protocole offre une garantie supplémentaire pour que se réalise une forme d'efficacité immédiate de la représentation. Que l'on songe aux réalisations de Meyerhold, de Brecht, de Vilar, plus près de nous à celles de Peter Sellars, d'Ariane Mnouchkine ou de Rodrigo Garcia : par le choix des matériaux, des techniques et des modes d'organisation dont elle use, par la vision de l'homme, du langage et de la société qu'elle produit, la mise en scène s'affirme comme un «grand commentaire» du monde dans lequel nous vivons, et c'est aussi en cela qu'elle est œuvre d'art.

Enfin, parce qu'il s'est émancipé de l'autorité du texte dramatique, soit en usant de lui comme d'un matériau, soit en créant sa propre dramaturgie, le metteur en scène assume à certains égards le rôle d'un démiurge, d'un créateur de monde : la force d'évidence des spectacles de Robert Wilson ou de Romeo Castellucci, pour ne citer que ces deux exemples, témoigne assez de ce que le rêve, formulé par Craig puis Artaud, d'un théâtre créateur de son propre langage, a commencé de se réaliser. Mais le monde qui prend épaisseur et consistance sur la scène n'est pas pour autant coupé de la réalité dans laquelle nous vivons : il fonctionne, comme l'observait Michel Foucault, à la manière des hétéro-topies, c'est-à-dire des «sortes d'utopies effectivement réalisées dans lesquelles [...] tous les autres emplacements réels que l'on peut trouver à l'intérieur de la culture sont à la fois représentés, contestés et inversés». La représentation théâtrale produit ainsi, dans un temps et un espace limités, un réagencement imaginaire du monde, qui nous est tout à la fois nécessaire pour l'habiter et pour tenter de le transformer.

Didier Plassard, «Le metteur en scène : homme-mémoire,
interprète ou démiurge», dans *Mises en scène du monde*
(actes du Colloque international de Rennes), Besançon,
© Éd. Les Solitaires intempestifs, 2004, p. 74-77.

NOTIONS CLÉS

Dramaturgie – Interprétation – Mise en scène.

▶ Le metteur en scène nous fait nous interroger sur notre rapport au passé en montant une œuvre classique, qu'il nous invite à réinterpréter.

▶ La représentation théâtrale constitue aussi un commentaire du monde dans lequel nous vivons, elle nous en propose une autre image qui nous permet d'envisager sa transformation.

▶ Régis Debray, «La juste mise en scène» : «La mise en scène est mise en ordre, passage du chaos au *cosmos*, et le metteur en scène peut s'appeler un cosmète, un éducateur, un constructeur. Et telle était bien dans la Grèce antique la fonction de l'agora comme du *théatron* : donner à l'homme sa place au sein d'une communauté de destin, quitte à le remettre à sa place. »

CHAPITRE 24

Théâtre et public

Le texte théâtral trouve son plein sens au moment de sa représentation, dans la réception de son destinataire, le public. La communication théâtrale comporte de nombreuses particularités dont la plus importante semble être ce jeu qui veut que le spectateur, tout en ayant affaire à des éléments du réel (les acteurs, le décor), «indiscutablement existants», les marque du signe de l'irréalité, en nie l'insertion dans le réel.

«L'illusion théâtrale» favorise la *catharsis** du spectateur, le libère par le mécanisme de la «dénégation*», elle permet donc le «réveil des fantasmes» mais aussi «le réveil de la conscience» (**124. Ubersfeld**). Le théâtre détient le pouvoir mystérieux et paradoxal de plonger le spectateur dans un état émotionnel pour le faire accéder à une véritable connaissance de soi (**125. Claudel**).

La réception théâtrale ne se limite pas uniquement au moment présent du message émis. Elle met en jeu un ensemble de signes qui, pour être déchiffrés, requièrent de la part du spectateur, non seulement un travail d'analyse, mais encore un travail de réminiscence, de comparaison, mettant en jeu une mémoire, «transmission capitalisée» qui, par référence à d'autres œuvres, à d'autres mises en scène, permet la compréhension du spectacle présent. Soulignant qu'«on n'entre pas au théâtre sans un apprentissage», un metteur en scène s'insurge contre «ceux qui se font analphabètes du théâtre, ceux qui se veulent sans mémoire» et qui oublient que «lire c'est toujours faire de la littérature comparée» (**126. Mesguich**).

La représentation théâtrale, acte de communication complexe, combine ainsi le discours du scripteur, celui du metteur en scène, la médiation du comédien et le «travail» du spectateur qui, par une véritable analyse sémiotique*, doit déchiffrer et maîtriser l'ensemble des signes complexes qui lui sont offerts. Vecteur de plaisir, ce travail interprétatif révèle que «c'est le spectateur qui est en définitive le maître du sens: mais le sens ne lui est jamais donné, il est toujours à construire» (**127. Ubersfeld**).

Le spectateur est donc impliqué dans la représentation théâtrale mais cette implication prend des formes tout à fait différentes selon les modalités et les présupposés de la mise en scène. Contre le «théâtre récréatif» qui implique émotionnellement le spectateur dans l'action, Brecht crée le «théâtre épique» qui l'implique intellectuellement pour l'amener jusqu'à la prise de conscience (**128. Brecht**).

124. ANNE UBERSFELD
Lire le théâtre (1977)

«L'illusion théâtrale» est, selon Anne Ubersfeld, une expression convenue et trompeuse qu'elle s'attache à déconstruire ici en analysant le processus complexe de communication qui s'instaure avec le public lors d'une représentation. Sa réflexion sur la fonction cathartique du théâtre s'appuie sur la notion freudienne de *dénégation**.

«Il n'y a pas d'illusion théâtrale»

La caractéristique de la communication théâtrale, c'est que le récepteur considère le message comme non-réel ou plus exactement comme non-vrai. Or si la chose va de soi, ou peut aller de soi dans le cas d'un récit ou d'un conte (verbal ou scriptural) où le récit est expressément dénoté comme imaginaire, dans le cas du théâtre la situation est différente : ce qui figure dans le lieu scénique c'est un *réel concret*, des objets et des personnes dont l'existence concrète n'est jamais mise en doute. Or s'ils sont indiscutablement existants (pris dans le tissu du réel), ils se trouvent en même temps niés, marqués du signe moins. Une chaise sur la scène n'est pas une chaise dans le monde : le spectateur ne peut ni s'y asseoir, ni la déplacer ; elle est interdite, elle n'a pas *d'existence pour lui*. Tout ce qui se passe sur la scène (si peu déterminé et clôturé que soit le lieu scénique) est frappé d'irréalité. [...]

Pour Freud, le rêveur sait qu'il rêve même quand il ne le croit pas, ou ne veut pas le croire. De même le théâtre a le statut du rêve : une construction imaginaire dont le spectateur sait qu'elle est radicalement séparée de la sphère de l'existence quotidienne. Tout se passe comme s'il y avait pour le spectateur une double zone, un double espace (nous retrouverons ce problème à propos de l'espace au théâtre) : l'un qui est celui de la vie quotidienne et qui obéit aux lois habituelles de son existence, à la logique qui préside à sa pratique sociale, l'autre qui est le lieu d'une pratique sociale différente et où les lois et les codes qui le régissent, tout en continuant à avoir cours, ne le régissent plus, lui, en tant qu'individu pris dans la pratique socio-économique qui est la sienne; il n'est plus «dans le coup» (ou sous le coup?). Il peut se permettre de voir fonctionner les lois qui le régissent sans y être soumis, puisqu'elles sont expressément niées dans leur réalité contraignante. Ainsi, se justifie la présence, toujours actuelle au théâtre, de la *mimèsis** c'est-à-dire de *l'imitation* des êtres et de leurs actions, en même temps que les lois qui les régissent paraissent dans un imaginaire retrait. Telle est la *catharsis*: de même que le rêve accomplit d'une certaine façon les désirs du dormeur, par la construction du fantasme, de même la construction d'un réel concret qui est en même temps l'objet d'un jugement qui en nie l'insertion dans la réalité, libère le spectateur, qui voit s'accomplir ou s'exorciser ses craintes et ses désirs, sans qu'il en soit victime, mais non sans sa participation. On voit que ce fonctionnement de la dénégation* trouve sa place aussi bien dans le théâtre-cérémonie, lié à un rituel de la fête, que dans le théâtre dit de l'illusion.

[…] Allons plus loin: il n'y a pas *d'illusion théâtrale*. Le théâtre de l'illusion est un accomplissement pervers de la dénégation: il s'agit de pousser si loin la ressemblance avec la «réalité» de l'univers socio-économique du spectateur, que ce soit l'ensemble de cet univers qui bascule dans la dénégation; l'illusion se reverse sur la réalité elle-même, ou plus précisément, le spectateur devant une réalité qui tente de mimer parfaitement ce monde, avec la plus grande *vraisemblance*, se trouve contraint à la passivité. […]

Nous touchons ici au paradoxe brechtien: c'est au point de l'identification maximale du spectateur avec le spectacle que la distance entre le spectateur et le spectacle est la plus grande, entraînant par contrecoup la «distance» la plus grande entre le spectateur et sa propre action dans le monde. C'est le point où le théâtre si l'on peut dire désarme les hommes devant leur propre destin. Nous disons *distance*: inutile de rappeler qu'il ne s'agit pas de la «Verfremdung» brechtienne (distanciation*).

Anne UBERSFELD, *Lire le théâtre*,
© Éd. Sociales, 1977, p. 46 à 49.

NOTIONS CLÉS

Catharsis – Mimèsis – Plaisir.

▶ La *mimèsis* théâtrale va de pair avec une dénégation du réel et de ses lois.

▶ La *catharsis* permet au spectateur de se libérer de ses passions en les vivant sur le mode imaginaire.

▶ Anne UBERSFELD, *Lire le théâtre* : « Le théâtre ne produit pas seulement chez le spectateur le réveil des fantasmes, mais aussi parfois le réveil de la conscience – y compris de la conscience politique –, l'un peut-être n'allant pas sans l'autre […] par l'association du plaisir et de la réflexion. »

―――――――――― 125. PAUL CLAUDEL ――――――――――
L'Échange (1894)

L'Échange, une des premières pièces de Claudel, composée au début de sa carrière diplomatique à New York, réunit deux couples : un homme d'affaires américain, Thomas Pollock Nageoire, et une actrice, Lechy Elbernon ; un jeune Américain qui a du sang indien dans les veines, Louis Laine, et Marthe, qui a quitté la France pour le suivre aux États-Unis. L'actrice y exprime une conception du théâtre qui témoigne de la prééminence que l'écrivain accorde au spirituel et à la sensibilité (contre le positivisme de la deuxième moitié du XIXe siècle, la science, la raison) : c'est par là, en effet, que le spectateur accède à la connaissance de lui-même.

L'homme et le théâtre

> *Le temps de la représentation, les individus réunis au théâtre se fondent dans un être supérieur.*
>
> LECHY ELBERNON. – Le théâtre. Vous ne savez pas ce que c'est ?
>
> MARTHE. – Non.
>
> LECHY ELBERNON. – Il y a la scène et la salle.
>
> Tout étant clos, les gens viennent là le soir, et ils sont assis par rangées les uns derrière les autres, regardant.
>
> MARTHE. – Quoi ? Qu'est-ce qu'ils regardent, puisque tout est fermé ?
>
> LECHY ELBERNON. – Ils regardent le rideau de la scène,
> Et ce qu'il y a derrière quand il est levé.
> Et il arrive quelque chose sur la scène comme si c'était vrai.
>
> MARTHE. – Mais puisque ce n'est pas vrai ! C'est comme les rêves qu'on fait quand on dort.

LECHY ELBERNON. – C'est ainsi qu'ils viennent au théâtre la nuit.

THOMAS POLLOCK NAGEOIRE. – Elle a raison. Et quand ce serait vrai encore? Qu'est-ce que cela me fait?

LECHY ELBERNON. – Je les regarde, et la salle n'est rien que de la chair vivante et habillée.

Et ils garnissent les murs comme des mouches, jusqu'au plafond.

Et je vois ces centaines de visages blancs.

L'homme s'ennuie, et l'ignorance lui est attachée depuis sa naissance.

Et ne sachant de rien comment cela commence ou finit, c'est pour cela qu'il va au théâtre.

Et il se regarde lui-même, les mains posées sur les genoux.

Et il pleure et il rit, et il n'a point envie de s'en aller.

Et je les regarde aussi, et je sais qu'il y a là le caissier qui sait que demain

On vérifiera les livres, et la mère adultère dont l'enfant vient de tomber malade,

Et celui qui vient de voler pour la première fois, et celui qui n'a rien fait de tout le jour.

Et ils regardent et écoutent comme s'ils dormaient.

MARTHE. – L'œil est fait pour voir et l'oreille
Pour entendre la vérité.

LECHY ELBERNON. – Qu'est-ce que la vérité? Est-ce qu'elle n'a pas dix-sept enveloppes, comme les oignons?

Qui voit les choses comme elles sont? L'œil certes voit, l'oreille entend.

Mais l'esprit tout seul connaît. Et c'est pourquoi l'homme veut voir des yeux et connaître des oreilles

Ce qu'il porte dans son esprit; – l'en ayant fait sortir.

Et c'est ainsi que je me montre sur la scène.

MARTHE. – Est-ce que vous n'êtes point honteuse?

LECHY ELBERNON. – Je n'ai point honte! mais je me montre, et je suis toute à tous.

Ils m'écoutent et ils pensent ce que je dis; ils me regardent et j'entre dans leur âme comme dans une maison vide.

C'est moi qui joue les femmes:

La jeune fille, et l'épouse vertueuse qui a une veine bleue sur la tempe, et la courtisane trompée.

Et quand je crie, j'entends toute la salle gémir.

Paul CLAUDEL, *L'Échange* (1re version),
acte I, 1893, © Éd. Gallimard, coll. « Folio », p. 42-44.

NOTIONS CLÉS

Fonction du théâtre – Spectacle théâtral.

▶ La représentation théâtrale joue sur l'émotion de l'homme et lui permet de satisfaire un besoin ontologique de connaissance spirituelle.

Prolongement. – Jules Romains s'est montré lui aussi sensible à la transmutation que le spectacle théâtral opère dans le public. Dans un de ses poèmes, il évoque le théâtre comme un lieu particulier où les spectateurs, soumis aux mêmes émotions suscitées par la pièce, cessent d'exister comme des personnes, où naît « l'âme totale » :

Et l'individuel se dissout. Nul ne pense
Au petit brin de chair et d'âme qu'il était.
Piétinant sa douleur, son désir et sa haine,
Sa personne éphémère et son vouloir infime,
Chaque homme prend l'essor et monte hors de soi. […]
La vague humanité force pour être une âme[1].

126. DANIEL MESGUICH
L'Éternel Éphémère (1991)

« Le praticien doit fabriquer les *médiations* entre le récepteur d'hier et le récepteur d'aujourd'hui. Travail parfaitement original et créateur, qui n'est pas simplement celui de la mise en scène des classiques, […] travail de "réécriture", de fabrication d'un discours pour lequel à l'émetteur premier (le scripteur) s'ajoute un émetteur second » (Anne Ubersfeld, « Le texte dramatique », p. 104). C'est ce travail que Daniel Mesguich entend définir ici, sur un ton quelque peu polémique qui signale la prise de position d'un praticien du théâtre réagissant contre des attitudes ou des conceptions qui lui semblent contestables.

---

1. *Le Théâtre*, dans *La Vie unanime*, 1908. Voir aussi « Ode à la foule qui est ici » : « Les mots que je te dis, il faut que tu les penses ! / Ils pénètrent en rangs dans les têtes penchées, / Ils s'installent brutalement, ils sont les maîtres ; / Ils poussent, ils bousculent, ils jettent dehors / L'âme qui s'y logeait comme une vieille en pleurs » (*Odes et prières*, 1913).

Contre «les analphabètes du théâtre»

Daniel Mesguich part du constat selon lequel le théâtre, «art de la répétition», est signes. Ces signes appellent, de la part du spectateur, un déchiffrement qui met en jeu une «mémoire», c'est-à-dire une culture théâtrale, faite de connaissances, de réminiscences, en fonction desquelles il déchiffre l'ensemble de la représentation à laquelle il assiste. La «lecture» d'une mise en scène, comme la lecture d'un roman, est donc faite de comparaisons, de rapprochements. «L'école du spectateur» implique «un apprentissage», la mise en œuvre d'une sorte d'intertextualité*, nécessitant un effort, au rebours de ces spectateurs qui demandent au metteur en scène un théâtre «immédiat», à «lire sans travail». Cette «paresse intellectuelle» du public, mais aussi de certains metteurs en scène, que fustige Daniel Mesguich, aboutit à des formes théâtrales qui ne sont pas «immédiates» mais simplement appauvries.

À propos de la paresse intellectuelle et sentimentale de certains publics

… On n'entre pas au théâtre sans un apprentissage, sans une transmission qui s'est capitalisée, que l'on a gardée et fait fructifier : une mémoire.

Parfois, l'on rencontre un spectateur qui dit à peu près, et souvent de manière arrogante : «Vous faites un théâtre élitaire, inaccessible…» (Ce qui signifie : «Nous voulons un théâtre immédiat, que nous puissions lire sans travail…»). Mais combien de fois ne sommes-nous pas en droit de renvoyer cette arrogance : le théâtre, art de la répétition, essentiellement ne peut pas ne pas être signes, et tout signe est toujours déjà sous-tendu de mémoire, sous peine d'être absolument illisible, de ne plus rien signifier.

Ceux qui se font analphabètes du théâtre, ceux qui se veulent sans mémoire – parfois confortés par les déclarations mêmes de certains hommes de théâtre qui prétendent retrouver je ne sais quelle virginité, je ne sais quelle pureté devant l'œuvre, ou devant, c'est encore plus cocasse, l'esprit de l'œuvre –, ceux-là, donc, voient et entendent eux aussi le spectacle, mais ils n'ont ni vu ni entendu le même spectacle que celui qui l'a confronté avec sa propre mémoire, que celui qui a travaillé. Cependant, du moins en France, au théâtre, il n'y a pas d'analphabètes, il n'y a que des paresseux, des lecteurs qui oublient – qui font semblant d'oublier – que lire c'est toujours faire de la «littérature comparée», toujours se souvenir, toujours rapprocher, toujours choisir…

La littéralité n'existe jamais. Ce théâtre «immédiat», «littéral», ou «naturel», si souvent réclamé, est, essentiellement, n'en déplaise à ceux-là même qui le réclament, un théâtre «intellectuel» lui aussi, tout aussi «interprété», tout aussi «médiat» que celui qu'ils refusent: simplement, il l'est pauvrement…

Daniel MESGUICH, *L'Éternel Éphémère*,
© Éd. du Seuil, 1991, p. 125-126.

NOTIONS CLÉS

Intertextualité – Mise en scène – Public.

▶ La représentation théâtrale exige du spectateur une culture, la connaissance d'une intertextualité sans laquelle il ne peut la déchiffrer et jouir du plaisir qu'elle procure.

▶ Antoine VITEZ, *Le Théâtre des idées*: «L'art du théâtre est une affaire de traduction: la difficulté du modèle, son opacité, provoque le traducteur à l'invention dans sa propre langue, l'acteur dans son corps et sa voix. Et la traduction proprement dite des œuvres théâtrales donne un exemple de la misère par la prolifération des pratiques paresseuses d'adaptation, destinées à satisfaire on ne sait quel goût du public.»

127. ANNE UBERSFELD
Le Théâtre (1980)

Des critiques contemporains, Umberto Eco, Wolfgang Iser ou Hans Robert Jauss, ont mis en valeur, à propos du roman, le rôle déterminant du lecteur par lequel le texte romanesque prend sens. Le même mouvement se dessine au sein de la critique théâtrale. Ainsi Anne Ubersfeld souligne le rôle fondamental du spectateur dans la perception et «la maîtrise des signes» que transmet la représentation théâtrale.

Le spectateur est le maître du sens

Le spectacle n'appartient pas au praticien, il appartient au spectateur: c'est lui, le lecteur des signes et, à la limite, leur constructeur. Au travail du comédien répond comme sa réplique obligée celui du spectateur: percevoir globalement les signes.

Mais aussi jouer avec tel signe et le suivre : une parole, une lumière. Trajet inverse : suivre un signe, mais aussi l'inscrire dans un tableau que l'œil recompose avant de le défaire.

L'implication du spectateur, le travail heureux qu'il est contraint d'opérer donnent au théâtre parmi les spectacles sa fonction autonome et irremplaçable. C'est par une sorte de coup de force contre nature que le théâtre bourgeois du xixᵉ siècle (et encore du xxᵉ, hélas !) condamnait le spectateur à une langueur digestive, à une artificielle passivité.

Le théâtre n'apporte pas au spectateur, comme le cinéma, une image toute construite (c'est le récepteur qui va la focaliser et la cadrer) ni une image abstraite, mais un être à la fois présent et absent ; et de cette présence-absence, il va bien falloir qu'il s'arrange. À chaque instant la perception du spectateur *oscille*, et c'est ce va-et-vient du présent à l'absent, du maintenant au passé, du réel à la figure, du jeu à la fiction qui constitue à la fois le travail psychique et le plaisir du théâtre. Va-et-vient qui n'est pas sans rappeler le jeu de la bobine de célèbre mémoire freudienne.

On n'apporte pas au spectateur la « figure » d'objets et d'êtres réels, mais ces objets mêmes, souvent détournés : il faut qu'il leur donne un sens. Et si la métaphore est le plaisir de la condensation, elle est aussi le travail de la synthèse : au-delà de l'oscillation perceptive, il y a la construction de cette synthèse. Le spectateur parcourt à son gré la route qui va de l'une à l'autre ; il n'y a pas deux perceptions des signes identiques d'un individu à l'autre, ni pour le même individu à deux moments de la durée. Le travail du spectateur, comme tout travail artistique, est à la fois aléatoire et créateur de « nouveau ».

C'est en ce sens que le théâtre est pour le spectateur exercice de *maîtrise*. Dans deux directions différentes et conjointes que nous avons appelées l'exorcisme et l'exercice. Exorciser l'absence, le malheur, la mort, la question non résolue. Expérimenter dans un champ fictif des solutions imaginaires, utopiques ou possibles. Explorer par le modèle réduit le champ des possibles. Exorciser le non-figurable, désamorcer les interdits, en soulevant imaginairement le poids de leurs contraintes […] Expérimenter les possibilités du discours, explorer le champ du langage, interroger la maîtrise et la non-maîtrise de la parole. Parole du maître, parole de l'opprimé.

L'école du spectateur est la maîtrise des signes, et s'ils agissent sur lui inconsciemment, il peut aussi les interroger, leur demander raison, s'en faire le maître. Une sémiologie*, même élémentaire, permet au lecteur-spectateur de comprendre d'abord que les formes portent sens, qu'elles sont formes-sens, au-delà du récit et à travers lui. Mais qu'elles ne portent pas sens toutes seules et par elles-mêmes : elles sont prises dans un *texte* (texte-écriture, texte-représentation) qui leur donne leur signifiance. Qu'un signe ne signifie rien tout seul, qu'il ne puisse être lisible que pris dans le tissu de l'écriture textuelle-scénique, qu'à la limite on ne puisse même saisir un signe isolé, mais seulement des combinaisons de signes, c'est-à-dire des «pratiques sémiotiques», c'est la leçon de toute prudente sémiologie théâtrale.

C'est le spectateur qui est en définitive le maître du sens : mais le sens ne lui est jamais donné, il est toujours à construire, toujours en avant de lui, en projet.

Anne UBERSFELD, «Le texte dramatique», dans D. Couty
et A. Rey (dir.), *Le Théâtre*, © Éd. Bordas, 1980, p. 106.

NOTIONS CLÉS

Communication théâtrale – Plaisir.

▶ Le spectateur doit construire le sens de ce qui lui est offert : cet exercice sémiotique auquel il est amené constitue la spécificité de la réception théâtrale.

128. BERTOLT BRECHT
Écrits sur le théâtre (1957)

Publiés à Francfort en 1957, et traduits en français en 1963, les *Écrits sur le théâtre* regroupent un certain nombre d'articles, de préfaces et d'entretiens qui permettent de préciser les conceptions théâtrales de Brecht.

Pour Brecht, «le "théâtre" est une reproduction vivante et qui vise à divertir d'événements rapportés ou inventés où des hommes se trouvent face à face». Mais, se réclamant de «**la dialectique matérialiste**», il n'envisage de reproduire le monde que pour permettre sa transformation, ce qui implique que les images fournies permettent au public de conserver sa liberté et son esprit critique. Ce «**théâtre didactique**» tient les spectateurs à distance par des «effets V» (de l'allemand *Verfremdung*) : c'est la fameuse *distanciation* brechtienne, qui s'opère notamment par l'utilisation de pancartes pendant le spectacle (il s'agit de *« littérariser »* le théâtre) et par un jeu interdisant toute identification entre comédiens, personnages et spectateurs. Ces effets d'« éloignement » cherchent à rendre insolite la scène représentée : « dès qu'une chose "va de soi" ne renonce-t-on pas tout simplement à tout effort de réflexion ? » Le spectateur peut alors remettre en question les valeurs et les données qu'il considérait comme intangibles. Le théâtre de Brecht se veut en effet « didactique » et non plus seulement « récréatif ».

« Théâtre récréatif ou théâtre didactique »

Le théâtre récréatif est « dramatique » c'est-à-dire fondé sur la présentation d'une crise due au conflit des forces en présence, conflit qui se résout par le retour à un ordre présenté comme positif. Il suppose la **participation émotionnelle du spectateur**, attendant le dénouement, et reconnaissant dans ce qui lui est montré des sentiments ou des valeurs prétendument éternels. Cette participation, fondée sur l'implication et la reconnaissance, confine paradoxalement le spectateur dans une **passivité intellectuelle** qui le fait « se contenter d'entrer dans les personnages, de s'abandonner à des réactions affectives, sans éprouver son esprit critique ».

Le théâtre didactique est « épique », terme que Brecht emprunte à Aristote qui opposait la forme dramatique du récit, représentée à la scène, et sa forme épique, de type narratif. Selon Brecht, le théâtre peut devenir épique car des « conquêtes techniques [l']ont mis en mesure d'incorporer à ses spectacles des éléments narratifs », sous forme, par exemple, de tableaux, panneaux ou diapositives : « la scène commence à raconter » et « le narrateur ne disparaît plus avec le quatrième mur ». Le théâtre épique entend donc exercer une « **action pédagogique** », il tient en éveil l'esprit critique du spectateur et « l'oblige à des décisions » dans le domaine des rapports sociaux.

L'opposition entre la forme nouvelle que constitue le « théâtre didactique » et le « théâtre récréatif » a été schématisée par Brecht lui-même dans le tableau ci-dessous, qui définit les rapports entre spectateur et spectacle dans le cadre d'une conception marxiste de l'homme (« l'être social détermine la pensée »). Ce tableau indique quelques-uns des déplacements d'accent par lesquels on passe du théâtre dramatique au théâtre épique[1].

---

1. Ce tableau ne souligne pas des oppositions absolues, mais simplement des déplacements d'accent. C'est ainsi qu'à l'intérieur d'une représentation destinée à informer le public, on peut faire appel soit à la suggestion affective, soit à la persuasion purement rationnelle *[N. d. A.]*.

La forme dramatique du théâtre	La forme épique du théâtre
est action,	est narration,
implique le spectateur	fait du spectateur
dans l'action,	un observateur,
	mais
épuise son activité intellectuelle,	éveille son activité intellectuelle,
lui est occasion de sentiments.	l'oblige à des décisions.
Expérience vécue.	Vision du monde.
Le spectateur est plongé	Le spectateur est placé devant
dans quelque	quelque
chose.	chose.
Suggestion.	Argumentation.
Les sentiments sont conservés tels	Les sentiments sont poussés jusqu'à
quels.	la prise de conscience.
Le spectateur est à l'intérieur, il	Le spectateur est placé devant, il
participe.	étudie.
L'homme est supposé connu.	L'homme est l'objet de l'enquête.
	L'homme qui se transforme et
L'homme immuable.	transforme.
Intérêt passionné pour le	Intérêt passionné pour le
dénouement.	déroulement.
Une scène pour la suivante.	Chaque scène pour soi.
Croissance organique.	Montage.
Déroulement linéaire.	Déroulement sinueux.
Évolution continue.	Bonds.
L'homme comme donnée fixe.	L'homme comme processus.
La pensée détermine l'être.	L'être social détermine la pensée.
Sentiment.	Raison.

Bertolt BRECHT, « Théâtre récréatif ou théâtre didactique » (1936),
dans *Écrits sur le théâtre*, 1957, © Éd. de l'Arche, 1963, p. 40-41.

NOTIONS CLÉS

Distanciation – Fonction du théâtre.

▶ Fondé sur la *distanciation*, le « théâtre épique » fait du spectateur un observateur critique.

▶ Il exerce ainsi une fonction pédagogique et remet en cause les rapports sociaux.

CHAPITRE 25

Fonctions du théâtre

Le théâtre, lieu privilégié d'une parole adressée à un destinataire collectif, a vu, très tôt, se poser la question de sa fonction et le problème de sa légitimation.

« Tribune », « chaire » (**129. Hugo**), il est également investi par Brecht d'une mission didactique et sociale (**130. Brecht**). Pour Ionesco, au contraire, « tout théâtre d'idéologie risque de n'être que théâtre de patronage ». L'œuvre théâtrale n'est pas pour autant dépourvue de toute fonction : le théâtre, par la spécificité même de ses effets et de ses procédés, doit « pousser tout au paroxysme » de façon à permettre au spectateur de « s'arracher au quotidien », afin de le réintégrer muni d'« une virginité nouvelle de l'esprit » (**131. Ionesco**).

Selon certains critiques, cette fonction morale ou politique n'aurait pas lieu d'être, la fonction cathartique de l'œuvre théâtrale suffisant à la justifier. Le théâtre est le lieu d'une « purgation » des passions qui permet à l'homme, à l'instar de la cure psychanalytique, de se libérer, par le spectacle d'actions non contenues dans les limites des règles morales ou sociales, de tout ce qui, dans la vie réelle, entrave sa liberté d'agir (**132. Touchard**).

Qu'il soit théâtre didactique ou cathartique, la fonction du théâtre n'est-elle pas avant tout de « divertir les hommes » ? Il est fondamental qu'il « ait toute liberté de rester quelque chose de superflu » et, s'il doit « exercer sur la société une influence », s'il doit avoir « un rôle pratique », ce doit être par le biais du jeu (**133. Brecht**).

────────── **129. VICTOR HUGO** ──────────
Préface à *Lucrèce Borgia* (1833)

Le théâtre s'adresse à un public réuni pour la représentation et qui constitue une incarnation du peuple. À ce titre, il était étroitement lié à la vie de la cité dans la Grèce antique. À la notable exception de Rousseau, qui l'a condamné dans sa *Lettre à d'Alembert sur les spectacles*, les «philosophes» du xviiie siècle lui ont attribué eux aussi une fonction civilisatrice (voir le texte 135 – «Prolongement»).

Victor Hugo se situe dans cette perspective quand il développe ses théories théâtrales dans les préfaces de *Cromwell*, de *Marie Tudor*, de *Lucrèce Borgia* ou bien encore dans *William Shakespeare* où il proclame : «Le théâtre est un creuset de la civilisation. C'est un lieu de communion humaine. Toutes ses phases veulent être étudiées. C'est au théâtre que se forme l'âme publique.» Le renouvellement esthétique apporté par le drame romantique a pu provoquer le scandale (avec la «bataille» d'*Hernani* en 1830), il ne s'est pas fait au détriment de la visée morale qui assurait la justification du théâtre depuis le xviie siècle.

«Le théâtre est une chaire»

> *«Le théâtre est une tribune»* qui permet de **transmettre une parole, des prises de position** : *«il parle fort, il parle haut». Il a donc une «mission nationale, une mission sociale, une mission humaine», il doit éduquer le peuple. L'esthétique du drame romantique, permettant la coexistence de registres opposés, de thèmes et de situations contrastés, peut* **amener le spectateur à prendre conscience de sa situation existentielle**, *de ses contradictions ontologiques ou de la misère sociale. L'art n'implique pas, de fait, ce contenu didactique et moral mais le théâtre ne doit pas se contenter de «remplir seulement les conditions de l'art», il doit faire «circuler partout une pensée morale et compatissante», sans souci des normes habituelles du beau, du bien, du laid ou du mal. À travers lui, «le poète a charge d'âmes».*

Le théâtre, on ne saurait trop le répéter, a de nos jours une importance immense, et qui tend à s'accroître sans cesse avec la civilisation même. Le théâtre est une tribune. Le théâtre est une chaire. Le théâtre parle fort et parle haut. [...]

L'auteur de ce drame sait combien c'est une grande et sérieuse chose que le théâtre. Il sait que le drame, sans sortir des limites impartiales de l'art, a une mission nationale, une mission sociale, une mission humaine. Quand il voit chaque soir ce peuple si intelligent et si avancé qui a fait de Paris la cité centrale du progrès s'entasser en foule devant un rideau que sa pensée, à lui chétif poète, va soulever le moment d'après, il sent combien il est peu de chose, lui, devant tant d'attente et de curiosité; il sent que si son talent n'est rien, il faut que sa probité soit tout; il s'interroge avec sévérité et recueillement sur la portée philosophique de son œuvre; car il se sait responsable, et il ne veut pas que cette foule puisse lui demander compte un jour de ce qu'il lui aura enseigné. Le poète aussi a charge d'âmes. Il ne faut pas que la multitude sorte du théâtre sans emporter avec elle quelque moralité austère et profonde. Aussi espère-t-il bien, Dieu aidant, ne développer jamais sur la scène (du moins tant que dureront les temps sérieux où nous sommes) que des choses pleines de leçons et de conseils. Il fera toujours apparaître volontiers le cercueil dans la salle du banquet, la prière des morts à travers les refrains de l'orgie, la cagoule à côté du masque. Il laissera quelquefois le carnaval débraillé chanter à tue-tête sur l'avant-scène; mais il lui criera du fond du théâtre : *Memento quia pulvis es*[1]. Il sait bien que l'art seul, l'art pur, l'art proprement dit, n'exige pas tout cela du poète; mais il pense qu'au théâtre surtout il ne suffit pas de remplir seulement les conditions de l'art. Et quant aux plaies et aux misères de l'humanité, toutes les fois qu'il les étalera dans le drame, il tâchera de jeter sur ce que ces nudités-là auraient de trop odieux le voile d'une idée consolante et grave. Il ne mettra pas Marion de Lorme sur la scène sans purifier la courtisane avec un peu d'amour; il donnera à Triboulet le difforme un cœur de père; il donnera à Lucrèce la monstrueuse des entrailles de mère. Et de cette façon, sa conscience se reposera du moins tranquille et sereine sur son œuvre. Le drame qu'il rêve et qu'il tente de réaliser pourra toucher à tout sans se souiller à rien. Faites circuler dans tout une pensée morale et compatissante, et il n'y a plus rien de difforme ni de repoussant. À la chose la plus hideuse mêlez une idée religieuse, elle deviendra sainte et pure. Attachez Dieu au gibet, vous avez la croix.

11 février 1833.
Victor HUGO, Préface à *Lucrèce Borgia*, 1833.

---

1. « Souviens-toi que tu es poussière. »

NOTIONS CLÉS

Fonctions du théâtre – Morale.

▶ Le théâtre est une tribune.

▶ Il a une mission humaine, sociale et politique.

▶ Bernard STIEGLER : « Le théâtre est un avènement du politique : il apparaît avec la cité ; et la cité apparaît avec le théâtre. »

130. BERTOLT BRECHT
Écrits sur le théâtre (1963)

Brecht fait du « théâtre épique » un théâtre didactique qui doit éveiller et stimuler l'intelligence du spectateur (voir le texte 128). Le dramaturge pose alors le problème du contenu de l'œuvre théâtrale : sur quoi fonder la rigueur de cette analyse du monde, de l'homme et de la société qu'il entend transmettre aux spectateurs ?

Théâtre et connaissance

La mission didactique du théâtre exige du dramaturge une connaissance précise, une maîtrise des domaines d'investigation qui sont les siens. Face à la complexité de l'univers dont il a à rendre compte, qu'il cherche à appréhender et à éclairer, le dramaturge doit « mobiliser tous les moyens possibles d'en saisir le sens profond ». **Le théâtre a donc partie liée avec des secteurs de la connaissance** *comme l'histoire, la psychologie, la sociologie. Mais ce savoir demande à être transformé, « assimilé » par les moyens propres à l'art théâtral de façon à « se présenter comme littérature ». Si le théâtre, par le biais de ces connaissances scientifiques peut « pénétrer au cœur des choses », « rendre le monde maniable », il n'en est pas pour autant rébarbatif, « son rôle est précisément d'autoriser le plaisir littéraire » (voir le texte 133). Pour Brecht,* **le théâtre épique n'était pas moralisateur** *dans la mesure où « les considérations morales n'apparaissaient qu'au second plan ».*

La science a-t-elle quelque chose à voir avec l'art ? [...]

Je pense que les grands événements très complexes qui se déroulent dans le monde ne peuvent être vraiment compris si l'on ne mobilise pas tous les moyens possibles d'en saisir le sens profond.

Le théâtre peut avoir à représenter des événements qui pèsent sur le destin des peuples, ou de grandes passions, l'instinct de puissance par exemple, aujourd'hui considéré comme l'une de ces grandes passions. Qu'un auteur capable de «sentir» cet instinct veuille mettre en scène un homme aspirant au pouvoir, comment connaîtra-t-il le mécanisme extrêmement compliqué dans lequel il faut s'engager aujourd'hui pour une telle conquête? S'agit-il d'un homme politique, comment fonctionne la politique? d'un homme d'affaires, comment fonctionnent les affaires? […]

Autre branche de la connaissance qui importe à l'auteur dramatique: la psychologie. On pense que l'écrivain, sinon l'homme du commun, devrait être en mesure de découvrir, sans avoir fait d'études particulières, les mobiles qui amènent un homme à commettre un crime; qu'il devrait, «en partant de soi», pouvoir donner une image de l'état psychique d'un meurtrier. On croit qu'il suffit alors de jeter un regard au fond de soi (et il y a aussi l'imagination…). Pour toutes sortes de raisons, je ne peux plus me laisser aller à ce doux mirage, ni espérer me tirer d'affaire à si bon compte. Il ne m'est plus possible de découvrir en moi tous les mobiles dont l'existence est établie chez certains hommes (les rapports scientifiques et les comptes rendus des journaux en font foi). Pas plus qu'un juge ordinaire au moment du verdict, je ne peux me faire à moi seul une image suffisamment précise de l'état psychique d'un meurtrier. Les connaissances que me fournit la psychologie moderne, de la psychanalyse au behaviourisme*, m'aident à juger d'une autre manière, surtout si je tiens compte des conclusions auxquelles est parvenue la sociologie, sans oublier l'économie et l'histoire. On dira: cela devient bien compliqué. Il me faut répondre: c'est compliqué. Et peut-être admettra-t-on avec moi que tout un amas d'œuvres littéraires sont plus que primaires, mais non sans se demander, le front soucieux: une soirée théâtrale telle que vous la laissez entrevoir n'est-elle pas quelque chose d'effrayant? Ma réponse est: non.

Vaste ou limité, le savoir que contiennent les œuvres littéraires devra avoir été assimilé et se présenter comme littérature. Son rôle est précisément d'autoriser le plaisir littéraire. D'ailleurs, même s'il est vrai que ce plaisir-là se distingue du plaisir que donne la science, il n'en reste pas moins qu'un certain penchant à pénétrer au cœur des choses et le désir de rendre le monde maniable sont aujourd'hui indispensables à la jouissance des œuvres littéraires d'une époque qui est justement celle des grandes découvertes et des grandes inventions. [...]

Le théâtre épique a dû, lui aussi, faire face aux attaques de nombreux ennemis qui le trouvaient trop moralisateur. Mais on avait beau dire, dans le théâtre épique les considérations morales n'apparaissaient qu'au second plan. Son propos, c'était moins la morale que l'étude. Pourtant c'est vrai, après l'étude vint la pilule : la morale de l'histoire.

Bertolt Brecht, *Écrits sur le théâtre* (1957),
© Éd. de l'Arche, 1963, p. 114 à 118.

NOTIONS CLÉS

Plaisir – Psychologie – Science.

▶ La fonction didactique du théâtre implique qu'il ait des liens avec certains domaines de la connaissance afin de fonder rigoureusement son analyse du réel.

▶ Ce savoir n'est pas restitué comme tel mais transformé par le jeu théâtral de façon à ne pas provoquer l'ennui du spectateur.

▶ Christian Biet, Christophe Triau, *Qu'est-ce que le théâtre ?* : « Le théâtre introduit nécessairement du "jeu" spatial, temporel, plastique, corporel, textuel et politique entre les pièces du social, et produit esthétiquement des espaces ouverts (des "découvertes" au sens théâtral, et ambigu, du terme) afin qu'une interaction ludique, à la fois divertissante et productrice d'impact (politique, esthétique, philosophique), saisisse et engage ses différents partenaires. »

131. EUGÈNE IONESCO
Notes et contre-notes (1966)

« Il me semble parfois que je me suis mis à écrire du théâtre parce que je le détestais » : très tôt en effet, Ionesco a « pris conscience des ficelles, des grosses ficelles du théâtre », qui situent ce genre dans « cette zone intermédiaire qui n'est ni tout à fait l'art, auquel la pensée discursive ne peut servir que d'aliment, ni tout à fait le plan supérieur de la pensée ». Cette spécificité du langage dramatique le rend inapte, selon lui, aux raffinements de la poésie, de l'analyse et surtout de la pensée.

Contre le « théâtre d'idéologie »

*Ionesco, s'opposant à Brecht, refuse le « théâtre d'idéologie » au nom de la nature même du langage théâtral dans lequel « les nuances des textes de littérature s'éclipsent ». Simplificateur à l'extrême, « **le théâtre n'est pas le langage des idées** ». C'est pourquoi Ionesco, bannissant idéologie et psychologie, renchérit sur ce qui constitue la spécificité du langage théâtral.*

*Mais c'est justement sous cette forme que le théâtre peut exercer une fonction idéologique ou spirituelle. **Une esthétique théâtrale de l'outrance et du paroxysm**e, marquée par le « grossissement des effets » jusqu'à la farce, le recours à « **la charge parodique extrêm**e », la désarticulation du langage, restitue au public cette « étrangeté du monde » qu'il ne perçoit plus. Un tel théâtre, capable de « réaliser une sorte de dislocation du réel », conduit l'homme à « une nouvelle prise de conscience, purifiée, de la réalité existentielle ».*

Le théâtre peut paraître un genre littéraire inférieur, un genre mineur. Il fait toujours un peu gros. C'est un art à effets, sans doute. Il ne peut s'en dispenser et c'est ce qu'on lui reproche. Les effets ne peuvent être que gros. On a l'impression que les choses s'y alourdissent. Les nuances des textes de littérature s'éclipsent. Un théâtre de subtilités littéraires s'épuise vite. Les demi-teintes s'obscurcissent ou disparaissent dans une clarté trop grande. Pas de pénombre, pas de raffinement possible. Les démonstrations, les pièces à thèse sont grossières, tout y est approximatif. Le théâtre n'est pas le langage des idées. Quand il veut se faire le véhicule des idéologies, il ne peut être que leur vulgarisateur. Il les simplifie dangereusement. Il les rend primaires, les rabaisse. Il devient «naïf», mais dans le mauvais sens. Tout théâtre d'idéologie risque de n'être que théâtre de patronage. […]

Si donc la valeur du théâtre était dans le grossissement des effets, il fallait les grossir davantage encore, les souligner, les accentuer au maximum. Pousser le théâtre au-delà de cette zone intermédiaire qui n'est ni théâtre, ni littérature, c'est le restituer à son cadre propre, à ses limites naturelles. Il fallait non pas cacher les ficelles, mais les rendre plus visibles encore, délibérément évidentes, aller à fond dans le grotesque, la caricature, au-delà de la pâle ironie des spirituelles comédies de salon.

Pas de comédies de salon, mais la farce, la charge parodique extrême. Humour, oui, mais avec les moyens du burlesque. Un comique dur, sans finesse, excessif. Pas de comédies dramatiques, non plus. Mais revenir à l'insoutenable. Pousser tout au paroxysme, là où sont les sources du tragique. Faire un théâtre de violence : violemment comique, violemment dramatique.

Éviter la psychologie ou plutôt lui donner une dimension métaphysique. Le théâtre est dans l'exagération extrême des sentiments, exagération qui disloque la plate réalité quotidienne. Dislocation aussi, désarticulation du langage.

Si d'autre part les comédiens me gênaient parce qu'ils me paraissaient trop peu naturels, c'est peut-être parce qu'eux aussi étaient ou voulaient être trop naturels : en renonçant à l'être, ils le redeviendront peut-être d'une autre manière. Il faut qu'ils n'aient pas peur de ne pas être naturels.

Pour s'arracher au quotidien, à l'habitude, à la paresse mentale qui nous cache l'étrangeté du monde, il faut recevoir comme un véritable coup de matraque. Sans une virginité nouvelle de l'esprit, sans une nouvelle prise de conscience, purifiée, de la réalité existentielle, il n'y a pas de théâtre, il n'y a pas d'art non plus ; il faut réaliser une sorte de dislocation du réel, qui doit précéder sa réintégration.

Eugène Ionesco, *Notes et Contre-notes*,
© Éd. Gallimard, 1962,
coll. « Idées », 1970, p. 59 à 60.

NOTIONS CLÉS

Engagement – Fonctions du théâtre – Idéologie – Langage théâtral – Psychologie.

▶ Le théâtre, art du grossissement, ne peut-être un théâtre d'idéologie.

▶ C'est par une esthétique de l'outrance et du paroxysme qu'il arrache le spectateur à ses habitudes de pensée et provoque sa prise de conscience.

▶ Michel Vinaver, *Écrits sur le théâtre* : « Dès son origine, le théâtre a pour usage d'émouvoir l'homme, c'est-à-dire de le faire bouger. Sa fonction est de bousculer le spectateur dans son ordre établi, de le mettre hors de lui, et sens dessus dessous. D'ouvrir un passage à une configuration nouvelle des idées, des sentiments, des valeurs. De forcer la porte à un comportement non encore imaginé. »

_____ 132. PIERRE-AIMÉ TOUCHARD _____
Dionysos, Apologie pour le théâtre (1968)

P.-A. Touchard envisage le théâtre et ses fonctions dans une **perspective psychologique et psychanalytique** qui l'amène à retrouver les principales caractéristiques de la *catharsis** aristotélicienne, purgation des passions par le biais de la pitié et de la crainte provoquées par une représentation mimétique* (sur cette question, voir les textes 11 et 135b).

Une «purgation totale»

Le dieu de l'art dramatique est donc avant tout un dieu de dépassement, le dieu de la poésie frénétique, de la libération vertigineuse des sentiments. On n'a voulu longtemps voir en lui que le dieu grossier des plaisirs faciles : mais Eschyle autant qu'Aristophane est son serviteur, comme tous ceux qui ont exprimé avec quelque ferveur et intense sincérité le mystère passionné des exaltations refoulées. Tel apparaît être, en effet, ce que, par un abus du terme, on peut appeler «le but» du théâtre : montrer à l'homme jusqu'à quel point extrême peuvent aller son amour, sa haine, sa colère, sa joie, sa crainte, sa cruauté, lui faire prendre conscience de ses virtualités, de ce qu'il serait en un monde sans entraves où n'interféreraient plus la générosité et l'économie domestique, la colère et la morale, l'amour et le souci de la réputation, la haine et la crainte du gendarme. C'est la vision de cet univers, où l'homme pourrait enfin se révéler à soi-même, que le spectateur demande à l'œuvre dramatique. C'est le besoin conscient ou non de cette vision qui accroche au cœur de l'homme la passion du spectacle. [...]

Les philosophies, les religions, les morales, les politiques ont tour à tour exploité la constatation de ce besoin et essayé de le justifier. Platon condamnait la poésie au nom de la morale qui n'y avait que faire[1]. À la suite d'Aristote, dont ils interprétaient sans doute à tort la théorie de la «purgation», tous les théoriciens du théâtre se sont fourvoyés dans les mêmes obscurs sentiers de la morale, cherchant à justifier le théâtre par son utilité. Toutes les déviations de l'art dramatique sont venues de ce qu'on a tenté ainsi de l'asservir à une mission humaine, de le légitimer, comme s'il était un mal en soi, en démontrant

---

1. Voir le texte 10.

que ses conséquences peuvent être morales. Mais le théâtre n'est en soi ni un bien ni un mal. Il est le reflet, le miroir, l'expression sensible d'un fait psychologique aussi peu discutable, aussi irréductiblement hostile à se voir affecté d'un signe de moralité que le sont l'instinct de la conservation ou les lois de l'association des idées.

Ce fait psychologique, encore une fois, c'est le besoin propre à l'homme d'éprouver sans cesse les limites extrêmes de sa puissance ou de sa faiblesse, c'est-à-dire de sa puissance encore dans le mal.

Mais ce besoin d'exercer sa puissance n'est que la manifestation dans l'action d'un besoin plus profond encore qui est le besoin de liberté. Si «le plaisir s'ajoute à l'acte comme à la jeunesse sa fleur», ainsi que le disait si joliment Aristote, c'est que l'acte en lui-même est affirmation de liberté, et que la liberté est toujours apparue à l'homme comme l'attribut essentiel de la divinité, c'est-à-dire comme le signe et la condition de l'accomplissement parfait de la personnalité.

Or il est évident que nous sommes tous, sur quelque plan, gênés, «censurés» dans notre liberté d'agir. Et c'est précisément là où nous ne nous sentons point libre d'agir que la représentation de l'acte rêvé (par le roman, la danse, le cinéma ou le théâtre) nous apporte la nécessaire compensation. Mais cette compensation demeure incomplète pour le lecteur de roman ou le spectateur du cinéma. Ces arts envoûtent plus qu'ils ne libèrent: le bovarysme est une évasion, c'est-à-dire une autre forme de maladie, plus qu'une guérison. La «purgation» totale, vivifiante et saine, ne peut être obtenue que par le spectacle «vécu» d'une action accomplie par des hommes vivants, en chair et en os. C'est là le miracle propre à l'art dramatique, auquel ne peut être comparé que le miracle obtenu par les révélations d'une cure psychanalytique. Dans les deux cas, l'homme est révélé à lui-même par le sentiment de la disparition de ce que j'appellerais les «obstacles injustes», c'est-à-dire ceux qui ne viennent pas de la nature de l'individu, mais de ses corruptions accidentelles. Dans les deux cas, l'individu se sent réintégré dans la communauté humaine – définitivement par la psychanalyse, mais au moins momentanément par le spectacle dramatique.

Ce besoin de retrouver sa liberté, même provisoirement, durera autant que durera l'homme, et c'est pourquoi le théâtre est éternel.

Pierre-Aimé TOUCHARD, *Dionysos, Apologie pour le théâtre*,
© Éd. du Seuil, 1968, p. 14 à 17.

NOTIONS CLÉS

Catharsis – Morale.

▶ Le théâtre a une fonction psychologique et psychanalytique : libéré de toute entrave due à la morale ou au réel, il apporte au spectateur une compensation à ce que la vie implique de limites ou d'interdits.

133. BERTOLT BRECHT
Petit organon sur le théâtre (1948)

Contrairement à l'image univoque qui en est parfois donnée, Brecht considère que le théâtre épique, comme tout théâtre, est **légitimé par le plaisir que le spectateur prend à la représentation**. Comment, dès lors, intégrer la nécessité, si souvent affirmée par Brecht, de transmettre à travers la représentation un contenu didactique qui permette à l'homme de comprendre le monde et de le transformer ?

« Prendre plaisir à instruire »

Pédagogie et plaisir sont indissociablement combinés dans une pratique qui vise à divertir tout en éclairant, à faire de la « morale » (à prendre ici au sens large de compréhension du monde et de l'homme) une source de plaisir. Selon Brecht, d'ailleurs, la **fonction cathartique*** *du théâtre, la purgation par la terreur et la pitié « non seulement était source de plaisir mais devait donner du plaisir*[1] *». Ainsi, le théâtre, en s'émancipant de ses origines religieuses, a gagné l'autonomie du plaisir qu'il donne aux hommes.*

---

1. Aristote écrit en effet : « ce n'est pas n'importe quel plaisir qu'il faut chercher à procurer avec la tragédie, mais le plaisir qui lui est propre. [...] le poète doit procurer le plaisir que donnent la pitié et la crainte suscitées à l'aide d'une imitation [...] » (*Poétique*, 1453b, trad. fr. J. Hardy, Paris, Les Belles Lettres, 1995, p. 48). Le titre de l'ouvrage de Brecht fait aussi référence à Aristote puisqu'une tradition ancienne regroupe sous le nom d'*Organon* les œuvres logiques du philosophe grec.

3. Depuis toujours, l'affaire du théâtre, comme de tous les arts, a été de divertir les hommes. Cette tâche lui confère toujours sa dignité particulière. Sa seule justification est le plaisir qu'il procure, mais ce plaisir est indispensable. On ne pourrait lui attribuer un statut plus élevé, en le transformant par exemple en une sorte de foire à la morale : il devrait alors plutôt veiller à ne pas se dégrader, ce qui ne manquerait pas de se produire dès l'instant où il ne ferait plus de la morale une source de plaisir, et de plaisir pour les sens (obligation qui d'ailleurs ne saurait que profiter à la morale). On ne devrait même pas lui demander d'enseigner quoi que ce soit, sinon peut-être la manière de prendre du plaisir à se mouvoir, sur le plan physique ou dans le domaine de l'esprit ; mais rien de plus utilitaire. Car il importe que le théâtre ait toute liberté de rester quelque chose de superflu, ce qui implique, il est vrai, que l'on vit pour le superflu. Rien n'a moins besoin d'être justifié que les réjouissances.

4. C'est ainsi que, selon Aristote, la tâche assignée à la tragédie par les Anciens n'est ni plus ni moins que de divertir les hommes. Quand on dit que le théâtre est issu des cérémonies du culte, on affirme, sans plus, que c'est en en sortant qu'il est devenu théâtre ; des mystères il n'a pas davantage repris la fonction religieuse, mais purement et simplement le plaisir qu'y trouvaient les hommes. Et la catharsis d'Aristote, cette purification par la crainte et la pitié, ou de la crainte et de la pitié, est une purgation qui non seulement était source de plaisir, mais visait expressément à donner du plaisir. En exigeant davantage du théâtre ou en lui reconnaissant un plus grand rôle, on ne fait que rabaisser le but qu'on lui assigne. [...]

21. Mais si nous entendons nous adonner à cette grande passion de l'action productive, à quoi donc devront ressembler les reproductions que nous donnerons de la vie en commun des hommes ? Dans notre théâtre, face à la nature et face à la société, quelle attitude productive prendrons-nous pour le plaisir de tous, nous les enfants d'une ère scientifique ?

22. Cette attitude est une attitude critique. Elle consiste, s'agissant d'un fleuve, à en régulariser le cours ; s'agissant d'un arbre fruitier, à le greffer ; s'agissant du problème des transports, à construire des véhicules terrestres, maritimes et aériens ;

s'agissant de la société, à faire la révolution. Nos reproductions de la vie en commun des hommes, nous les donnons pour les dompteurs de fleuve et les arboriculteurs, les constructeurs de véhicules et les révolutionnaires ; et nous les invitons tous dans notre théâtre, en les priant, une fois chez nous, de ne pas oublier leurs joyeux intérêts. Car nous voulons livrer le monde à leur cerveau et à leur cœur pour qu'ils le transforment à leur gré. [...]

24. Du coup, le théâtre se voit faciliter l'accession à un rôle aussi proche que possible (compte tenu de sa nature) de celui des maisons d'enseignement et des organismes de diffusion. Car s'il ne peut être question de lui imposer n'importe quelle matière didactique, qui ne lui laisserait plus la possibilité de donner du plaisir, il n'en garde pas moins toute liberté de prendre plaisir à instruire ou à poursuivre une recherche. Il fabrique ses reproductions praticables de la société, qui sont en mesure d'influer sur elle, entièrement sur le mode du jeu : aux bâtisseurs de la société il expose les expériences vécues par la société, celles d'hier comme celles d'aujourd'hui, mais de manière à faire une *jouissance* des sensations, des idées et des impulsions que les plus passionnés, les plus sages et les plus actifs d'entre nous tirent des événements de l'heure ou du siècle. Que donc les divertissent la sagesse qui naît de la solution des problèmes, la colère, forme efficace que peut prendre la pitié pour les opprimés, le respect témoigné à tout ce qui respecte l'homme, c'est-à-dire à ce qui est plein d'humanité : bref, tout ce qui amuse ceux qui produisent.

Bertolt BRECHT, *Petit organon pour le théâtre*, 1948, texte français de Jean Tailleur, © Éd. de L'Arche, 1970, p. 13 à 36.

NOTIONS CLÉS

Catharsis – Engagement – Morale – Plaisir – Réalisme socialiste.

▶ Le jeu et la recomposition théâtrale permettent l'osmose du divertissement et du didactique.

▶ Le théâtre provoque le plaisir par la « jouissance des sentiments et des idées ».

PARTIE 7

Fonctions
de la littérature

La défense la littérature est le plus souvent assurée par les écrivains eux-mêmes, qui ont à cœur de montrer qu'elle est autre chose que l'«occupation des oisifs». Après Flaubert, Claude Roy ironise : «Comment peut-on lire des romans ? Moi, Monsieur, je ne lis que des Mémoires. Et moi que des traités scientifiques. Pas de temps à perdre[1] ». Mise en demeure de se justifier et de se distinguer du divertissement (devenu l'industrie des loisirs), parfois accusée d'exercer une influence néfaste, la littérature se chercha une légitimité en affirmant sa **fonction morale** (chapitre 26) : ce fut le cas, notamment, pour le théâtre au XVIIe siècle et pour le roman réaliste au XIXe siècle, où, pourtant s'affirme progressivement l'autonomie de l'art. Au XXe siècle, et dans des circonstances très différentes, un Soljenitsyne voit dans l'art et la littérature l'unique moyen pour un individu de dépasser son expérience limitée et de s'ouvrir à la diversité des situations humaines.

Ainsi se trouve posé le problème des rapports entre **littérature et politique** (chapitre 27). Pratiqué par Hugo, partisan de «l'art pour le progrès», et théorisé par Sartre, **l'engagement de l'écrivain** dans son œuvre est ici au centre du débat. Récusé par Robbe-Grillet et Proust au nom de la primauté de la littérature et de l'artiste, il fait l'objet d'une appréciation plus nuancée de Camus et de Calvino, pour lesquels l'écrivain s'exprime au nom de ceux qui subissent l'histoire et «donne une

---

1. *Défense de la littérature*, Paris, Gallimard, coll. «Idées», 1968, p. 110.

⟫

voix à qui n'en a pas ». Un philosophe comme Jacques Rancière considère que la littérature « porte écrite l'histoire d'un temps, d'une civilisation ou d'une société » et fait concurrence à la politique.

La littérature, enfin, est bien sûr dotée d'une **fonction culturelle (chapitre 28)** : moyen de connaissance de soi et ouverture aux autres, une grande œuvre donne aussi à son lecteur le bonheur du dépaysement en lui présentant la façon dont un artiste original a perçu le monde. La littérature remplit une fonction ontologique en affirmant la dignité de l'homme contre « l'inexorable dépendance que lui ressasse la mort » et en renouvelant le fonds mythologique qui donne forme à l'âme humaine.

CHAPITRE 26

Littérature et morale

Comme le déplore Robbe-Grillet dans *Pour un nouveau roman*, souvent « la littérature est rejetée dans la catégorie du frivole », perçue comme un divertissement destiné au plaisir du lecteur ou du spectateur, sans finalité pratique directe. Quand elle échappe à ce reproche, c'est pour affronter celui de gratuité : monde clos, replié sur ses propres valeurs, la littérature n'aurait aucune incidence sur le monde. Ce jugement a été conforté par certains écrivains prônant l'art pour l'art et l'autonomie du domaine artistique. Néanmoins d'autres considèrent la littérature comme le moyen de transmettre un certain nombre de valeurs morales, de les défendre ou de les illustrer.

Comme le roman, le théâtre a été exposé à l'époque classique aux attaques de censeurs qui lui reprochaient de mettre en scène les désordres et les vices de la passion (**134. Godeau, Nicole, Pascal**). Il a donc cherché une légitimité dans les finalités didactiques et morales (**135. Molière, Racine, Caffaro**).

Le procès du roman est rouvert avec celui du réalisme, condamné pour des raisons esthétiques mais aussi morales : 1857 marque une date dans l'histoire littéraire par les procès intentés à Flaubert pour *Madame Bovary* (**136. Flaubert**) et à Baudelaire pour *Les Fleurs du mal* ; l'acquittement du premier témoigne pourtant de l'autonomisation croissante de l'art à cette époque (**137. Baudelaire**).

Bien que l'approche contemporaine de la littérature soit orientée par des perspectives radicalement autres, ce discours trouve toujours des échos. Soljenitsyne conçoit la littérature comme un moyen d'amener l'individu à partager l'expérience d'autrui. Replié sur ses propres valeurs, ne ressentant que ce qui le touche directement, l'homme serait, sans elle, condamné à une véritable solitude, menace pour l'humanité tout entière. Seule la littérature peut permettre de transmettre «d'un homme à l'autre […] tout le poids d'une très longue et inhabituelle expérience» (**138. Soljenitsyne**).

──── 134. LE PROCÈS DU THÉÂTRE AU XVIIᵉ SIÈCLE ────
I. Réquisitoires

Au début du xviiᵉ siècle, le théâtre a connu un grand développement en Angleterre (avec Shakespeare et le théâtre élisabéthain) et en Espagne (avec Lope de Vega et Calderón), où la Contre-Réforme l'a mis au service de la foi catholique (des allégories religieuses, les *autos sacramentales*, accompagnaient les *comedias* et explicitaient leur message). En France, où l'Église se montrait hostile aux comédiens et aux spectacles, ce développement, plus tardif, a bénéficié du mécénat des rois et des grands seigneurs.

En 1632, Richelieu favorise l'installation d'une deuxième troupe permanente à Paris, le Théâtre du Marais. Le jeune Corneille, qui y triomphe, conclut *L'Illusion comique* (1636) par un hymne au théâtre, devenu «l'amour de tous les bons esprits, / L'entretien de Paris, le souhait des provinces, / Le divertissement le plus doux de nos princes, / Les délices du peuple, et le plaisir des grands». Georges de Scudéry publie une *Apologie du Théâtre* (1639). Richelieu fait bâtir dans son palais (devenu ensuite le Palais-Royal) un théâtre moderne où Molière s'installe en 1661. En 1641, un édit de Louis xiii relève les comédiens de toute indignité. Au début du règne de Louis xiv, le théâtre constitue **un divertissement pour la cour et les mondains**, il intéresse les lettrés et un large public.

Pourtant, dans la deuxième moitié du siècle, **l'Église, les dévots et les jansénistes ne désarment pas**: de nombreux écrits polémiques font le procès du théâtre[1]. Pour pouvoir jouer son *Tartuffe*, Molière doit livrer une bataille de cinq ans (1664-1669) et renoncer à *Dom Juan* (1665).

──────── 134A. ANTOINE GODEAU ────────
«Sur la Comédie[2], sonnet» (1654)

> À la fois membre de l'Académie française et évêque, Antoine Godeau présente ici, sous couleur d'une réflexion nuancée, une condam-

---

1. Pour la décennie 1660-1670, les pièces de ce «procès» sont publiées par Laurent Thirouin dans son édition du *Traité de la comédie* (voir le texte 134b) d'où sont tirés les textes et citations de Godeau, Conti et Nicole donnés dans ce chapitre.

2. Au xviiᵉ siècle, le mot *comédie* désignait aussi toute espèce de pièce de théâtre.

*nation catégorique du théâtre : jouant sur l'opposition constitutive du sonnet entre les quatrains et les tercets, après avoir concédé que le théâtre s'est moralisé à son époque, il affirme qu'il **corrompt insidieusement le spectateur** (vers 11). Cet argument a été repris par de nombreux auteurs, jusqu'à Rousseau.*

Le théâtre jamais ne fut si glorieux,
Le jugement s'y joint à la magnificence,
Une règle sévère en bannit la licence,
Et rien n'y blesse plus ni l'esprit, ni les yeux.

On y voit condamner les actes vicieux,
Malgré les vains efforts d'une injuste puissance,
On y voit à la fin couronner l'innocence,
Et luire en sa faveur la Justice des Cieux.

Mais en cette leçon si pompeuse et si vaine,
Le profit est douteux, et la perte certaine,
Le remède y plaît moins que ne fait le poison ;

Elle peut réformer un esprit idolâtre,
Mais pour changer leurs mœurs, et régler leur raison,
Les Chrétiens ont l'Église, et non pas le théâtre.

Poésies chrétiennes, 1654.

134B. PIERRE NICOLE
Traité de la comédie (1667)

*Le prince de Conti, ancien protecteur de Molière converti à un **catholicisme dévot**, est intervenu dans la querelle du* Tartuffe *pour montrer « l'opposition qui est entre la comédie et les plus solides fondements de la morale chrétienne »* (Traité de la comédie et des spectacles, *1666).*

*Cette attaque contre le théâtre s'inspire de celles menées par **le janséniste Pierre Nicole**, qui visait aussi le roman : « Un faiseur de romans et un poète de théâtre est un empoisonneur public, non des corps, mais des âmes des fidèles, qui se doit croire coupable d'une infinité d'homicides* *spirituels, ou qu'il a causés en effet, ou qu'il a pu causer par ses écrits pernicieux. Plus il a eu soin de couvrir d'un voile d'honnêteté les passions criminelles qu'il y décrit, plus il les a rendues dangereuses, et capables de surprendre et de corrompre les âmes simples et innocentes[1]. »* À cet argument, emprunté à Godeau (texte 134a), Nicole en ajoute un autre plus original dans lequel on peut voir une analyse du phénomène que l'on a appelé, après Flaubert, le bovarysme[2].

Non seulement la comédie et les romans rendent l'esprit mal disposé pour les actions de religion et de piété, mais ils le dégoûtent en quelque manière de toutes les actions sérieuses et ordinaires. Comme on n'y représente que des galanteries ou des aventures extraordinaires, et que les discours de ceux qui y parlent sont assez éloignés de ceux dont on use dans les affaires sérieuses, on y prend insensiblement une disposition d'esprit toute romanesque, on se remplit la tête de héros et d'héroïnes ; et les femmes principalement y voyant les adorations qu'on y rend à celles de leur sexe, dont elles voient l'image et la pratique dans les compagnies de divertissement, où de jeunes gens leur débitent ce qu'ils ont appris dans les romans, et les traitent en nymphes et déesses, s'impriment tellement dans la fantaisie[3] cette sorte de vie, que les petites affaires de leur ménage leur deviennent insupportables. Et quand elles reviennent dans leurs maisons avec cet esprit évaporé et tout plein de ces folies, elles y trouvent tout désagréable, et surtout leurs maris qui, étant occupés de leurs affaires, ne sont pas toujours en humeur de leur rendre ces complaisances ridicules, qu'on rend aux femmes dans les comédies, dans les romans et dans la vie romanesque.

Pierre NICOLE, *Traité de la comédie*, XIII (1667), éd. critique de Laurent Thirouin, Honoré Champion, 1998, p. 83-84.

---

1. Pierre NICOLE, *L'Hérésie imaginaire*, lettre XI (ou *Première Visionnaire*), 1665.

2. Les réalistes du XIXe siècle ont critiqué eux aussi le roman sentimental de leur temps et son influence sur ses lectrices. Après Flaubert (*Madame Bovary*, 1857), Zola a campé le personnage de Marie Pichon qui, après s'être enivrée d'un roman de G. Sand (« Ses oreilles bourdonnaient, aux appels lointains du cor, dont sonnait le chasseur de ses romances, dans le bleu des amours idéales » – *Pot-Bouille*, chap. IV, 1882), constitue une proie facile pour le séducteur Octave Mouret.

3. *La fantaisie* : l'esprit.

134C. BLAISE PASCAL
Pensées (1670)

Condamnant les « divertissements » qui détournent les chrétiens de leur salut, Pascal reprend et développe jusqu'au paradoxe l'argument de Godeau (texte 134a) selon lequel le théâtre est d'autant plus dangereux qu'il s'efforce d'être « honnête ».

Il s'oppose ainsi à la théorie de la « catharsis* » formulée par les défenseurs du théâtre à partir d'un passage de la Poétique *d'Aristote (voir les textes 11 et 135b).*

Tous les grands divertissements sont dangereux pour la vie chrétienne ; mais entre tous ceux que le monde a inventés, il n'y en a point qui soit plus à craindre que la comédie. C'est une représentation si naturelle et si délicate des passions qu'elle les émeut et les fait naître dans notre cœur, et surtout celle de l'amour ; principalement lorsqu'on le représente fort chaste et fort honnête[1]. Car plus il paraît innocent aux âmes innocentes, plus elles sont capables d'en être touchées ; sa violence plaît à notre amour-propre, qui forme aussitôt un désir de causer les mêmes effets que l'on voit si bien représentés ; et l'on se fait en même temps une conscience[2] fondée sur l'honnêteté des sentiments qu'on y voit, qui ôtent la crainte des âmes pures, qui s'imaginent que ce n'est pas blesser la pureté d'aimer d'un amour qui leur semble si sage.

Ainsi l'on s'en va de la comédie le cœur si rempli de toutes les beautés et de toutes les douceurs de l'amour, et l'âme et l'esprit si persuadés de son innocence, qu'on est tout préparé à recevoir ses premières impressions, ou plutôt à chercher l'occasion de les faire naître dans le cœur de quelqu'un pour recevoir les mêmes plaisirs et les mêmes sacrifices que l'on a vus si bien dépeints dans la comédie.

Blaise PASCAL, *Pensées*, Brunschvicg, 11, 1670.

---

1. *Honnête* : décent, conforme aux bienséances.
2. *Une conscience* : une bonne conscience (on ne se sent pas coupable).

NOTIONS CLÉS

Morale – Réception – Théâtre.

▶ Au XVIIe siècle, les moralistes chrétiens condamnent les spectacles de théâtre qui corrompent d'autant plus les spectateurs qu'ils sont conformes aux bienséances externes.

▶ L'idéalisation des personnages de théâtre (et de romans) exerce un effet néfaste sur les femmes en les dégoûtant de la vie réelle.

135. LE PROCÈS DU THÉÂTRE AU XVIIe SIÈCLE
II. Plaidoyers

La Bruyère juge le théâtre en moraliste chrétien : « Ce n'est point assez que les mœurs du théâtre ne soient point mauvaises, il faut encore qu'elles soient décentes et instructives » (*Les Caractères*, 1688). Cette conception ne va pas à l'encontre de celles qu'expriment Molière et Racine ainsi qu'un homme d'Église qui prend la défense de ce genre contesté, le père Caffaro.

135A. MOLIÈRE
Préface de *Tartuffe* (1669)

À la fin de la querelle du Tartuffe *(1665-1669), Molière publie sa pièce avec une préface réfutant l'accusation de s'en être pris à la religion : le personnage éponyme est un « scélérat » et non un « vrai dévot ». Il élargit ensuite la question et légitime la comédie par sa capacité à* **corriger les mœurs par le rire** *en invoquant la devise de la Comédie-Italienne que Jean de Santeul (1630-1697), auteur de vers latins, avait donnée à Dominique, interprète du rôle d'Arlequin : « Castigat ridendo mores ».*

Corriger les vices des hommes

Si l'on prend la peine d'examiner de bonne foi ma comédie, on verra sans doute[1] que mes intentions y sont partout innocentes, et qu'elle ne tend nullement à jouer[2] les choses que l'on

---

1. *Sans doute :* sans aucun doute, assurément.
2. *Jouer :* se moquer.

doit révérer; que je l'ai traitée avec toutes les précautions que demandait la délicatesse de la matière et que j'ai mis tout l'art et tous les soins qu'il m'a été possible pour bien distinguer le personnage de l'hypocrite d'avec celui du vrai dévot. J'ai employé pour cela deux actes entiers à préparer la venue de mon scélérat. Il ne tient pas un seul moment l'auditeur en balance; on le connaît d'abord aux marques que je lui donne; et, d'un bout à l'autre, il ne dit pas un mot, il ne fait pas une action, qui ne peigne aux spectateurs le caractère d'un méchant homme, et ne fasse éclater celui du véritable homme de bien que je lui oppose.

Je sais bien que, pour réponse, ces messieurs tâchent d'insinuer que ce n'est point au théâtre à parler de ces matières[1]; mais je leur demande, avec leur permission, sur quoi ils fondent cette belle maxime. C'est une proposition qu'ils ne font que supposer, et qu'ils ne prouvent en aucune façon; et, sans doute, il ne serait pas difficile de leur faire voir que la comédie, chez les Anciens, a pris son origine de la religion, et faisait partie de leurs mystères; que les Espagnols, nos voisins, ne célèbrent guère de fêtes où la comédie ne soit mêlée, et que même, parmi nous, elle doit sa naissance aux soins d'une confrérie à qui appartient encore aujourd'hui l'hôtel de Bourgogne; que c'est un lieu qui fut donné pour y représenter les plus importants mystères de notre foi; qu'on en voit encore des comédies imprimées en lettres gothiques, sous le nom d'un docteur de Sorbonne et, sans aller chercher si loin, que l'on a joué, de notre temps, des pièces saintes de M. de Corneille, qui ont été l'admiration de toute la France.

Si l'emploi de la comédie est de corriger les vices des hommes, je ne vois pas par quelle raison il y en aura de privilégiés. Celui-ci est, dans l'État, d'une conséquence bien plus dangereuse que tous les autres; et nous avons vu que le théâtre a une grande vertu pour la correction. Les plus beaux traits d'une sérieuse morale sont moins puissants, le plus souvent, que ceux de la satire; et rien ne reprend mieux la plupart des hommes que la peinture de leurs défauts. C'est une grande atteinte aux vices que de les exposer à la risée de tout le monde. On souffre aisément des répréhensions; mais on ne souffre point la raillerie. On veut bien être méchant; mais on ne veut point être ridicule.

---

1. Voir le sonnet de Godeau (texte 134a).

135B. RACINE
Préface de *Phèdre* (1677)

Dans son *Traité de la comédie* (1667), **Nicole accuse les poètes drama-tiques de répandre une morale pernicieuse dans leurs pièces** qu'ils ne manquent pas de «remplir d'amour, de sentiments d'orgueil, et des maximes de l'honneur humain» pour plaire aux «gens du monde, specta-teurs ordinaires des comédies», et il en donne comme illustration la scène où le Cid se félicite d'avoir «vengé [son] honneur et [son] père». **Corneille lui répond par l'ironie**: «Il n'y a point d'homme au sortir de la représen-tation du *Cid* qui voulût avoir tué le père de sa maîtresse, pour en recevoir de pareilles douceurs, ni de fille qui souhaitât que son amant eût tué son père, pour avoir la joie de l'aimer en poursuivant sa mort» (*Attila*, «Avis au lecteur», 1667). Auparavant, dans un de ses *Discours*, il a attribué une fonction morale à la tragédie en invoquant la *catharsis**, notion empruntée à Aristote (voir le texte 11) et comprise ici de manière extensive: «La pitié d'un malheur où nous *[les spectateurs]* voyons tomber nos semblables *[les personnages de la tragédie]* nous porte à la crainte d'un pareil pour nous; cette crainte au désir de l'éviter; et ce désir, à purger, modérer, rectifier, et même déraciner en nous la passion qui plonge à nos yeux dans ce malheur les personnes que nous plaignons, par cette raison commune, mais natu-relle et indubitable, que pour éviter l'effet il faut retrancher la cause[1].»

Quand Nicole dénonce dans le «poète de théâtre [...] un empoisonneur public, non des corps, mais des âmes des fidèles[2]», Racine réagit en enga-geant une polémique, qu'il abandonne bientôt. Plus tard, au moment de renoncer à la carrière théâtrale après la cabale de *Phèdre*, c'est avec la gra-vité d'un homme qui va se rapprocher du catholicisme exigeant des jansé-nistes qu'il défend sa pièce et la tragédie.

---

1. CORNEILLE, *Discours de la tragédie et des moyens de la traiter selon le vraisemblable ou le nécessaire*, 1660. Toutefois, dans un autre passage, le dramaturge exprime aussi ses doutes: «Si la purgation des passions se fait dans la tragédie, je tiens qu'elle doit se faire de la manière que je l'explique; mais je doute si elle s'y fait jamais, et dans celles-là même qui ont les conditions que demande Aristote» Prenant l'exemple du *Cid* où Rodrigue et Chimène «ne sont malheureux qu'autant qu'ils sont passionnés l'un pour l'autre», ce qui fait pleurer le spectateur, il écrit: «Cette pitié nous dit donner une crainte de tomber dans un pareil malheur, et purger en nous ce trop d'amour qui cause leur infortune et nous les fait plaindre; mais je ne sais si elle nous la donne, ni si elle la purge, et j'ai bien peur que le raisonnement d'Aristote sur ce point ne soit qu'une belle idée, qui n'ait jamais son effet dans la vérité. Je m'en rapporte à ceux qui en ont vu les représentations: ils peuvent en demander compte au secret de leur cœur, et repasser sur ce qui les a touchés au théâtre, pour reconnaître s'ils en sont venus par là jusqu'à cette crainte réfléchie, et si elle a rectifié en eux la passion qui a causé cette disgrâce qu'ils ont plainte.»

2. Pierre NICOLE, *Première Visionnaire*, 1665 (voir le texte 134b).

Une école de vertu

Dans sa préface, il note que le « caractère de Phèdre [...] a toutes les qualités qu'Aristote demande dans le héros de la tragédie, et qui sont propres à exciter la compassion et la terreur » et souligne son respect scrupuleux des bienséances avant d'aborder la question de la moralité du théâtre.

Au reste, je n'ose encore assurer que cette pièce soit en effet la meilleure de mes tragédies. Je laisse et aux lecteurs et au temps à décider de son véritable prix. Ce que je puis assurer, c'est que je n'en ai point fait où la vertu soit plus mise en jour que dans celle-ci. Les moindres fautes y sont sévèrement punies. La seule pensée du crime y est regardée avec autant d'horreur que le crime même. Les faiblesses de l'amour y passent pour de vraies faiblesses. Les passions n'y sont présentées aux yeux que pour montrer tout le désordre dont elles sont cause ; et le vice y est peint partout avec des couleurs qui en font connaître et haïr la difformité. C'est là proprement le but que tout homme qui travaille pour le public doit se proposer. Et c'est ce que les premiers poètes tragiques avaient en vue sur toute chose. Leur théâtre était une école où la vertu n'était pas moins bien enseignée que dans les écoles des philosophes. Aussi Aristote a bien voulu donner des règles du poème dramatique et Socrate, le plus sage des philosophes, ne dédaignait pas de mettre la main aux tragédies d'Euripide. Il serait à souhaiter que nos ouvrages fussent aussi solides et aussi pleins d'utiles instructions que ceux de ces poètes. Ce serait peut-être un moyen de réconcilier la tragédie avec quantité de personnes célèbres par leur piété et par leur doctrine, qui l'ont condamnée dans ces derniers temps, et qui en jugeraient sans doute plus favorablement, si les auteurs songeaient autant à instruire leurs spectateurs qu'à les divertir, et s'ils suivaient en cela la véritable intention de la tragédie.

——————— 135C. THOMAS CAFFARO ———————
Lettre d'un théologien (1694)

> *Le père jésuite Caffaro a pris la défense du théâtre dans une « lettre »*
> *publiée en préface aux* Pièces de théâtre *de M. Boursault, s'attirant*
> *une longue réponse de Bossuet. Celui-ci condamne catégoriquement*
> *le théâtre : toute passion est coupable parce qu'elle détourne de*
> *Dieu, ainsi du fait de l'identification du public aux héros passion-*
> *nés, « la représentation des passions agréables porte naturellement*
> *au péché ».* **Bossuet juge le théâtre plus dangereux que le roman**
> *du fait que le spectacle donne vie aux passions représentées et y rend*
> *sensibles les spectateurs par son caractère collectif : « On s'excite et*
> *on s'autorise pour ainsi dire les uns les autres par le concours des*
> *acclamations et des applaudissements, et l'air même qu'on y respire*
> *est malin*[1] *» (*Maximes et Réflexions sur la comédie, *1694).*

Un honnête divertissement

[…] je n'aurais pas permis, avec les saints Pères, d'assister aux comédies de leur temps, parce qu'elles étaient si scandaleuses[2], qu'elles produisaient toujours de mauvais effets, et qu'on ne pouvait même s'en souvenir sans ressentir quelque désordre. Ce n'est pas de ce dernier caractère que sont nos comédies : car bien que l'on y parle d'amour, de haine, d'ambition, de vengeance, etc., on ne le fait pas pour exciter dans les auditeurs ces fortes passions, et on ne les accompagne pas de circonstances assez scandaleuses pour produire infailliblement de mauvais effets dans leur cœur. Mille gens y assistent sans éprouver la moindre émotion dans leur âme, et sans qu'elles fassent plus d'impression sur eux, qu'en fait un vaisseau en fendant les eaux. J'avoue qu'il se peut trouver des personnes qui sont touchées de semblables choses, eh bien, qu'elles n'y retournent pas. «Faut-il (disait le sage Licurgus) arracher toutes les vignes, parce qu'il se trouve des hommes qui boivent trop de leur vin?» Faut-il

---

1. Jean GIRAUDOUX a confronté les opinions inconciliables de Bossuet et de Racine sur le théâtre dans « Un duo », (*Littérature*, 1941 rééd. Paris, Gallimard, coll. « Folio essais »).
2. *Scandaleuses :* au sens religieux, qui poussent au péché.

aussi faire cesser la comédie qui sert aux hommes d'un honnête divertissement, parce qu'on y représente des fables avec bienséance et modestie, et qu'il se trouve quelqu'un qui ne peut pas les voir sans ressentir en soi les passions qu'on y représente?

Thomas CAFFARO, *Lettre d'un théologien, illustre par sa qualité et par son mérite, consulté par l'auteur pour savoir si la comédie peut être permise, ou doit être absolument défendue*, p. 50-51, 1694 (texte disponible sur le site Gallica de la BnF).

NOTIONS CLÉS

Comédie – Fonction du théâtre – Morale – Personnage – Tragédie.

▶ Le théâtre de l'époque classique se veut respectueux des bienséances et s'attribue une finalité didactique et morale.

▶ Instruction morale et divertissement y sont indissociables.

▶ LA BRUYÈRE, *Les Caractères* : « On ne doit parler, on ne doit écrire que pour l'instruction. »

Prolongement. – Au XVIIIᵉ siècle, le procès du théâtre est rouvert par **Rousseau** qui combat l'idée de doter Genève d'un théâtre régulier (il n'y en avait pas dans la république calviniste). Contre d'Alembert, le « citoyen de Genève » reprend les arguments de Nicole et Bossuet et considère le théâtre de Molière comme « **une école de vices et de mauvaises mœurs**, plus dangereuse que les livres mêmes où l'on fait profession de les enseigner » ; Alceste, l'homme vertueux, y est ridiculisé pour plaire à un public de mondains corrompus (*Lettre à d'Alembert sur les spectacles*, 1758).

Rousseau s'oppose ainsi radicalement aux « philosophes ». Voltaire, en effet, porte aux nues la tragédie qui, dans un langage « mesuré, harmonieux et sublime », exprime « le devoir des rois, l'amour de la vertu, les dangers des passions » et il se plaît à soutenir que les comédiens sont de meilleurs « prédicateurs[1] » que les prêtres. De même, Diderot affirme **« l'utilité publique » du théâtre** : « l'objet d'une composition dramatique [...] est [...] d'inspirer aux hommes l'amour de la vertu, l'horreur du vice » en recourant à des émotions fortes. Il aurait voulu confier au théâtre une mission morale : « J'étais chagrin, quand j'allais au spectacle, et que je comparais l'utilité des théâtres avec le peu de soin qu'on prend à former

---

1. VOLTAIRE, *Le Monde comme il va*, 1748.

les troupes. Alors je m'écriais: "Ah! mes amis, si nous allons jamais à la Lampedouse fonder, loin de la terre, au milieu des flots de la mer, un petit peuple d'heureux! ce seront là nos prédicateurs; et nous les choisirons, sans doute, selon l'importance de leur ministère. Tous les peuples ont leurs sabbats, et nous aurons aussi les nôtres. Dans ces jours solennels, on représentera une belle tragédie, qui apprenne aux hommes à redouter les passions; une bonne comédie, qui les instruise de leurs devoirs, et qui leur en inspire le goût."[1]» La Révolution a essayé de réaliser ces vœux: en mars 1794 le Comité de Salut public décidait de créer à Paris un «Théâtre du Peuple».

Au XIXᵉ siècle, au moment où il chercher à légitimer le drame romantique, Victor Hugo proclame à son tour: «Le théâtre est une tribune. **Le théâtre est une chaire**», «le drame [...] a une mission nationale, une mission sociale, une mission humaine» (voir le texte 129).

——————— 136. ROMAN ET MORALE AU XIXᵉ SIÈCLE ———————
I. Le procès de Flaubert (1857)

Pendant la querelle du théâtre, les partisans d'un christianisme rigoureux condamnaient aussi le roman: Pierre Nicole jugeait ainsi que «les romans rendent l'esprit mal disposé pour les actions de religion et de piété» (voir le texte 134b). Deux siècles plus tard, le *réalisme* (entendu dans un sens extensif) donne une nouvelle actualité à la question des rapports entre l'art et la morale.

C'est d'abord le théâtre romantique qui fait scandale, un critique écrivant à propos de *Lucrèce Borgia* (1833): «si le réalisme qui domine aujourd'hui dans la poésie, obtenait gain de cause, [...] il faudrait ne plus croire à Dieu ni à l'âme[2]».

Après le scandale suscité par l'exposition particulière de Courbet sous le titre: «Du RÉALISME. *G. Courbet. Exposition de quarante tableaux de son œuvre*» (1855), c'est le roman de Flaubert *Madame Bovary* qui est jugé immoral. Paru en feuilleton dans la *Revue de Paris*, à partir du 1ᵉʳ octobre 1856, il subit plusieurs coupures (notamment la scène d'amour dans le fiacre – III, 1), contre la volonté de l'auteur, lequel est ensuite traîné en justice: l'avocat impérial Pinard voit dans le roman «une peinture admirable sous le rapport du talent, mais **une peinture exécrable au point de vue de la morale**»; le défenseur de Flaubert, au contraire, s'attache à montrer la

---

1. Denis DIDEROT, *Entretiens sur «Le Fils naturel»* (1757).

2. Gustave PLANCHE, la *Revue des Deux Mondes* (cité dans le *Trésor de la langue française*, article «Réalisme» – ce dictionnaire est consultable en ligne).

moralité profonde d'une œuvre qui donne **une image exacte de la société**. Finalement, le 7 février 1857, le tribunal acquitte Flaubert tout en déclarant que le roman comporte «des tableaux que le bon goût réprouve» et «mérite un blâme sévère, car la mission de la littérature doit être d'orner et de récréer l'esprit en élevant l'intelligence et en épurant les mœurs plus encore que d'imprimer le dégoût du vice en offrant le tableau des désordres qui peuvent exister dans la société[1] ».

—————— 136A. RÉQUISITOIRE DE L'AVOCAT IMPÉRIAL ——

Au nom d'une « morale chrétienne » qui « stigmatise la littérature réaliste », l'avocat impérial, Ernest Pinard (qui a ensuite requis contre Baudelaire) accuse l'auteur de *Madame Bovary* d'« **offense à la morale publique et à la religion** », arguant des « couleurs lascives de ce portrait » et de l'immoralité du roman, présenté comme une « glorification de l'adultère ».

Il n'y a pas un personnage sage

On nous dira comme objection générale : mais, après tout, le roman est moral au fond, puisque l'adultère est puni ?

À cette objection, deux réponses : je suppose l'œuvre morale, par hypothèse, une conclusion morale ne pourrait pas amnistier les détails lascifs qui peuvent s'y trouver. Et puis je dis : l'œuvre au fond n'est pas morale.

Je dis, messieurs, que des détails lascifs ne peuvent pas être couverts par une conclusion morale, sinon on pourrait raconter toutes les orgies imaginables, décrire toutes les turpitudes d'une femme publique, en la faisant mourir sur un grabat à l'hôpital. Il serait permis d'étudier et de montrer toutes ses poses lascives ! Ce serait aller contre toutes les règles du bon sens. Ce serait placer le poison à la portée de tous et le remède à la portée d'un bien petit nombre, s'il y avait un remède. […] Les peintures lascives ont généralement plus d'influence que les froids raisonnements. Voilà ce que je réponds à cette théorie, voilà ma première réponse, mais j'en ai une seconde.

Je soutiens que le roman de *Madame Bovary*, envisagé du point de vue philosophique, n'est pas moral. Sans doute, Mme Bovary meurt empoisonnée ; elle a beaucoup souffert, c'est

---

1. Les pièces du procès ont été publiées par Flaubert en appendice du roman en 1873. Certaines éditions modernes les reproduisent, comme celle de Béatrice Didier (Le Livre de poche, 1983).

vrai ; mais elle meurt à son heure et à son jour, mais elle meurt, non parce qu'elle est adultère, mais parce qu'elle l'a voulu ; elle meurt dans tout le prestige de sa jeunesse et de sa beauté ; elle meurt après avoir eu deux amants, laissant un mari qui l'aime, qui l'adore, qui trouvera le portrait de Rodolphe, qui trouvera ses lettres et celles de Léon, qui lira les lettres d'une femme deux fois adultère, et qui, après cela, l'aimera encore davantage au-delà du tombeau. Qui peut condamner cette femme dans le livre ? Personne. Telle est la conclusion. Il n'y a pas dans le livre un personnage qui puisse la condamner. Si vous y trouvez un personnage sage, si vous y trouvez un seul principe en vertu duquel l'adultère soit stigmatisé, j'ai tort. Donc, si, dans tout le livre, il n'y a pas un personnage qui puisse lui faire courber la tête, s'il n'y a pas une idée, une ligne en vertu de laquelle l'adultère soit flétri, c'est moi qui ai raison, le livre est immoral !

136B. PLAIDOIRIE DU DÉFENSEUR

L'avocat de Flaubert, maître Sénard, invoque d'abord l'exactitude du « tableau » de mœurs que constitue *Madame Bovary* (les notions de *réalité* et de *vérité* apparaissent cinq fois dans le premier paragraphe de l'extrait). Il s'emploie ensuite à montrer que, contrairement à ce qu'affirme l'accusation, le roman est « **une œuvre éminemment morale** » parce qu'il peint l'adultère sous des couleurs horribles.

« L'excitation à la vertu, par l'horreur du vice »

Mon client est de ceux qui n'appartiennent à aucune des écoles[1] dont j'ai trouvé, tout à l'heure, le nom dans le réquisitoire. Mon Dieu ! il appartient à l'école réaliste, en ce sens qu'il s'attache à la réalité des choses. Il appartiendrait à l'école psychologique en ce sens que ce n'est pas la matérialité des choses qui le pousse, mais le sentiment humain, le développement des passions dans le milieu où il est placé. Il appartiendrait à l'école romantique moins peut-être qu'à toute autre, car si le romantisme apparaît dans son livre, de même que si le réalisme y apparaît,

---

1. C'est que proclame Flaubert, en effet : « J'exècre ce qu'on est convenu d'appeler le *réalisme*, bien qu'on m'en fasse un des pontifes » (lettre à George Sand, 6 février 1876).

ce n'est pas par quelques expressions ironiques, jetées çà et là, que le ministère public a prises au sérieux. Ce que M. Flaubert a voulu surtout, ç'a été de prendre un sujet d'études dans la vie réelle, ç'a été de créer, de constituer des types vrais dans la classe moyenne et d'arriver à un résultat utile. Oui, ce qui a le plus préoccupé mon client dans l'étude à laquelle il s'est livré, c'est précisément ce but utile, poursuivi en mettant en scène trois ou quatre personnages de la société actuelle vivant dans les conditions de la vie réelle, et présentant aux yeux du lecteur le tableau vrai de ce qui se rencontre le plus souvent dans le monde.

[…] chez lui les grands travers de la société figurent à chaque page ; […] chez lui l'adultère marche plein de dégoût et de honte. Il a pris dans les relations habituelles de la vie l'enseignement le plus saisissant qui puisse être donné à une jeune femme. Oh ! mon Dieu, celles de nos jeunes femmes qui ne trouvent pas dans les principes honnêtes, élevés, dans une religion sévère de quoi se tenir fermes dans l'accomplissement de leurs devoirs de mères, qui ne le trouvent pas surtout dans cette résignation, cette science pratique de la vie qui nous dit qu'il faut s'accommoder de ce que nous avons, mais qui portent leurs rêveries au-dehors, ces jeunes femmes les plus honnêtes, les plus pures, qui, dans le prosaïsme de leur ménage, sont quelquefois tourmentées par ce qui se passe autour d'elles, un livre comme celui-là, soyez-en sûrs, en fait réfléchir plus d'une.

NOTIONS CLÉS

Morale – Réalisme – Réception.

▶ Sous le Second Empire, le roman (l'art en général) n'a pas encore conquis son autonomie : il est jugé en dehors de sa valeur esthétique.

▶ Le défenseur de Flaubert, comme son accusateur, est tenu de se placer sur le terrain de la morale publique.

137. ROMAN ET MORALE AU XIXᵉ SIÈCLE
II. Baudelaire défenseur de Flaubert (1857)

Le 25 août 1857, quelques mois après l'acquittement de Flaubert (en février), la justice impériale, se rendant cette fois aux conclusions du même procureur Pinard, condamne *Les Fleurs du mal* de Baudelaire et ordonne la suppression du recueil de six poèmes, « attendu que l'erreur du poète, dans le but qu'il voulait atteindre et dans la route qu'il a suivie, quelque effort de style qu'il ait pu faire, quel que soit le blâme qui précède ou qui suit ses peintures, ne saurait détruire l'effet funeste des tableaux qu'il présente au lecteur, et qui, dans les pièces incriminées, conduisent nécessairement à l'excitation des sens par un réalisme grossier et offensant pour la pudeur ». On le voit, cet arrêt (qui n'a été annulé que le 31 mai 1949) se fonde sur « l'effet » des poèmes sur le lecteur (effet supposé, difficilement appréciable objectivement) : c'est le même argument qui était invoqué contre le théâtre au XVIIe siècle.

Avant même sa condamnation, Baudelaire, sensible à la moralisation que sa société veut imposer à l'art, dénonce **la « grande fureur d'honnêteté** [qui] s'est emparée du théâtre et aussi du roman » et plaide pour l'autonomie de l'artiste dans les mêmes termes que Flaubert, Zola et Maupassant : « Il est douloureux de noter que nous trouvons des erreurs semblables dans deux écoles opposées : l'école bourgeoise et l'école socialiste. Moralisons ! moralisons ! s'écrient toutes les deux avec une fièvre de missionnaires. Naturellement l'une prêche la morale bourgeoise et l'autre la morale socialiste. Dès lors l'art n'est plus qu'une question de propagande.

« L'art est-il utile ? Oui. Pourquoi ? Parce qu'il est l'art. Y a-t-il un art pernicieux ? Oui. C'est celui qui dérange les conditions de la vie. Le vice est séduisant, il faut le peindre séduisant ; mais il traîne avec lui des maladies et des douleurs morales singulières ; il faut les décrire. Étudiez toutes les plaies comme un médecin qui fait son service dans un hôpital, et l'école du bon sens, l'école exclusivement morale, ne trouvera plus où mordre[1]. »

« En reconnaissance de la BEAUTÉ »

Rendant hommage à Flaubert après son acquittement, Baudelaire est sensible à sa situation d'« écrivain qui vient après tout le monde » (notamment après « Balzac, ce prodigieux météore ») : « Plus libre, parce qu'il est seul comme un traînard, il a l'air de celui qui résume les débats, et, contraint d'éviter les véhémences de l'accusation et de la défense, il a ordre de se frayer une voie nouvelle, sans autre excitation que celle de l'amour du Beau et de la Justice. »

---

1. « Les drames et les romans honnêtes », 1851, dans *Œuvres complètes* II, Paris, Gallimard, coll. « Bibliothèque de la Pléiade », p. 41. Baudelaire pensait aussi que le poète ne doit pas poursuivre un but moral (voir le texte 103).

Puisque j'ai prononcé ce mot splendide et terrible, la Justice, qu'il me soit permis, – comme aussi bien cela m'est agréable, – de remercier la magistrature française de l'éclatant exemple d'impartialité et de bon goût qu'elle a donné dans cette circonstance. Sollicitée par un zèle aveugle et trop véhément pour la morale, par un esprit qui se trompait de terrain, – placée en face d'un roman, œuvre d'un écrivain inconnu la veille, – un roman, et quel roman! le plus impartial, le plus loyal, – un champ, banal comme tous les champs, flagellé, trempé, comme la nature elle-même, par tous les vents et tous les orages, – la magistrature, dis-je, s'est montrée loyale et impartiale comme le livre qui était poussé devant elle en holocauste. Et mieux encore, disons, s'il est permis de conjecturer d'après les considérations qui accompagnèrent le jugement, que si les magistrats avaient découvert quelque chose de vraiment reprochable dans le livre, ils l'auraient néanmoins amnistié, en faveur et en reconnaissance de la BEAUTÉ dont il est revêtu. Ce souci remarquable de la Beauté, en des hommes dont les facultés ne sont mises en réquisition que pour le Juste et le Vrai, est un symptôme des plus touchants, comparé avec les convoitises ardentes de cette société qui a définitivement abjuré tout amour spirituel, et qui, négligeant *ses anciennes entrailles*, n'a plus cure que de ses viscères. En somme, on peut dire que cet arrêt, par sa haute tendance poétique, fut définitif; que gain de cause a été donné à la Muse, et que tous les écrivains, tous ceux du moins dignes de ce nom, ont été acquittés dans la personne de M. Gustave Flaubert[1].

Charles BAUDELAIRE,
«*Madame Bovary* par Gustave Flaubert» (1857),
dans *Œuvres complètes* II, Gallimard, coll.
«Bibliothèque de la Pléiade», p. 76-77.

NOTIONS CLÉS

Beauté – Morale – Réalisme – Réception.

▶ L'acquittement dont a bénéficié Flaubert est une victoire de la beauté et de l'esprit dans une société matérialiste.

---

1. Cet article paraît en octobre 1857, deux mois après la condamnation de Baudelaire, qui lance ici une pique à ses juges.

138. ALEXANDRE SOLJENITSYNE
«Discours de Stockholm» (1970)

Alexandre Soljenitsyne est né en Russie en 1918. Mathématicien et physicien, il a également fait des études d'histoire, de littérature et de philosophie. Capitaine pendant la Seconde Guerre mondiale, il est arrêté en 1945 pour avoir émis, dans une lettre privée, des doutes sur les compétences stratégiques de Staline. Il est condamné, sans jugement, à huit ans de déportation dans un camp de redressement par le travail puis à la «relégation perpétuelle». Réhabilité en 1957, il accède à la notoriété avec une nouvelle (autorisée par Khrouchtchev en 1962), *Une journée d'Ivan Denissovitch*, première évocation littéraire des camps staliniens. D'autres œuvres de dénonciation ne peuvent paraître qu'à l'étranger (*Le Pavillon des cancéreux*, 1967; *Le Premier Cercle*, prix du meilleur livre étranger en France; *Août quatorze*, 1971). Sa dénonciation virulente du système dans *L'Archipel du Goulag* lui vaut d'être déchu de la nationalité soviétique et expulsé en 1974.

Soljenitsyne a toujours plaidé pour l'abolition de la censure, pour une libéralisation du régime soviétique dont il a subi l'ostracisme pendant de longues années.

Après son exil aux États-Unis, il est retourné en Russie en 1994. Prix Nobel de littérature, en 1970, il n'avait pu le recevoir officiellement.

L'art transmet à l'homme l'expérience des autres

Dans les diverses parties du monde, les hommes appliquent leurs propres références aux événements, et ils les jugent, avec entêtement et confiance, en fonction d'elles, et non selon celles des autres.

S'il n'existe pas tellement d'échelles de valeurs différentes dans le monde, on en dénombre au moins quelques-unes : une pour les événements proches, une pour les événements éloignés, une pour les vieilles sociétés, une autre pour les jeunes. Les peuples malheureux en ont une, les peuples heureux une autre. Les sons discordants et grinçants de ces diverses échelles nous abasourdissent et nous étourdissent, et, sans être toujours douloureux, ils nous empêchent d'entendre les autres dont nous nous tenons éloignés, comme nous le ferions de la démence ou de l'illusion, pour ne juger en toute confiance le monde entier que d'après nos propres valeurs.

Alors, qui coordonnera ces échelles de valeurs? Et comment? Qui créera pour l'humanité un seul système d'interprétation, valable pour le bien et le mal, pour ce qui est supportable et pour ce qui ne l'est pas? Qui fera clairement comprendre à l'humanité ce qui est une souffrance réellement intolérable et ce qui n'est qu'une égratignure superficielle? Qui orientera la colère des hommes, contre ce qui est le plus terrible, et non plus contre ce qui est le plus proche? Qui réussira à transposer une telle compréhension au-delà des limites de son expérience personnelle? Qui réussira à faire comprendre à une créature humaine fanatique et bornée les joies et les peines de ses frères lointains, à lui faire comprendre ce dont il n'a lui-même aucune notion?

Propagande, contrainte, preuves scientifiques, tout est inutile. Mais il existe heureusement un moyen de le faire dans ce monde: l'art, la littérature.

Les artistes peuvent accomplir ce miracle. Ils peuvent surmonter cette faiblesse caractéristique de l'homme qui n'apprend que sa propre expérience tandis que l'expérience des autres ne le touche pas. L'art transmet d'un homme à l'autre, pendant leur bref séjour sur la Terre, tout le poids d'une très longue et inhabituelle expérience, avec ses fardeaux, ses couleurs, la sève de la vie: il la recrée dans notre chair et nous permet d'en prendre possession, comme si elle était nôtre.

Alexandre SOLJENITSYNE, «Discours de Stockholm», 1970, dans *Les Droits de l'écrivain*, © Éd. du Seuil, 1972.

NOTIONS CLÉS

Fonction de la littérature – Humanisme – Valeurs.

▶ Par nature, l'homme, prisonnier de son expérience et de ses valeurs propres, ne peut comprendre l'expérience des peuples lointains.

▶ Seuls l'art et la littérature lui permettent de connaître la diversité des expériences humaines.

CHAPITRE 27

Littérature et politique : la question de l'engagement

La littérature, entreprise didactique visant à réformer la nature humaine, est aussi confrontée aux problèmes du temps, de la société et de l'histoire. Elle ne saurait s'en exclure car, selon Hugo, elle n'est pas destinée à vivre pour sa beauté propre mais pour servir le progrès, la science et la société. « L'utile, loin de circonscrire le sublime, le grandit » (**139. Hugo**). Dès lors, refuser de prendre parti, de s'inscrire dans le temps et dans ses conflits, est aussi une façon de prendre parti : l'écrivain, « quoi qu'il fasse [est] marqué, compromis », son silence même est une forme d'engagement. « L'écrivain est en situation dans son époque : chaque parole a des retentissements. Chaque silence aussi » (**140. Sartre**).

Cependant, pour Robbe-Grillet, l'engagement sartrien est une utopie : « dès qu'apparaît le souci de signifier quelque chose (quelque chose d'extérieur à l'art) la littérature commence à reculer, à disparaître ». L'engagement de l'écrivain ne peut être que littéraire, c'est « la pleine conscience des problèmes actuels de son propre langage », et c'est par là qu'il pourra « servir un jour peut-être à quelque chose » (*Pour un nouveau roman*, p. 46). Pour Proust déjà, l'artiste est amené à « servir » la société non pas en élaborant « un art populaire » ou « un art patriotique » mais en « étant artiste, c'est-à-dire [...] à condition [...] de ne pas penser à autre chose qu'à la vérité qui est devant lui », la vérité de son art (**141. Proust**).

C'est risquer, cependant, de faire de l'art « une réjouissance solitaire » alors qu'il doit s'ouvrir sur les autres, obliger l'artiste à « ne pas s'isoler »,

« à comprendre au lieu de juger ». La littérature doit se mettre au service de ceux qui subissent l'histoire, elle doit « ne pas oublier [leur] silence et le faire retentir par les moyens de l'art ». Ainsi, l'écrivain assumera « les deux charges qui font la grandeur de son métier : le service de la vérité et celui de la liberté » (**142. Camus**).

Quels rapports établir entre la littérature et la politique ? Selon Calvino la littérature ne doit pas se réduire à l'expression de vérités déjà connues, qu'elles concernent la politique ou la nature humaine. Elle « donne une voix à qui n'en a pas », elle impose des « modèles-valeurs qui sont en même temps esthétiques et éthiques ». De surcroît, par sa capacité à réfléchir sur ses propres conditions d'élaboration, elle renvoie la politique à ce qui, en elle, n'est que « construction verbale, mythe, topos* littéraire » (**143. Calvino**).

Ce refus de la littérature à visée idéologique est encore plus affirmé chez les écrivains qui ont fait la dure expérience de la censure et de l'embrigadement artistique (**144. Gao Xingjian**). Mais si « la littérature […] laiss[e] le tapage de la scène démocratique aux orateurs » politiques, c'est « pour voyager dans les profondeurs de la société » et fournir une « lecture des lois d'un monde sur le corps des choses banales et des mots sans importance » (**145. Rancière**).

---

139. VICTOR HUGO
William Shakespeare (1864)

Partant du postulat selon lequel « **toute œuvre est une action** », Victor Hugo définit dans *William Shakespeare* ce que doit être l'action spécifique du théâtre et, au-delà, de toute œuvre littéraire.

« Soyez utiles ! Servez à quelque chose »

> *Hugo affirme la nécessité, pour le dramaturge, de **s'inscrire dans les luttes de son temps** qu'elles soient scientifiques, politiques ou intellectuelles. L'œuvre d'art doit concilier le Beau et l'utile , « il s'agit d'être efficaces et bons ». Si l'artiste « cherche la solitude » nécessaire à sa création, il ne cherche pas « l'isolement » et reste inclus dans la société des hommes auxquels ils dévoue son œuvre.*
>
> *Cette intégration de l'art au réel et à ses problèmes n'est pas pour autant une déperdition. La valeur intrinsèque de l'œuvre ne s'en trouve pas amoindrie.*

Ah! esprits! soyez utiles, servez à quelque chose. Ne faites pas les dégoûtés quand il s'agit d'être efficaces et bons. L'art pour l'art peut être beau, mais l'art pour le progrès est plus beau encore. Rêver la rêverie est bien, rêver l'utopie est mieux. Ah! il vous faut du songe? Eh bien, songez l'homme meilleur. Vous voulez du rêve? en voici: l'idéal. Le prophète cherche la solitude, mais non l'isolement. Il débrouille et développe les fils de l'humanité noués et roulés en écheveau dans son âme; il ne les casse pas. Il va dans le désert penser, à qui? aux multitudes. Ce n'est pas aux forêts qu'il parle, c'est aux villes. Ce n'est pas l'herbe qu'il regarde plier au vent, c'est l'homme; ce n'est pas contre les lions qu'il rugit, c'est contre les tyrans. Malheur à toi, Achab! malheur à toi, Osée! malheur à vous, rois! malheur à vous, pharaons! c'est là le cri du grand solitaire. Puis il pleure.

Sur quoi? sur cette éternelle captivité de Babylone, subie par Israël jadis, subie par la Pologne, par la Roumanie, par la Hongrie, par Venise, aujourd'hui. Il veille, le penseur bon et sombre; il épie, il guette, il écoute, il regarde, oreille dans le silence, œil dans la nuit, griffe à demi allongée vers les méchants. Parlez-lui donc de l'art pour l'art, à ce cénobite de l'idéal. Il a son but et il y va, et son but, c'est ceci: le mieux. Il s'y dévoue.

Il ne s'appartient pas, il appartient à son apostolat. Il est chargé de ce soin immense, la mise en marche du genre humain. Le génie n'est pas fait pour le génie, il est fait pour l'homme. Le génie sur la terre, c'est Dieu qui se donne. Chaque fois que paraît un chef-d'œuvre, c'est une distribution de Dieu qui se fait. Le chef-d'œuvre est une variété du miracle. De là, dans toutes les religions et chez tous les peuples, la foi aux hommes divins. On se trompe si l'on croit que nous nions la divinité des christs.

Au point où la question sociale est arrivée, tout doit être action commune. Les forces isolées s'annulent, l'idéal et le réel sont solidaires. L'art doit aider la science. Ces deux roues du progrès doivent tourner ensemble. Ô génération des talents nouveaux, noble groupe d'écrivains et de poètes, légion des jeunes, ô avenir vivant de mon pays! vos aînés vous aiment et vous saluent. Courage! dévouons-nous. Dévouons-nous au bien, au vrai, au juste. Cela est bon.

Quelques purs amants de l'art, émus d'une préoccupation qui du reste a sa dignité et sa noblesse, écartent cette formule, *l'art pour le progrès*, le Beau Utile, craignant que l'utile ne déforme le beau. Ils tremblent de voir les bras de la muse se terminer en mains de servante. Selon eux, l'idéal peut gauchir dans trop de contact avec la réalité. Ils sont inquiets pour le sublime s'il descend jusqu'à l'humanité. Ah ! ils se trompent.

L'utile, loin de circonscrire le sublime, le grandit. L'application du sublime aux choses humaines produit des chefs-d'œuvre inattendus. L'utile, considéré en lui-même et comme élément à combiner avec le sublime, est de plusieurs sortes ; il y a de l'utile qui est tendre, et il y a de l'utile qui est indigné. Tendre, il désaltère les malheureux et crée l'épopée sociale ; indigné, il flagelle les mauvais, et crée la satire divine. Moïse passe à Jésus la verge, et, après avoir fait jaillir l'eau du rocher, cette verge auguste, la même, chasse du sanctuaire les vendeurs.

Quoi ! l'art décroîtrait pour s'être élargi ! Non. Un service de plus, c'est une beauté de plus.

> Victor Hugo, *William Shakespeare*, IIᵉ partie, livre VI, « LE BEAU SERVITEUR DU VRAI » (1864), GF Flammarion, 2003, p. 272-274.

NOTIONS CLÉS

Beauté – Critères de qualité – Engagement – Valeurs.

▶ L'œuvre d'art doit s'inscrire dans les problèmes du temps et concourir à la marche au progrès des sociétés.

▶ Contrairement aux thèses des partisans de l'art pour l'art, « l'utile, loin de circonscrire le sublime, le grandit », l'art peut donc être « art pour le progrès ».

140. JEAN-PAUL SARTRE
Présentation des *Temps modernes* (1945)

Partant de la prise de conscience de l'Absurde, Sartre affirme, dans une formule devenue célèbre, que « l'existence précède l'essence ». **L'homme doit donc se construire**, donner sens à cette donnée vide, son existence, par ses actes. Il la déterminera par la mise en œuvre, parfois angoissante, de sa **liberté** au travers de son engagement. L'écrivain, comme tout homme, et plus encore que tout homme, est donc amené à faire des choix qui l'engagent, il ne peut plus se tenir hors du monde et de ses problèmes, retiré dans la pure sphère de l'art. Son œuvre est le signe même de son engagement.

Sartre a exprimé cette théorie dans des textes qui ont marqué des générations d'écrivains et d'intellectuels, notamment dans la présentation des *Temps modernes* ou dans *Qu'est-ce que la littérature ?*

« L'écrivain est en situation dans son époque »

*La position de Sartre en faveur de l'engagement est fondée sur l'analyse de la condition de l'écrivain et de l'œuvre littéraire : puisque « l'écrivain est en situation dans son époque », **il doit s'inscrire dans l'histoire** et mesurer sa part de responsabilité comme ont pu le faire Voltaire, Zola ou Gide en dénonçant les dénis de justice dont ils avaient été les témoins.*

*Alain Robbe-Grillet, au contraire, a fait figurer l'engagement parmi ses « notions périmées ». « L'engagement, c'est pour l'écrivain, la pleine conscience des problèmes actuels de son propre langage, la conviction de leur extrême importance, la volonté de les résoudre de l'intérieur. C'est là, pour lui, la seule chance de demeurer un artiste et, sans doute aussi, par voie de conséquence obscure et lointaine, de servir un jour peut-être à quelque chose – peut-être même à la révolution » (*Pour un nouveau roman*, p. 47).*

Nous ne voulons pas avoir honte d'écrire et nous n'avons pas envie de parler pour ne rien dire. Le souhaiterions-nous, d'ailleurs, que nous n'y parviendrions pas : personne ne peut y parvenir. Tout écrit possède un sens, même si ce sens est fort loin de celui que l'auteur avait rêvé d'y mettre. Pour nous, en effet, l'écrivain n'est ni Vestale, ni Ariel : il est « dans le coup », quoi qu'il fasse, marqué, compromis, jusque dans sa plus lointaine retraite. Si, à certaines époques, il emploie son art à forger des bibelots d'inanité sonore[1], cela même est un signe : c'est qu'il y a une crise des lettres et, sans doute, de la société, ou bien c'est que les classes dirigeantes l'ont aiguillé sans qu'il s'en doute vers une activité de luxe, de crainte qu'il ne s'en aille grossir les troupes révolution-

---

1. Allusion (critique) à Mallarmé qui, dans un sonnet en « -yx » évoque un « ptyx, / Aboli bibelot d'inanité sonore ».

naires. Flaubert, qui a tant pesté contre les bourgeois et qui croyait s'être retiré à l'écart de la machine sociale, qu'est-il pour nous sinon un rentier de talent? Et son art minutieux ne suppose-t-il pas le confort de Croisset, la sollicitude d'une mère ou d'une nièce, un régime d'ordre, un commerce prospère, des coupons à toucher régulièrement? Il faut peu d'années pour qu'un livre devienne un fait social qu'on interroge comme une institution ou qu'on fait entrer comme une chose dans les statistiques; il faut peu de recul pour qu'il se confonde avec l'ameublement d'une époque, avec ses habits, ses chapeaux, ses moyens de transport et son alimentation. L'historien dira de nous: «Ils mangeaient ceci, ils lisaient cela, ils se vêtaient ainsi.» Les premiers chemins de fer, le choléra, la révolte des canuts, les romans de Balzac, l'essor de l'industrie concourent également à caractériser la monarchie de Juillet. Tout cela on l'a dit et répété, depuis Hegel: nous voulons en tirer les conclusions pratiques. Puisque l'écrivain n'a aucun moyen de s'évader, nous voulons qu'il embrasse étroitement son époque; elle est sa chance unique: elle s'est faite pour lui et il est fait pour elle. On regrette l'indifférence de Balzac devant les journées de 48, l'incompréhension apeurée de Flaubert en face de la Commune; on le regrette pour eux: il y a là quelque chose qu'ils ont manqué pour toujours. Nous ne voulons rien manquer de notre temps: peut-être en est-il de plus beaux, mais c'est le nôtre; nous n'avons que cette vie à vivre, au milieu de cette guerre, de cette révolution peut-être. Qu'on n'aille pas conclure par là que nous prêchons une sorte de populisme: c'est tout le contraire. Le populisme est un enfant de vieux, le triste rejeton des derniers réalistes; c'est encore un essai pour tirer son épingle du jeu. Nous sommes convaincus, au contraire, qu'on ne peut pas tirer son épingle du jeu. Serions-nous muets et cois comme des cailloux, notre passivité même serait une action. Celui qui consacrerait sa vie à faire des romans sur les Hittites, son abstention serait par elle-même une prise de position. L'écrivain est en situation dans son époque: chaque parole a des retentissements. Chaque silence aussi. Je tiens Flaubert et Goncourt pour responsables de la répression qui suivit la Commune parce qu'ils n'ont pas écrit une ligne pour l'empêcher. Ce n'était pas leur affaire, dira-t-on. Mais le procès de Calas, était-ce l'affaire de Voltaire? La condamnation de Dreyfus, était-ce l'affaire de Zola? L'administration du Congo, était-ce l'affaire de Gide[1]? Chacun de ces auteurs, en une circonstance particulière de sa vie, a mesuré sa responsabilité d'écrivain.

Jean-Paul SARTRE, Présentation des *Temps modernes*, 1945.

NOTIONS CLÉS

Art pour l'art – Engagement – Fonction de la littérature.

▶ L'écrivain est «en situation dans son époque»; qu'il le veuille ou non, son œuvre manifeste des choix politiques, il est responsable de ses silences mêmes.

▶ C'est pourquoi il doit s'engager délibérément dans l'histoire de son temps.

▶ Jean-Paul SARTRE, *Qu'est-ce que la littérature?* : « La fonction de l'écrivain est de faire en sorte que nul ne puisse ignorer le monde et que nul ne s'en puisse dire innocent. »

—— 141. MARCEL PROUST ——
Le Temps retrouvé (1927)

L'art constitue une des interrogations les plus constantes de *la Recherche*; qui définit l'œuvre comme une élaboration esthétique permettant à l'écrivain de déchiffrer le «livre intérieur de signes inconnus» qu'il porte en lui (voir le texte 6). Bien avant les prises de position de Sartre ou de Robbe-Grillet, en d'autres termes, mais à partir d'un même questionnement, Proust pose le problème de l'engagement de l'œuvre d'art.

Il ne peut y avoir d'art populaire

Selon Proust, élaborer « un art populaire » ou « un art patriotique » est une démarche qui nie l'essence même de l'art.

*Un art populaire qui tenterait de se « rendre accessible au peuple en sacrifiant les raffinements de sa forme » ou en ajustant les sujets à ses centres d'intérêt supposés se tromperait et sur sa propre nature et sur celle de son destinataire. On sait que pour Proust une œuvre nouvelle exige du public un effort d'adaptation (voir le texte 46); aussi **la recherche esthétique** n'est-elle pas un luxe réservé à l'aristocratie (d'ailleurs, « les gens du monde […] sont […] les véritables illettrés ») mais une nécessité absolue.*

---

1. Voir p. 504.

*Il ne peut pas y avoir non plus d'«un art patriotique» puisque l'écrivain, au moment de sa création ne doit pas avoir d'autre but que cette création elle-même : en définissant « ces lois, [...] ces expériences, [...] ces découvertes » qui constituent les étapes du processus créatif, il doit exclusivement tenir compte de « la vérité qui est devant lui » et elle seule, à savoir, **la nécessité interne de sa propre création**. Les œuvres qui ont acquis une valeur patrimoniale sont celles que n'inspirait aucun patriotisme de commande.*

L'idée d'un art populaire comme d'un art patriotique, si même elle n'avait pas été dangereuse, me semblait ridicule. S'il s'agissait de le rendre accessible au peuple, en sacrifiant les raffinements de la forme, «bons pour des oisifs[1]», j'avais assez fréquenté de gens du monde pour savoir que ce sont eux les véritables illettrés, et non les ouvriers électriciens. À cet égard, un art populaire par la forme eût été destiné plutôt aux membres du Jockey qu'à ceux de la Confédération générale du Travail ; quant aux sujets, les romans populaires ennuient autant les gens du peuple que les enfants ces livres qui sont écrits pour eux. On cherche à se dépayser en lisant, et les ouvriers sont aussi curieux des princes que les princes des ouvriers. Dès le début de la guerre M. Barrès avait dit que l'artiste (en l'espèce Titien) doit avant tout servir la gloire de sa patrie. Mais il ne peut la servir qu'en étant artiste, c'est-à-dire qu'à condition, au moment où il étudie ces lois, institue ces expériences et fait ces découvertes aussi délicates que celles de la science, de ne pas penser à autre chose – fût-ce à la patrie – qu'à la vérité qui est devant lui. N'imitons pas les révolutionnaires qui par «civisme» méprisaient, s'ils ne les détruisaient pas, les œuvres de Watteau et de La Tour, peintres qui honorent davantage la France que tous ceux de la Révolution.

Marcel PROUST, *Le Temps retrouvé* (1927),
Éd. Gallimard, coll. «Bibliothèque de la Pléiade», t. III, p. 888.

---

1. Les guillemets tiennent à distance ce lieu commun dont Flaubert se moquait dans son *Dictionnaire des idées reçues* : « *Littérature*. Occupation des oisifs ».

NOTIONS CLÉS

Art – Engagement.

▶ L'œuvre d'art ne doit avoir d'autre finalité que celle de sa vérité et de sa nécessité internes.

▶ Vouloir l'adapter à un public ou à une idéologie prédéterminés revient à la dénaturer.

▶ Gustave FLAUBERT, Lettre à Mᵐᵉ Roger des Genettes : « L'Art ne doit servir de chaire à aucune doctrine sous peine de déchoir ! On fausse toujours la réalité quand on veut l'amener à une conclusion qui n'appartient qu'à Dieu seul. »

142. ALBERT CAMUS
« Discours de Stockholm » (1957)

Partant également du constat de l'Absurde, Camus fait de l'action le moyen de le dominer et de le dépasser. Dans ses romans comme *La Peste*, dans son essai, *L'Homme révolté*, il démontre **la nécessité d'une action** qui engage à la fois l'individu et le groupe. Il s'agit de lutter contre tout ce qui asservit l'homme, tant au plan social que politique ou métaphysique. La révolte aboutit ainsi à la nécessaire **solidarité humaine** dans laquelle l'écrivain, plus que tout autre, est impliqué. Dans ce discours prononcé lors de la remise du prix Nobel de littérature, en 1957, l'écrivain exprime le sens qu'il donne à sa fonction.

« Le service de la vérité et celui de la liberté »

Je ne puis vivre personnellement sans mon art. Mais je n'ai jamais placé cet art au-dessus de tout. S'il m'est nécessaire au contraire, c'est qu'il ne se sépare de personne et me permet de vivre, tel que je suis, au niveau de tous. L'art n'est pas à mes yeux une réjouissance solitaire. Il est un moyen d'émouvoir le plus grand nombre d'hommes en leur offrant une image privilégiée des souffrances et des joies communes. Il oblige donc l'artiste à ne pas s'isoler ; il le soumet à la vérité la plus humble et la plus universelle. Et celui qui, souvent, a choisi son destin d'artiste parce qu'il se sentait différent, apprend bien vite qu'il ne nourrira son art, et sa différence, qu'en avouant sa ressemblance avec tous. L'artiste se forge dans cet aller-retour perpétuel de lui aux autres, à mi-chemin de la beauté dont il ne peut se passer et de la communauté à laquelle il ne peut s'arracher. C'est pourquoi les vrais artistes ne méprisent rien ; ils s'obligent à comprendre au lieu de juger. Et, s'ils ont un parti à prendre en ce monde, ce ne peut être que celui d'une société où, selon le grand mot de Nietzsche, ne régnera plus le juge, mais le créateur, qu'il soit travailleur ou intellectuel.

Le rôle de l'écrivain, du même coup, ne se sépare pas de devoirs difficiles. Par définition, il ne peut se mettre aujourd'hui au service de ceux qui font l'histoire : il est au service de ceux qui la subissent. Ou sinon, le voici seul et privé de son art. Toutes les armées de la tyrannie avec leurs millions d'hommes ne l'enlèveront pas à la solitude, même et surtout s'il consent à prendre leur pas. Mais le silence d'un prisonnier inconnu, abandonné aux humiliations à l'autre bout du monde, suffit à retirer l'écrivain de l'exil, chaque fois, du moins, qu'il parvient, au milieu des privilèges de la liberté, à ne pas oublier ce silence et à le faire retentir par les moyens de l'art.

Aucun de nous n'est assez grand pour une pareille vocation. Mais, dans toutes les circonstances de sa vie, obscur ou provisoirement célèbre, jeté dans les fers de la tyrannie ou libre pour un temps de s'exprimer, l'écrivain peut retrouver le sentiment d'une communauté vivante qui le justifiera, à la seule condition qu'il accepte, autant qu'il peut, les deux charges qui font la grandeur de son métier : le service de la vérité et celui de la liberté. Puisque sa vocation est de réunir le plus grand nombre d'hommes possible, elle ne peut s'accommoder du mensonge et de la servitude qui, là où ils règnent, font proliférer les solitudes. Quelles que soient nos infirmités personnelles, la noblesse de notre métier s'enracinera toujours dans deux engagements difficiles à maintenir : le refus de mentir sur ce que l'on sait et la résistance à l'oppression.

Pendant plus de vingt ans d'une histoire démentielle, perdu sans secours, comme tous les hommes de mon âge, dans les convulsions du temps, j'ai été soutenu ainsi par le sentiment obscur qu'écrire était aujourd'hui un honneur, parce que cet acte obligeait, et obligeait à ne pas écrire seulement. Il m'obligeait particulièrement à porter, tel que j'étais et selon mes forces, avec tous ceux qui vivaient la même histoire, le malheur et l'espérance que nous partagions.

Albert CAMUS, « Discours de Stockholm », 10 décembre 1957,
© Éd. Gallimard, coll. « Bibliothèque de la Pléiade ».

143. ITALO CALVINO
La Machine littérature (1984)

Critique et romancier, Calvino s'interroge sur les rapports entre la littérature et la politique. Il constate que sa génération, celle des années 1950, «a eu pour problème dominant les rapports entre écriture et politique» mais qu'elle n'est pas parvenue à en dénouer le nœud. Selon lui, on ne peut plus se poser le problème dans les mêmes termes, dans la mesure où «l'idée de l'homme comme sujet de l'histoire a vécu», et où, également, «tous les paramètres, toutes les catégories, les antithèses [utilisés] pour définir, classer, projeter le monde sont remis en question».

Calvino signale, de plus, un paradoxe dans ce que l'on appelle le pouvoir de la littérature: il semble, en effet, «que ce soit là où elle est persécutée que la littérature montre ses vrais pouvoirs, en défiant l'autorité, tandis que, dans notre société permissive, elle a conscience de n'être utilisée que pour créer un contraste agréable au sein de l'inflation verbale». Néanmoins, «**la littérature est un des instruments de conscience de soi d'une société**» et, en tant que telle, elle a un rôle politique à jouer.

«Des bons et des mauvais usages politiques de la littérature»

En somme, je crois qu'il y a deux façons erronées de considérer une possible utilité politique de la littérature.

La première est de prétendre que la littérature doit illustrer une vérité déjà possédée par la politique, c'est-à-dire de croire que l'ensemble des valeurs de la politique vient avant, et que la littérature doit simplement s'y adapter. Cette opinion implique qu'on conçoit la littérature comme ornementale et superflue, mais aussi qu'on conçoit la politique comme fixée et sûre de soi, conception qui serait désastreuse. Semblable fonction de pédagogie politique ne peut se concevoir qu'au niveau d'une mauvaise littérature et d'une mauvaise politique.

La seconde erreur est de voir dans la littérature un assortiment de sentiments humains éternels, la vérité d'un langage que la politique tend à oublier et qu'il convient donc de lui rappeler de temps à autre. Pareille conception laisse apparemment plus de place à la littérature, mais en réalité pour la confiner dans un piètre rôle : confirmer du déjà connu, tout au plus se livrer à des provocations naïves, élémentaires, avec le plaisir juvénile de la fraîcheur et de la spontanéité. Derrière quoi on trouve l'idée qu'existe un ensemble de valeurs établies que la littérature a le devoir de conserver, l'idée classique et arrêtée que la littérature serait dépositaire d'une vérité une fois pour toutes donnée. Si elle accepte d'assumer ce rôle, la littérature se réduit à une fonction de consolation, de conservation, de régression : fonction certes plus nuisible qu'utile.

Cela veut-il dire que tout usage politique de la littérature soit erroné ? Non, je crois que, s'il y a deux mauvaises façons d'user politiquement de la littérature, il y en a aussi deux bonnes.

La littérature est nécessaire à la politique avant tout lorsqu'elle donne une voix à qui n'en a pas, lorsqu'elle donne un nom à qui n'a pas de nom, et spécialement à ce que le langage politique exclut ou cherche à exclure. J'entends des traits, des situations, des langages qui relèvent tant du monde extérieur que du monde intérieur : toutes les tendances réprimées, et dans les individus et dans la société. La littérature est comme une oreille qui peut entendre plus de choses que la politique ; elle est comme un œil qui peut percevoir au-delà de l'échelle chromatique à laquelle est sensible la politique. [...]

Mais il existe, je crois, un autre type d'influence qui, si elle n'est peut-être pas plus directe, est certainement plus intentionnelle : c'est la capacité qu'a la littérature d'imposer des modèles de langage, de vision, d'imagination, de travail mental, de mise en relation des données : en somme, la création (et, par création, j'entends l'organisation et le choix) de ce type de modèles-valeurs qui sont en même temps esthétiques et éthiques, et essentiels pour tout projet d'action, spécialement politique.

[...]

J'ai parlé de deux bons usages politiques de la littérature, mais à présent j'en aperçois un troisième, qui se rattache à la conception que la littérature a d'elle-même. Si autrefois la littérature était vue comme miroir du monde, ou comme l'expression directe de sentiments, aujourd'hui nous ne pouvons plus oublier que les livres sont faits de mots, de signes, de procédés de construction; nous ne pouvons plus oublier que ce que les livres communiquent reste parfois inconscient à l'auteur même, que ce que les livres disent est parfois différent de ce qu'ils se proposaient de dire : que, dans tout livre, si une part relève de l'auteur, une autre part est œuvre anonyme et collective.

Une prise de conscience comme celle-là ne vaut pas seulement pour la littérature, mais peut être utile pour la politique, pour lui faire découvrir combien large est la part d'elle-même qui n'est que construction verbale, mythe, *topos** littéraire. La politique, comme littérature, doit avant tout se connaître et se méfier de soi.

Italo CALVINO, *La Machine littérature*,
© Éd. du Seuil, 1984, p. 81-83.

NOTIONS CLÉS

Mythe – Politique – Psychologie – Réception – Valeurs.

▶ La littérature, envisagée dans ses rapports à la politique, n'est ni ornementale ni superflue, elle n'est pas non plus un modèle de valeurs transcendantes et intemporelles.

▶ Elle est utile à la politique « lorsqu'elle donne une voix à qui n'en a pas », lorsqu'elle impose des valeurs « esthétiques et éthiques », et lorsqu'elle tend à la politique le miroir de sa propre remise en cause.

▶ Italo CALVINO, *La Machine littérature* : « On a donné à l'écrivain la possibilité d'occuper l'espace, vacant, d'un discours politique intelligible. Mais cette tâche se présente comme une facilité (il est trop facile de lancer des affirmations générales sans aucune responsabilité pratique), alors qu'elle devrait être la plus difficile qu'un écrivain puisse affronter. »

144. GAO XINGJIAN
La Raison d'être de la littérature (2000)

Né en 1940, Gao Xingjian, romancier, dramaturge et peintre, a souffert de la Révolution culturelle puis de sa situation d'artiste interdit d'expression avant de s'établir en France où son roman *La Montagne de l'âme* (1995) puis le prix Nobel de littérature (2000) lui ont accordé la notoriété. C'est sans doute pour avoir connu l'embrigadement idéologique imposé aux écrivains qu'il s'est prononcé pour « une littérature froide », « purement individuelle » (« c'est une littérature de sauvegarde spirituelle de soi-même afin d'éviter l'étouffement par la société »), qui résiste au pouvoir politique (mais aussi à l'invasion des valeurs du marché de la société de consommation) et animée par **une exigence de vérité** : « La littérature ne vise absolument pas à la subversion, mais elle est précieuse pour révéler ce qu'on connaît peu en l'homme ou pour montrer le visage réel d'un monde que l'on croit connaître mais dont on est en fait dans l'ignorance. La vérité est certainement la qualité la plus fondamentale de la littérature, et la moins réfutable. »

L'écrivain doit être un témoin lucide

En assignant cette fonction à la littérature, Gao Xingjiang se situe dans la lignée du grand réalisme, soucieux de présenter une image fidèle et éclairante de la réalité, allant bien au-delà de la simple « copie » et des « représentations communes ». Il rejette également la littérature qui se réduit à « des jeux d'écriture » et celle qui a une visée politique ou moralisatrice. Cette attitude est inspirée par des valeurs éthiques, mais aussi par des considérations esthétiques : il y va en effet de la survie de l'œuvre, qui ne traversera les siècles que si elle exprime « la réalité de la vie humaine ».

Cette position peut être rapprochée de celle de Gide qui, en 1948, s'opposait aux « leaders de la nouvelle génération, qui jaugent une œuvre selon son efficacité immédiate ». Se situant dans la lignée de Mallarmé, Valéry, Proust, Claudel, il disait mépriser « l'actualité » et distinguait soigneusement le témoignage de l'engagement : « l'art opère dans l'éternel et s'avilit en cherchant à servir, fût-ce les plus nobles causes. J'écrivais : "J'appelle journalisme tout ce qui intéressera demain moins qu'aujourd'hui". Aussi rien ne me paraît plus absurde à la fois et plus justifié que ce reproche que l'on me fait aujourd'hui de n'avoir su m'engager. » Toutefois, il rappelait qu'il s'était engagé en témoignant, « mais les Souvenirs de la cour d'assises, *non plus que la campagne contre les* Grandes Compagnies concessionnaires *du Congo, ou que le* Retour de l'U.R.S.S. *n'ont presque aucun rapport avec la littérature*[1] ».

Cette époque est sans prédictions et sans promesses, et je pense que c'est mieux ainsi. Fini le temps où l'écrivain jouait le rôle du prophète et du juge, les prédictions du siècle dernier sont devenues tromperies. Inutile de créer de toutes pièces de nouvelles superstitions pour l'avenir, mieux vaut attendre en écarquillant les yeux. Mieux vaut que l'écrivain revienne à la place du témoin et exprime, autant qu'il le peut, le réel.

Mais cela ne signifie pas pour autant que la littérature consiste à noter la réalité. Il faut savoir qu'il est très rare que les témoignages donnent toute la réalité, et que souvent ils masquent les causes et les mobiles qui ont engendré les événements. La littérature, elle, quand elle entre en contact avec le réel, peut tout révéler sans exception, depuis le for intérieur des hommes jusqu'au processus des événements, c'est là sa force, à la condition que l'écrivain montre telle quelle la réalité de l'existence humaine, sans inventer de toutes pièces.

La perspicacité de l'écrivain pour saisir la réalité décide de la valeur de l'œuvre et cela, ni les jeux d'écriture ni les techniques de composition ne peuvent le remplacer. En fait, les avis sont partagés sur ce que l'on appelle le réel, et la manière de le toucher diffère selon les personnes, mais on peut se rendre compte au premier coup d'œil si un écrivain a enjolivé les multiples facettes de la vie ou s'il les a exposées sans détours. Transformer l'interrogation sur le réel en une spéculation d'ordre sémantique est affaire de critique littéraire, issue d'une certaine idéologie ; ce genre de principes et de dogmes n'a rien à voir avec la création.

Pour l'écrivain, affronter le réel ou non n'est pas uniquement question de procédé de création, c'est lié intimement à son attitude d'écriture. Savoir si ce qui est écrit est réel ou non signifie aussi : écrit-on de manière sincère ? Ici, le réel n'est pas seulement jugement de valeur littéraire, il revêt aussi un

---

1. *Journal*, 19 janvier 1948, Paris, Gallimard, coll. « Bibliothèque de la Pléiade », p. 322.

sens éthique. L'écrivain n'assume en rien une mission d'éducation morale. Il expose en profondeur les personnages les plus divers qui peuplent l'univers, tout en s'exposant lui-même, y compris son intimité. Le réel, en littérature, pour l'écrivain, équivaut presque à l'éthique, et c'est même l'éthique suprême.

La fiction, entre les mains d'un écrivain rigoureux dans son attitude d'écriture, doit elle aussi avoir comme préalable d'exprimer la réalité de la vie humaine, là réside la force vitale des œuvres impérissables qui ont traversé les siècles. C'est parce qu'il en est ainsi que la tragédie grecque et Shakespeare ne pourront jamais passer de mode.

La littérature n'est pas uniquement une copie de la réalité, elle en traverse les couches extérieures et la pénètre jusque dans ses tréfonds ; elle est le révélateur de l'imaginaire et s'envole très haut au-dessus des représentations communes, adoptant un point de vue macroscopique pour dévoiler les tenants et les aboutissants des situations.

Gao XINGJIAN, *La Raison d'être de la littérature. Discours prononcé devant l'Académie suédoise le 7 décembre 2000*, Éd. de l'Aube, 2000, p. 21-23.

NOTIONS CLÉS

Critères de qualité – Engagement – Réalité et littérature.

▶ L'écrivain doit être un témoin sincère, objectif et perspicace.

▶ La survie de son œuvre dépend de sa capacité à « exprimer la réalité de la vie humaine ».

145. JACQUES RANCIÈRE
Politique de la littérature (2007)

Pour le philosophe Jacques Rancière, l'écriture littéraire est devenue « littérature » à l'âge démocratique ouvert par la Révolution française qui a mis fin au régime des Belles-Lettres en démantelant « cette hiérarchie poétique en accord avec l'ordre du monde » qui privilégiait certains genres et sujets, établissait des relations réglées avec un public choisi. De ce fait, « la différence entre deux humanités, entre les êtres destinés aux grandes actions et aux passions raffinées et les êtres voués à la vie pratique et positive » s'est trouvée annulée et l'art littéraire s'est doté d'un pouvoir neuf. De même que l'activité politique démocratique «reconfigure le partage du sensible», de l'expérience commune, désormais «la littérature intervient en tant que littérature dans ce découpage des espaces et des temps, du visible et de l'invisible, de la parole et du bruit».

Cette «politique de la littérature» confère au langage «une […] puissance de signification et d'action» spécifique (distincte de celle de la parole politique, «en acte»), qui permet «le déploiement et le déchiffrement de ces signes qui sont écrits à même les choses[1]. L'écrivain est l'archéologue ou le géologue qui fait parler les témoins muets de l'histoire commune. Tel est le principe que met en œuvre le roman dit réaliste.» La «**politique de la littérature**» s'accomplit donc en dehors de toute «**volonté de signification**» (il ne s'agit pas ici d'«engagement», comme dans le texte 140), elle ne se résout pas en une parole politique parce qu'elle «délie les corps de toutes les significations qu'on veut leur faire endosser».

Dans «ce nouveau régime de l'art», l'opposition entre le poétique et le prosaïque s'efface. Flaubert affirme ainsi que l'œuvre vaut par le style, défini comme «une manière absolue de voir les choses» (voir le texte 74) et cette «absolutisation du style» est pour Jacques Rancière «la formule littéraire du principe démocratique d'égalité»: il rejette l'analyse de Sartre qui y voit une pétrification du langage[2] ainsi que l'opposition qu'il a établie entre la poésie et la prose (voir le texte 87). Il rejette aussi la conception structuraliste de la «littérarité», d'une écriture littéraire qui ferait «un usage intransitif du langage» et le rendrait à «la pureté de sa matérialité signifiante»[3].

«L'écriture chiffrée du fonctionnement social»

> Pratiquant le «*mélange des genres, des activités et des âges*», cette écriture nouvelle dégage aussi «***la poésie immanente à un monde vécu***», elle donne une vision «*suprasensible*» *des choses du monde moderne: comme le montrent* La Comédie humaine, Les Misérables, *les poèmes de Baudelaire,* «*la littérature est indissolublement une science de la société et la création d'une mythologie nouvelle*», *elle*

---

1. Cf. BALZAC, *Les Chouans*: «Ce ne sera pas sa faute si les choses parlent d'elles-mêmes et parlent si haut.» (Introduction de la première édition, 1829, dans *La Comédie humaine*, t. VIII, Gallimard, coll. «Bibliothèque de la Pléiade», p. 897).

2. «Flaubert écrit pour se débarrasser des hommes et des choses. Sa phrase cerne l'objet, l'attrape, l'immobilise et lui casse les reins, se referme sur lui, se change en pierre et le pétrifie avec elle» (Sartre, *Qu'est-ce que la littérature?* – cité par Jacques RANCIÈRE, qui observe que c'est aussi cette «pétrification» que «les critiques réactionnaires du XIXᵉ siècle» reprochaient à «la littérature nouvelle»).

3. Voir aussi le texte 150 dans lequel Tzvetan TODOROV s'élève contre le formalisme.

peut « *analyser les réalités prosaïques comme des fantasmagories portant **témoignage de la vérité cachée** d'une société* », *définissant ainsi* « *l'identité d'une poétique et d'une politique* ».

Il n'y a donc pas *une* politique de la littérature. Cette politique est au moins double. La «pétrification» que les critiques réactionnaires du xixᵉ siècle et les critiques progressistes du xxᵉ reprochent ensemble à la littérature nouvelle est en réalité l'entrelacement de deux logiques. D'un côté, elle marque l'effondrement du système des différences qui accordait la représentation aux hiérarchies sociales. Elle accomplit la logique démocratique de l'écriture sans maître ni destination, la grande loi de l'égalité de tous les sujets et de la disponibilité de toutes les expressions, qui marque la complicité du style absolutisé avec la capacité de n'importe qui de s'emparer de n'importe quels mots, phrases ou histoires. Mais d'un autre côté, elle oppose à la démocratie de l'écriture une poétique nouvelle qui invente d'autres règles d'adéquation entre la signifiance des mots et la visibilité des choses. Elle identifie cette poétique à une politique ou plutôt à une métapolitique, s'il est juste d'appeler métapolitique la tentative de substituer aux scènes et aux énoncés de la politique les lois d'une «véritable scène» qui leur servirait de fondement. C'est bien ce que fait la littérature en laissant le tapage de la scène démocratique aux orateurs pour voyager dans les profondeurs de la société, en inventant cette herméneutique* du corps social, cette lecture des lois d'un monde sur le corps des choses banales et des mots sans importance dont l'histoire et la sociologie, la science marxiste et la science freudienne se partageront l'héritage. Quand Marx invite le lecteur à s'enfoncer avec lui dans les enfers de la production capitaliste tels que la science les découvre cachés sous la banalité de l'échange marchand, sa référence textuelle est empruntée à la *Divine Comédie* de Dante. Mais le geste herméneutique qu'il accomplit est emprunté, lui, à la poétique de *La Comédie humaine* balzacienne. La marchandise est une fantasmagorie, une chose d'apparence toute simple mais qui se révèle en réalité comme un nœud de subtilités théologiques : ce principe de la science marxiste découle en droite ligne de la révolution littéraire qui s'est détournée de la logique des actions prétendument gouvernées par leurs fins rationnelles vers le monde des significations cachées dans l'apparente banalité. Il lui emprunte même son principe le plus paradoxal : pour comprendre la loi d'un monde, il ne faut pas seulement le chercher dans les choses banales : il faut rendre à ces choses banales leur aspect suprasensible, fantasmagorique, pour y voir apparaître l'écriture chiffrée du fonctionnement social. C'est pour cela que, plus tard, Walter Benjamin pourra recourir à la théorie marxiste du fétichisme pour expliquer par la fantasmagorie marchande et la topographie des passages parisiens la structure de l'imagerie baudelairienne[1]. C'est que la flânerie baudelairienne a son lieu bien moins dans les passages des Grands Boulevards parisiens que dans le magasin-grotte de Balzac[2], celui que conceptualise la théorie du fétichisme et qui hantera la rêverie surréaliste de l'inspirateur immédiat de Benjamin, Aragon[3], dont la promenade enchantée dans le passage de l'Opéra et devant la boutique désuète du marchand de cannes prolonge la description fantastique des Galeries de Bois et de leurs modistes aux chapeaux inconcevables. Il ne s'agit pas là de l'influence de tel auteur sur tel autre. Il s'agit du modèle poétique et métapolitique mis en place par la littérature comme telle, auquel nos sciences humaines et sociales doivent en grande partie leurs modes d'interprétation.

La complicité mentionnée plus haut entre les critiques marxisants du xxe siècle et les critiques réactionnaires du xixe doit alors être resituée dans un cadre plus large. La possibilité de deux diagnostics opposés sur la «politique» de la littérature s'inscrit elle-même dans les cadres interprétatifs forgés par cette littérature qui s'est voulue avec Hugo «histoire des mœurs[4]» ou avec Balzac «archéologie du mobilier social». Les

1. Walter BENJAMIN, *Charles Baudelaire : un poète lyrique à l'apogée du capitalisme*, trad. fr. Payot, 1990, coll. «Petite Bibliothèque Payot» 2002.

2. Balzac décrit de manière fantasmagorique le magasin d'un antiquaire au début de *La Peau de chagrin* (1831) et les Galeries de Bois du Palais-Royal dans *Illusions perdues* (1837-1843).

3. Louis ARAGON, «Le Passage de l'Opéra», dans *Le Paysan de Paris*, 1926.

4. Victor Hugo emploie l'expression dans *Les Misérables* (1862) mais elle a surtout été rendue célèbre par l'«Avant-propos» de 1842 de *La Comédie humaine*, où Balzac déclare avoir voulu écrire l'«histoire des mœurs» et s'être fait «l'archéologue du mobilier social» (voir le texte 59c).

critiques du xxᵉ siècle ont cru, au nom de la science marxiste ou freudienne, de la sociologie ou de l'histoire des institutions et des mentalités, démystifier la naïveté littéraire et énoncer son discours inconscient, en montrant comment ses fictions chiffraient sans le savoir les lois de la structure sociale, l'état de la lutte des classes, le marché des biens symboliques ou la structure du champ littéraire. Mais les modèles explicatifs qu'ils ont utilisés pour dire le vrai sur le texte littéraire sont les modèles forgés par la littérature elle-même. Analyser les réalités prosaïques comme des fantasmagories portant témoignage de la vérité cachée d'une société, dire la vérité de la surface en voyageant dans les profondeurs et en énonçant le texte social inconscient qui s'y déchiffre, ce modèle de la lecture symptômale est l'invention propre de la littérature. Elle est le mode même d'intelligibilité dans lequel sa nouveauté s'est affirmée et qu'elle a transmise à ces sciences de l'interprétation qui ont cru, en les lui appliquant en retour, la forcer à avouer sa vérité cachée.

Jacques RANCIÈRE, *Politique de la littérature*,
© Éditions Galilée, 2007, p. 30-32.

NOTIONS CLÉS

Critique – Réalisme – Roman – Style – Vérité.

▶ Dans la société démocratique née de la Révolution française, la littérature invente une poétique nouvelle identifiée à une politique : elle s'attache aux choses banales pour en dégager la poésie et les interpréter comme les signes d'une vérité cachée.

▶ Elle a ouvert la voie aux sciences de l'interprétation comme le marxisme, la psychanalyse, la sociologie, l'histoire des mentalités, qui ont cru bon ensuite de lui apporter leurs lumières.

▶ Jacques RANCIÈRE : « La littérature est devenue une puissante machine d'auto-interprétation et de repoétisation de la vie, capable de reconvertir tous les rebuts de la vie ordinaire en corps poétiques et en signes de l'histoire. »

CHAPITRE 28

Littérature et culture

146 MARCEL PROUST

147 GUSTAVE FLAUBERT,
JULIEN GRACQ

148 ANDRÉ MALRAUX

149 MICHEL TOURNIER

150 TZVETAN TODOROV

S i la culture est capacité d'autoréflexion, faculté d'analyse du moi et du monde, la littérature offre à l'homme la possibilité de se l'approprier en lui donnant les moyens de se comprendre ou, tout au moins, de s'interroger. C'est ainsi, selon Proust, que seul le livre permet d'accéder à « la vraie vie, la vie enfin découverte et éclaircie », et que, paradoxalement, « la seule vie [...] réellement vécue, c'est la littérature » (**146. Proust**).

Connaissance et compréhension de soi ne sont pas les seuls apports de l'œuvre littéraire. Celle-ci offre au lecteur la possibilité de dépasser sa propre mesure intellectuelle et spirituelle. Ainsi, Flaubert à la lecture de Shakespeare se sent devenir « plus grand, plus intelligent et plus pur ». Gracq, lecteur de Stendhal, éprouve en « pouss[ant] la porte d'un livre de Beyle », le plaisir d'« entr[er] en Stendhalie » comme dans « un refuge fait pour les dimanches de la vie » (**147. Flaubert, Gracq**).

La littérature et l'art en général sont pour l'homme une façon de dépasser les limites du réel et de sa propre condition. L'art est donc pour Malraux « un anti-destin », il découvre dans le dialogue des chefs-d'œuvre, à travers le temps et les civilisations, « l'honneur d'être homme », une façon de vaincre la mort (**148. Malraux**).

La littérature apparaît ainsi comme une pensée permanente, liée aux grands mythes de l'humanité par lesquels « l'homme [...] s'arrache à l'animalité », mythes qu'elle vivifie, irrigue, afin qu'ils ne deviennent pas des « mythes morts », des allégories. Elle est ce par quoi l'écrivain « métamorphose l'âme de ses contemporains » (**149. Tournier**).

La lecture, et notamment celle des romans, doit être encouragée parce qu'elle permet « la compréhension élargie du monde humain » (**150. Todorov**).

146. MARCEL PROUST
Le Temps retrouvé (posthume, 1927)

Au terme de la *Recherche*, le narrateur découvre l'écriture et ses pouvoirs. Contrairement à « l'art prétendu réaliste », « mensonger » parce qu'il s'en tient à « l'apparence du sujet », la littérature telle qu'il la conçoit est **ce qui donne sens à l'existence**, une forme par laquelle le réel devient signifiant. Elle permet une claire conscience de ce que la vie ne livre que fugitivement. Par elle, l'existence « qu'on vit dans les ténèbres » est « ramenée au vrai », est « réalisée dans un livre ». Grâce à la littérature, les lecteurs découvrent donc le réel dans sa complexité mais, aussi, ce qui en eux-mêmes leur échappe, ils deviennent « les propres lecteurs d'eux-mêmes ».

« La seule vie [...] réellement vécue c'est la littérature »

> *Proust oppose « la littérature de notations » à « l'art véritable ». La première, cet « art soi-disant "vécu" », se contente d'enregistrer le réel sans en dégager le sens. Elle n'a donc aucune valeur puisque, les choses étant « sans signification par elles-mêmes », elle se contente de « reproduire », elle n'est « qu'un double emploi ennuyeux et vain ».*
>
> *La véritable littérature, au contraire, est celle qui permet au lecteur de « retrouver, de ressaisir, de [...]* **connaître cette réalité loin de laquelle nous vivon***s » parce que nous n'en avons qu'une approche incomplète, gênée par « la connaissance conventionnelle que nous lui substituons ». Ainsi, sans la littérature, nous risquons de mourir sans avoir connu « ce qui est simplement notre vie ».*
>
> *Mais l'art n'est pas seulement compréhension du moi par le moi, il est aussi, par le biais d'* **« une vision », le style de l'écrivain***, la révélation de l'image subjective que chaque conscience se fait du réel.*

Comment la littérature de notations aurait-elle une valeur quelconque, puisque c'est sous de petites choses comme celles qu'elle note que la réalité est contenue (la grandeur dans le bruit lointain d'un aéroplane, dans la ligne du clocher de Saint-Hilaire, le passé dans la saveur d'une madeleine, etc.) et qu'elles sont sans signification par elles-mêmes si on ne l'en dégage pas? Peu à peu, conservée par la mémoire, c'est la chaîne de toutes ces expressions inexactes où ne reste rien de ce que nous avons réellement éprouvé, qui constitue pour nous notre pensée, notre vie, la réalité, et c'est ce mensonge-là que ne ferait que reproduire un art soi-disant «vécu», simple comme la vie, sans beauté, double emploi si ennuyeux et si vain de ce que nos yeux voient et de ce que notre intelligence constate qu'on se demande où celui qui s'y livre trouve l'étincelle joyeuse et motrice, capable de le mettre en train et de le faire avancer dans sa besogne. La grandeur de l'art véritable, au contraire, de celui que M. de Norpois[1] eût appelé un jeu de dilettante, c'était de retrouver, de ressaisir, de nous faire connaître cette réalité loin de laquelle nous vivons, de laquelle nous nous écartons de plus en plus au fur et à mesure que prend plus d'épaisseur et d'imperméabilité la connaissance conventionnelle que nous lui substituons, cette réalité que nous risquerions fort de mourir sans avoir connue, et qui est tout simplement notre vie. La vraie vie, la vie enfin découverte et éclaircie, la seule vie par conséquent réellement vécue, c'est la littérature; cette vie qui, en un sens, habite à chaque instant chez tous les hommes aussi bien que chez l'artiste. Mais ils ne la voient pas, parce qu'ils ne cherchent pas à l'éclaircir. Et ainsi leur passé est encombré d'innombrables clichés qui restent inutiles parce que l'intelligence ne les a pas «développés». Notre vie, et aussi la vie des autres; car le style pour l'écrivain, aussi bien que la couleur pour le peintre, est une question non de technique mais de vision. Il est la révélation, qui serait impossible par des moyens directs et conscients, de la différence qualitative qu'il y a dans la façon dont nous apparaît le monde, différence qui, s'il n'y avait pas l'art, resterait le secret éternel de chacun. Par l'art seulement nous pouvons sortir de nous, savoir ce que voit un autre de cet univers qui n'est pas le même que le nôtre, et dont les paysages nous seraient restés aussi inconnus que ceux qu'il peut y avoir dans la lune.

Marcel PROUST, *Le Temps retrouvé*, 1927,
Éd. Gallimard, «Bib. de la Pléiade», t. III, p. 894-895.

---

1. Le narrateur du *Temps retrouvé* a noté (p. 882) que «les simples théories de M. de Norpois contre les "joueurs de flûte" avaient refleuri pendant la guerre. Car tous ceux qui n'ont pas le sens artistique, c'est-à-dire la soumission à la réalité intérieure, [...] croient volontiers que la littérature est un jeu de l'esprit destiné à être éliminé de plus en plus dans l'avenir».

NOTIONS CLÉS

Fonction de l'art – Personnalité – Réalité – Style.

▶ La littérature est le seul moyen, pour l'auteur mais aussi pour le lecteur, de se connaître et de connaître le réel.

▶ La vision de l'écrivain, incarnée dans son style, permet l'expérience de l'altérité, la compréhension de la subjectivité d'autrui.

▶ La littérature est donc «la seule vie [...] réellement vécue».

▶ Annie ERNAUX, *Le Vrai Lieu*: «Cette phrase de Proust, que "la vraie vie, la vie enfin découverte et éclaircie, la seule vie par conséquent réellement vécue, c'est la littérature", est pour moi une évidence. La vie *découverte et éclaircie*, les termes sont importants, on les oublie souvent en citant cette phrase. La littérature n'est pas la vie, elle est ou devrait être l'éclaircissement de l'opacité de la vie. »

147. GUSTAVE FLAUBERT, JULIEN GRACQ
Écrivains lecteurs

Deux écrivains, deux lecteurs, deux expériences du plaisir du texte... Flaubert, lecteur de Shakespeare, Gracq lecteur de Stendhal découvrent, dans l'expérience créatrice d'autrui, une expérience personnelle où le plaisir de lire se joint à celui d'une métamorphose intérieure provoquée par la lecture.

147a. Flaubert lecteur de Shakespeare

*C'est par la métaphore filée de l'altitude, de la domination visuelle, que Flaubert traduit la sensation intérieure de plaisir, d'**agrandissement intellectuel et spirituel** que provoque en lui la lecture de Shakespeare. Cette lecture, lui ouvre, lorsqu'il est « parvenu au sommet d'une de ses œuvres », une perspective d'espace, de surplomb, image d'un univers recomposé par la vision du dramaturge. « On n'est plus homme, on est œil », regard découvrant avec étonnement « cette fourmilière » dont on a fait partie, ce monde mesquin auquel l'altitude shakespearienne a permis d'échapper.*

Quand je lis Shakespeare je deviens plus grand, plus intelligent et plus pur. Parvenu au sommet d'une de ses œuvres, il me semble que je suis sur une haute montagne; tout disparaît et tout apparaît. On n'est plus homme, on est *œil*; des horizons nouveaux surgissent, les perspectives se prolongent à l'infini; on ne pense pas que l'on a vécu aussi dans ces cabanes que l'on distingue à peine, que l'on a bu à tous ces fleuves qui ont l'air plus petits que des ruisseaux, que l'on s'est agité enfin dans cette fourmilière et que l'on en fait partie.

Gustave FLAUBERT, Lettre à Louise Colet, 27 septembre 1846.

147b. Julien Gracq lecteur de Stendhal

C'est également sur le mode métaphorique que Gracq décrit le plaisir qu'il prend à la lecture des œuvres de Stendhal, créateur d'un univers spécifique, cette « Stendhalie » que Gracq définit par des termes euphoriques traduisant l'atmosphère particulière de ces romans où « la vie coule plus désinvolte et plus fraîche », où règne « le bonheur de vivre », où « même le vrai malheur se transforme en regret souriant ». La Stendhalie est pour le lecteur « une seconde patrie », où « tout est différent » et qui lui permet, l'espace d'une lecture, de s'alléger du poids du monde et d'échapper à sa nécessité.

Si je pousse la porte d'un livre de Beyle, j'entre en Stendhalie, comme je rejoindrais une maison de vacances: le souci tombe des épaules, la nécessité se met en congé, le poids du monde s'allège; tout est différent: la saveur de l'air, les lignes du paysage, l'appétit, la légèreté de vivre, le salut même, l'abord des gens. Chacun le sait (et peut-être le répète-t-on un peu complaisamment, car c'est tout de même beaucoup dire) tout grand romancier crée un "monde" – Stendhal, lui, fait à la fois plus et moins: il fonde à l'écart pour des vrais lecteurs une seconde patrie, un ermitage suspendu hors du temps, non vraiment situé, non vraiment daté, un refuge fait pour les dimanches de la vie, où l'air est plus sec, plus tonifiant, où la vie coule plus désinvolte et plus fraîche – un Eden des passions en liberté, irrigué par le bonheur de vivre, où rien en définitive ne peut se passer très mal, où l'amour renaît de ses cendres, où même le malheur vrai se transforme en regret souriant.

Julien GRACQ, *En lisant, en écrivant*,
© Éd. Corti, 1980, p. 28-29.

NOTIONS CLÉS

Lecture – Plaisir.

▶ L'œuvre littéraire offre au lecteur un univers particulier, une autre vision du monde, vecteurs de plaisir.

148. ANDRÉ MALRAUX
Les Voix du silence (1951)

Objet constant et privilégié des analyses de Malraux, l'art est compris comme **un moyen de dépasser les limites du réel**, dans la mesure où l'artiste, par son travail créateur, concurrence le monde. Les créations artistiques se répondent d'un siècle à l'autre, d'une esthétique à l'autre, dans un véritable dialogue qui traverse les âges et défie la mort (voir le texte 22).

«Ce long dialogue des métamorphoses et des résurrections»

*Ce dialogue entre les artistes qui fait de Rembrandt l'héritier « des dessinateurs des cavernes » permet à Malraux de **redéfinir l'humanisme**. Celui-ci ne consiste pas à faire mieux que l'animal, comme le suggère Saint-Exupéry rapportant dans* Terre des hommes *(1939) le mot de son camarade Guillaumet, qui avait marché cinq jours et quatre nuits dans la Cordillère des Andes après un accident d'avion : « Ce que j'ai fait, je te le jure, jamais aucune bête ne l'aurait fait ». Il consiste à refuser en l'homme l'animalité et la mort par l'exercice de l'art. L'art permet en effet à l'homme de surmonter son « inexorable dépendance » devant la mort. Pour Malraux, « il n'y a pas de mort invulnérable devant un dialogue à peine commencé », celui que l'art instaure entre des esthétiques, des civilisations, des artistes totalement étrangers les uns aux autres, qui se répondent et se font écho. « Ce long dialogue des métamorphoses et des résurrections » constitue l'essence même de l'art, cette «force et [cet] honneur d'être homme ».*

Mais l'homme est-il obsédé d'éternité, ou d'échapper à l'inexorable dépendance que lui ressasse la mort? Survie misérable qui n'a pas le temps de voir s'éteindre les étoiles déjà mortes! mais non moins misérable néant, si les millénaires accumulés par la glaise ne suffisent pas à étouffer dès le cercueil la voix d'un grand artiste... Il n'y a pas de mort invulnérable devant un dialogue à peine commencé, et la survie ne se mesure pas à sa durée; elle est celle de la forme que prit la victoire d'un homme sur le destin, et cette forme, l'homme mort, commence sa vie imprévisible. La victoire qui lui donna l'existence, lui donnera une voix que son auteur ignorait en elle. Ces statues plus égyptiennes que les Égyptiens, plus chrétiennes que les chrétiens, plus Michel-Ange que Michel-Ange, – plus humaines que le monde – et qui se voulurent une irréductible vérité, bruissent des mille voix de forêt que leur arracheront les âges. Les corps glorieux ne sont pas ceux du tombeau.

L'humanisme, ce n'est pas dire: «Ce que j'ai fait, aucun animal ne l'aurait fait», c'est dire: «Nous avons refusé ce que voulait en nous la bête, et nous voulons retrouver l'homme partout où nous avons trouvé ce qui l'écrase.» Sans doute, pour un croyant, ce long dialogue des métamorphoses et des résurrections s'unit-il en une voix divine, car l'homme ne devient homme que dans la poursuite de sa part la plus haute; mais il est beau que l'animal qui sait qu'il doit mourir, arrache à l'ironie des nébuleuses le chant des constellations, et qu'il le lance au hasard des siècles, auxquels il imposera des paroles inconnues. Dans le soir où dessine encore Rembrandt, toutes les Ombres illustres, et celles des dessinateurs des cavernes, suivent du regard la main hésitante, qui prépare leur nouvelle survie ou leur nouveau sommeil...

Et cette main, dont les millénaires accompagnent le tremblement dans le crépuscule, tremble d'une des formes secrètes, et les plus hautes, de la force et de l'honneur d'être homme.

André MALRAUX, *Les Voix du silence*,
© Éd. Gallimard, 1951, p. 639-640.

NOTIONS CLÉS

Fonction de l'art – Humanisme – Survie de l'œuvre.

▶ L'art est dialogue entre des civilisations et des esthétiques différentes, métamorphoses et résurrections d'une même tentative pour dépasser et vaincre la mort.

▶ L'art est ce qui affirme la force et l'honneur d'être homme.

▶ André MALRAUX, *Les Voix du silence*: «Chacun des chefs-d'œuvre est une purification du monde, mais leur leçon commune est celle de leur existence, et la victoire de chaque artiste sur sa servitude rejoint, dans un immense déploiement, celle de l'art sur le destin de l'humanité.

L'art est un anti-destin.»

149. MICHEL TOURNIER
Le Vent Paraclet (1977)

Michel Tournier, philosophe, traducteur, écrivain et essayiste, a acquis la notoriété après la publication de *Vendredi ou les Limbes du Pacifique* en 1967. Construit à partir du mythe de Robinson Crusoë, ce roman, comme la plupart des romans de l'écrivain, *Le Roi des aulnes*, *Les Météores* ou *Gaspard, Melchior et Balthazar*, inscrit ses personnages au cœur d'une réflexion sur les grands mythes de l'humanité.

Un «mythe actif au cœur de chaque homme»

Selon Michel Tournier, «l'homme ne s'arrache à l'animalité que grâce à la mythologie». Cette accumulation de récits lui permet de se connaître, de définir ses sentiments, voire de les éprouver. «L'âme humaine se forme de la mythologie qui est dans l'air».

Mais un mythe non réactivé se fige en allégorie, figure stérile et immobile, qui n'a plus aucune valeur ontologique. La fonction de la littérature est donc d'«enrichir ou [...] modifier ce bruissement mythologique». L'écrivain est celui qui crée une «œuvre vivante et proliférante» qui, «devenue mythe actif au cœur de chaque homme, refoule son auteur dans l'anonymat et dans l'oubli». Tirso de Molina disparaissant derrière Don Juan...

L'homme ne s'arrache à l'animalité que grâce à la mythologie. L'homme n'est qu'un animal mythologique. L'homme ne devient homme, n'acquiert un sexe, un cœur et une imagination d'homme que grâce au bruissement d'histoires, au kaléidoscope d'images qui entourent le petit enfant dès le berceau et l'accompagnent jusqu'au tombeau. La Rochefoucauld se demandait combien d'hommes auraient songé à tomber amoureux s'ils n'avaient jamais entendu parler d'amour. Il faut radicaliser cette boutade et répondre : pas un seul. Pas un seul, car ne jamais entendre parler d'amour, ce serait subir une castration non seulement génitale, mais sentimentale, cérébrale, totale. Denis de Rougemont illustre également cette idée lorsqu'il affirme qu'un berger analphabète qui dit *je t'aime* à sa bergère n'entendrait pas la même chose par ces mots si Platon n'avait pas écrit *Le Banquet*. Oui, l'âme humaine se forme de la mythologie qui est dans l'air. [...]

Dès lors la fonction sociale – on pourrait même dire biologique – des écrivains et de tous les artistes créateurs est facile à définir. Leur ambition vise à enrichir ou au moins à modifier ce «bruissement» mythologique, ce bain d'images dans lequel vivent leurs contemporains et qui est l'oxygène de l'âme. Généralement ils n'y parviennent que par des petites touches insensibles, comme un grand couturier retrouve parfois dans les robes bon marché des grands magasins quelque chose du modèle unique, audacieux, absurde et hors de prix qu'il a créé dans la solitude de son studio un an auparavant. Mais il arrive aussi que l'écrivain frappant un grand coup métamorphose l'âme de ses contemporains et de leur postérité d'une façon foudroyante. Ainsi Jean-Jacques Rousseau *inventant* la beauté des montagnes, considérées depuis des millénaires comme une horrible anticipation de l'Enfer. Avant lui tout le monde s'accordait à les trouver affreuses. Après lui leur beauté paraît évidente. Il a réussi au suprême degré, c'est-à-dire au point de s'effacer lui-même devant sa trouvaille. [...]

Cette fonction de la création littéraire et artistique est d'autant plus importante que les mythes – comme tout ce qui vit – ont besoin d'être irrigués et renouvelés sous peine de mort. Un mythe mort, cela s'appelle une allégorie. La fonction de l'écrivain est d'empêcher les mythes de devenir des allégories. Les sociétés où les écrivains ne peuvent pas exercer librement leur fonction naturelle sont encombrées d'allégories comme d'autant de statues de plâtre. En même temps l'écrivain domestiqué, émasculé, enfermé dans un académisme rassurant, célébré comme une «grande figure» devient lui-même une statue de plâtre qui prend la place de son œuvre insignifiante, alors qu'au contraire l'œuvre vivante et proliférante, devenue mythe actif au cœur de chaque homme, refoule son auteur dans l'anonymat et dans l'oubli.

Michel TOURNIER, *Le Vent Paraclet*,
© Éd. Gallimard, 1977, coll. «Folio», p. 191 et 193.

NOTIONS CLÉS

Fonction de la littérature – Mythe.

▶ La mythologie est ce qui forme l'âme humaine et lui donne sa spécificité.

▶ La littérature a pour fonction de réactiver la mythologie, d'empêcher que les mythes ne perdent leur valeur ontologique.

▶ L'œuvre littéraire qui devient mythe actif vit aux dépens de son créateur qui disparaît derrière elle.

———— 150. TZVETAN TODOROV ————
La Littérature en péril (2007)

Tzvetan Todorov est un des critiques qui, autour de 1970, ont élaboré en réaction contre l'approche empirique et impressionniste de la littérature «une "poétique", ou étude des propriétés du discours littéraire», sous la bannière de la linguistique et du structuralisme (voir 77. Genette). En 2007, il constate que cette «approche interne» qui, dans son esprit, «devait compléter l'approche externe (étude du contexte historique, idéologique, esthétique)», est devenue exclusive dans les études universitaires et que l'on enseigne au lycée une «littérature réduite à l'absurde»: «les études littéraires ont pour but premier de nous faire connaître les outils dont elles se servent» alors que «l'objectif ultime rest[e] la compréhension de l'œuvre» et, au-delà, la compréhension du monde.

Une «compréhension élargie du monde humain»

> En effet, «plus dense, plus éloquente que la vie quotidienne mais non radicalement différente, la littérature élargit notre univers, nous incite à imaginer d'autres manières de le concevoir et de l'organiser. Nous sommes tous faits de ce que nous donnent les autres êtres humains, nos parents d'abord, ceux qui nous entourent ensuite; la littérature ouvre à l'infini cette possibilité d'interaction avec les autres et nous enrichit donc infiniment» (sur ce thème, voir aussi 70. Salle-

nave). Elle peut aussi faire entendre des vérités désagréables qui ne seraient peut-être pas formulées dans les écrits argumentatifs où s'expriment explicitement thèses et préceptes.

Dans une étude récente[1], le philosophe américain Richard Rorty a proposé de caractériser différemment la contribution de la littérature à notre compréhension du monde. Il récuse l'usage de termes comme «vérité» ou «connaissance» pour décrire cet apport, et affirme que la littérature remédie moins à notre ignorance qu'elle ne nous guérit de notre «égotisme», entendu comme l'illusion d'une autosuffisance. La lecture des romans, selon lui, se rapproche moins de celle des ouvrages scientifiques, philosophiques ou politiques que d'un tout autre type d'expérience : celle de la rencontre avec d'autres individus. Connaître de nouveaux personnages est comme rencontrer de nouvelles personnes, avec cette différence que nous pouvons d'emblée les découvrir de l'intérieur, chaque action du point de vue de son auteur. Moins ces personnages nous ressemblent et plus ils élargissent notre horizon, donc enrichissent notre univers. Cet élargissement intérieur (semblable à certains égards à celui que nous apporte la peinture figurative) ne se formule pas en propositions abstraites, et c'est pourquoi nous avons tant de mal à le décrire ; il représente plutôt l'inclusion dans notre conscience de nouvelles manières d'être, à côté de celles que nous possédions déjà. Un tel apprentissage ne change pas le contenu de notre esprit, mais le contenant lui-même : l'appareil de perception plutôt que les choses perçues. Ce que les romans nous donnent est, non un nouveau savoir, mais une nouvelle capacité de communication avec des êtres différents de nous ; en ce sens, ils participent plus de la morale que de la science. L'horizon ultime de cette expérience n'est pas la vérité mais l'amour, forme suprême du rapport humain.

Faut-il décrire la compréhension élargie du monde humain, à laquelle nous accédons par la lecture d'un roman, comme la correction de notre égocentrisme, ainsi que le veut la description

---

1. R. RORTY, «Redemption from Egotism. James and Proust as spiritual exercises», *Telos*, 3 : 3, 2001 *[N.d.A.]*.

suggestive de Rorty? Ou bien comme la découverte d'une nouvelle vérité de dévoilement, vérité nécessairement partageable par d'autres hommes? La question terminologique ne me paraît pas être de première importance, pourvu que l'on accepte la forte relation qui s'établit entre le monde et la littérature, ainsi que la contribution spécifique de celle-ci par rapport au discours abstrait. La frontière, comme le remarque du reste Rorty, sépare le texte d'argumentation non du texte d'imagination, mais de tout discours narratif, qu'il soit fictif ou véridique, dès lors qu'il décrit un univers humain particulier autre que celui du sujet: l'historien, l'ethnographe, le journaliste se retrouvent ici du même côté que le romancier. Tous, ils participent à ce que Kant, dans un chapitre fameux de la *Critique de la faculté de juger,* considérait comme un pas obligé de la marche vers un sens commun, autant dire vers notre pleine humanité: «Penser en se mettant à la place de tout autre être humain[1].» Penser et sentir en adoptant le point de vue des autres, personnes réelles ou personnages littéraires, est l'unique moyen de tendre vers l'universalité, et nous permet donc d'accomplir notre vocation. C'est pourquoi il faut encourager la lecture par tous les moyens – y compris celle de livres que le critique professionnel considère avec condescendance, sinon avec mépris, depuis *Les Trois Mousquetaires* jusqu'à *Harry Potter*: non seulement ces romans populaires ont amené à la lecture des millions d'adolescents, mais de plus ils leur ont permis de se construire une première image cohérente du monde, que, rassurons-nous, les lectures suivantes amèneront à nuancer et à complexifier.

Tzvetan TODOROV, *La Littérature en péril*,
© Flammarion, 2007, p. 76-78.

NOTIONS CLÉS

Fonction du roman – Lecture – Personnage romanesque.

▶ Le roman, en le mettant en relation avec une multitude de personnages, ouvre le lecteur au point de vue des autres.

▶ Il plonge le lecteur dans un univers humain qui, bien que fictif, lui permet de sortir de lui-même et de se construire une image du monde.

Lexique

Actant : force agissante contribuant à la dynamique de l'action narrative. L'analyse structurale du récit recourt à cette notion pour échapper à l'illusion suscitée par le *personnage*, souvent considéré comme une *personne* alors qu'il n'est qu'un être de papier. Le modèle actanciel fait intervenir six actants : le sujet, l'objet, le destinateur, le destinataire, l'opposant et l'adjuvant (voir 82. Barthes).

Allitération : répétition à des fins expressives d'un phonème, et plus spécialement d'un phonème consonantique. Jakobson (texte 1), analysant le slogan américain *I like Ike*, appelle « allitération vocalique » la répétition des phonèmes/ay/ (ou [aj] dans la notation de l'alphabet phonétique international). On parle aujourd'hui d'**assonance** pour désigner la répétition de phonèmes vocaliques.

Anaphoriques : termes (pronoms, mais aussi adverbes et adjectifs démonstratifs) qui ne peuvent être compris qu'en référence à un segment du même énoncé, appelé *antécédent* ou *interprétant*.

Aporie : contradictions insolubles dans un raisonnement (adj. : une pensée *aporétique*).

Autofiction : récit qui mêle fiction et autobiographie (voir 39. Gasparini).

Axiologique : qui concerne les valeurs.

Behaviourisme : théorie psychologique qui entend étudier scientifiquement le comportement (en américain *behavior*), c'est-à-dire les relations entre les stimulations et les réponses du sujet, sans prendre en compte les états de conscience.

Catharsis : le mot « *katharsis* » ou purgation, emprunté au vocabulaire médical, est employé métaphoriquement par Aristote dans sa *Poétique* pour désigner la faculté qu'a le théâtre tragique, en provoquant la crainte et la pitié par la représentation mimétique, de « purger » le spectateur des émotions de ce genre (voir 11. Aristote).

Connotation : ensemble de significations secondes (affectives, fluctuantes selon les contextes) que peut recevoir un mot, par opposition à sa dénotation, signification, lexicale, fixe. Langage second, la littérature est selon Barthes un langage de connotation (voir le texte 2). De ce fait, elle est travaillée par la polysémie et l'intertextualité*.

Déictique: expression qui fait référence à la situation et au sujet de l'énonciation. *Je, tu, ici, maintenant*, par exemple, sont des déictiques.

Dénégation: dans le vocabulaire psychanalytique, apparition à la conscience et sous le couvert de la négation d'une idée ou d'un sentiment jusque-là refoulé.

Dialogisme: particularité du roman, défini comme phénomène «plurivocal», polyphonique, qui fait entendre plusieurs voix issues de divers langages sociaux (voir 79. Bakhtine).

Didascalie: dans le texte de théâtre, «indications scéniques, noms de lieux, noms de personnes» (A. Ubersfeld, voir le texte 110).

Diégèse: *histoire*, au sens de Genette. «Dans l'usage courant, la diégèse est l'univers spatio-temporel désigné par le récit* »; «diégétique = "qui se rapporte ou appartient à l'histoire" » (*Figures III*, p. 71 et 280).

Distanciation: cette notion fondamentale du théâtre «épique» et didactique de Brecht est définie dans l'introduction du texte 128.

Double articulation du langage théâtral: particularité du texte de théâtre qui fait que le discours d'un personnage a deux destinataires: les autres personnages et le public (voir les textes 109 et 110).

Dramaturgie: 1. Art de composer des pièces de théâtre; Racine est un *dramaturge*. 2. Activité théorique et pratique préparant le passage du texte de théâtre à la représentation: réflexion sur l'interprétation du texte et sur les moyens de la rendre sensible dans le spectacle théâtral (jeu des comédiens, espace scénique et décor, costumes, lumières, etc.); le *dramaturge* travaille en relation avec le metteur en scène, qui peut aussi assurer seul la *dramaturgie*.

Écart esthétique: dans la théorie de la réception*, écart entre l'expérience esthétique du lecteur, constituée à partir des œuvres antérieures, et une œuvre contemporaine, caractérisée par ses innovations formelles (voir 7 et 45. Jauss).

Énoncé: toute suite finie de mots.

Énonciation: acte individuel d'utilisation de la langue, qui produit un énoncé*. Toute énonciation suppose la présence dans l'énoncé d'un destinateur, plus ou moins marquée par des références aux interlocuteurs (*je* et *tu*) et à la situation de l'énonciation (*ici* et *maintenant*) et par l'emploi de termes évaluatifs ou modalisants (qui indiquent un jugement ou la distance que le locuteur prend par rapport à son énoncé).

Éthos: caractère, manière d'être propres à un groupe humain.

Focalisation: point de vue narratif*, dans la terminologie de Genette qui distingue:

– la «focalisation zéro»: vision sans véritable foyer (d'où son nom), elle suppose un narrateur omniprésent et omniscient qui règne sur l'univers fictionnel comme Dieu sur sa création (Narrateur > Personnage).

– la «focalisation interne»: fonctionnant sur une assimilation entre le point de vue du narrateur et celui d'un personnage, elle offre une perspective subjective plus restreinte que la précédente (Narrateur = personnage).

– les «relais de focalisation interne»: énoncés qui présentent la perception d'un personnage dans une narration sans focalisation. Cette alternance de la vision limitée du héros et de la vision ominisciente du narrateur est caractéristique de l'écriture de Stendhal (on parle à ce propos de *réalisme subjectif*).

– la «focalisation externe»: les personnages sont vus de l'extérieur, le narrateur se bornant à un type de narration behaviouriste* (Narrateur < Personnage).

Herméneutique: science de l'interprétation.

Heuristique: qui concerne la recherche.

Histoire: dans la terminologie de Genette, «succession d'événements, réels ou fictifs», qui constitue «le signifié* ou le contenu narratif» du récit* (*Figures III*, p. 72).

Horizon d'attente: cette notion, élément de la théorie de la réception*, est présentée dans le texte 45. Jauss.

Intertextualité: «Interaction textuelle qui se produit à l'intérieur d'un seul texte». Selon Julia Kristeva, «tout texte se situe à la jonction de plusieurs textes dont il est à la fois la relecture, l'accentuation, la condensation, le déplacement et la profondeur».

Isotopie: redondance d'éléments de signification établissant la cohérence d'une séquence textuelle.

Langage: capacité spécifique à l'espèce humaine de communiquer au moyen d'une langue*.

Langue: système de signes vocaux propre à une communauté humaine et qui lui permet de communiquer. Le linguiste Saussure la définit, par opposition à la parole*, comme un code social qui s'impose à l'individu.

Linguistique: étude scientifique du langage, à partir de l'ouvrage fondateur du linguiste genevois Ferdinand de Saussure, *Cours de linguistique générale* (1916).

Linguistique structurale: voir le texte 1. Jakobson. Les concepts de la linguistique structurale, «langue* et parole*», «signifiant* et signifié*», «syntagme* et système» (ou paradigme*), «dénotation* et connotation*» sont présentés dans *Éléments de sémiologie* de Barthes (Seuil, 1964).

Littérarité : « ce qui fait d'un message verbal une œuvre d'art » (voir 1. Jakobson).

Locuteur : sujet parlant, qui produit des énoncés*.

Mètre : vers régulier, comportant une succession déterminée de syllabes (longues et brèves dans la poésie grecque et latine).

Mimèsis : représentation (donc transposition) littéraire de la réalité (voir 11. Aristote). La valeur **mimétique** d'un texte littéraire est donc sa faculté de renvoyer à une réalité connue du lecteur, qui tend à confondre la fiction et le réel : on parle d'effet de réel, d'illusion réaliste, de fonction référentielle.

Morphème : unité minimale de signification identifiable dans un énoncé : le mot *romans* comprend le morphème lexical *roman* et le morphème grammatical -*s*.

Motif : dans le vocabulaire esthétique, un *motif* désigne un ornement, un dessin ou une phrase musicale qui réapparaît dans l'œuvre (en musique, on parle de *leitmotiv*, par exemple pour la « petite phrase » de Vinteuil dans *La Recherche du temps perdu*).

Dans l'analyse littéraire thématique, le *motif* constitue la catégorie sémantique minimale, par opposition au topos, réunion stable de plusieurs motifs, et au thème, catégorie la plus abstraite et la plus générale. Ainsi le *thème* de la naissance de l'amour peut s'exprimer dans le roman par le *topos* de la rencontre des héros, dont le regard est un des *motifs*. Au *thème* de la mélancolie romantique, correspondent le *topos* du jeune homme solitaire dans la nature automnale et le *motif* de la feuille morte. *Topos* est aussi employé au sens de lieu commun.

Narration : « acte narratif producteur » du récit* et de l'histoire* (Genette, *Figures III*, p. 72).

Narrateur : le narrateur est la « voix » qui produit le récit*, « le créateur mythique de l'univers » romanesque (W. Kayser), à distinguer de la personne réelle de *l'auteur*.

« Narrateur et personnages sont essentiellement des "êtres de papier" [...] : *qui parle* (dans le récit) n'est pas *qui écrit* (dans la vie) et *qui écrit* n'est pas *qui est* » (Barthes).

Narratologie : « théorie du récit* ».

Paradigme : ensemble d'unités pouvant être substituées les unes aux autres. Chez Jakobson (texte 1), l'**axe paradigmatique** est ainsi celui de la sélection, par opposition à l'axe syntagmatique*. Il établit des rapports virtuels entre des unités linguistiques appartenant à un même ensemble et substituables. Ce rapport est *in absentia*, la présence de l'une d'elles dans l'énoncé excluant les autres.

Parole: du point de vue linguistique, par opposition à la langue*, «qui est sociale dans son essence et indépendante de l'individu», la parole est la «composante individuelle du langage» (Saussure).

Paronomase: figure de rhétorique qui consiste à rapprocher, à des fins expressives, des paronymes (mots de consonances et/ou de graphies voisines mais de sens différents).

Performatif: alors qu'une expression *constative* ne fait que décrire un événement (ex.: *Je mange*), une expression *performative* décrit une action accomplie par son locuteur tout en réalisant cette action (ex.: *Je jure de dire la vérité*).

Phénoménologie: étude philosophique des phénomènes et des structures de la conscience qui les connaît (d'après le dictionnaire *Lexis)*.

Poétique: «théorie générale des formes littéraires» (Genette, *Figures III*, p. 10).

Point de vue narratif: voir *Focalisation*.

Polysémie: propriété d'un mot qui présente deux ou plusieurs sens et non un seul (*monosémie*).

Positivisme: doctrine ou attitude d'esprit qui définit la connaissance sur le modèle des sciences de la nature et ne s'intéresse qu'aux faits établis par l'expérience.

Réalisme socialiste: doctrine élaborée en URSS dans l'entre-deux-guerres et qui prône la représentation fidèle de la société dans la perspective de l'instauration ou de l'édification du socialisme. Brecht précise que «ce slogan permet de dégager d'excellents critères, des critères qui ne sont pas d'ordre esthétique et formel» *(Sur le réalisme*, 1970, p. 169); c'est dire que le réalisme socialiste devait (ou aurait dû…) s'accompagner d'un renouvellement des formes et n'impliquait nullement, dans son principe, une fixation sur le modèle hérité du roman balzacien.

Réception (de l'œuvre): la théorie de la réception, élaborée par l'école de Constance, définit l'œuvre comme englobant le texte et sa réception par les lecteurs. Celle-ci varie selon le code esthétique, l'horizon d'attente social d'un public donné, ce qui explique la pluralité des sens dégagés. «L'interaction de l'auteur et de son public» constitue donc un phénomène essentiel (voir Iser, texte 4, et Jauss, textes 7, 41, 45).

Récit: au sens restreint défini par Genette, «*récit* désigne l'énoncé narratif» *(Figures III*, p. 71), le signifiant* de *l'histoire* (de la diégèse*).

Référent: le référent du signe* linguistique est l'élément de la réalité auquel renvoie ce signe dans un énoncé donné. Le référent du discours littéraire est donc le monde, ou plutôt l'image du monde que se construit le lecteur à partir du texte.

Sémiologie : « science qui étudie la vie des signes au sein de la vie sociale » (Saussure). Barthes a ainsi étudié la mode comme système de signes. Les mots *sémiologie* et *sémiosis* sont aussi employés au sens de *sémiotique*.

Sémiotique : science des signes du langage littéraire.

Signe (linguistique) : le signe linguistique est analysé depuis Saussure comme l'association arbitraire d'un **signifiant** (par exemple l'image acoustique : [bato] ou graphique : /bateau/) et d'un **signifié** (ici la notion abstraite, virtuelle de bateau). Actualisé dans un énoncé donné, ce signe renvoie à un élément de la réalité (le référent), c'est-à-dire à un bateau bien précis (par exemple dans la phrase : « Quel est ce bateau qui entre au port ? ») Le signe linguistique appartient à un système : il tire sa valeur de son opposition aux autres signes de ce système.

Syntagmatique (Axe) : par opposition à l'axe paradigmatique*, l'axe syntagmatique est celui de la combinaison : il unit des mots selon un rapport *in presentia* dans la linéarité d'un énoncé donné. (Voir 1. Jakobson).

Topos (pluriel : ***topoï***) : voir *motif*.

BLANCKEMAN Bruno, DAMBRE Marc, MURA-BRUNEL Aline (dir.), *Le Roman français au tournant du XXIe siècle*, Presses Sorbonne Nouvelles, 2004.

BLIN Georges, *Stendhal et les problèmes du roman*, Paris, Corti, 1954.

CHARTIER Roger, *Introduction aux grandes théories du roman*, Paris, Dunod, 1990.

COHN Dorrit, *La Transparence intérieure. Modes de représentation de la vie psychique dans le roman*, Paris, Seuil, coll. « Poétique », 1981.

COULET Henri, *Idées sur le roman. Textes critiques sur le roman français. XIIe-XXe siècle*, Paris, Larousse, 1992.

DEL LUNGO Andrea, *L'Incipit romanesque*, 1997, trad. fr. Paris Seuil, 2003.

FOREST Philippe, *Le Roman, le réel. Un roman est-il encore possible ?*, Éditions Pleins Feux, 1999.

GENETTE Gérard, *Nouveau discours du récit*, Paris, Seuil, coll. « Poétique », 1983.

GIRARD René, *Mensonge romantique et vérité romanesque*, Paris, Grasset, 1961.

GOLDENSTEIN Jean-Pierre, *Pour lire le roman*, Louvain, De Bœck-Duculot, 1983.

GREIMAS Julien Algirdas, *Sémantique structurale*, Paris, Larousse, 1966.

HAMON Philippe, *Le Personnel du roman. Le Système des personnages dans les Rougon-Macquart d'Émile Zola*, Genève, Droz, 1983.

JOUVE Vincent, *La Poétique du roman*, Sedes, 1997, Paris, Armand Colin, 2001.

LUKACS Georg, *Balzac et le réalisme français*, Paris, Maspéro, 1967.

PATILLON Michel, *Précis d'analyse littéraire. Structures et techniques de la fiction*, Paris, Nathan, 1974, rééd. 1989.

PATRON Sylvie, *Le Narrateur. Introduction à la théorie narrative*, Armand Colin, coll. « U », 2009.

PROPP Vladimir, *Morphologie du conte*, Paris, Seuil, 1970.

RAYMOND Michel, *Le Roman*, Paris, Armand Colin, 2000.

REY Pierre-Louis, *Le Roman*, Paris, Hachette, 1992.

STALLONI Yves, *Dictionnaire du roman*, Armand Colin, 2006.

TODOROV Tzvetan, *Poétique de la prose*, Paris, Seuil, 1971.

Cinquième partie

ADAM Jean-Michel, *Pour lire le poème*, Louvain, De Bœck-Duculot, 1986.

AQUIEN Michèle et MOLINIÉ Georges, *Dictionnaire de rhétorique et de poétique*, Paris, Le Livre de poche, coll. « La Pochothèque », 1996.

BONNEFOY Yves, *L'Alliance de la poésie et de la musique*, Paris, Galilée, 2007.

BRIOLET Daniel, *Le Langage poétique*, Paris, Nathan, 1984.

CHARLES-WURTZ Ludmila, *La Poésie lyrique*, Paris, Bréal, 2002.

COHEN Jean, *Structures du langage poétique*, Paris, Flammarion, 1966, coll. « Champs ».

– *Le Haut Langage*, Paris, Flammarion, 1979.

COLLOT Michel, *La Poésie moderne et la structure d'horizon*, Paris, PUF, 1989.

– *La Matière-émotion*, Paris, PUF, 1997.

DELAS Daniel et FILLIOLET Jacques, *Linguistique et Poétique*, Paris, Larousse, 1973.

GLEIZE Jean-Marie, *Poésie et Figuration*, Paris, Seuil, 1983.

– *A noir ? Poésie et Littérarité*, Paris, Seuil, 1992.

GREIMAS A. J. et al., *Essais de sémiotique poétique*, Paris, Larousse, 1972.

Groupe µ, *Rhétorique générale*, Paris, Seuil, 1982, coll. « Points ».

JAFFRÉ Jean, *Le Vers et le Poème*, Paris, Nathan, 1984.

JARRETY Michel (dir.), *Dictionnaire de poésie de Baudelaire à nos jours*, PUF, 2001.

JOUBERT Jean-Louis, *La Poésie*, coll. « Cursus », Paris, Armand Colin, 2003 (1re édition 1988).

MAULPOIX Jean-Michel, *Du lyrisme*, Paris, José Corti, 2000.

VAILLANT Alain, *La Poésie*, Paris, Nathan, coll. « 128 », 1992.

Sixième partie

BORIE Monique, de ROUGEMONT Martine, SCHERER Jacques, *Esthétique théâtrale, textes de Platon à Brecht*, CDU et SEDES, 1982.

BROOK Peter, *L'Espace vide*, trad. fr., Paris, Seuil, 1977.

CLAUDEL Paul, *Mes idées sur le théâtre*, Paris, Gallimard, 1966.

DIDEROT Denis, *Entretiens avec Dorval sur « Le Fils naturel »* et *Paradoxe du comédien,* dans *Œuvres esthétiques*, Paris, Garnier, 1968.

DORT Bernard, *Théâtres*, Paris, Seuil, 1986, coll. « Points ».

– *La Représentation émancipée*, Arles, Actes-Sud, 1988.

GIRAUDOUX Jean, *L'Impromptu de Paris*, Paris, Grasset, 1937.

JAUMARON Jacqueline (sous la direction de), *Le Théâtre en France*, Paris, Armand Colin, 1992.

KERBRAT-ORECCHIONI Catherine, « Pour une approche pragmatique du dialogue théâtral », *Pratiques*, n° 41 (« L'Écriture théâtrale »), mars 1984.

MONOD Richard, *Les Textes de théâtre*, Paris, CEDIC, 1977.

KOWZAN Tadeusz, *Sémiologie du théâtre*, Paris, Nathan, 1992.

ROUBINE Jean-Jacques, *Introduction aux grandes théories du théâtre*, Paris, Bordas, 1990.

RYNGAERT Jean-Pierre, *Introduction à l'analyse du théâtre*, Paris, Bordas, 1991.

– *Lire le théâtre contemporain*, Paris, Dunod, 1993.

SALLENAVE Danièle, *Les Épreuves de l'art*, Arles, Actes-Sud, 1988.

SCHÉRER Jacques, *La Dramaturgie classique en France*, Paris, Nizet, 1966.

VILAR Jean, *Le Théâtre, service public*, Paris, Gallimard, 1975.

VITEZ Antoine, *Le Théâtre des idées. Anthologie proposée par Danièle Sallenave et Georges Banu*, Paris, Gallimard, 1991.

Index des notions et des problèmes littéraires

Les nombres renvoient aux numéros des textes.

Une notion peut être présente dans le texte et/ou dans les commentaires qui l'introduisent ou le prolongent.

Index des auteurs cités

Les nombres renvoient aux pages.

Les **caractères gras** signalent un **extrait**, les *italiques* une *citation*, les autres une simple référence.